Business German

Related titles in the series

Accounting
Advertising
Auditing
Book-keeping
Business and Commercial Law
Business and Enterprise Studies
Business French
Business German
Business Italian
Commerce
Cost and Management Accounting
Economics
Elements of Banking
Financial Management
Information Technology
Law
Management Theory and Practice
Marketing
Office Practice
Personnel Management
Psychiatry
Social Services
Statistics for Business
Teeline Shorthand
Typing

Business German

Dieter Herde
Senior Lecturer, Thames Valley University, London
and
Martina Rohr
Senior Lecturer, Thames Valley University, London

Made Simple
An imprint of Butterworth-Heinemann Ltd
Linacre House, Jordan Hill, Oxford OX2 8DP

A member of the Reed Elsevier group

OXFORD LONDON BOSTON
MUNICH NEW DELHI SINGAPORE SYDNEY
TOKYO TORONTO WELLINGTON

First published 1993

British Library Cataloguing in Publication Data
Herde, Dieter
Business German – (Made Simple Books)
I. Title II. Rohr, Martina III. Series
438.3

ISBN 0 7506 0491 3

Typeset by Key Graphics, Aldermaston, Berks
Printed and bound in Great Britain by Clays, St Ives plc

Our special thanks
to
Dr Theo Rohr

Contents

How to use this book xi

Acknowledgements xiii

1 **Geschäftsreise I: Ankunft am Flughafen und im Hotel** 1
Business travel I: Arrival at the airport and in the hotel

Grammar	Redemittel – How to express
adjectives with prepositions, imperative	wish, regret

2 **Geschäftsreise II: Reise mit öffentlichen Verkehrsmitteln** 23
Business travel II: Travelling by public transport

adverbs ending in *-mäßig*, separable and inseparable verbs, prepositions with accusative and dative	

3 **Zahlen, Geld, Preise, Daten** 45
Figures, money, prices, dates

4 **Einladung zum Essen** 65
Invitation to eat out

comparison of adjectives and adverbs, adverbs of place and movement, adverbs ending in *-falls*, *-halber*, *um. . .zu*, *ohne. . .zu*, *anstatt. . .zu*	preferences, thanks

5 **Bürokommunikation I: Das Telefonat** 92
Business communication I: Using the telephone

adverbial expressions of time, geographical names and prepositions	asking permission

6 **Bürokommunikation II: Fernschreiben (Telex), Fernkopierer (Telefax), Teletex, Bildschirmtext** 122
Business communication II: Telex, fax, teletex, viewdata systems

modal verbs, passive voice	

7 **Bürokommunikation III: Computer, Informationstechnologie** 140
Business communication III: Computer, information technology

personal pronouns, statal passive	

8 **Handelskorrespondenz I: Briefe** 158
Business correspondence I: Letters

	dissatisfaction, complaint, standard letter phrases, abbreviations

9 **Handelskorrespondenz II: Aktennotizen, Mitteilungen** 189
Business correspondence II: Memos, notes

	intention

10 **Bewerbung I: Stellenanzeigen und Tips zur Bewerbung in Deutschland** 208
Job applications I: Job advertisements and advice about job applications in Germany

11 **Bewerbung II: Die schriftliche Bewerbung** 231
Job applications II: The written application

relative pronouns, adverbial phrases ending in *-weise*	possibilities

12 **Bewerbung III: Die mündliche Bewerbung** 265
Job applications III: Job interview

reflexive verbs plus prepositions, adverbial expressions of caution, adverbial expressions of intensification	polite inquiry

13 **Berufsausbildung in Deutschland** 281
Vocational training in Germany

nouns, particles, use of *man*	suggestions

14 **Präsentation einer Firma** 298
Presenting a company

prepositions, adjective endings	how to do a presentation

15 **Werbung** 317
Advertising

passive voice, adjectives ending in *-bar*, *-fähig* prepositions plus genitive and dative,	satisfaction

16 **Messen und Ausstellungen** 343
Trade fairs and exhibitions

conjunctions	doubt

17 **Markforschung** 369
Market research

verbs plus dative and genitive, prepositions plus accusative	regret, disappointment

18 **Analyse statistischer Daten** 387
Analysis of statistical data

tenses: imperfect and perfect	increase, decrease

19 **Distribution/Vertrieb** 403
Distribution

compound *da-* plus preposition	interrupt, clarification

20 Export und Transportwesen 421
Export and haulage

adjectives ending in *-frei*, *-los*	reason and explanation

21 Wirtschaftsgeographie 439
Economic geography

prepositions plus genitive	agreement (limited and conditional)

22 Banken 465
Banking

concessive clauses, conditional sentences	

23 Der Betrieb 492
The company

adjectives from verbs, participial phrases	interest

24 Handelsrecht 517
Commercial legislation

use of *es* with certain verbs	demand payment

25 Tarifpartner 531
Industrial relations

	opinion, rejection of opinion or action

Appendix 1: Unregelmäßige Verben – Irregular verbs 552

Appendix 2: Schlüssel – Key 555

Appendix 3: Abkürzungen – Abbreviations 673

Appendix 4: Glossar – Vocabulary list 679

How to use this book

Business German Made Simple is both a *textbook* for learning Business German and a reference book to be consulted at any time for important aspects of German language in a business context.
The book focuses on major business situations *from secretarial to managerial level*, i.e. from writing letters to negotiating, from applying for a job to setting up an exhibition or a business in Germany. The purpose of this book is to familiarize the learner with relevant vocabulary and language structures within realistic business activities.
It is aimed at *business people wanting to trade with the Federal Republic of Germany* or any other German-speaking country. It is ideal for people who do not find the time to study on a regular basis. Although this book is designed as a *self-study* course, it can be successfully used with *students in Further and Higher Education* as part of their study programme, or with those already working *in industry*. It is handy for a quick preparation for any business encounter in the office or for a business trip abroad.
A basic working knowledge of German *grammar* is a prerequisite. However, there are ample opportunities to revise German grammar in relation to its usage in the business context. Simple and sufficient explanations are given. For a more detailed introduction to German grammar the beginner's book 'German Made Simple' in the same series should be consulted.
You may wish to follow the suggested *study pattern* of the book or select units and focus on matters of personal or professional interest. For the more advanced learner it is possible to select grammar exercises for revision purposes or skip over them completely and concentrate on certain business practices and information about the German business environment. It is equally possible to study *idiomatic phrases* (Redemittel – How to express) in isolation in order to prepare a business meeting. To

know the right phrase for expressing your agreement or disagreement and for interrupting a discussion in a polite fashion helps you to trade with your foreign partners confidently

Each unit forms an *independent study unit*. This means that each unit can be selected according to its information value, interest, personal relevance or degree of difficulty. The table of contents lists topics, grammar sections and language functions separately in order to facilitate *quick access* to all aspects of language learning.

A major emphasis is put on the development of an extensive ***vocabulary*** in Business German. Later chapters assume more knowledge of vocabulary and a higher degree of familiarity with the more complex sentence structures. However, *extensive glossaries* help to make all text materials equally accessible to advanced and intermediate learners.

Although the use of ***cassettes*** is recommended, you have the choice of doing exercises as a listening exercise with the use of the cassettes, or as a reading exercise without. You may wish to follow closely the instructions with each listening exercise or determine your own pace by studying the glossary before listening to the text on the cassette. But always cover the text in the book while listening to the cassette.

Exercises include questions and answers, multiple choice questions, right/wrong questions, gap-filling exercises, writing sentences with the help of cues, listening and reading comprehension exercises and exercises which practise business skills such as taking notes, making a presentation and summarizing important information. At the end of each unit there is a section where important words or new vocabulary can be noted down. Fill in this page while working on each unit.

In the ***Appendix*** you will find a *list of irregular verbs* predominently used in the business context. *Sample answer to all exercises* are listed in the ***key-section*** in the appendix. The symbol ⌧ indicates that a text, dialogue or exercise can be found on the accompanying cassettes.

Although glossaries within each unit aim to be comprehensive by taking the different levels of learners into account, the *vocabulary list* in the appendix serves as an additional back-up.

Acknowledgements

We thank the following publishers and companies for their kind permission to reproduce material:

Hamburger Verkehrsverbund, Hamburg
ADAC, München
Flughafen Hamburg
Fachvereinigung Personenverkehr, Bremen
Deutsche Bundesbahn, Mainz
Gaststätte „Im Heidekrug“, Aachen
Parkrestaurant Laurweg, Herzogenrath-Kohlscheid
Restaurant Sieben-Quellen-Hof, Aachen
Deutsche Bundespost, Frankfurt am Main
AVIS Autovermietung GmbH, Frankfurt am Main
Fiegen Bürotechnik, Aachen
Deutsche Olivetti, Frankfurt am Main
Mavis. Intra-Video GmbH, Berlin
Deutsche Bank, Frankfurt am Main
AUDI AG, Ingolstadt
Capital. Das deutsche Wirtschaftsmagazin, Hamburg
3i Gesellschaft für Industriebeteiligungen mbH, Frankfurt am Main
Heinrich Baumann, Grafisches Centrum, Frankfurt am Main
Erich Schmidt Verlag, Bielefeld
The Body Shop International plc, Netherlands
Globus Verlag
KölnMesse, Köln
Deutscher Sparkassenverlag GmbH, Stuttgart
Markt-Info-Berlin, Berlin
Wirtschaftswoche, Düsseldorf
Port of Rotterdam, Netherlands
Helaba, Frankfurt am Main
P & S Promotion, München
Dualit Ltd, London
Atari Deutschland

Acknowledgements

Unit 1

Geschäftsreise I: Ankunft am Flughafen und im Hotel

Business travel I: Arrival at the airport and in the hotel

In this unit, you will learn all the basic expressions required for travelling: from the arrival at the airport – enquiring about transport services, hiring a car, taking a taxi – to booking a hotel. Each unit in this book focuses on selected grammatical features. We begin with the revision of the imperative and some adjectives with prepositions. You will also find helpful phrases to express a wish or regret. The chapter starts with the arrival of a British representative of a publishing house at Hamburg airport.

Flughafen Hamburg

Ankunft in Hamburg

Jacquie Hanrahan (Verlagsrepräsentantin) kommt am Hamburger Flughafen an. Sie wartet mit einem Stadtplan in der Hand am Fließband auf die Gepäckausgabe.

Klaus Hilgert: Kann ich Ihnen helfen? Wo müssen Sie denn hin?
Jacquie Hanrahan: Ich bin im Bellevue Hotel untergebracht. Die Adresse ist „An der Alster".

Klaus Hilgert: Das ist ganz im Zentrum, sehen Sie hier auf der Karte. Ihr Hotel liegt sehr schön.
Jacquie Hanrahan: Wie komme ich denn da am besten hin?
Klaus Hilgert: Ich glaube, der Airport-City-Bus hält dort an der Alster, doch ich weiß nicht genau wo. Und wenn Sie viel Gepäck haben, dann ist ein Taxi wahrscheinlich bequemer.
Jacquie Hanrahan: Ja, Gepäck habe ich eine ganze Menge.
Klaus Hilgert: Dann schlage ich vor, daß wir uns das Taxi zur Innenstadt teilen, ich muß nämlich auch gerade in diese Gegend. Der Fahrpreis wird ungefähr 22,–DM betragen, da sparen wir auch noch etwas Geld.
Jacquie Hanrahan: Gut, ich nehme Ihren Vorschlag an. Ah, da kommen meine Koffer.

oo Im Taxi

Klaus Hilgert: Sehen Sie, da drüben ist schon die Alster.
Jacquie Hanrahan (zum Fahrer): Hotel Bellevue, An der Alster 14.
Klaus Hilgert: Wie lange bleiben Sie denn in Hamburg?
Jacquie Hanrahan: Nur zwei Tage, ich muß dann weiter zur Frankfurter Buchmesse.
Klaus Hilgert: Das war doch eine gute Idee, das Taxi zu teilen. Übrigens, ich heiße Klaus Hilgert.
Jacquie Hanrahan: Und ich Jacquie Hanrahan. Wieviel Geld soll ich Ihnen fürs Taxi geben?
Klaus Hilgert: Geben Sie mir zehn Mark, dann sind wir quitt.
Jacquie Hanrahan: Hier sind zehn Mark. So, jetzt bin ich da. Vielen Dank für die Begleitung. Auf Wiedersehen!
Klaus Hilgert: Auf Wiedersehen und schöne Tage hier in Hamburg!

Glossar

der Verlag (e)	publisher
die Repräsentantin (nen)	representative (female)
das Fließband (¨er)	conveyor belt
die Gepäckausgabe (n)	luggage claim
unterbringen	accommodate, put up
die Karte (n)	map

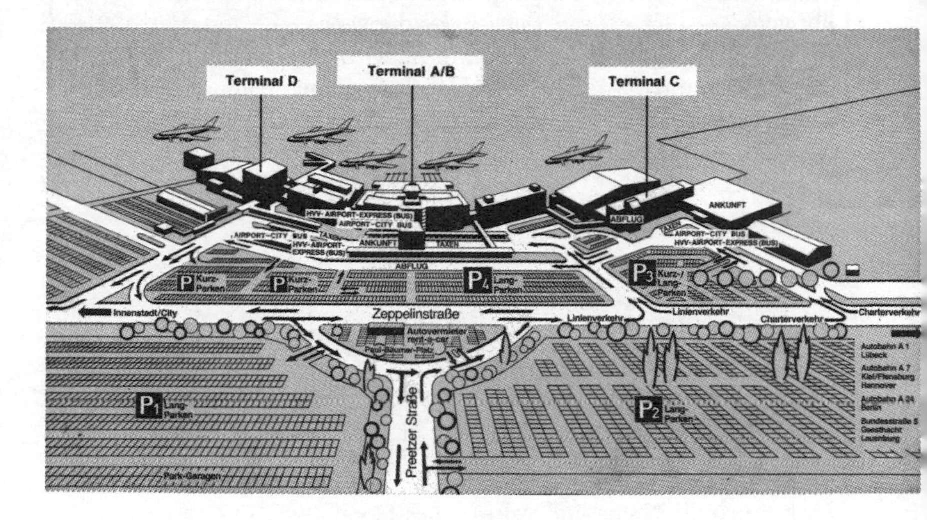

Flughafen Hamburg

das Gepäck (*pl.* = die Gepäckstücke)	luggage
wahrscheinlich	probably
bequem	comfortable
eine ganze Menge	quite a lot
die Innenstadt (¨e)	city centre
teilen	share
nämlich	in fact
die Gegend (en)	area
der Fahrpreis (e)	fare
ungefähr	about
betragen	amount to
sparen	save
einen Vorschlag annehmen	accept an offer
der Koffer (—)	suitcase

da drüben	over there
der Fahrer (—)	driver
die Buchmesse (n)	book fair
übrigens	by the way
dann sind wir quitt	now we are even
die Begleitung (en)	accompanying, company

Exercise 1.1

Beantworten Sie folgende Fragen!

1 Wo lernt Frau Hanrahan im Hamburger Flughafen Herrn Hilgert kennen?
2 Nennen Sie Name und Adresse des Hotels!
3 Wo liegt ihr Hotel?
4 Für welches Verkehrsmittel entscheidet sich Frau Hanrahan?
5 Warum ist die Fahrt mit dem Taxi für sie bequemer?
6 Welchen Vorschlag macht Herr Hilgert?
7 Wie reagiert sie auf Herrn Hilgerts Vorschlag?
8 Wie hoch ist der Fahrpreis für eine Fahrt in die Innenstadt?
9 Warum bleibt Frau Hanrahan nur zwei Tage in Hamburg?
10 Wieviel Geld gibt Frau Hanrahan Herrn Hilgert?

Verkehrsverbindungen zwischen City und Flughafen

Airport-City-Bus

Der Airport-City-Bus mit dem Busunternehmen „Jasper“ verkehrt alle 20 Minuten zwischen dem Hauptbahnhof (Haltestelle Kirchenallee gegenüber dem Deutschen Schauspielhaus) und dem Flughafen. Dort hält er direkt vor den Gebäuden „Charter“, „Ausland“ und „Inland“. Die Fahrtzeit beträgt etwa 25 Minuten. Der Fahrpreis je Person einschließlich Fluggepäck beträgt DM 8,– (Kinder DM 4,–), die Hin- und Rückfahrkarte DM 12,–. Die Familienkarte für 2 Erwachsene und Kinder kostet DM 18,–.

HVV-Airport-Express

Der HVV-Airport-Express (Omnibuslinie 110) verkehrt alle zehn Minuten zwischen dem U- und S-Bahnhof Ohlsdorf und dem Flughafen. Die Haltestellen befinden sich direkt vor den Hallen „Charter”, „Ausland” und „Inland”. Fahrpreis siehe folgenden Absatz „U- und S-Bahn”.

Mit der U- und S-Bahn zum Flughafen

Zwischen dem Hauptbahnhof und Ohlsdorf verkehren U- und S-Bahn. Der Gesamtpreis je Person einschl. Fluggepäck vom Hauptbahnhof bis zum Flughafen beträgt bei dieser Verbindung DM 3,10 und für Kinder bis zu 12 Jahren DM 1,10. Die Fahrzeit vom Hauptbahnhof bis zum Bahnhof Ohlsdorf beträgt 17 Minuten und von dort bis zum Flughafen – mit dem HVV-Airport-Express – neun Minuten.

Taxi

Die Fahrt vom Hauptbahnhof zum Flughafen kostet etwa DM 22,–. Die Fahrzeit liegt zwischen 20 und 25 Minuten.

Flughafen Hamburg

Glossar – Verkehrsverbindungen

die Verkehrsverbindung (en)	travel connection
das Busunternehmen (—)	bus company
verkehren	*here:* operate
der Hauptbahnhof (¨e) = Hbf.	main train station
die Haltestelle (n)	bus stop
gegenüber	opposite
halten	stop
das Gebäude (—)	building
die Fahrtzeit (Fahrzeit) beträgt	the journey time is
etwa	about
einschließlich (= einschl.)	including
das Fluggepäck (*pl.* = Fluggepäckstücke)	flight luggage
die Omnibuslinie (n)	bus line
sich befinden	be situated
siehe folgenden Absatz	see following paragraph
der Gesamtpreis (e)	total price

Exercise 1.2

Finden Sie die Vorteile und Nachteile der verschiedenen Verkehrsverbindungen und füllen Sie die Tabelle aus!

	Bus	Express U-/S-Bahn	Taxi	
Fahrpreis	___	_____	___	22,–DM 8,–DM 3,10DM
Fahrzeit	___	_____	___	25 Min. 20–25 Min. 17 + 9 Min.
Häufigkeit	___	_____	___	alle 10 Min. nach Wunsch alle 20 Min.
Bequemlichkeit	___	_____	___	direkt zum Ziel umsteigen direkt zum Hbf.

Exercise 1.3

Setzen Sie ein!

verkehren	betragen	umsteigen	sich befinden	halten

Wenn man mit der U- und S-Bahn zum Flughafen fährt, muß man ______. Die Fahrtzeit ______ etwa 25 Minuten. Der Airport-City-Bus ______ alle 20 Minuten. Die Haltestelle für den HVV Airport-Express ______ am Ausgang. Ein Taxi ______ natürlich direkt vor Ihrer Haustür.

Beim Empfang

Empfangschef: Guten Tag! Kann ich Ihnen helfen?
Jacquie Hanrahan: Ja, ich habe ein Zimmer reserviert. Mein Name ist Hanrahan.
Empfangschef: Ja, für zwei Nächte, Frau Hanrahan. Sie haben Zimmer Nr. 126 auf der ersten Etage. Wir werden Ihre Koffer hochtragen. Entschuldigen Sie, hier ist ein Brief für Sie angekommen.
Jacquie Hanrahan: Oh, vielen Dank!
Empfangschef: Frühstück gibt es morgens von 6.30 Uhr bis 10.00 Uhr. Wir haben eine Bar, ein Restaurant und auch ein Schwimmbad.
Jacquie Hanrahan: Ein Schwimmbad? Das werde ich gleich einmal ausprobieren. Vielen Dank!

Glossar

der Empfang(¨e)	reception
der Empfangschef (s)	receptionist
die Etage (n)	floor
hochtragen	carry up
ausprobieren	try

Im Hotel am Haustelefon

Rezeption: Rezeption.
Jacquie Hanrahan: Ich habe eine Frage. Haben Sie ein Zugverzeichnis mit Zügen nach Frankfurt?

Rezeption: Leider nicht. Aber ich kann Ihnen die Nummer der Deutschen Bundesbahn geben, und Sie können dort bei der Information anfragen.

Jacquie Hanrahan: Ja, geben Sie mir bitte die Nummer!

Rezeption: Die Nummer ist 1 94 19 (eins vierundneunzig neunzehn).

Jacquie Hanrahan: Vielen Dank! Noch eine Frage: Ich habe keinen Adapter für die deutschen Steckdosen und wollte ganz gerne meinen Haarfön benutzen. Können Sie mir helfen?

Rezeption: Ich habe im Moment leider keinen hier. Wir können Ihnen jedoch einen Haarfön leihen. Ich werde ihn Ihnen bringen lassen. Welche Zimmernummer haben Sie, bitte?

Jacquie Hanrahan: Meine Zimmernummer ist 126. Vielen Dank! Auf Wiederhören!

Rezeption: Auf Wiederhören!

Glossar

das Zugverzeichnis (se)	train timetable
leider	sorry, I am afraid ...
Deutsche Bundesbahn (DB)	German Railway
anfragen	inquire
der Adapter (—)	adaptor
die Steckdose (n)	socket
der Haarfön (e)	hair dryer
leihen	lend

Deutsche Bundesbahn Auskunft

DB Auskunft: Deutsche Bundesbahn Auskunft. Guten Tag!

Jacquie Hanrahan: Guten Tag! Ich möchte gerne übermorgen nach Frankfurt am Main fahren. Können Sie mir bitte einige Züge nennen?

DB Auskunft: Wann wollen Sie denn in Frankfurt ankommen?

Jacquie Hanrahan: So am frühen Nachmittag.

DB Auskunft: Da wäre ein Zug, der um 14.34 Uhr in Frankfurt ankommt und Hamburg um 9.57 Uhr verläßt. Es handelt sich dabei um den Eurocity 77.

Jacquie Hanrahan: Können Sie mir bitte auch noch den nächsten Zug nennen?

DB Auskunft: Die Züge fahren alle genau im Einstundentakt von morgens 6 Uhr bis um 17 Uhr. Immer um „57 nach“. Der nächste also: *ab*

Hamburg 10.57 Uhr, *an* Frankfurt 15.34 Uhr. Und das ist der Intercity 679 „Nympfenburg".

Jacquie Hanrahan: Und wie teuer ist die Fahrkarte?

DB Auskunft: Eine einfache Fahrt oder eine Hin- und Rückfahrt?

Jacquie Hanrahan: Eine einfache Fahrt.

DB Auskunft: Das macht 110,–DM plus 6,–DM Intercity-Zuschlag. Die Reservierung eines Sitzplatzes ist dann kostenfrei.

Jacquie Hanrahan: Gut, vielen Dank für die Auskunft. Auf Wiederhören!

Glossar

die Auskunft (¨e)	information
übermorgen	day after tomorrow
nennen	*here*: to tell
es handelt sich dabei um	*here*: this is
im Einstundentakt	at one hour intervals
die Fahrkarte (n)	ticket
die einfache Fahrt (en)	single ticket
die Hin- und Rückfahrt (en)	return ticket
der Sitzplatz (¨e)	seat
kostenfrei	free of charge

Redemittel: wünschen, erbitten

Ich hätte gerne ...
Könnte ich vielleicht ...
Dürfte ich ...
Wäre es möglich, daß ...
Hätten Sie vielleicht ...
Haben Sie unter Umständen ...
Hätten Sie die Freundlichkeit ... (zu geben)

Exercise 1.4

Beim Empfang

1 Für wie lange hat Frau Hanrahan das Zimmer reserviert?
2 Auf welcher Etage ist ihr Zimmer?
3 Wann gibt es Frühstück im Hotel?
4 Was möchte sie gleich einmal ausprobieren?

Telefongespräch mit der Rezeption

5 Wonach fragt Frau Hanrahan als erstes?
6 Was empfiehlt die Person an der Rezeption?
7 Wie lautet die Telefonnummer, nach der sie gefragt hat?
8 Welches Problem hat sie mit ihrem Haarfön?
9 Wie wird ihr geholfen?

Telefongespräch mit der Auskunft der Deutschen Bundesbahn

10 Wohin möchte Frau Hanrahan fahren?
11 Wann möchte sie ungefähr ankommen?
12 Wie häufig fahren die Züge nach Frankfurt am Main?
13 Für welche Fahrkarte entscheidet sie sich?
14 Was ist bei einer Intercity-Fahrkarte kostenfrei?

Imperative

The imperative expresses a request or an order. There are three different forms of address:

Formal request
(singular and plural): infinitive + *Sie*
Kommen Sie bitte!
Fahren Sie nicht so schnell!

Informal request
(singular: *du*): infinitive stem, no *du*
Komm bitte!
Such die Telefonnummer, bitte!

Informal request
(plural: *ihr*): corresponds with the *ihr*-form, however *ihr* is not expressed
Kommt bitte!
Schreibt bitte die Adresse auf!

When the infinitive stem ends in *-d*, *-t*, *-nd*, *-tm*, *-chn*, *-fn*, *-gn*, *-ig* (and occasionally also used for *-r*) an *-e* is added:
Sende diesen Brief nach Frankfurt!
Arbeite nicht so viel!
Entschuldige bitte!

With infinitives ending in *-ern*, *-eln*, the *e* is shifted:
Ändere diese Bestellung! – Ändern Sie diese Bestellung!

Strong verbs which change their stem vowel from *e* to *i* or *ie*:
Gib mir die Ankunftszeiten! – Geben Sie mir die Ankunftszeiten!
Lies die Broschüre, bitte! – Lesen Sie die Broschüre, bitte!

Exception: *sein*
Seien Sie fleißig! – Sei fleißig! – Seid fleißig!

Exercise 1.5

Formen Sie bitte in den entsprechenden Imperativ um!

Beispiel:
einen Zug heraussuchen (Sie)
Suchen Sie einen Zug heraus!

1 mir ein Zugverzeichnis geben (Sie)__________
2 meine Verspätung verzeihen (ihr)__________
3 mir eine Tageszeitung bringen (Sie)__________
4 mich um 7.15 Uhr wecken (Sie)__________
5 mir etwas Wechselgeld zum Telefonieren geben (du)__________
6 mir schon mal ein Glas Bier bestellen (ihr)__________
7 nicht so viel am Wochenende arbeiten (du)__________
8 eine Rückfahrkarte ausstellen (Sie)__________
9 sich nicht über den Preis erschrecken (Sie)__________
10 in England auf der linken Seite fahren (du)__________
11 mir versprechen, pünktlich am Flughafen zu sein (ihr)__________
12 den Parkplatz hinter dem Hotel benutzen (Sie)__________
13 nicht ungeduldig werden, wenn Ihr warten müßt (ihr)__________
14 mir erlauben, daß ich Sie einlade (Sie)__________
15 nicht vergessen, vor der Reise Geld umzutauschen (du)__________

Adjectives with prepositions

Adjectives: with accusative prepositions	*Adjectives: with dative prepositions*
glücklich über	zufrieden mit
verwundert über	begeistert von
bekannt für	bekannt mit

entsetzt über	bekannt bei
nützlich für	fertig mit
schädlich für	fertig zu
beunruhigt über	fähig zu
froh über	verschieden von
erfreut über	freundlich zu
ärgerlich über	beliebt bei
stolz auf	frei von

Exercise 1.6

Setzen Sie die entsprechenden Präpositionen ein!

1 Frau Hanrahan ist ärgerlich _____ die Verspätung.
2 Sie ist verwundert _____ Herrn Hilgerts Angebot, das Taxi zu teilen.
3 Sie ist begeistert _____ dem Service im Hotel.
4 Das Hotel ist sehr beliebt _____ Geschäftsleuten.
5 Das Personal ist äußerst freundlich _____ den Gästen.
6 Außerdem ist das Hotel bekannt _____ seine gute Küche.
7 Darum ist es auch bekannt _____ Geschäftsreisenden.
8 In Hamburg ist man stolz _____ das ausgezeichnete Verkehrsnetz.
9 Nach drei Tagen ist Frau Hanrahan fertig _____ Abreise nach Frankfurt.
10 Hamburg ist sehr verschieden _____ Frankfurt am Main.

Auf Hotelsuche

(Am Telefon)

Hotel: Hotel Frankenberg. Guten Abend!
Herr Morgan: Guten Abend! Mein Name ist Morgan. Haben Sie ein Einzelzimmer frei?
Hotel: Für heute nacht, oder möchten Sie länger bleiben?
Herr Morgan: Ab heute, für drei Nächte.
Hotel: Einen Moment, bitte... Ja, wir haben noch eins frei. Es ist ein Zimmer mit Dusche.
Herr Morgan: Und mit WC?
Hotel: Leider sind alle Zimmer mit WC oder mit Bad belegt.
Herr Morgan: Wie teuer ist denn das Zimmer?

Hotel: Pro Nacht 60,–DM inklusive Frühstück.

Herr Morgan: Gut, einverstanden. Ich nehme mir jetzt ein Taxi und komme dann gleich zu Ihnen. Sie reservieren mir das Zimmer bis gleich, ja?

Hotel: Selbstverständlich. Aber sagen Sie mir noch mal Ihren Namen, bitte.

Herr Morgan: Morgan. M–O–R–G–A–N.

Hotel: Danke, Herr Morgan, bis in zehn Minuten dann?

Herr Morgan: Ja, genau, länger werde ich vom Bahnhof nicht brauchen. Auf Wiederhören!

Hotel: Wiederhören!

Glossar

das Einzelzimmer (—)	single room
die Dusche (n)	shower
leider...	I am sorry...
belegt	taken, occupied
WC	toilet
das Frühstück	breakfast
gleich	at once, immediately
bis gleich	until then
selbstverständlich	certainly

Redemittel: sich entschuldigen, Bedauern ausdrücken

Entschuldigen Sie bitte.
Oh, pardon!

Das tut mir wirklich sehr leid.
Es tut mir leid.
Das bedauere ich sehr.
Leider...

Exercise 1.7

Formen Sie die falschen Aussagen in richtige Aussagen zum Dialog um!

Beispiel:
Herr Morgan erkundigt sich nach einem Doppelzimmer.
Nein, er__________.
Nein, er erkundigt sich nach einem Einzelzimmer.

1 Er möchte ab übermorgen für sieben Nächte bleiben.
Nein, er ______________________________________.
2 Es ist noch ein Zimmer mit Bad frei.
Nein, es ______________________________________.
3 Alle Zimmer mit Dusche sind belegt.
Nein, alle Zimmer ______________________________.
4 Das Frühstück ist nicht im Preis inbegriffen.
Doch, es ______________________________________.
5 Herr Morgan fährt mit der Straßenbahn zum Hotel.
Nein, er ______________________________________.
6 Das Hotel kann ihm das Zimmer übers Telefon nicht reservieren.
Doch, es ______________________________________.
7 Er braucht mit der Straßenbahn eine halbe Stunde bis zum Hotel.
Nein, er ______________________________________.

Die Autovermietung

Herr Klarbeck ruft die Autovermietung „Selbstfahrer-Union" an.

Herr Martens: „Selbstfahrer-Union", Martens.

Herr Klarbeck: Ich möchte gerne einen Wagen mieten. Können Sie mir vielleicht einige Preise nennen?

Herr Martens: Was für ein Wagen soll es denn sein? Polo, Golf, Audi, BMW, Mercedes?

Herr Klarbeck: Einen Golf, bitte. Ich hätte den Wagen gerne ab morgen früh für zwei Tage.

Herr Martens: Der Pauschaltarif für einen Golf CL beträgt pro Tag 167,00 DM. Wenn Sie weniger als ca. 200 km fahren, lohnt sich die Bezahlung getrennt nach Tagen und Kilometern.

Herr Klarbeck: Nein, nein. Ich habe schon vor, mehr als 400 km zu fahren. Kommen da noch irgendwelche Kosten hinzu?

Herr Martens: Wenn Sie eine Vollkaskoversicherung abschließen wollen, kostet das 20,00 DM pro Tag extra, und der Insassenunfallschutz ist für 5,00 DM pro Tag erhältlich.

Herr Klarbeck: Gut, können Sie mir denn einen für morgen reservieren?

Herr Martens: Ja, das ist möglich. Sagen Sie mir dann bitte Ihren Namen ...

Glossar – Autovermietung

die Autovermietung (en)	car rental
mieten	rent
der Wagen (—)	car
der Pauschaltarif (e)	flat rate
pro	per
sich lohnen	be worth while
die Bezahlung (en)	payment
getrennt	separately
vorhaben	plan, intend
irgendwelche	any
es kommen Kosten hinzu	there are further charges
die Vollkaskoversicherung (en)	full comprehensive insurance
abschließen	take out, sign
der Insassenunfallschutz *(no pl.)*	passenger insurance
erhältlich	available

Glossar – PKW-Tarife

der PKW (s) (= der Personenkraftwagen) (—)	car
der Tarif (e)	tariff
ausstatten	equip
die Einheit (en)	unit
berechnen	calculate
die Ausstattung (en)	equipment, extra
das Schiebedach (¨er)	sun roof
die Klimaanlage (n)	air conditioning
die Servolenkung (en)	power-assisted steering
das ABS (=Anti-Blockier-System)	antiblock device
die Aut. (= Automatik)	automatic transmission
der Variant	estate car
z.T. (= zum Teil)	partly
die Anhängekupplung (en)	trailer coupling
der 9-Sitzer	9-seater
fettgedruckt	in bold print
die MwSt. (=die Mehrwertsteuer)	value added tax
Änderungen vorbehalten	subject to alteration

PKW-Tarife

Gruppe	Typ	Zeit- und km-Tarif		Pauschaltarif, unbe	
		pro Tag je 24 Std. ohne km DM [16]	pro km DM [16]	pro Tag je 24 Std. inkl. km DM [17]	pro Woche inkl. km DM
A	**VW Polo CL** **Opel Corsa**	**64,00** 56,14	**0,64** 0,56	**132,00** 115,78	**623,** 546,
B	**VW Golf CL** **Opel Kadett LS**	**72,00** 63,16	**0,72** 0,63	**167,00** 146,49	**805,** 706,
X	**VW Golf GL** **Renault 19 GTS**	**84,00** 73,68	**0,84** 0,74	**195,00** 171,05	**931,** 816,
C	**Audi 80 1,8 S** **Opel Vectra GL**	**99,00** 86,84	**0,99** 0,87	**229,00** 200,87	**1.113,** 976,
D	**VW Jetta GL Aut.**	**102,00** 89,47	**1,00** 0,88	**239,00** 209,64	**1.155,** 1.013,
E	**Audi 100 2,3 E**	**106,00** 92,98	**1,03** 0,90	**269,00** 235,96	**1.302,** 1.142,
F	**Opel Omega 2,0i Aut.** **Mercedes 190 E Aut.**	**108,00** 94,74	**1,08** 0,95	**281,00** 246,49	**1.337,** 1.172,
M	**BMW 520i** **Mercedes 190 E Sportline**	**119,00** 104,39	**1,12** 0,98	**293,00** 257,01	**1.414,** 1.240,
H	**Audi V8 Aut.** **BMW 735i Aut.** **Mercedes 300 SE Aut.**	**193,00** 169,30	**1,73** 1,52	**413,00** 362,28	**1.974,** 1.731,
K	**VW Passat Variant CL** z.T. mit Anhängekupplung	**116,00** 101,75	**1,11** 0,97	**274,00** 240,35	**1.323,** 1.160,
N	**VW Caravelle CL** 9-Sitzer, z.T. Anhängekuppl.	**158,00** 138,59	**1,52** 1,33	**353,00** 309,64	**1.750,** 1.535,
W	**VW Golf Cabrio**	**89,00** 78,07	**0,86** 0,75	**239,00** 209,65	**1.148,** 1.007,
Y	**BMW 320i Cabrio**	**108,00** 94,74	**1,08** 0,95	**281,00** 246,49	**1.337,** 1.172,

☎ Die genannten Fahrzeugtypen sind mit Telefon ausgestattet. Nur die Einheiten werden mit DM 0,70 (0,61) berechnet.

·enzte km	Wochenende Standard	Super		Ausstattung				
jeder weitere Tag	Fr. 12.00 bis Mo. 9.00 Uhr inkl. 2000 km	Do. 16.00 bis Mo. 9.00 Uhr oder Fr. 16.00 bis Di. 9.00 inkl. 2000 km	Mehr-km	Telefon	Schiebedach	Klimaanlage	Servolenkung	ABS
DM 31	DM 20	DM 19	DM 19/20					
89,00 78,07	**122,00** 107,01	**179,00** 157,01	**0,55** 0,48		● ●			
115,00 100,87	**135,00** 118,42	**203,00** 178,07	**0,62** 0,54		● ●			
133,00 116,66	**149,00** 130,70	**220,00** 192,98	**0,71** 0,62		● ●		●	
159,00 139,47	**170,00** 149,12	**257,00** 225,43	**0,89** 0,78		● ●		● ●	
165,00 144,73	**179,00** 157,01	**265,00** 232,45	**0,89** 0,78		●		●	
186,00 163,15	**220,00** 192,98	**329,00** 288,59	**0,93** 0,81			●	●	●
191,00 167,54	**230,00** 201,75	**356,00** 312,28	**0,94** 0,82		● ●		● ●	 ●
202,00 177,17	**320,00** 280,70	**485,00** 425,43	**1,04** 0,91	 ●	● ●		● ●	● ●
282,00 247,36	**428,00** 375,43	**644,00** 564,91	**1,39** 1,21	z.T.	● ● ●	● ● ●	● ● ●	● ● ●
189,00 165,78	**221,00** 193,85	**311,00** 272,80	**0,89** 0,78		●		●	
250,00 219,29	**359,00** 314,91	**539,00** 472,80	**1,30** 1,14					
164,00 143,86	**179,00** 157,02	**264,00** 231,58	**0,86** 0,75				●	
191,00 167,54	**319,00** 279,82	**485,00** 425,44	**0,94** 0,82				●	●

ADAC

Exercise 1.8

Fragen zum Telefonat

1 Warum ruft Herr Klarbeck die Autovermietung an?
2 Für wann und wie lange braucht Herr Klarbeck einen Wagen?
3 Welche Bezahlungsmöglichkeit lohnt sich, wenn man weniger als 200 km fährt?
4 Welche Versicherungen kann Herr Klarbeck abschließen?

Bremer Taxifahrer

Glossar

das Taxi (s), die Taxe (n)	taxi
der Fluggast (¨e)	passenger
der Weg (e)	*here*: distance
die Einrichtung (en)	institution
angemessen	reasonable, appropriate
die Verkehrsdichte (n)	traffic density
weit darüber hinaus	far beyond it
die Stadtgrenze (n)	city boundary
die Rückfahrt (en)	return trip
berechnen	charge
ungefähr	approximate
auf der Rückseite	overleaf
entnehmen	gather from
die Kreditkarte (n)	credit card
begleichen	pay, settle
kennzeichnen	mark
zur Verfügung stehen	be available
beraten	advise
die Ankunftshalle (n)	arrival (hall)

Sehr geehrter Fluggast!

Wir, die Bremer Taxifahrerinnen und -fahrer, begrüßen Sie auf das herzlichste in unserer schönen Stadt!

Bremen ist eine Stadt der kurzen Wege. Sie können fast alle wichtigen Einrichtungen in kürzester Zeit zu einem angemessenen Fahrpreis mit dem Taxi erreichen. Eine Fahrt vom Flughafen bis zur Stadtmitte kostet je nach Verkehrsdichte ca. DM 10,– bis DM 12,–.

Natürlich bringen wir Sie auch an jeden anderen Punkt unserer Stadt und, wenn gewünscht, weit darüber hinaus. Bei Fahrten über unsere Stadtgrenzen wird die Rückfahrt nicht berechnet. Den ungefähren Fahrpreis können Sie aus dem Plan auf der Rückseite entnehmen.

Wollen Sie mit einer Kreditkarte Ihre Fahrtkosten begleichen, stehen Ihnen besonders gekennzeichnete Taxen zur Verfügung.

Wir beraten Sie gern und erwarten Sie vor der Ankunftshalle.

Mit freundlichen Grüßen
Ihre
Bremer Taxifahrerinnen und Taxifahrer

Fachvereinigung Personenverkehr Bremen

Exercise 1.9

Fragen zum Flugblatt

		richtig	falsch
1	In Bremen sind die Entfernungen nicht groß.	☐	☐
2	Der Preis einer Taxifahrt vom Flughafen zur Innenstadt kostet normalerweise mehr als 12,–DM.	☐	☐
3	Bei Fahrten über die Stadtgrenze Bremens hinaus zahlt man auch für die Rückfahrt des Taxis.	☐	☐

4 Nur bei manchen Taxen kann man mit Kreditkarte zahlen. ☐ ☐
5 Man kann vor der Ankunftshalle gleich in die Taxen einsteigen. ☐ ☐

Taxis

Auch in deutschen Großstädten ist es noch unüblich, auf der Straße ein Taxi anzuhalten. Man bestellt entweder ein Taxi telefonisch, oder man geht zu einem Taxistand, wo man dann in das erste Taxi einsteigt.

Glossar

die Großstadt (¨e)	major city
unüblich	uncommon, not customary
anhalten	stop
entweder ... oder	either ... or
telefonisch	by telephone
der Taxistand (¨e)	taxi stand
einsteigen	get in

Exercise 1.10

Am Telefon: Taxi bestellen

Hören Sie sich die Telefonate auf der Kassette an, und beantworten Sie die folgenden Fragen!

(Wenn Sie diese Übung als Lese- und Schreibübung machen wollen, lesen Sie die Telefondialoge im Schlüssel!)

Fragen zum Telefonat 1

1 Wonach erkundigt sich Herr Dawson?
2 Wonach wird er gefragt?
3 Wann wird das Taxi bei ihm sein?

Fragen zum Telefonat 2

1 Für welchen besonderen Service des Taxiunternehmens interessiert sich Frau Sieger?
2 Wann hätte sie das Taxi gerne?

3 Wohin will sie dann fahren?
4 Wann muß sie genau dort sein?
5 Wo wohnt Frau Sieger?
6 Wie lautet ihre Telefonnummer?

Fragen zum Telefonat 3

1 Für wen braucht Frau Dolldinger ein Großraumtaxi?
2 Für welche Fahrt wird das Taxi benötigt?
3 Warum hat das Taxiunternehmen zu diesem Zeitpunkt kein Großraumtaxi zur Verfügung?
4 Welche Alternative des Taxiunternehmens nimmt Frau Bremer an?
5 Wie bekommt das Taxiunternehmen das Geld?
6 Wann kommen die Taxen bei der Firma Dolldinger an?

Wichtige Begriffe aus diesem Kapitel

1 Substantive (nouns)

deutsch	*englisch*

2 Verben + Kasus (verbs + case)

deutsch	*englisch*

3 Wichtige Redewendungen (idiomatic phrases)

deutsch	*englisch*

4 Notizen

Unit 2

Geschäftsreise II: Reise mit öffentlichen Verkehrsmitteln
Business travel II: Travelling by public transport

In this second part dealing with business travel, we focus on travelling by public transport, i.e. buying tickets at an underground station and at a railway station. You will also learn how to get train information and how to use a German ticket machine. We continue looking at prepositions, this time concentrating on those which take either accusative or dative case. We remind you of the difference between separable and inseparable verbs which is particular to the German language. Throughout the book, we present you with grammatical features which are especially important for business language. In this chapter, we begin with adverbs with the suffix *-mäßig*.

Städtische öffentliche Verkehrsmittel

Mitarbeiterin des Hamburger Verkehrsverbundes: Haben Sie Probleme mit dem Fahrkartenautomaten?
Frau Appleton: Ich möchte in die Innenstadt. Welche Fahrkarte benötige ich dafür?
Mitarbeiterin HVV: Wenn Sie heute noch mehrere Fahrten machen wollen, dann würde ich Ihnen eine Tageskarte empfehlen.
Frau Appleton: Einverstanden, welche Taste muß ich drücken?
Mitarbeiterin HVV: Die Taste 'T'. Es kostet 6,–DM.
Frau Appleton: 6,–DM habe ich aber nicht klein.
Mitarbeiterin HVV: Sie können hier auch Zehn-Mark-Scheine benutzen.
Frau Appleton: O ja! Ich habe einen, vielen Dank für Ihre Hilfe.

Glossar – Städtische . . .	
städtisch	municipal
öffentlich	public
das Verkehrsmittel (—)	transport
die Mitarbeiterin (nen)	employee (female)
der Hamburger Verkehrsverbund	Hamburg Transport
der Fahrkartenautomat (en)	ticket machine
benötigen	need
die Tageskarte (n)	day pass
einverstanden	agreed
die Taste (n)	key
drücken	press
das habe ich nicht klein	I do not have that in change
der Zehn-Mark-Schein (e)	ten-mark-note

Exercise 2.1

Fragen zum Dialog

1 Wofür benötigt Frau Appleton eine Fahrkarte?
2 Warum empfiehlt man ihr eine Tageskarte?
3 Welche Automatentaste muß sie drücken, und wie teuer ist die Fahrkarte?
4 Was kann man machen, wenn man das Geld nicht klein hat?

Hinweise zum Fahrkartenkauf
. . . am Automaten

Auf der Übersichtstafel neben den Schnellbahn-Automaten finden Sie alle Fahrziele mit den Kennzeichen der entsprechenden Preistasten für eine Einzelfahrt. Auf der linken Hälfte der Tafel sind alle Stationen im Schnellbahn-Netz, auf der rechten Hälfte die Ziele mit Umsteigen auf Bus- und Hafenlinien aufgeführt.

Auf dem Automaten selbst erhalten Sie Informationen zu den jeweils erhältlichen Fahrkarten mit den entsprechenden Preisangaben. Vergleichen Sie die Preise, so werden Sie feststellen, daß Sie schon bei einer Hin- und Rückfahrt mit einer Tageskarte, oder wenn Sie mit mehreren unterwegs sind, mit einer Familien-/Gruppenkarte oft günstiger fahren.

Ihre Fahrkarte wählen Sie dann mit der entsprechenden Preistaste am Automaten; die linke Tastenreihe gilt für Fahrkarten ohne Zuschlag, die rechte für Fahrkarten einschließlich 1. Klasse S-Bahn, Schnell- und Nachtbuslinien.

Viele Automaten nehmen neben den gängigsten Münzen (10 Pf – 5 DM) auch Geldscheine (10 DM und 20 DM) an und wechseln diese.

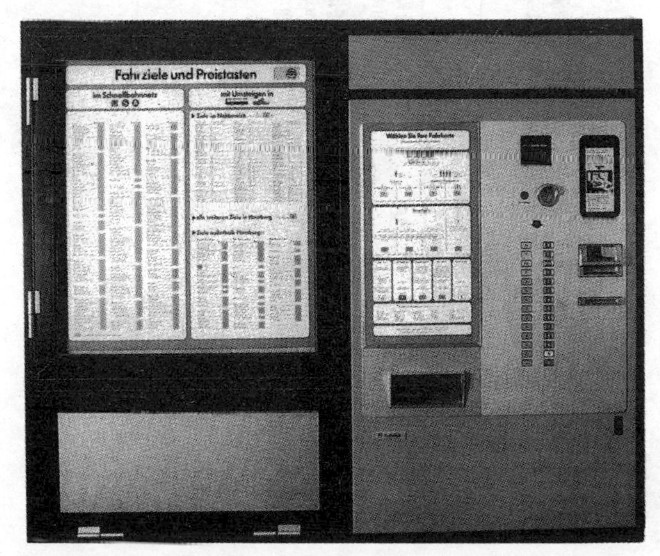

Hamburger Verkehrsbund

9-Uhr-Karten für Hin- und Rückfahrt und beliebig viele Fahrten
– nicht übertragbar – Verkauf im Schnellbahnbereich, an bestimmten Bushaltestellen und an Schiffsanlegern aus Automaten – im übrigen Bereich durch die Fahrer.

Fahrkartenart	Personenzahl	örtliche Gültigkeit	zeitliche Gültigkeit	Preis	Automatentaste	mit 1. Klasse S-Bahn, Schnell- und Nachtbus	Automatentaste
Tageskarte	1 Erwachs. und bis zu 3 Kinder unter 12 Jahren	Großbereich Hamburg*)	am Kauftag, montags bis freitags ab 9 Uhr bis Betriebsschluß; sonnabends oder sonntags ganztägig	6,00	T	7,20	T
		HVV-Gesamtbereich		10,00	TG	11,20	TG
Familien-/ Gruppenkarte	bis zu 4 Erwachsene u. 3 Kinder unter 12 J.	Großbereich Hamburg*)		10,50	F	11,70	F
		HVV-Gesamtbereich		14,50	FG	15,70	FG

Fahrkarten für eine Fahrt

– nicht übertragbar – Verkauf im Schnellbahnbereich, an bestimmten Bushaltestellen und an Schiffsanlegern aus Automaten – im übrigen Bereich durch die Fahrer. Fahrtunterbrechungen gestattet, keine Rück- und Rundfahrten.

Fahrkartenart	örtliche Gültigkeit	Fahrtende ab Kauf	Preis	Automatentaste	mit 1. Klasse S-Bahn Schnell- und Nachtbus	Automatentaste
Nahbereichskarte	Diese entnehmen Sie bitte dem Aushang an Ihrer Abfahrtshaltestelle	1 Stunde	2,00	2	3,20	2
Großbereichs-*) bzw. Mittelbereichskarte		2 Stunden	3,10	3	4,30	3
Gesamtbereichskarte	HVV-Gesamtbereich	3 Stunden	5,10	4	6,30	4
Kinderkarte (4.–12. Geburtstag)	HVV-Gesamtbereich	3 Stunden	1,10	K	2,30	K
City-Karte	City Hamburg	1/2 Stunde	einschl. 1. Kl. S-Bahn, Schnell- und Nachtbus		1,00	City
Kurzfahrt Schnellbus	Örtliche Gültigkeit siehe Aushang Abfahrtsstelle	1/2 Stunde			2,10	0
Fahrradkarte	Fahrradmitnahme nur in U/S-Bahn montags bis freitags von 9–16 u. ab 18 Uhr; sonnabends und sonntags ganztägig und auf Hafenschiffen ganztägig				2,00	2

Hinweise zum Fahrkartenkauf am Automaten

Glossar – Hinweise

der Hinweis (e)	information
der Fahrkartenkauf (¨e)	purchase of tickets
die Übersichtstafel (n)	information board
das Fahrziel (e)	destination
das Kennzeichen (—)	symbol
entsprechend	corresponding, appropriate
die Taste (n)	key
die Einzelfahrt (en)	single ticket
die Schnellbahn (= S-Bahn) (en)	city train
das Netz (e)	network
das Umsteigen	change of trains
aufgeführt sein	be listed
jeweils erhältlich	obtainable here
die Preisangabe (n)	price
feststellen	find out
die Hin- und Rückfahrt (en)	return ticket
die Tageskarte (n)	day pass
mit mehreren unterwegs	travelling together
die Tastenreihe (n)	set of keys
der Zuschlag (¨e)	excess fare, supplement
1. Klasse	First Class
gängig	frequently used, popular
die Münze (n)	coin
der Geldschein (e)	bank note

Exercise 2.2

Richtig oder falsch?

		richtig	falsch
1	Neben dem Automaten kann man auf der Übersichtstafel sein Fahrziel finden.	☐	☐
2	Die Tageskarte wird als günstig empfohlen.	☐	☐
3	Auf der rechten Tastenreihe findet man Fahrkarten mit Zuschlag.	☐	☐
4	An allen Automaten kann man Geldscheine wechseln.	☐	☐

Glossar – 9-Uhr Karten/Fahrkarten

beliebig viel	any number, as much as you like
übertragbar	transferable
der Bereich (e)	area
der Schiffsanleger (—)	landing place
die Bushaltestelle (n)	bus stop
übrig	other, remaining
örtliche Gültigkeit	valid for which areas
zeitliche Gültigkeit	valid for which time
der Großbereich (e)	greater (Hamburg) area
der Gesamtbereich (e)	all areas covered
der Betriebsschluß	*here:* end of service
sonnabends (= samstags)	saturdays
ganztägig	all day
bestimmt	*here:* designated
die Fahrtunterbrechung (en)	stop (over)
gestatten	permit
die Nahbereichskarte (n)	short distance ticket
entnehmen	*here:* find information
der Aushang (¨e)	notice board
HVV = Hamburger Verkehrsverbund	
die Abfahrtshaltestelle (n)	station of departure
einschl. (= einschließlich)	including
die Kurzfahrt (en)	short period travel
die Fahrradmitnahme (n)	transport of bicycle
das Hafenschiff (e)	harbour ferry

Exercise 2.3

Was für eine Fahrkarte bekommt man, wenn man folgende Automatentaste drückt? Kreuzen Sie bitte an!

1	Taste /2/ links	bis 60 Min. fahren	☐
		Preis 2,00 DM	☐
		1. Klasse	☐
		2 Stunden	☐
		keine Rückfahrkarte	☐
		keine Rundfahrkarte	☐
2	Taste /4/ rechts	Preis 5,20 DM	☐
		Fahrtunterbrechung gestattet	☐
		Gesamtbereich Hamburg	☐
		keine Rundfahrkarte	☐
		Kinderkarte	☐
		1. Klasse	☐
3	Taste /F/ links	keine Rückfahrkarte	☐
		ist übertragbar	☐
		10,50 DM	☐
		10,–DM	☐
		Großbereich Hamburg	☐
		sonntags nicht gültig	☐
4	Taste /T/ links	1. Klasse	☐
		6,00 DM	☐
		gültig ab 9 Uhr	☐
		für 1 Erwachsenen und 3 Kinder	☐
		samstags ganztägig	☐
		maximal 3 Stunden	☐

An der Reiseauskunft im Hauptbahnhof Basel

Auskunft: Guten Abend, wie kann ich Ihnen helfen?

Frau Brendel: Gibt es heute abend noch einen Intercity nach Düsseldorf?

Auskunft: Ja, gleich um 19.24 gibt es einen, der um 0.45 in Düsseldorf ankommt. Das ist aber auch der letzte Intercity für heute. Hier ist der Fahrplan für Basel–Düsseldorf. Schauen Sie mal!

Frau Brendel: Was bedeuten denn die drei *U*s hier?

Auskunft: Ja, da müssen Sie dreimal umsteigen, in Mannheim, Mainz und Köln.

Frau Brendel: Ach, du liebe Zeit, das ist mir viel zu anstrengend. Was sind das hier für spätere Züge?

Basel Bad Bf

km 560		→		Düsseldorf	
	ab	Zug		an	Bemerkungen
	0.36	D	200	6.38	Ⓤ Köln ✕
	0.36	D	200	6.45	🛏 🛌
Ⓕ	4.55	D	204	10.28	🍷 Ⓤ Freib IC Ⓤ Karlsr Ⓤ Mannh
	4.55	D	204	10.53	🍷
	6.24	IC	600	11.28	Ⓤ Köln
Ⓕ	7.24	IC	576	12.28	Ⓤ Mannh Ⓤ Köln
	8.24	EC	78	13.28	Ⓤ Mannh IC Ⓤ Köln
Ⓕ	8.24	EC	78	13.34	Ⓤ Mannh IC
	9.24	IC	572	14.34	Ⓤ Mannh
	10.24	EC	8	15.28	
	11.24	EC	76	16.22	Ⓤ Mannh IC
	12.24	EC	2	17.22	
	13.24	EC	70	18.22	Ⓤ Mannh IC
	14.24	EC	6	19.28	
	15.24	EC	74	20.34	Ⓤ Mannh IC
	16.24	IC	574	21.28	Ⓤ Mannh EC
	17.24	EC	4	22.28	
	18.00	D	359	0.45	Ⓤ Heidelb IC Ⓤ Mainz EC Ⓤ Köln IC
Ⓔ	18.24	IC	570	23.28	Ⓤ Mannh
Ⓔ	19.24	IC	672	0.45	Ⓤ Mannh Ⓤ Mainz EC Ⓤ Köln IC
	23.19	D	208	6.19	nur 🛏 🛌
Ⓖ	23.28	D	1208	6.24	🛏 🛌 🍷

Ⓔ = täglich außer ⑥, nicht 24. bis 31. XII., 24. bis 26. III., 30. IV., 14. V.
Ⓕ = ① bis ⑥, nicht 25. XII. bis 1. I., 25. bis 27. III., 1., 15. V.
Ⓖ = ⑥ 7. I. bis 18. III., auch 23. XII., 1. I., 24. III., 1. IV.

Düsseldorf

		→		Basel Bad Bf	
	ab	Zug		an	Bemerkungen
Ⓗ	5.07	N	5002	10.36	Ⓤ Köln EC Ⓤ Mainz IC Ⓤ Mannh
Ⓘ	5.24	D	1232	10.36	Ⓤ Köln EC Ⓤ Mainz IC Ⓤ Mannh
	6.30	EC	5	11.35	
Ⓕ	7.37	EC	11	12.36	Ⓤ Mannh IC
	8.30	IC	111	13.36	Ⓤ Mannh EC
	9.30	EC	7	14.35	
	10.36	IC	515	15.36	Ⓤ Mannh EC
	11.36	EC	3	16.35	
Ⓕ	12.25	IC	711	17.36	Ⓤ Mannh EC
Ⓔ	12.30	IC	523	17.36	Ⓤ Köln Ⓤ Mannh EC
	13.36	EC	9	18.35	
	14.30	IC	525	19.35	Ⓤ Köln Ⓤ Mannh
	15.30	IC	527	20.36	Ⓤ Köln Ⓤ Mannh EC
Ⓔ	16.30	IC	721	21.36	Ⓤ Köln Ⓤ Mannh
Ⓔ	17.30	IC	517	22.36	Ⓤ Mannh
	18.30	IC	723	23.41	Ⓤ Köln
	18.47	D	205	0.53	🍷
	23.18	D	201	5.28	🛏 🛌
	23.25	IC	632	5.28	Ⓤ Köln D 🛏 🛌
	23.29	D	209	6.15	nur 🛏 🛌
Ⓙ	23.36	D	1209	6.22	🛏 🛌 🍷
Ⓚ	23.55	D	2111	8.23	🍷 Ⓤ Mannh N Ⓤ Karlsr D

Ⓗ = ✕, nicht 1. XI., 25. XII. bis 1. I., 25. bis 27. III., 1., 15., 25. V.
Ⓘ = ① bis ⑥ 26. IX. 2. X. 9. X. 16. bis 24. X. 18. XII. 23. XII. 3. I. 14. bis 28. V., nicht 25. XII. bis 1. I., 25. bis 27. III., 1., 15. V.
Ⓙ = ⑤ 30. XII. bis 17., auch 22. XII., 23., 31. III.
Ⓚ = täglich außer vor †, nicht 31. X., 24., 25., 31. XII., 5. I., 26. III., 24. V.

Deutsche Bundesbahn, Mainz

Auskunft: Das sind D-Züge, die länger für diese Strecke brauchen. Die haben aber Schlaf- und Liegewagen. Da gibt es welche um 23.19 Uhr, 23.28 Uhr und 0.36 Uhr.

Frau Brendel: Was kostet denn ein Liegewagenplatz?

Auskunft: In einem 4-Platz-Abteil 30,–DM und in einem 6-Platz-Abteil 23,–DM.

Frau Brendel: Kann ich einen Platz bei Ihnen reservieren?

Auskunft: Nein, da müssen Sie zum Fahrkartenschalter gehen.

Frau Brendel: Vielen Dank, dann. Auf Wiedersehen!

Auskunft: Gute Reise!

Erläuterungen:
Die Bahnhöfe, auf denen der Zug seine Fahrtrichtung ändert, sind unterstrichen.
Die in der km-Spalte angegebenen Entfernungen zwischen den Haltebahnhöfen stimmen nicht immer mit den Entfernungen überein, nach denen die Fahrpreise berechnet sind.
Zur Benutzung der angegebenen Anschlüsse ist in manchen Fällen eine Umwegkarte erforderlich.
Die in *Schrägschrift* angegebenen Orte werden vom Anschlußzug bzw. Kurswagen nicht berührt. Nach diesen Orten muß nochmals umgestiegen werden.
Bei den Anschlußzügen ist nicht immer der Endbahnhof der Züge angegeben.

Zeichenerklärung:
EC = **EuroCity,** Europäischer Qualitätszug.
IC = **Intercity,** Nationaler Qualitätszug.
IR = **InterRegio,** überregionaler Zug mit gehobenem Komfort.
FD = Fern-Express, qualifizierter Schnellzug.
D = Schnellzug
E = Eilzug
Ⓢ = DB-Schnellbahnzug
Ohne Buchstaben = Zug des Nahverkehrs
† = an Sonn- und allgemeinen Feiertagen
⚒ = an Werktagen
① = Montag
② = Dienstag
③ = Mittwoch
④ = Donnerstag
⑤ = Freitag
⑥ = Samstag (Sonnabend)
⑦ = Sonntag
Ⓐ = ⚒ außer ⑥
Ⓑ = täglich außer ⑥
Ⓒ = ⑥ und †
= Kurswagen
= Schlafwagen
= Liegewagen
✕ = Zugrestaurant, Bistro-Café
Ⓡ = Quick-Pick-Zugrestaurant
🍸 = Speisen und Getränke im Zug erhältlich
☎ = Münz-Zugtelefon
⊞ = Grenzbahnhof mit Paß und Zoll
(⊞) = Paß und Zoll im fahrenden Zug
= Buslinie
✈ = Ⓢ-Verkehr zum Flughafen
Ⓤ = Umsteigen
(200) = Streckennummer im Kursbuch

Weitere Zeichen siehe Fußnoten

Eine Gewähr für die Richtigkeit der Fahrplanangaben kann nicht übernommen werden.

Explanations:
Names of stations where the train reverses are underlined. The distances between stops shown in the km-column are not necessarily those used for the calculation of fares.
For some connecting services an additional ticket has to be purchased to permit travel by an indirect route. Stations shown in italics are not served directly by the connecting train or through coach. Passengers bound for these destinations must make a further change of train. Stations shown in the "Connections" column are not necessarily the final destination of the trains concerned.

Explanation of Symbols:
EC = **EuroCity,** European Quality Train.
IC = **Intercity,** National Quality Train.
IR = **InterRegio,** interregional train with a quality comfort.
FD = Long distance Express, qualified Express Train.
D = Express Train
E = Semi Fast Train
Ⓢ = DB-Urban railway
Without any letter = Local Train
† = runs on Sundays and Public Holidays only
⚒ = weekdays only
① = Monday
② = Tuesday
③ = Wednesday
④ = Thursday
⑤ = Friday
⑥ = Saturday
⑦ = Sunday
Ⓐ = on ⚒ (weekdays) except Saturdays
Ⓑ = Daily except Saturdays
Ⓒ = Saturdays and † (Sundays and Holidays)
= Through coach
= Sleeping Car
= Couchettes
✕ = Restaurant Car, Bistro-Café
Ⓡ = Quick-Pick-Restaurant Car
🍸 = Light refreshments available on the train
☎ = On-board public telephone
⊞ = Border Station (Passport and Customs Examinations)
(⊞) = Passport and Customs Examinations are carried out during the journey
= Bus service
✈ = Ⓢ-railways to the airport
Ⓤ = Change of trains
(200) = Table number of timetable

Other symbols explained in footnotes.

No liability can be accepted for any inaccuracy in these timetables.

Glossar – An der Reiseauskunft

anstrengend	strenuous, tiring
die Strecke (n)	route
der Schlafwagen (—)	sleeping-car
der Liegewagen (—)	couchette
das 4-Platz-Abteil (e)	compartment for 4 seats
der Fahrkartenschalter (—)	ticket office

Exercise 2.4

Beantworten Sie die folgenden Fragen!

1 Was ist Frau Brendel zu anstrengend?

____

2 Was ist der Vorteil und was der Nachteil der D-Züge?

____

3 Was kostet 30,–DM und was 23,–DM?

____

4 Warum muß Frau Brendel noch zum Fahrkartenschalter gehen?

____

Am Fahrkartenschalter

Frau Brendel: Guten Abend! Ich hätte gerne eine Fahrkarte nach Düsseldorf für den Nachtzug um 23.19 Uhr mit einer Liegewagenplatzreservierung für ein 4-Platz-Abteil.

Schalterbeamter: Moment bitte. Ich muß erst nachsehen, ob da noch etwas frei ist. ... Tut mir leid, die 4-Platz-Abteile sind alle belegt. Ich habe aber noch was im 6-Platz-Abteil.

Frau Brendel: Wie sieht es denn mit dem 23.28 Uhr aus?

Schalterbeamter: Der verkehrt nur samstags an bestimmten Tagen, sehen Sie hier: G!

Frau Brendel: Gut, reservieren Sie mir bitte einen Platz im 6-Platz-Abteil. Was macht das bitte?

Schalterbeamter: 115,–DM für 2. Klasse plus 23,–DM Liegewagenzuschlag macht 138,–DM, bitte.

Frau Brendel: Bitte schön. Eine Frage noch. Auf welchem Bahnsteig fährt der Zug ab?

Schalterbeamter: Bahnsteig 6. Hier ist Ihr Fahrausweis.

Frau Brendel: Ach, bevor ich es vergesse, kann ich mich wecken lassen im Zug?

Schalterbeamter: Wenden Sie sich bitte dann ans Zugpersonal.

Glossar – Am Fahrkartenschalter	
nachsehen	*here:* check
wie sieht es aus mit ...?	how about ...?
verkehren	run, operate
bestimmt	certain
der Bahnsteig (e) (= Bahngleis)	platform
der Fahrausweis (e) (= Fahrkarte)	ticket
wecken	wake s.o. up
das Zugpersonal (*no pl.)*	train staff

Exercise 2.5

Beantworten Sie die folgenden Fragen!

1 Für welche Reiseart hat sich Frau Brendel entschieden?

___

2 Welche Information gibt der Schalterbeamte in bezug auf die Liegewagenreservierung?
Er sagt, daß___

3 Warum kann Frau Brendel den Zug um 23.28 Uhr nicht nehmen?

___

4 Warum muß sich Frau Brendel ans Zugpersonal wenden?

___

Exercise 2.6

Im Hauptbahnhof Bremen am Fahrkartenschalter

[oo] Fragen zum Dialog auf der Kassette

Bevor Sie die Fragen beantworten, lesen Sie sich das Glossar durch! (Sie können diese Übung auch als Lese- und Schreibübung machen. Lesen Sie den Dialog im Schlüssel.)

Glossar	
der Fahrkartenschalter(—)	ticket counter, booking office
die Platzreservierung (en)	seat reservation
es geht ...	is possible
der Fahrplan (¨e)	timetable
Welcher ist Ihnen recht?	*here:* Which one would you like?
recht haben	be right
der Fahrschein (e)	ticket

1 Was kostet eine Fahrkarte nach Heidelberg, erster Klasse, zweiter Klasse und der Intercity-Zuschlag?
2 Wofür entscheidet sich Herr Martens?
3 Was ist der Vorteil des 7.11 Uhr-Zugs gegenüber dem 6.47 Uhr-Zug?
4 Auf welchem Bahnsteig fährt der Zug ab?

Exercise 2.7

Auf dem Bahnsteig

Hören Sie den kurzen Dialog auf der Kassette und vervollständigen Sie die Sätze!

(Sie können diese Übung auch als Lese- und Schreibübung machen. Lesen Sie den Dialog im Schlüssel.)
Was möchte Herr Denton von dem Bahnbeamten wissen?

1 Er möchte wissen, ob (*whether*)____________________(Bahnsteig)
2 Er möchte wissen, ob________________________(Anschlußzug)

Exercise 2.8

Im Zug

Nachdem Sie das Glossar gelesen haben, hören Sie den Dialog auf der Kassette und beantworten Sie die folgenden Fragen!

(Sie können diese Übung auch als Lese- und Schreibübung machen. Lesen Sie den Dialog im Schlüssel.)

Glossar

zuschlagpflichtig	subject to extra charge
im Zug nachlösen	buy a ticket en route
der Kurswagen (—)	through coach
anhängen	couple
der Aufenthalt (e)	stop
der Speisewagen (—)	dining car

1 Was hat Herr Morris nicht gewußt?

____

2 Welche Möglichkeit bietet ihm der Schaffner an?

____

3 Warum sitzt Herr Morris im falschen Wagen?

____

4 Was passiert mit dem Kurswagen in Köln?

____

5 Warum möchte Herr Morris wissen, ob er in Köln Aufenthalt hat?

____

Exercise 2.9

Ansagen auf dem Bahnsteig

Hören Sie die folgenden Zugansagen auf der Kassette und schreiben Sie die wichtigen Informationen in die entsprechenden Felder.

(Sie können diese Übung auch als Lese- und Schreibübung machen. Lesen Sie den Dialog im Schlüssel.)

Einige Städtenamen, die Sie hören werden:
Freiburg, Ansbach, Hagen, Würzburg, Basel, Frankfurt, Regensburg, Köln, München, Wien, Hannover, Saarbrücken, Nürnberg, Amsterdam, Ingolstadt, Dortmund, Berlin

1
Zugname:______________________
woher:______________________
wohin:______________________
Ankunftszeit:______________________
Bemerkung:______________________

2
Zugname:______________________
woher:______________________
wohin:______________________
Ankunftszeit:______________________
Bemerkung:______________________

3
Zugname:____________________
woher:____________________
Gleis:____________________
Bemerkung:____________________
4
Zugname:____________________
woher:____________________
wo:____________________
wohin:____________________ Gleis:____________________
wohin:____________________ Gleis:____________________
wohin:____________________ Gleis:____________________
5
Zugname:____________________
wo:____________________
wohin:____________________
Bemerkung:____________________
6
Zugname:____________________
woher:____________________
wohin:____________________
Bemerkung:____________________
7
Zugname:____________________
wohin:____________________
Ankunftszeit:____________________
Bemerkung:____________________
8
Zugname:____________________
wo:____________________
wohin:____________________
Bemerkung:____________________
9
Information:____________________
10
Zugname:____________________
woher:____________________
wo:____________________
Bemerkung:____________________

Exercise 2.10

Aus einem Substantiv läßt sich durch Anhängen der Endung *-mäßig* (oder *-gemäß*) ein Adjektiv oder Adverb bilden. Sie können meistens mit *-wise* ins Englische übersetzt werden. Viele Substantive brauchen ein Verbindungs-„s". Setzen Sie ein!

Fahrplan	fahrplanmäßig	according to schedule
Gewohnheit (s)	gewohnheitsmäßig	habitual
Ordnung (s)	____________	in due order
Kosten	____________	costwise
Lieferung (s)	____________	____________
Zahlung (s)	____________	____________
Geschäft (s)	____________	____________
Einkommen (s)	____________	____________
Verkehr (s)	____________	____________
Beruf (s)	____________	____________
Vorschrift (s)	____________	____________

Separable and inseparable prefixes

Almost all prefixes are separable apart from:

be-, emp-, ent-, er-, ge-, miß-, ver- and *zer-*

Some occur as separable and inseparable, according to stress and meaning. If the second syllable is stressed the verb is not separable:

unter-, über-, wieder-, durch- and *um-*

(bold print = stress mark)

e.g.

untergraben	dig under
unter**graben**	undermine
übersetzen	cross over by boat
über**setzen**	translate
wiederholen	fetch (s.th. again)
wieder**holen**	repeat
durchfahren	drive through, pass through
durch**fahren**	transverse, go across
umlaufen	run over, bump into
um**laufen**	run around

The following are always inseparable:
unterhalten, unterbrechen, untersuchen,
überlegen, überqueren

Exercise 2.11

Tätigkeiten im Betrieb

1 Termine vereinbaren
2 Telefonate entgegennehmen
3 Aufträge annehmen
4 Post weiterleiten
5 Formulare ausfüllen
6 bei Besprechungen mitschreiben
7 Unterlagen abheften
8 Kunden zurückrufen
9 Geschäftspartner empfangen
10 eine Bestellung bearbeiten

1 Frau Welter vereinbart Termine.
2 Sie ________________.
3 Peter Kleinschmidt ________________.
4 Er ________________.
5 Der Angestellte ________________.
6 Die Sekretärin ________________.
7 Die Aushilfskraft ________________.
8 Die Verkaufsleiterin ________________.
9 Der Abteilungsleiter ________________.
10 Die Mitarbeiterin ________________.

Exercise 2.12

Übersetzen Sie ins Deutsche!

1 She translates the contract.
2 He constantly undermines my authority.
3 Mr Brettschneider crossed over from Dover to Ostende.
4 The strong builder bumped into the apprentice.
5 They are investigating the market situation.
6 She passed through the new industrial estate.
7 Every morning the manageress runs around the park five times.
8 I interrupted your presentation.

1 ________________
2 ________________
3 ________________
4 ________________

5 ____
6 ____
7 ____
8 ____

Exercise 2.13

Bilden Sie Sätze mit den folgenden Worten! Entscheiden Sie, welche Verben trennbar oder untrennbar sind!

Beispiel:
der Verkaufsleiter – der Vortrag – beenden
Der Verkaufsleiter beendet den Vortrag.

1 Die Direktorin – der Bericht – fortfahren mit
2 Herr Denton – Köln – umsteigen in
3 Die Sekretärin – die Faxnummer – wiederholen
4 Herr Schneider – Frau Ferney – am Bahnhof empfangen
5 Die deutsche Firma – der Auftrag aus England – entgegennehmen
6 Herr Alexander – der Schaffner – mißverstehen
7 Der Zug – der Hauptbahnhof – gerade einlaufen in
8 Das Auto – die Leasingfirma – gehören
9 Man – der Besuch aus Liverpool – sich unterhalten mit
10 Der LKW – das Auslieferungslager – heute abfahren von

Wiederholen Sie diese Übung im Perfekt!

(Remember that separable verbs take the *ge* between the prefix and the stem: *hinzufügen – hinzugefügt.*)

Beispiel:
Der Verkaufsleiter hat den Vortrag beendet.

1 ______
2 ______
3 ______
4 ______
5 ______
6 ______
7 ______
8 ______
9 ______
10 ______

Other compound verbs

kennenlernen	get to know
teilnehmen an	participate, take part
spazierengehen	go for a walk
bekanntmachen mit	introduce s.o. to s.o.
gutschreiben	credit to s.o.'s account

Exercise 2.14

Übersetzen Sie!

1 We are crediting your account with the sum.
2 They get to know their foreign business partners.
3 She takes part in the negotiation.
4 He introduces her to him.
5 They go for a walk in the park together.

1 ______
2 ______
3 ______
4 ______
5 ______

Formen Sie nun die deutschen Sätze ins Perfekt um!

1 ______
2 ______
3 ______
4 ______
5 ______

Prepositions I

Prepositions always taking the accusative:

bis	**durch**	**entlang**	**für**	**gegen**
until	through	along	for	against
ohne	**pro**	**um**	**wider**	
without	per	about/round	against	

Prepositions always taking the dative:

ab	**aus**	**außer**	**bei**	**gegenüber**
from	from	except	at	opposite
mit	**nach**	**seit**	**von**	**zu**
with	to/after	for/since	from	to

Prepositions taking both the accusative and the dative:

an	**auf**	**hinter**	**in**	**neben**
at to	at on to	behind	in into	near next to
über	**unter**	**vor**	**zwischen**	
over across above	under among	before ago	between	

Exercise 2.15

Finden Sie zu den Präpositionen den entsprechenden Kasus!

Frau Siegbert fährt zu ______ Messe *(f)* nach Hamburg. In ______ Hotel *(n)* trifft sie die deutschen Kollegen. Nach ______ Frühstück *(n)* fahren sie gemeinsam zu ______ Ausstellungshallen *(f)*. Gegenüber ______ eigenen Stand *(m)* befindet sich der Stand der Konkurrenz. Sie hat Zeit, sich zwischen ______ Gesprächen *(n)* konkurrierende Produkte anzusehen. Bei ______ Mittagessen *(n)* bespricht sie mit ______ Messeteam *(n)* den Tagesablauf. Außer ______ Geschäftsleiter *(m)* sind alle anwesend. Ihr Stand ist gleich neben ______ Eingang *(m)* und profitiert von der guten Lage.

Exercise 2.16

Setzen Sie die entsprechenden Präpositionen ein!

Der verspätete Schnellzug läuft ______ Gleis I ein. Herr Denton tritt ______ den Bahnsteig. Er geht ______ Auskunft *(f)* und erkundigt sich nach einem guten Hotel. Er steigt ______ dem Bahnhof ______ ein Taxi und fährt ______ Hotel *(n)*. Er hat keinen großen Hunger und bestellt sich ein Gericht ______ Vor- und Nachspeise. ______ dem Essen ruft er die Firma an, um ______ 3.00 Uhr einen Termin zu vereinbaren. Danach fährt er ______ die Innenstadt ______ Gewerbegebiet am Stadtrand.

Wichtige Begriffe aus diesem Kapitel

1 Substantive (nouns)

deutsch	*englisch*

2 Verben + Kasus (verbs + case)

deutsch	*englisch*

3 Wichtige Redewendungen (idiomatic phrases)

deutsch	*englisch*

4 Notizen

Unit 3

Zahlen, Geld, Preise, Daten
Figures, money, prices, dates

Numbers need a lot of practice. You need a thorough knowledge of spoken numbers, especially when trying to understand them in a conversation or over the telephone. We, therefore, suggest that you read them aloud. In this chapter, you will learn to use numbers in the context of dates, money, prices, weights and basic calculations, as well as fractions and percentages. As they have such a key role in business German, it is advisable to revise this chapter several times.

Zahlen

Lesen Sie bitte laut!

Die Zahlen:

0 null
1 eins
2 zwei (zwo)
3 drei
4 vier
5 fünf
6 sechs
7 sieben
8 acht
9 neun
10 zehn
11 elf
12 zwölf
13 dreizehn
14 vierzehn
15 fünfzehn
16 sechzehn
17 siebzehn

Die Ordinalzahlen:

1. erste
2. zweite
3. dritte
4. vierte
5. fünfte
6. sechste
7. siebte
8. achte
9. neunte
10. zehnte
11. elfte
12. zwölfte
13. dreizehnte
14. vierzehnte
15. fünfzehnte
16. sechzehnte
17. siebzehnte

18 achtzehn
19 neunzehn
20 zwanzig

18. achtzehnte
19. neunzehnte
20. zwanzigste

21 einundzwanzig
22 zweiundzwanzig
30 dreißig
35 fünfunddreißig
40 vierzig
50 fünfzig
60 sechzig
70 siebzig
80 achtzig
90 neunzig

100 (ein)hundert
101 (ein)hundert(und)eins
102 (ein)hundert(und)zwei
110 (ein)hundert(und)zehn
174 (ein)hundert(und)vierundsiebzig
200 zweihundert
217 zweihundert(und)siebzehn
300 dreihundert
1000 (ein)tausend
1001 (ein)tausend(und)eins
100 000 (ein)hunderttausend

1 000 000 eine Million
7 000 000 sieben Millionen
1 000 000 000 eine Milliarde
1 000 000 000 000 eine Billion

With large numbers spacing (or more rarely a full stop) is used in German, where a comma is used in English (e.g. 7 000 000 or 7.000.000).

Merken Sie sich!

zwo can be used for *zwei* to distinguish clearly from *drei*, often used on the phone or on the radio

Ordinalzahlen

Ordinal numbers are declined like adjectives:

Köln, zwölfter März 1994
Köln, den zwölften März 1994
Das Büro ist im fünften Stock.
Die Geschäftsbesprechung findet am dreizehnten Mai (am 13. Mai) statt.

Exercise 3.1

Setzen Sie ein und lesen Sie laut!

1 Der Zug fährt von Bahnsteig zwölf ab. (12)
2 Der Intercity hat ______ Minuten Verspätung. (35)
3 Frau Lorenz, bitte zur Information an Gleis ______ ! (3)
4 Ich habe am ______ Januar bezahlt. (31)
5 Mein Büro ist auf der ______ Etage. (7)
6 Das ist der ______ Telefonanruf in dieser Stunde. (8)
7 Die Mehrwertsteuer beträgt ______ %. (15)
8 Die Hausnummer ist ______ . (24)
9 Der Verkaufspreis beträgt ______ DM. (70)

paar oder _Paar_

ein paar	a few
ein Paar	a couple = 2 people
ein Paar Schuhe	a pair of shoes
beide	both
a pair of scissors	eine Schere
a pair of trousers	eine Hose

Die Jahreszahlen

1889 achtzehnhundertneunundachtzig
1900 neunzehnhundert
1994 neunzehnhundertvierundneunzig
2000 zweitausend
2003 zweitausenddrei

Merken Sie sich!

Im Deutschen wird die Jahreszahl nicht wie im Englischen mit 'in' davor gesprochen:

entweder
Ich bin 1923 geboren.
Die Geschäftsauflösung fand 1990 statt.

oder
Ich bin im Jahre 1923 geboren.
Die Geschäftsauflösung fand im Jahre 1990 statt.

Exercise 3.2

Übersetzen Sie!

1 In den neunziger Jahren wurde der europäische Binnenmarkt vervollständigt.

____

2 Der Geschäftsführer der Firma ist bestimmt in den Vierzigern.

____

3 Gegründet wurde das Unternehmen 1974.

____

4 Das Projekt kostet ungefähr drei Milliarden Mark.

____

5 Der Termin ist für den dreizehnten fünften festgelegt.

____

6 Die Sekretärin führte ein paar Telefonate.

____

Exercise 3.3

Kreuzen Sie die richtige Zahl an!

1 siebentausendneunhundertdreiundachtzig
(a) 7983 ☐
(b) 70983 ☐
(c) 7938 ☐
(d) 79380 ☐

2 fünfhunderteinundvierzig
(a) 514 ☐
(b) 5041 ☐
(c) 541 ☐
(d) 50041 ☐

3 zehntausendundsiebzehn
- (a) 10170 ☐
- (b) 1017 ☐
- (c) 10070 ☐
- (d) 10017 ☐

4 dreiundzwanzigtausendzweihundertdrei
- (a) 232003 ☐
- (b) 23203 ☐
- (c) 322003 ☐
- (d) 3200203 ☐

5 fünfundsiebzigtausendvierhundertfünfundsechzig
- (a) 75456 ☐
- (b) 57456 ☐
- (c) 75465 ☐
- (d) 75565 ☐

Merken Sie sich!

zu zwcit	two of them
zu dritt	three of them
...	...
zu zehnt	ten of them

Exercise 3.4

Übersetzen Sie!

1 Sie kamen zu zweit an.

____

2 Sie verließen zu dritt die Versammlung.

____

3 Wenn sie mit allen Kollegen kommt, dann sind sie zu fünft.

____

Fractions

Fractions are formed by adding *-tel* or *-stel* to the stem of the ordinal number. They can be used as neuter nouns or adjectives (no adjective endings are required).

Nouns:

das Drittel	ein Drittel der Arbeitnehmer
das Viertel	ein Viertel der Kundschaft
das Zwanzigstel	

Aber:

die Hälfte — in der letzten Hälfte des Quartals

Forming a compound noun:

die Viertelstunde
der Achtelliter

With the exception of *dreiviertel* the numerator and denominator of fractions are written in two words. However, fractions following whole numbers are written in one word, e.g. 5 2/7 = fünf zweisiebtel.

1/2 ein halb	ein halbes Kilo Tomaten
1/3 ein Drittel	
2 1/3 zwei eindrittel	zwei eindrittel Milligramm
1/4 ein Viertel	
3/4 dreiviertel	dreiviertel Pfund Käse
1/20 ein Zwanzigstel	
1/100 ein Hundertstel	

Special forms of 1 1/2:

1 1/2 kg	eineinhalb Kilogramm
1 1/2 kg	anderthalb Kilogramm
1 1/2 kg	eineinhalbes Kilogramm

Exercise 3.5

Übersetzen Sie!

1	in 1 3/4 Stunden	in ein dreiviertel Stunden	______________
2	in 1 1/2 Stunden	in anderthalb Stunden	______________
3	in 2 1/2 Stunden	in zwei einhalb Stunden	______________

Lesen Sie laut!

1,5 kg	eins Komma fünf Kilogramm
2,75 t	zwei Komma sieben fünf Tonnen
75,5%	fünfundsiebzig Komma fünf Prozent

Exercise 3.6

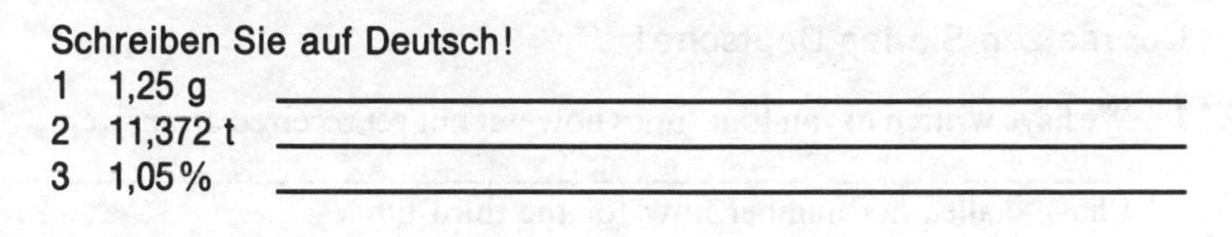
Schreiben Sie auf Deutsch!

1 1,25 g ____________________

2 11,372 t ____________________

3 1,05% ____________________

Arranging in an order

These words are used as adverbs only and are not declined:

erstens, zweitens, drittens, viertens, fünftens . . .
firstly, secondly, thirdly, fourthly, fifthly . . .

1. (Erstens) mache ich meine Post, 2. (zweitens) einige kurze Telefongespräche und 3. (drittens) diktiere ich die Berichte.

Exercise 3.7

Schreiben Sie bitte auf Deutsch!

Beispiel:

10. zehntens

(a) 8. ____________________

(b) 16. ____________________

(c) 11. ____________________

Frequency

-mal

einmal	once
zweimal	twice
dreimal	three times
jedesmal	every time, each time
das erste Mal	the first time
das zweite Mal	the second time
das dritte Mal	the third time
wieviel(e) Mal?	how many times
zum erstenmal	for the first time
zum letztenmal	for the last time

Exercise 3.8

Übersetzen Sie ins Deutsche!

1 We have written to you four times now but not yet received an answer.

____

2 I have dialled her number now for the third time.

____

3 This is about the fifth time that I have had to come to Munich.

____

Increasing the quantity

Er mußte die Arbeit schließlich *doppelt (zweifach)* und *dreifach* machen.
Den Vertrag hätte ich gerne in *vierfacher* Ausfertigung.

Exercise 3.9

Übersetzen Sie!

	zweifach	double
1	dreifach	______________
2	vierfach	______________
3	der sechsfache Gewinn	______________
4	in doppelter/zweifacher Ausfertigung	______________
5	in fünffacher Kopie	______________
6	ein fünfzehnfacher Anstieg	______________

Glossar

die Ausfertigung (en)	copy, duplicate
der Anstieg (e)	increase

Preise

Die DM:
Sprich: Mark *oder* D-Mark
Schreib: 57,–DM *oder* DM 57,–

The noun *Mark* referring to the German currency does not have a plural form:

Ich möchte gerne 50 Mark tauschen.

Wieviel kosten die Batterien? 1,–DM/Stück
Sprechen Sie! 1 Mark das Stück *oder*
1 Mark pro Stück

–,50 DM fünfzig Pfennig
0,50 DM fünfzig Pfennig

1,– DM eine Mark
1,20 DM eine Mark zwanzig
eine Mark und zwanzig
eine Mark und zwanzig Pfennig

27,30 DM siebenundzwanzig dreißig
siebenundzwanzig Mark dreißig
siebenundzwanzig Mark und dreißig
siebenundzwanzig Mark und dreißig Pfennig
1 209,80 DM eintausendzweihundertundneun Mark achtzig
und achtzig
und achtzig
Pfennig

Das Datum

Düsseldorf, den 12.04.1997 = Düsseldorf, den zwölften vierten
neunzehnhundertsiebenundneunzig
Leipzig, 03.11.1995 = Leipzig, dritter elfter
neunzehnhundertfünfundneunzig

Uhrzeiten

Lesen Sie laut!

09.10 Uhr = neun Uhr zehn *
neun Uhr und zehn Minuten *
zehn Minuten nach neun (Uhr) **
zehn nach neun **

12.25 Uhr =	zwölf Uhr fünfundzwanzig	*
	zwölf Uhr und fünfundzwanzig Minuten	*
	fünfundzwanzig Minuten nach zwölf (Uhr)	**
	fünfundzwanzig nach zwölf	**
	fünf (Minuten) vor halb eins	**
15.34 Uhr =	fünfzehn Uhr vierunddreißig	*
	fünfzehn Uhr und vierunddreißig Minuten	*
	drei Uhr vierunddreißig	**
	drei Uhr und vierunddreißig Minuten	**
	vier (Minuten) nach halb vier	**
18.30 Uhr =	achtzehn Uhr dreißig	*
	achtzehn Uhr und dreißig Minuten	*
	sechs Uhr dreißig	**
	sechs Uhr und dreißig Minuten	**
	halb sieben	**
20.15 Uhr =	zwanzig Uhr fünfzehn	*
	zwanzig Uhr und fünfzehn Minuten	*
	acht Uhr fünfzehn	**
	acht Uhr und fünfzehn Minuten	**
	viertel nach acht	**
03.45 Uhr =	drei Uhr fünfundvierzig	*
	drei Uhr und fünfundvierzig Minuten	*
	fünfzehn Minuten vor vier	**
	viertel vor vier	**
06.52 Uhr =	sechs Uhr zweiundfünfzig	*
	sechs Uhr und zweiundfünfzig Minuten	*
	acht (Minuten) vor sieben	**
24.00 Uhr =	vierundzwanzig Uhr, null Uhr	*
	zwölf Uhr	**
	zwölf	**
00.05 Uhr =	null Uhr fünf	*
	null Uhr und fünf Minuten	*
	zwölf Uhr fünf	**

zwölf Uhr und fünf Minuten **
fünf nach zwölf **

01.00 Uhr = ein Uhr *
eins **

* offizieller Sprachgebrauch
** inoffizieller Sprachgebrauch/Umgangssprache

Merken Sie sich!

Die Zeitangabe 'halb zwei' bedeutet 'ein Uhr dreißig' (1.30 Uhr), nicht wie im Englischen 'half two' = 2.30 p.m.

Rechenoperationen

5 + 7 = 12	fünf plus sieben gleich zwölf fünf und sieben ist (macht) zwölf
8 − 5 = 3	acht minus fünf gleich drei acht weniger fünf ist (macht) drei
2 × 4 = 8 (2 · 4 = 8)	zwei multipliziert mit vier gleich acht zwei mal vier ist (macht) acht
9 : 3 = 3	neun dividiert durch drei gleich drei neun geteilt durch drei ist (macht) drei

Exercise 3.10

Schreiben Sie die Zahlen auf deutsch!

1 **0** ____________________
2 **10** ____________________
3 **16** ____________________
4 **61** ____________________
5 **70** ____________________
6 **77** ____________________
7 **83** ____________________
8 **96** ____________________
9 **100** ____________________
10 **434** ____________________
11 **729** ____________________
12 **838** ____________________

13 1456 ______________
14 (im Jahre) 1998 ______________
15 26 768 ______________
16 293 471 ______________
17 932 415 ______________
18 3 Mill. ______________
19 7 545 213 ______________
20 14 500 043 ______________
21 2,5 g ______________
22 3,75 l ______________
23 1,895 t ______________
24 14,75 m ______________
25 0,49 cm ______________
26 0,50 DM ______________
27 20 Pf. ______________
28 14,80 DM ______________
29 15 % ______________
30 29,15 % ______________
31 2 3/4 ______________
32 7/9 ______________
33 1/2 ______________
34 17 1/2 ______________

Exercise 3.11

Hören Sie die Angaben des Datums auf der Kassette und setzen Sie ein! (Diese Übung können Sie nur mit der Kassette machen!)

Datum

1 Heute, a______ ____________ ist unser Geschäft nur bis 16 Uhr geöffnet.
2 Berlin, d______ ____________.
3 Bei dem Termin handelt es sich um d______ ____________.
4 In drei Tagen ist d______ ____________.
5 Auf den letzten Arbeitstag, d______ ____________ freut sie sich schon lange.
6 Um d______ ____________ werde ich nach Manchester fliegen.
7 Ich bin v______ ____________ bis einschließlich 04.07. in Urlaub.
8 Zwischen d______ ____________ hat unsere Außenstelle Revision.

Exercise 3.12

Uhrzeit

Hören Sie den Text auf der Kassette und kreuzen Sie an!

(Mit Hilfe des Schlüssels im Anhang können Sie diese Übungen auch als Lese- und Schreibübung machen.)

1
(a) 17.30 Uhr ☐
(b) 16.35 Uhr ☐
(c) 06.35 Uhr ☐
(d) 06.30 Uhr ☐

2
(a) 02 : 30 Uhr ☐
(b) 03 : 30 Uhr ☐
(c) 03.00 Uhr ☐
(d) 02.00 Uhr ☐

3
(a) 12.55 Uhr ☐
(b) 01.25 Uhr ☐
(c) 00.55 Uhr ☐
(d) 12.25 Uhr ☐

4
(a) 07.15 Uhr ☐
(b) 19.45 Uhr ☐
(c) 20.15 Uhr ☐
(d) 08.40 Uhr ☐

5
(a) 08.07 Uhr ☐
(b) 07.08 Uhr ☐
(c) 06.52 Uhr ☐
(d) 19.08 Uhr ☐

6
(a) 15.10 Uhr ☐
(b) 09.15 Uhr ☐
(c) 21.15 Uhr ☐
(d) 10.15 Uhr ☐

7
(a) 23.53 Uhr ☐
(b) 23.52 Uhr ☐
(c) 10.53 Uhr ☐
(d) 11.53 Uhr ☐

8
(a) 05.27 Uhr ☐
(b) 05.33 Uhr ☐
(c) 06.33 Uhr ☐
(d) 06.03 Uhr ☐

9 Wie spät ist es?
(a) 11.40 Uhr ☐
(b) 11.50 Uhr ☐
(c) 12.05 Uhr ☐
(d) 12.35 Uhr ☐

10 Wie spät ist es in Wirklichkeit?
(a) drei Uhr und dreißig Minuten
(b) drei Uhr zwanzig
(c) zwei Uhr und zehn Minuten
(d) zwanzig vor drei

Exercise 3.13

Rechenoperationen

Wie lautet die Anwort zur mathematischen Aufgabe auf der Kassette?

(Mit Hilfe des Schlüssels im Anhang können Sie diese Übungen auch als Lese- und Schreibübung machen.)

1
(a) 10 ☐
(b) 63 ☐
(c) 9 ☐
(d) 3 ☐

2
(a) sechzehn ☐
(b) zwanzig ☐
(c) zwölf ☐
(d) elf ☐

3
(a) zwei ☐
(b) dreieinhalb ☐
(c) vier ☐
(d) fünf ☐

4
(a) dreizehn ☐
(b) neunzehn ☐
(c) achtundvierzig ☐
(d) neun ☐

5
(a) 5 ☐
(b) 4 ☐
(c) 3 ☐
(d) 8 ☐

6
(a) vier einviertel ☐
(b) vier ☐
(c) zwei einviertel ☐
(d) zweieinhalb ☐

7
(a) 27 ☐
(b) 24 ☐
(c) 87 ☐
(d) 63 ☐

8
(a) dreizehnachtel ☐
(b) eins ☐
(c) fünfzehnachtel ☐
(d) anderthalb ☐

Geld, Preise, Prozente

Exercise 3.14

Halten Sie einen Bleistift und ein Blatt Papier bereit und hören Sie die Aufgaben auf der Kassette!

(Mit Hilfe des Schlüssels im Anhang können Sie diese Übungen auch als Lese- und Schreibübung machen.)

1 Wieviel Geld sollen Sie bezahlen?
(a) 4000,–DM ☐
(b) 4022,–DM ☐
(c) 3322,–DM ☐
(d) 4222,–DM ☐

2 Was kostet der Artikel inklusive Mehrwertsteuer?
(a) 215,–DM ☐
(b) 220,–DM ☐
(c) 230,–DM ☐
(d) 245,–DM ☐

3 Wie hoch ist der Kaufpreis nach Abzug des Skontos?
(a) 1994,–DM ☐
(b) 1990,–DM ☐
(c) 1940,–DM ☐
(d) 1880,–DM ☐

4 Auf was beläuft sich der Gesamtpreis?
(a) 27 500,–DM ☐
(b) 23 000,–DM ☐
(c) 37 500,–DM ☐
(d) 2 500,–DM ☐

5 Was kosten die Batterien jetzt?
(a) 4,44 DM ☐
(b) 4,62 DM ☐
(c) 4,22 DM ☐
(d) 4,82 DM ☐

6 Wie hoch ist die Inflationsrate jetzt?
(a) 6,5% ☐
(b) 7,1% ☐
(c) 6,8% ☐
(d) 6,3% ☐

AB1234567B8
Reinentwurf
DEUTSCHE BUNDESBANK
5
FÜNF DEUTSCHE MARK
AB1234567B8
Reinentwurf
DEUTSCHE BUNDESBANK
10
ZEHN DEUTSCHE MARK
AB1234567B8
Reinentwurf
DEUTSCHE BUNDESBANK
20
ZWANZIG DEUTSCHE MARK
AB1234567B8
Reinentwurf
DEUTSCHE BUNDESBANK
50
FÜNFZIG DEUTSCHE MARK

AB1234567BB
Reinentwurf
DEUTSCHE BUNDESBANK
100
HUNDERT DEUTSCHE MARK
AB1234567BB
Reinentwurf
DEUTSCHE BUNDESBANK
200
ZWEIHUNDERT DEUTSCHE MARK
AB1234567BB
Reinentwurf
DEUTSCHE BUNDESBANK
500
FÜNFHUNDERT DEUTSCHE MARK
AB1234567BB
Reinentwurf
DEUTSCHE BUNDESBANK
1000
TAUSEND DEUTSCHE MARK

Die neuen DM Banknoten (Einführung ab 1990)

Seit über einem Vierteljahrhundert sind die deutschen Banknoten unverändert geblieben. Hier sehen Sie, wie das neue Geld nach den Reinentwürfen der Deutschen Bundesbank aussieht. Neu ist, daß es auf jeder Banknote tastbare Punkte und Striche als Erkennungshilfe für Sehbehinderte gibt. Die Geldscheine der neuen Generation enthalten zusätzliche maschinenlesbare Merkmale. Auch weiterhin bleiben die alten DM-Geldscheine bis auf weiteres vollgültige gesetzliche Zahlungsmittel. Einen 200 DM-Schein gab es vorher noch nicht, damit wird die Lücke zwischen dem „Hunderter" und dem „Fünfhunderter" geschlossen.

Glossar

der Reinentwurf (¨e)	fair proof
das Vierteljahrhundert (e)	quarter of a century
die Banknote (n)	banknote
unverändert	unchanged
tastbar	tactile, raised
der Punkt (e)	dot
der Strich (e)	line
die Erkennungshilfe (n)	recognition aid
der/die Sehbehinderte (n)	visually handicapped person
enthalten	contain
zusätzlich	additional
maschinenlesbar	machine readable
das Merkmal (e)	feature
weiterhin	further, in the future
bis auf weiteres	until further notice
vollgültig	fully valid
das gesetzliche Zahlungsmittel (—)	legal tender
die Lücke (n)	gap
der „Hunderter"	hundred-Mark note

Exercise 3.15

Sind diese Aussagen richtig oder falsch? Streichen Sie an!

		richtig	falsch
1	Die Banknoten sind in den letzten 25 Jahren nur einmal verändert worden.	☐	☐
2	Sehbehinderte können den Wert einer Banknote jetzt ertasten.	☐	☐
3	Die Geldscheine können von Automaten gelesen werden.	☐	☐
4	Die alten Scheine bleiben nur eine kurze Zeit gültig.	☐	☐
5	Da es vorher keinen 200 DM-Schein gab, gibt es jetzt acht neue und sieben alte Banknoten.	☐	☐
6	„Gib mir einen Hunderter" bedeutet das gleiche wie „Gib mir einen 100 DM-Schein".	☐	☐

Wichtige Begriffe aus diesem Kapitel

1 Substantive (nouns)

deutsch	*englisch*

2 Verben + Kasus (verbs + case)

deutsch	*englisch*

3 Wichtige Redewendungen (idiomatic phrases)

deutsch	*englisch*

4 Notizen

Unit 4

Einladung zum Essen
Invitation to eat out

Whether you go for a quick bite to eat at lunchtime or accept an official dinner invitation, reading the menu and ordering your food is only the start. Making conversation about the food or recommending dishes usually takes up a considerable part of this very important social event. Dealing with foreign business partners efficiently and amicably depends on your familiarity with the customs and your knowledge about food. It might also be beneficial to be able to express your personal preferences to avoid a nasty surprise, and being able to eloquently express your gratitude at the end of a successful dinner will be met with appreciation. We begin with booking a table.

A revision of the comparison of adjectives and adverbs ties in with the type of conversation presented here. We also remind you of the use of adverbs of place and movement and continue with our series of useful adverbs, this time with the suffixes *-falls* and *-halber*. Finally, a quick reminder of sentence structures with *um ... zu*, *ohne ... zu* and *anstatt ... zu*.

Einladung zum Essen

Die Einladung

Frau Burgmeister aus Aachen und Herr Ballard aus Newcastle befinden sich in den Geschäftsräumen der Firma Korff in Aachen.

Frau Burgmeister: ... können wir ja dann sehen, wie sich die Veränderungen auswirken ... Wie ist es eigentlich, kann ich Sie heute abend zum Essen einladen, oder haben Sie schon etwas anderes vor?

Herr Ballard: Ich habe noch nichts anderes vor heute abend. Ich nehme Ihre Einladung gerne an.

Frau Burgmeister: Wie ist es mit guter deutscher Küche, haben Sie darauf Lust?

Restaurant
Sieben-Quellen-Hof
51 Aachen - Schurzelter Straße 213
Telefon 12970
»Willkommen im Siebenquellenhof«

Herr Ballard: Ja, sehr. Ich habe bislang in Deutschland meistens international gespeist.

Frau Burgmeister: Dann entschuldigen Sie mich eine Minute. Ich werde uns schnell einen Tisch reservieren . . .

(Tüüüüt, tüüüüüüt, tüüüüüüt)

Sieben-Quellen-Hof: Sieben-Quellen-Hof, guten Tag!

Frau Burgmeister: Guten Tag, meine Name ist Burgmeister. Könnte ich für heute abend einen Tisch für zwei Personen reservieren?

Sieben-Quellen-Hof: Einen Moment bitte . . . Ja, das geht. Für wieviel Uhr bitte?

Frau Burgmeister: So gegen acht?

Sieben-Quellen-Hof: Das ist gut. Sagen Sie mir bitte nochmal Ihren Namen?

Frau Burgmeister: Burgmeister, wie die Burg und wie der Meister.

Sieben-Quellen-Hof: Vielen Dank, Frau Burgmeister! Wir erwarten Sie um acht Uhr.

Frau Burgmeister: Danke! Auf Wiederhören!

Sieben-Quellen-Hof: Auf Wiederhören!

Frau Burgmeister: Das hat ja gut geklappt. So, soll ich Sie denn von Ihrem Hotel abholen?

Herr Ballard: Das wäre sehr freundlich von Ihnen, aber ich kann auch mit meinem Wagen fahren.

Frau Burgmeister: Das kommt nicht in Frage. Ich werde mit einem Taxi kommen und Sie abholen. Das geht eh auf Spesen.

Herr Ballard: Einverstanden. Ich erwarte Sie dann.

Frau Burgmeister: So gegen viertel vor acht bin ich bei Ihnen. Bis dann, Herr Ballard.

Herr Ballard: Gut, bis dann, Frau Burgmeister.

Glossar

der Geschäftsraum (¨e)	office
etwas vorhaben	intend, plan
annehmen	accept
Lust haben auf	fancy, would like
bislang	so far, up to now
meistens	mostly
speisen	dine
ja, das geht	that's fine

gegen acht	at about eight
nochmal	once again
erwarten	except
das hat gut geklappt	that worked out well
das kommt nicht in Frage	that's out of the question
eh (= sowieso)	anyway, in any case
die Spesen (*pl.*)	expenses
einverstanden	agreed

Exercise 4.1

Beantworten Sie folgende Fragen:

1 Welchen Vorschlag macht Frau Burgmeister?
2 Was hat Herr Ballard heute abend vor?
3 Welche Art Küche hat Herr Ballard in Deutschland schon probiert?
4 Warum entschuldigt sich Frau Burgmeister für eine Minute?
5 Für wann reserviert Frau Burgmeister einen Tisch?
6 Wie kommen Frau Burgmeister und Herr Ballard zum Restaurant?

Im Restaurant

Herr Ballard: Es macht einen gemütlichen Eindruck, Ihr Restaurant.
Frau Burgmeister: Es ist relativ einfach, wie Sie auch gleich an der Speisekarte sehen werden. Aber es schmeckt ganz ordentlich. Ich habe auch schon Durst bekommen. *(zum Kellner)* Bitte schön! Könnten wir schon etwas zu trinken bestellen?
Kellner: Ja, natürlich, was hätten Sie denn gerne?
Frau Burgmeister: Ich hätte gerne ein kleines Bier.
Kellner: Und der Herr, was darf es für Sie sein?
Herr Ballard: Für mich bitte ein großes, ich bin nämlich sehr durstig.
Kellner: Ein großes und ein kleines Pils. Und hier sind die Speisekarten.
Frau Burgmeister: Wie Sie sehen, sind das hier fast alles deutsche Gerichte.
Herr Ballard: Wenn es hier Schnitzel heißt, meint man damit Schweineschnitzel?
Frau Burgmeister: Genau . . . haben Sie sich schon entschieden? Aber da kommen unsere Biere.
Kellner: Zwei Bier, bitte schön!
Frau Burgmeister: Danke!

Herr Ballard: Vielen Dank!
Kellner: Möchten Sie schon bestellen?
Frau Burgmeister: Ich bin soweit, wie ist es mit Ihnen?
Herr Ballard: Ja, ich habe mir auch schon etwas ausgesucht.
Frau Burgmeister: Dann fange ich mal an. Also, als Vorspeise hätte ich gerne Lachs und danach das Hirschgulasch.
Kellner: Einmal Lachs, einmal Hirsch.
Herr Ballard: Ich hätte gerne Shrimps als Vorspeise und einen Hasenrücken als Hauptgang.
Kellner: Shrimps und Hase für den Herrn. Vielen Dank!
Frau Burgmeister: Ach, Entschuldigung, wir bekommen doch Kroketten zum Wild und nicht Pommes frites, nicht wahr?
Kellner: Ja, natürlich.
Frau Burgmeister (zu Herrn Ballard): Wildgerichte sind hier zu empfehlen. Hoffentlich auch heute. Aber lassen Sie uns erst einmal anstoßen. Worauf sollen wir trinken?
Herr Ballard: Auf die gute Arbeit, die wir heute zusammen geleistet haben.
Frau Burgmeister: Schön, trinken wir darauf, zum Wohl, Herr Ballard!
Herr Ballard: Zum Wohl, Frau Burgmeister! *(Kling)*

(Etwas später)
Herr Ballard: Das hat ausgezeichnet geschmeckt.
Frau Burgmeister: Ja, ich muß schon sagen, das war sehr lecker. Möchten Sie noch eine Nachspeise oder einen Kaffee?
Herr Ballard: Nein danke. Das Essen war wirklich reichlich.
Frau Burgmeister: Gut, ich werde dann mal die Rechnung begleichen ... *(zum Kellner)* Die Rechnung, bitte!
Kellner: Komme sofort ... Bitte schön! *(überreicht die Rechnung)*
Frau Burgmeister: Halten Sie bitte 80 Mark ab. Hier. Und schreiben Sie mir bitte eine Quittung?
Kellner: Selbstverständlich.
Herr Ballard: Vielen Dank für die Einladung. Es war ein sehr schöner Abend.
Frau Burgmeister: *Ich* habe für den Abend zu danken, und wenn ich einmal in Großbritannien bin, können Sie sich ja dann revanchieren ... *(zum Kellner)* Rufen Sie uns bitte ein Taxi! Vielen Dank!

Glossar – Im Restaurant

gemütlich	comfortable, cosy
der Eindruck (¨e)	impression
die Speisekarte (n)	menu
schmecken	taste
ordentlich	*here:* good
Durst bekommen	get thirsty
nämlich	*here:* in fact
das Gericht (e)	dish
entscheiden	decide
bestellen	order
ich bin soweit	I am ready
aussuchen	choose
die Vorspeise (n)	starter, entrée
der Lachs (e)	salmon
danach	afterwards
der Hirschgulasch (—)	venison stew
der Hasenrücken (—)	saddle of hare
der Hauptgang (¨e)	main course
das Wildgericht (e)	game
empfehlen	recommend
anstoßen	toast
auf die gute Arbeit!	here's to business!
leisten	achieve, accomplish
zum Wohl!	cheers!
ausgezeichnet	excellent
lecker	tasty
die Nachspeise (n)	dessert
reichlich	plenty
Rechnung begleichen	settle the bill
überreichen	hand over
abhalten	*here:* make it . . .
die Quittung (en)	receipt
selbstverständlich	of course
revanchieren	return s.o.'s kindness, reciprocate

Redemittel: Dank ausdrücken

Herzlichen Dank!
Vielen Dank!
Schönen Dank!
Danke sehr!
Danke vielmals!

Ich möchte mich bedanken für ...
Ich bedanke mich ganz herzlich für ...

Nein, ich habe zu danken.
Herzlichen Dank für Ihre Mühe!

Ich bin Ihnen sehr zu Dank verpflichtet.
Ich stehe in Ihrer Schuld. – Wie kann ich mich revanchieren?
Kann ich umgekehrt etwas für Sie tun?

Sprechen Sie Frau Friesen meinen Dank aus.
Im Namen unseres Aufsichtsrats möchte ich Ihnen unseren Dank ausdrücken.

Frau Fischers Dank ist Ihnen gewiß.

Exercise 4.2

Suchen Sie aus der Speisekarte die deutschen Entsprechungen für die folgenden englischen Begriffe!

poultry ______________________
fish ______________________
game ______________________
dessert ______________________
soups ______________________
veal ______________________
beef ______________________
starters ______________________
escalope of pork ______________________
french fries ______________________
mushrooms ______________________
sweet and sour ______________________
onions ______________________
green salad ______________________
vegetables ______________________

Auszug aus unserer Speisekarte:

Vorspeisen

Shrimps auf Toast	7,00
Forelle, geräuchert	7,00
Echter Lachs	9,00

Suppen

Fleischsuppe	3,50
Hühnersuppe	3,50
Hongkongsuppe, scharf	4,00

Schnitzelgerichte

Jägerplatte – Champignons, Gemüse, Zwiebeln, Pommes frites und Salat	16,00
Teufelsschnitzel – süßsauer, mit Pommes frites und Salat	16,50
Schnitzel »Bearnaise« – pikant, nach Art des Hauses, Pommes frites und Salat	16,50
Schweinesteak – Champignons, Zwiebeln, Pommes frites und Salat	16,50
Schnitzel »Natur« – Pfefferrahmsoße, Pommes frites und Salat	16,50

Fisch

2 Seezungenfilets – mit Banane, Ingwer, Salzkartoffeln und Salat	18,00
2 Seezungenfilets – mit grüner Soße, Salzkartoffeln und Salat	18,00

Für unsere kleinen Gäste

Kleines Schnitzel – mit Apfelmus, Pommes frites und Salat	7,00
1 Würstchen – mit Pommes frites und Salat	7,00

Geflügel

Hähnchensteak – mit Champignons, Zwiebeln, Pommes frites und Salat	15,00
Poulardensteak – mit süß-saurer Soße, Pommes frites und Salat	15,00

Kalbfleisch

Kalbsrückensteak – klein, mit Früchten, Pommes frites und Salat	20,50
Kalbsrückensteak – klein, mit Spargel, Champignons, Pommes frites und Salat	24,50

Rindfleisch

Rumpsteak – mit Zwiebeln, Pommes frites und Salat	22,00
Rumpsteak »Bearnaise« – pikant, nach Art des Hauses, mit Pommes frites und Salat	22,00
Filet – mit Pfefferrahmsoße, Pommes frites und Salat	28,00
T.-Bone Steak – mit Pommes frites und Salat	29,00

Wild

Hirschgulasch – mit Kroketten, Apfelmus, Pfirsich, Preiselbeeren, Rotkraut und Salat	18,00
Hasenrücken gespickt – mit Rotkohl, Kroketten, Wildkompott und Salat	26,50

Nachspeisen

Kindereis	2,50
Eis, Banane, Schokosoße, Sahne	4,00
Eis, Früchte, Sahne	4,00
Eis mit heißen Kirschen, Sahne	5,00

Restaurant Sieben-Quellen-Hof

whipped cream ______
trout ______
ice cream ______
pepper sauce ______
ginger ______
salmon ______
apple sauce ______
boiled potatoes ______
smoked ______
red cabbage ______
fruit ______
hot, spicy ______
hot ______
asparagus ______
saddle of hare ______
larded ______
peach ______
bouillon ______
piquant, spicy ______
cranberry ______
chicken ______
sausage ______
cherries ______
young chicken ______
genuine ______
chicken soup ______
sole ______
saddle of veal ______
venison stew ______
fruit sauce for game ______

um ... zu, ohne ... zu, anstatt ... zu

These prepositions introduce infinitive phrases in which the dependent infinitive is preceded by *zu*. Note that the infinitive phrase is set off by a comma, because it consists of more elements than just *zu* + infinitive.

um ... zu	in order to
ohne ... zu	without ... -ing
anstatt ... zu	instead of ... -ing

Exercise 4.3

Beispiel:
Frau Burgmeister telefoniert, ... (in order to book a table).
Frau Burgmeister telefoniert, um einen Tisch zu reservieren.

Herr Ballard akzeptiert die Einladung, ... (without hesitating long).
Herr Ballard akzeptiert die Einladung, ohne lange zu zögern.

1 Sie fährt mit dem Taxi, ... (in order to pick him up from the hotel).
2 Sie kommen zum Restaurant, ... (without using his car).
3 Sie bestellen schon etwas zu trinken, ... (without having seen the menu).
4 Frau Burgmeister ruft den Kellner, ... (in order to see the menu)
5 Sie begleichen die Rechnung, ... (instead of ordering a coffee).
6 Der Kellner geht weg, ... (in order to write a receipt).

Exercise 4.4

Ordnen Sie die Adjektive der Skala von 1 bis 10 (von „sehr gut" bis „schlecht") zu.

Das Essen schmeckt:

sehr gut 1	2	3	4	5	6	7	8	9	schlecht 10

ausgezeichnet	
miserabel	
lecker	
hervorragend	
mies	9
unter aller Kritik	
köstlich	
ordentlich	
ungenießbar	
mittelmäßig	
delikat	
abscheulich	
exquisit	
mäßig	
durchschnittlich	
superb	
exzellent	

Comparison of adjectives and adverbs

The comparative is formed by adding *-er* and the superlative by adding *-st* (*-est* is added to adjectives ending in *ss, z, sch, d* and *t*).

Exceptions are:
groß, größer, am größten
scharf, schärfer, am schärfsten
gut, besser, am besten
viel, mehr, am meisten
hoch, höher, am höchsten
nah, näher, am nächsten
gern, lieber, am liebsten
ungern, weniger gern, am wenigsten gern
teuer, teurer, am teuersten

Unlike in English, the use of *more* and *most* is not possible in German.

Exercise 4.5

Setzen Sie ein!

Beispiel:
Das Schnitzel war gut, das Geflügel war ________ und das Rumpsteak war am ________.
Das Schnitzel war gut, das Geflügel war besser und das Rumpsteak war am besten.

1 Die Kneipe war teuer, die Gaststätte war ________ und das Restaurant war ________.
2 Das Kalbssteak ist zart, das Filet ist ________ und das T-Bone Steak ist ________.
3 Das Teufelsschnitzel ist scharf, die Pfefferrahmsoße ist ________ und die Hongkongsuppe ist ________.
4 Frau Burgmeister ißt gerne Poulardensteak, Herr Ballard ißt ________ Seezungenfilets und ich ________ Hasenrücken gespickt.
5 Die Shrimps sind köstlich, die Forelle ist ________ und der echte Lachs ist ________.
6 Das Schnitzel „Natur" ist preiswert, die Jägerplatte ist ________ und ein Würstchen mit Pommes frites ist ________.

Exercise 4.6

Setzen Sie bitte die entsprechenden Wörter aus dem Schüttelkasten im Komparativ ein!

höflich	vorsichtig	früh	deutlich
sorgfältig	gut	detailliert	günstig

1 Arbeiten Sie bitte sorgfältiger!
2 Stellen Sie die Warenliste ___________ zusammen!
3 Seien Sie bitte ___________ zu den Kunden!
4 Sprechen bitte ___________ am Telefon!
5 Behandeln Sie die Ware ___________!
6 Verkaufen Sie das Produkt doch etwas ___________!
7 Schicken Sie mir die Lieferung zwei Wochen ___________!
8 Die Qualität sollte im nächsten Jahr viel ___________ sein!

Eine Reservierung

Glossar – Laurweg

der Treffpunkt (e)	meeting place
die Geschäftswelt (en)	business world
stilvoll	with style
die Gastlichkeit *(no pl.)*	hospitality
gehoben	*here:* high
der Anspruch (¨e)	standard
angenehm	pleasant
die Festlichkeit (en)	festivity
geeignet	suitable
fassen	*here:* hold
entsprechend	*here:* accordingly
vorhanden	available

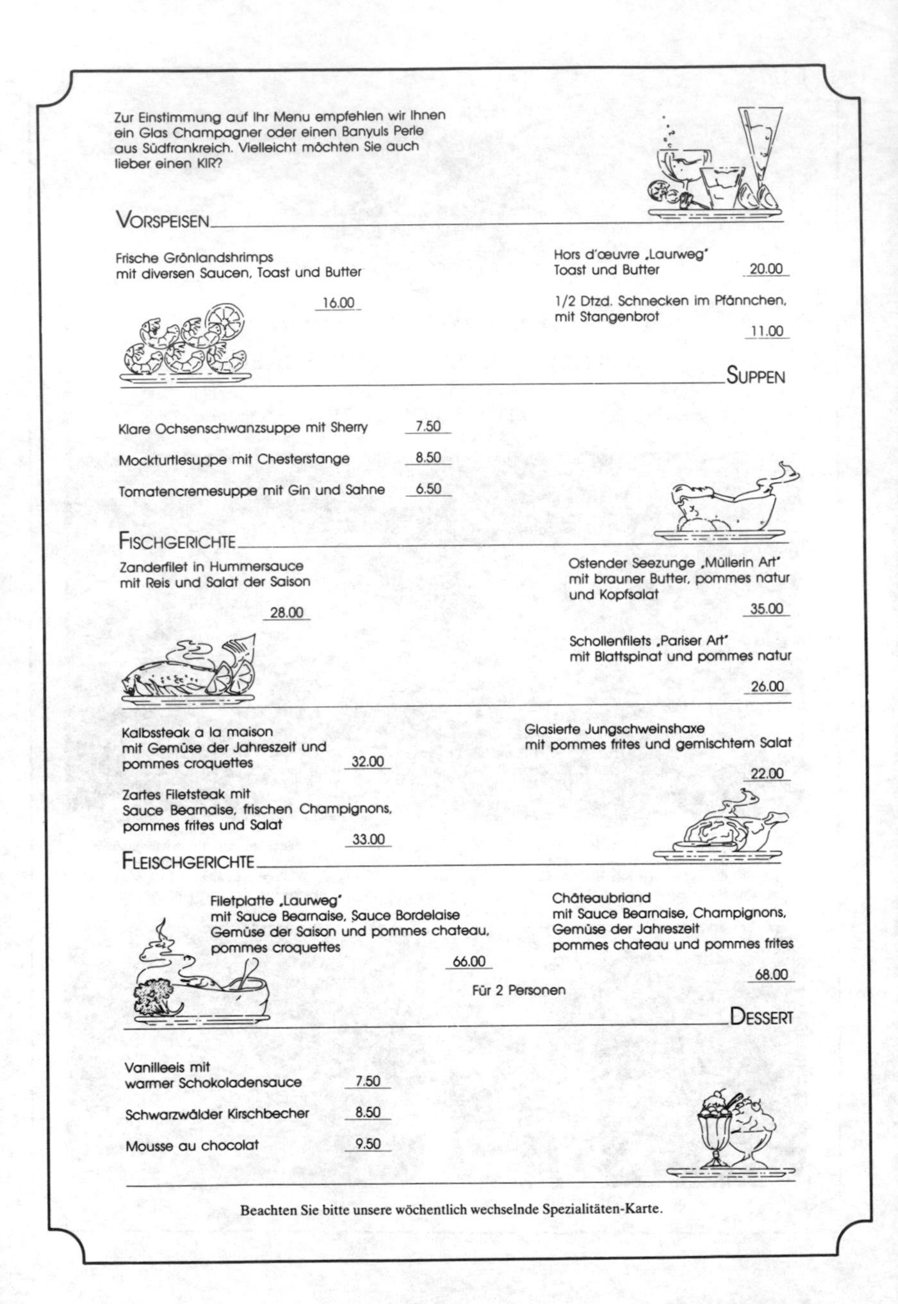

Zur Einstimmung auf Ihr Menu empfehlen wir Ihnen ein Glas Champagner oder einen Banyuls Perle aus Südfrankreich. Vielleicht möchten Sie auch lieber einen KIR?

VORSPEISEN

Frische Grönlandshrimps
mit diversen Saucen, Toast und Butter 16.00

Hors d'œuvre „Laurweg"
Toast und Butter 20.00

1/2 Dtzd. Schnecken im Pfännchen, mit Stangenbrot 11.00

SUPPEN

Klare Ochsenschwanzsuppe mit Sherry 7.50

Mockturtlesuppe mit Chesterstange 8.50

Tomatencremesuppe mit Gin und Sahne 6.50

FISCHGERICHTE

Zanderfilet in Hummersauce
mit Reis und Salat der Saison 28.00

Ostender Seezunge „Müllerin Art"
mit brauner Butter, pommes natur und Kopfsalat 35.00

Schollenfilets „Pariser Art"
mit Blattspinat und pommes natur 26.00

Kalbssteak a la maison
mit Gemüse der Jahreszeit und pommes croquettes 32.00

Glasierte Jungschweinshaxe
mit pommes frites und gemischtem Salat 22.00

Zartes Filetsteak mit
Sauce Bearnaise, frischen Champignons, pommes frites und Salat 33.00

FLEISCHGERICHTE

Filetplatte „Laurweg"
mit Sauce Bearnaise, Sauce Bordelaise
Gemüse der Saison und pommes chateau, pommes croquettes 66.00

Châteaubriand
mit Sauce Bearnaise, Champignons, Gemüse der Jahreszeit
pommes chateau und pommes frites 68.00

Für 2 Personen

DESSERT

Vanilleeis mit
warmer Schokoladensauce 7.50

Schwarzwälder Kirschbecher 8.50

Mousse au chocolat 9.50

Beachten Sie bitte unsere wöchentlich wechselnde Spezialitäten-Karte.

Parkrestaurant Laurweg

Glossar

zur Einstimmung	to get in the mood
divers	various
das Hors d'œuvre (—)	
Dtzd. (= das Dutzend)	dozen
die Schnecke (n)	escargot
das Pfännchen (—)	small sauce-pan
das Stangenbrot (e)	french bread
klar	clear
der Sherry (s)	
die Chesterstange (n)	cheesy bread-stick
der Gin (s)	
der Zander (—)	zander
der Hummer (—)	lobster
die Saison (s)	season
Ostende	town in Belgium
„Müllerin Art"	= fried in butter
die Scholle (n)	plaice
der Blattspinat *(no pl.)*	spinach
die Jahreszeit (en)	season
glasiert	glazed
die Schweinshaxe (n)	knuckle of pork
zart	tender
der Becher (—)	cup
der Schwarzwälder Kirschbecher	vanilla ice cream with cherries and cherry brandy

Exercise 4.7

Was würden Sie empfehlen?

Studieren Sie die Speisekarte sorgfältig und helfen Sie Ihrem Geschäftsfreund bei der Wahl!

Beispiel:
Geschäftsfreund: Zur Vorspeise hätte ich gerne eine kräftige Fleischsuppe.
Sie: Da kann ich Ihnen die Ochsenschwanzsuppe empfehlen.
oder
Wie wäre es denn mit Ochsenschwanzsuppe?

1 Geschäftsfreund: Die Leute am Nebentisch haben aber eine große Vorspeise. Das sieht aber appetitlich aus!
Sie: ______________________________

2 Geschäftsfreund: Gibt es ein Fischgericht ohne Kartoffeln als Beilage?
Sie: ____

3 Geschäftsfreund: Ich bin kein großer Freund von Steak. Aber gibt es hier vielleicht ein typisch deutsches Fleischgericht?
Sie: ____

4 Geschäftsfreund: Zum Dessert! Ich glaube, ich habe Lust auf ein Eis mit einem Schuß Alkohol. Gibt's das?
Sie: ____

Redemittel: Präferenz ausdrücken

Ich habe ___________ lieber.
Ich würde lieber ___________.

Ich würde ___________ vorziehen.
Ich würde ___________ den Vorzug geben.

Ich könnte mir eher vorstellen, daß ___________.
Ich könnte mir eher ___________ vorstellen.

Exercise 4.8

Ausspracheübung

Beachten Sie bitte bei Internationalismen die englische, die französische und die manchmal leicht geänderte Aussprache im Deutschen sowie die Artikel!

Sie hören das Wort zweimal, sprechen Sie es nach dem ersten Mal bitte nach! (Keine Antwort im Schlüssel!)

das Restaurant
der Champagner
die Shrimps
die Sauce Bearnaise
der Toast
das Hors d'œuvre
der Sherry
die Mockturtlesuppe
die Chesterstange
die Cremesuppe

der Gin
das Filet
die Saison
die pommes natur
das Steak à la maison
der Champignon
die pommes frites
die pommes chateau
das Chateaubriand
das Dessert
die Mousse au chocolat

Exercise 4.9

Frau Häusler ruft das Parkrestaurant Laurweg an

Bevor Sie sich das Telefonat auf der Kassette anhören, prägen Sie sich die folgenden Wörter im Glossar ein!

Glossar

zuschicken	send
die Gesellschaft (en) von ...	party of (people)
zu Abend essen	have dinner
vormerken	book, reserve
es handelt sich um	this is about
verlockend	tempting

Eine Reservierung

Beantworten Sie bitte die Fragen zum Telefonat!

(Sie können diese Übung auch als Lese- und Schreibübung machen. Lesen Sie den Text im Schlüssel!)

1 Woher hat Frau Häusler die Speisekarte des Parkrestaurants?
2 Was hat Frau Häusler am 30.04. vor?
3 Wie sind die Champignons der Vorspeise zubereitet?
4 Was gibt es als Hauptgericht?
5 Für was entscheidet sie sich zum Nachtisch?

Die romantische Gaststätte aus dem 16. Jahrhundert

„Im Heidekrug"

Aachen · Blondelstraße 9-21

Inh. G. Kuypers

Reservierungen und telefonische Bestellungen: 0241/33644 oder 43 oder 36388

Täglich von 11.00 Uhr mittags bis 3.00 Uhr nachts!
Freitags und samstags bis 5.00 Uhr früh.

Heute für Sie ganz besonders zu empfehlen!

	DM
Große Kohlroulade in herzhafter Specksauce und Salzkartoffeln	6,90
Geflügelpastetchen mit delikatem Hühnerragout gefüllt	7,90
Hähnchen auf südländische Art Hähnchenbrust gratiniert, mit Reiseinlage, Tomaten-Paprika auf südländische Art überbacken, dazu Nudeln	7,90
Hähnchenbrustfilet mit pikanter Jägersauce und Pommes Frites	7,90
Herzhafte Rinderroulade mit Rotkohl und Petersilienkartoffeln	8,90
Original Rinderbraten mit Salzkartoffeln und einem frischen Salat	9,90

Besonders frische und knackige Salate!

Salatschüssel	3,00
Salatteller	6,00
Große Salatplatte mit versch. Salatarten Schinkenröllchen, Salami, Käse, gek. Eiern, Bauernbrot und Butter	11,90

Etwas für Kenner!

Holzfällersteak über 300 gr. schweres, saftiges Schweine-Nackensteak wie gewachsen, mit Bratkartoffeln und Böhnchen im Speckmantel, serviert auf einer Holzplatte	16,90

Eine außergewöhnliche Delikatesse!

Sonderangebot!

1 **Tasse Kaffee**

1 Stück Schwarzwälder **Kirsch-Torte** .... **nur DM 3,90**

Unser Steakangebot

	DM
Zartes Rindersteak mit einem knackigen, frischen Salat	11,90
Rindersteak mit gebackenen Champignons und Salat	13,90
Rinderfilet mit Sauce Bearnaise und Salat	16,90
Rumpsteak mit Kräuterbutter(200 gr.), Pommes-frites u. Salat	19,50
Rumpsteak mit gerösteten Zwiebeln (200 gr.) Pommes-frites und Salat	19.50

Unser Küchenchef empfiehlt heute

	DM
Saftiges T-Bone-Steak vom Schwein, mit grünen Bohnen im Speckmantel, Grilltomate, geb. Kartoffel in Folie mit Kräuterquark	12,90
Hühnerfricassee „Frühlingsart" mit Reis	10,90
Zwei zarte Schweinerückensteaks „Rimini" mit Sauce Bearnaise, Broccoli, Grilltomate und knusprigem Rösti	12,90
Sauerbraten, hausmariniert, mit Printenrahmsauce, Kartoffelpüree und frischem Apfelkompott	11,90
Cordon bleu (zarte Hähnchenbrust mit Schinken und Käse gefüllt) mit Edelgemüse, Sauce Bearnaise sowie Kroketten	11,90
Lammschulter (wie gewachsen) ca. 500 gr. in einer delikaten Sauce mit zarten Böhnchen im Speckmantel und Kroketten	12,90
Srasi Nowgorod (original russisches Gericht), Rindersteaks in Scheiben, Edelpilze, Zwiebeln, Tomaten, Sherry, saure Sahne, Reis oder Kroketten	13,90

Direkt unter dem Heidekrug, verbunden durch Rolltreppen,
befinden sich zwei supermoderne, vollautomatische **Scherenkegelbahnen.**
Diese Bahnen sind jeden Tag von 11 Uhr vormittags bis 3 Uhr nachts geöffnet.

Das Haus mit den tollen Angeboten:

Nostalgielädchen

Dammstraße 11 · Aachen-Burtscheid · Telefon (0241) 67573-67390
geöffnet von 14.30-18.30 Uhr · Samstag von 10.00-13.00 Uhr

Antiquitäten - Geschenke

Exercise 4.10

Mittags in einer Gaststätte

Suchen Sie die deutschen Entsprechungen auf der Speisekarte „Im Heidekrug"!

the romantic inn ______________________
with pasta ______________________
salad bowl ______________________
chicken breast with rice stuffing ______________________
order by telephone ______________________
beef olive with red cabbage ______________________
crisp salads ______________________
'til 5 o'clock in the morning ______________________
an extraordinary delicacy ______________________

Glossar – Im Heidekrug

die Gaststätte (n)	inn, restaurant
das Jahrhundert (e)	century
Inh. (= der Inhaber) (—)	proprietor
täglich	daily
die Kohlroulade (n)	stuffed cabbage
herzhaft	hearty, spicy
der Speck *(no pl.)*	bacon
das Pastetchen (—)	vol-au-vent
delikat	savoury
das Ragout (s)	ragout
die Hähnchenbrust (¨e)	chicken breast
gratiniert	gratinated
die Reiseinlage (n)	rice stuffing
das Paprika *(no pl.)*	paprika
dazu	with
die Nudel (n)	pasta
die Rinderroulade (n)	beef olive
der Rinderbraten (—)	beef roast
die Petersilie (n)	parsley
knackig	crisp
die Salatschüssel (n)	salad bowl
der Salatteller (—)	dish of mixed salad

versch. (= verschieden)	various
das Schinkenröllchen (—)	rolled slice of ham
gek. (= gekocht)	boiled
der Kenner (—)	connoisseur
der Holzfäller (—)	woodcutter
gr. (= das Gramm)	
saftig	juicy
der Schweinenacken (—)	nape of pork
wie gewachsen	not cut into a filet
die Bratkartoffel (n)	fried or sauté potatoes
das Böhnchen (—)	bean
der Speckmantel (—)	jacket of bacon
außergewöhnlich	extraordinary
die Delikatesse (n)	delicacy

Exercise 4.11

oo Mittags in einer Gaststätte

Hören Sie den Dialog auf der Kassette und beantworten Sie die folgenden Fragen!

Wenn Sie beim zweiten Hören immer noch Probleme haben, lesen Sie das Glossar im Schlüssel und versuchen Sie es noch mal!
(Sie können diese Übung auch als Lese- und Schreibübung machen. Lesen Sie den Dialog im Schlüssel!)

1 Was machen Frau Hülsdorf und Frau Turbey nach dem Mittagessen?
2 Wo befinden sich die beiden?
3 Was für eine Gaststätte suchen sie?
4 Für welches Gericht entscheidet sich Frau Hülsdorf und für welches Frau Turbey?
5 Wie bezahlen sie?
6 Wieviel kostet Frau Hülsdorfs Essen?
7 Wieviel Trinkgeld gibt Frau Turbey?

Adverbs of place

These adverbs indicate place or movement. They answer the questions 'where?', 'where to?' and 'where from?'.

wo?
da, dort, hier; links, rechts;
oben, unten; vorne, hinten; außen, draußen, innen, drinnen; drüben

wohin
dahin, dorthin, hierhin; rechts hin, links hin;
nach oben, nach unten; nach ...
hinein, hinaus, hinauf, hinunter, hinüber;
herein, heraus, herauf, herunter, herüber;
aufwärts, abwärts, rückwärts, seitwärts, vorwärts;

woher?
daher, dorther;
von links, von rechts; von oben, von unten; von ...

The adverbs *oben, unten, vorne, hinten, außen, innen, links, rechts* can be used as adjectives:
das obere Fenster, die untere Etage, das vordere Haus, die hintere Tür, das äußere Schloß, die innere Wand, der linke Tisch, die rechte Seite

Exercise 4.12

Setzen Sie ein!

Beispiel:
Er kommt ___________ (from the outside)
Er kommt von draußen.

1 Bringen Sie die Pakete ___________. (over)
2 Nehmen Sie den Fahrstuhl ___________. (down)
3 Der Umsatz bewegt sich ___________. (upwards)
4 Herr Lane sitzt ___________ ___________ am Tisch. (over there)
5 Das Lager ist ___________ ___________. (in the back, to the left)
6 Geben Sie mir bitte den Bericht ___________. (over to me)
7 Die Rezeption ist ___________ ___________. (in the front, to the right)
8 Haben Sie die Waren schon ___________ ___________ gebracht? (outside)

Exercise 4.13

Rollenspiel: Abends an der Rezeption

Übernehmen Sie die Rolle von Herrn Lane und sprechen Sie zur Kassette auf Deutsch! Sie hören anschließend eine mögliche Antwort.

Portier: Guten Abend! Kann ich Ihnen helfen?
Herr Lane: (Good evening. Could you recommend a good, but not too expensive restaurant?)
Portier: Hier haben Sie eine Restaurantliste. Hier auf der rechten Seite sehen Sie die gutbürgerlichen Restaurants, d.h. hier werden hauptsächlich deutsche Gerichte serviert.
Herr Lane: (Yes, that's interesting. International cuisine, I can have at home. Here in Hamburg, I would prefer to have fish.)
Portier: Da kann ich Ihnen das „Schiffchen" empfehlen.
Herr Lane: (Thank you very much. Could you please call me a taxi?)

Glossar

gutbürgerliche Küche	home-cooking, traditional German cuisine
hauptsächlich	mainly

Exercise 4.14

Im Café – Zwei Geschäftskolleginnen nachmittags

Bevor Sie sich den Dialog auf der Kassette anhören, machen Sie sich mit den folgenden Worten im Glossar vertraut!

(Sie können diese Übung auch als Lese- und Schreibübung machen. Lesen Sie den Dialog im Schlüssel!)

Glossar – Im Café

halten von	think about
die Konditorei (en)	bakery/café
also nichts wie rein	let's go in
die Bedienung (en)	service, *here:* waiter/waitress
was darf es sein?	what would you like?
die Mocca-Sahne-Torte (n)	coffee-cream-gâteau
der Bon (s)	ticket, voucher
das Kännchen (—)	pot (of coffee/tea)
ist das recht?	is that alright with you
das Erdbeertörtchen (—)	strawberry tart
die Sahne *(no pl.)*	cream

Beantworten Sie die folgenden Fragen zum Gespräch im Café!

1 Welchen Vorschlag macht Frau Riemer?
2 Was ist der Unterschied zwischen einer Bäckerei und einer Konditorei?
3 Wo suchen sie den Kuchen aus?
4 Was machen die beiden mit den Bons?
5 Warum kann Frau Riemer keine Tasse Kaffee bekommen?

Exercise 4.15

Beschwerden

sauer *(off)*, kalt, zäh, lauwarm, hart, zu weich, trocken, versalzen, verdorben, sauer, angebrannt, verkohlt, fettig, schimmelig, ranzig,

1 Der Tee ist ____________. (cold)
2 Mein Zwiebelkuchen ist ____________. (dry)
3 Die Muschel ist ____________. (bad)
4 Der Wein ist zu ____________. (bitter)
5 Die Suppe ist ____________. (oversalted)
6 Die Butter ist ____________. (rancid)
7 Das Schwarzbrot ist ____________. (mouldy)
8 Das Ei ist ____________. (too soft)
9 Das Steak ist ____________. (tough)
10 Mein Grillfleisch ist ____________. (charred)
11 Mein Bier ist ____________. (lukewarm)
12 Die Kartoffeln sind ____________. (burned)

13 Die Milch ist ___________. (off)
14 Die Nudeln sind zu ___________. (hard)
15 Die Pommes frites sind zu ___________. (greasy)

Comparison of Adjectives: Inequality

Exercise 4.16

Übersetzen Sie!

Beispiel:
My black forest gateau is better than I thought.
Meine Schwarzwälderkirschtorte ist besser als ich gedacht habe.

1 The beef roast is more expensive than the stuffed cabbage.
2 The salad bowl is more tempting than the tomato soup.
3 The service in the Steigenberger Hotel is more polite than in the Restaurant Europa.
4 I prefer a cheese board to a plate of cold sliced meats in the morning.
5 To spend the lunch-break in a coffee-house is much more pleasant than to go to a pub.

Comparison of Adjectives: Equality

Exercise 4.17

Übersetzen Sie!

Beispiel:
The bill was as high as last year's.
Die Rechnung war so hoch wie im letzten Jahr.

1 The T-bone steak is as tender as the Filet Mignon.
2 The inn *Zur Post* is as comfortable as the inn *Sonnenblick*.
3 The offices of the company Korff are as large as expected.
4 The food is as plentiful as Mrs Burgmeister predicted.
5 The taxi journey took as long as the bus journey.

A few adverbs to indicate a reason or a condition: *-halber, -falls*

Exercise 4.18

Finden Sie die deutschen Entsprechungen in den Sätzen (a)–(f)!

1 if the worst comes to worst ( )
2 if necessary ( )
3 owing to circumstances ( )
4 because of interest rates ( )
5 at the best ( )
6 to be on the safe side ( )

(a) Ich habe vorsichtshalber einen Tisch bestellt.
(b) Schlimmstenfalls müssen wir unsere Reise verschieben.
(c) Zinshalber sind wir gezwungen, die Preise zu erhöhen.
(d) Der Gasthof mußte umständehalber geschlossen werden.
(e) Nötigenfalls werde ich Sie benachrichtigen.
(f) Günstigenfalls werden wir im Hotel Metropol untergebracht.

Wichtige Begriffe aus diesem Kapitel

1 Substantive (nouns)

deutsch	*englisch*

2 Verben + Kasus (verbs + case)

deutsch	*englisch*

3 Wichtige Redewendungen (idiomatic phrases)

deutsch	*englisch*

4 Notizen

Unit 5

Bürokommunikation I: Das Telefonat
Business communication I: Using the telephone

To be able to telephone in a foreign language one needs a bit of practice and good preparation. The chapter offers an extensive range of telephone terminology. You will learn how to prepare a telephone call, answer the phone, ring a business partner and deal with taking answerphone messages as well as leaving messages. We revise adverbial expressions of time and check up on your knowledge of geographical names and prepositions. There are a few peculiarities with the gender of country names which can only be learned by heart.

Das Telefonat

I. Anruf in der Telefonzentrale

Telefonistin

Zimmermann und Söhne, guten Morgen!

Anrufer Tony Francis

Guten Morgen! Mein Name ist Tony Francis. Könnte ich bitte Herrn Dahlen sprechen?

Guten Tag! Ist dort Zimmermann und Söhne?

Guten Tag! Tony Francis hier, von Globus Limited aus England. Ich hätte gern Herrn Zimmermann gesprochen.

Tony Francis hier, guten Tag! Ist Frau Ganzmeyer im Haus?

Telefonistin

Einen Moment bitte, ich verbinde.

Bleiben Sie bitte am Apparat, ich stelle Sie durch.

Augenblick bitte, ich schaue nach, ob er da ist.

Frau Ganzmeyer ist nicht im Hause, sie wird gegen 14 Uhr wieder da sein.

Herr Dolf ist auf Geschäftsreise, möchten Sie mit Frau Treidel sprechen?

Die Leitung ist gerade besetzt, möchten Sie warten?

Frau Dolf telefoniert gerade, kann sie Sie später zurückrufen?

II. Herr Dahlen im Büro

Herr Dahlen

Telefonistin

Dahlen.

Herr Dahlen, ein Herr Francis aus England möchte Sie sprechen.

Herr Dahlen, Herr Francis von Globus Limited ist für Sie am Apparat.

Danke. Stellen Sie bitte durch.

III. Anruf bei Herrn Mestemeier zu Hause

Herr Mestemeier

Anrufer Peter Francis

Mestemeier.

Guten Tag, Herr Mestemeier! Mein Name ist Peter Francis.

Peter Francis hier. Guten Tag, Herr Mestemeier!

Telefonanruf

Anruf 1

K Krause, guten Tag!
S Guten Tag! Ist dort Sindermann und Söhne?
K Ja, Sindermann und Söhne GmbH, Krause am Apparat.
S Mein Name ist Sissons, ich rufe aus Großbritannien an. Könnte ich bitte mit Frau Gebhardt sprechen?
K Einen Moment bitte, ich verbinde. (...) Hallo, sind Sie noch da?
S Ja, Frau Gebhardt?
K Nein, Krause hier. Frau Gebhardt ist in einer Besprechung. Möchten Sie mit irgend jemand anders sprechen?

S Nein, danke!
K Könnten Sie denn später wieder anrufen?
S Wann wird sie denn erreichbar sein?
K So in ungefähr einer halben Stunde.
S Gut, ich werde dann anrufen. Vielen Dank! Auf Wiederhören!
K Auf Wiederhören, Herr Sissons!

Glossar

am Apparat	... speaking
verbinden	put through
die Besprechung (en)	meeting
erreichbar	available, contactable, free

Exercise 5.1

Finden Sie die deutschen Entsprechungen im Telefonat

1 Krause speaking. ____________________
2 Just a minute, I will put you through. ____________________
____
3 Frau Gebhardt is in a meeting. ____________________
4 Would you like to speak to someone else? ____________________
____
5 Could you ring back later? ____________________
6 When will she be available? ____________________
7 Good-bye. ____________________

Anruf 2

K Firma Sindermann und Söhne! Guten Tag!
S Guten Tag! Mein Name ist Sissons, ich hatte eben schon mal angerufen, um Frau Gebhardt zu sprechen. Ist sie jetzt in ihrem Büro?
K Einen Augenblick bitte, bleiben Sie bitte am Apparat! (...) Es tut mit sehr leid, aber sie kann augenblicklich nicht Ihr Gespräch annehmen. Könnten Sie mir bitte Ihre Telefonnummer geben? Sie wird Sie dann zurückrufen.
S Ja, das kann ich machen. Die Vorwahl für Großbritannien ist 00 44 (null null vier vier), dann 71 (sieben eins) für London, und unsere

Nummer ist 257 3883 (zwei fünf sieben – drei acht acht drei). Lassen Sie sich dann von der Vermittlung mit meinem Büro verbinden. Mein Name ist Frederic Sissons.

K Ich wiederhole: 71 für London, dann 257 3883. Und Ihr Name ist Frederic Sissons. Mit zwei „s" in der Mitte?

S Ja, genau.

K Frau Gebhardt wird Sie in wenigen Minuten zurückrufen.

S Gut. Auf Wiederhören!

Glossar

eben schon	*here:* earlier
augenblicklich	at the moment
das Gespräch annehmen	take a call
zurückrufen	call back
die Vorwahl (en)	dialling code
die Vermittlung	switchboard
verbinden	connect, put through

Exercise 5.2

Finden Sie die deutschen Entsprechungen im Telefonat:

1 I rang earlier on. ____________________

2 I am very sorry, but she can't take your call at the moment. ______
____

3 She will ring you back. ____________________

4 Get the switchboard to put you through! ____________________
____

Anruf 3

C Hello!

K Guten Tag! Sprechen Sie Deutsch?

C Ja, etwas, kann ich Ihnen helfen?

K Könnten Sie etwas lauter sprechen? Ich kann Sie nicht verstehen.

C Die Leitung ist sehr schlecht ... Ist es nun besser?

K Ja, ich kann Sie jetzt gut verstehen.

C Mit wem möchten Sie denn sprechen?

K Mit Herrn Sissons, bitte.
C Bleiben Sie am Apparat. Ich stelle Sie sofort durch.
S Frederic Sissons.
K Ich verbinde Sie mit Frau Gebhardt.
G Gebhardt. Herr Sissons?
S Ja, Frederic Sissons, guten Tag!
G Guten Tag, Herr Sissons! Entschuldigen Sie bitte die Umstände, aber ich war nicht abkömmlich.
S Das ist kein Problem.
G Um was geht es denn, Herr Sissons?
S Ihre Firma wurde mir von der Industrie- und Handelskammer in London empfohlen. Wir suchen nämlich eine Vertretung für unsere Reihe von ökonomischen Datenbanken auf Computerdisketten ...

Glossar

durchstellen	put through
entschuldigen Sie die Umstände	excuse the inconvenience
abkömmlich	available
um was geht es?	what is it about?
die Vertretung (en)	representation

Exercise 5.3

Finden Sie die deutschen Entsprechungen im Telefonat:

1 Could you speak up a bit? ______________________
2 It's a very bad line. ______________________
3 Who would you like to talk to? ______________________
4 Hold the line, please. ______________________
5 I'll put you through straightaway. ______________________
6 Sorry for the inconvenience. ______________________
7 What is it about? ______________________

Anruf 4

AA Fleischmann International. Guten Morgen!
BB Guten Morgen! Ich möchte bitte mit dem Verkaufsleiter für England sprechen.

AA Wie ist Ihr Name, bitte?
BB Mein Name ist Clive Atkins.
AA Könnten Sie Ihren Nachnamen bitte buchstabieren?
BB A–T–K–I–N–S.
AA Bleiben Sie bitte am Apparat, ich versuche es bei seiner Sekretärin. (. . .) Entschuldigung, daß Sie so lange warten mußten. Aber er ist gegenwärtig nicht in seinem Büro. Kann seine Sekretärin Ihnen behilflich sein?
BB Nein, aber es ist sehr dringend. Wann wird er denn erreichbar sein?
AA Ich habe keine Ahnung, wann er zurückkommt. Darf ich Sie mit einem seiner Mitarbeiter verbinden?
BB Ja, tun Sie das doch bitte.
AA Einen Moment.
CC Schulz, Verkaufsabteilung.
AA Mein Name ist Atkins, ich rufe aus England an. Ich wollte eigentlich Ihren Verkaufsleiter sprechen, aber vielleicht können Sie mir auch helfen. . .

Glossar

buchstabieren	spell
gegenwärtig	at the moment, currently
behilflich sein	help s.o.
dringend	urgent
die Ahnung (en)	idea, clue

Exercise 5.4

Finden Sie die deutschen Entsprechungen im Telefonat!

1 I would like to talk to . . . ________________
2 Could you spell your last name please? ________________
3 He is momentarily not in his office. ________________
____
4 Can his secretary help you? ________________
5 It is very urgent. ________________
6 I have no idea . . . ________________

Anruf 5: Beenden eines Gesprächs

A Dann rufe ich Sie demnächst noch einmal an.
B Gut, Frau Graf, machen Sie das. Dann weiß ich auch genauer, ob wir Ihnen einen Auftrag erteilen können.
A Vielen Dank für Ihre Zeit, Herr Mitchel.
B Ich habe mich gefreut, von Ihnen zu hören. Auf Wiederhören!
A Auf Wiederhören!

Glossar

demnächst	in the near future, before long
einen Auftrag erteilen	place an order

Exercise 5.5

Finden Sie die deutschen Entsprechungen im Telefonat!

1 I shall ring you back in the near future.

____

2 Thank you very much for your time.

____

3 I enjoyed hearing from you.

____

Anruf 6

CC Soll ich Ihnen denn hier in Manchester ein Hotelzimmer buchen? Das geht dann natürlich auf unsere Kosten.
DD Das wäre aber sehr freundlich von Ihnen. Ja, bitte, tun Sie das.
CC Das wäre also vom 17. bis zum 19. November, zwei Übernachtungen.
DD Vielen Dank! Ich werde Sie über meine Ankunft noch unterrichten. Ich werde einen Flug nach Manchester nehmen.
CC Ich treffe Sie übermorgen dann im Hotel.
DD Könnten Sie mir bitte denn den Namen und die Adresse des Hotels faxen? Sie haben ja unsere Faxnummer.
CC Das werde ich machen. Bis dann also, Herr Krüger.
DD Auf Wiedersehen in Manchester!
CC Auf baldiges Wiedersehen, Herr Frost!

Glossar	
das geht auf unsere Kosten	we will pay for this
die Übernachtung (en)	night (in a hotel)
unterrichten	*here:* inform, notify
übermorgen	the day after tomorrow

Exercise 5.6

Übersetzen Sie!

1 That would be very kind of you. ______________________
2 Could you fax me ... ______________________________
3 See you soon. ____________________________________

Redemittel: um Erlaubnis bitten

Darf/dürfte ich ...?
Kann/könnte ich ...?
Ist es erlaubt/wäre es erlaubt ...?
Ist es möglich/wäre es möglich ...?
Ich würde gerne ...
Ich möchte gerne ...

	Erlaubnis geben, erteilen
Selbstverständlich / natürlich / sicherlich / gerne	A
Das läßt sich einrichten / machen.	B
Ich denke schon / ja, aber ...	C
Im Prinzip ja, aber ...	D
Nur wenn ...	E

Exercise 5.7

Benutzen Sie für Ihre Antworten die Redemittel von A–E!

1 Dürften wir Ihnen nächste Woche unsere Produktpalette vorstellen?
(E) eine Stunde / dauern / länger / nicht / es / als
____

2 Wäre es Ihnen möglich, übermorgen zu einem Vorstellungsgespräch zu kommen?
(C) Terminkalender / ich / in / nachsehen / meinem / müssen / erst
____

3 Ich würde gerne unsere neue Verkaufsabteilung in London übernehmen. Ist das möglich?
(D) sich / vorher / bewerben / offiziell / Sie / müssen

____

4 Ist es erlaubt, hier zu rauchen?
(A) im / wenn / Platz / Sie / Nichtraucherabteil / nehmen

____

5 Könnte ich nächsten Monat mit einem Ihrer Ingenieure in Hamburg sprechen?
(B) Bescheid / rechtzeitig / mir / geben / wenn / Sie

____

Der Anrufbeantworter

Bevor Sie sich die beiden folgenden Nachrichten auf dem Anrufbeantworter anhören, lesen Sie sich den Lückentext durch und merken Sie sich die folgenden Wörter im Glossar! Vervollständigen Sie bitte dann den Text! Hören Sie sich die Kassettennachrichten mehrmals an! (Die Transkription der Nachrichten finden Sie im Schlüssel.)

Exercise 5.8

1 Setzen Sie ein!

Dies ist der Anrufbeantworter von ___________. Ich bin zur Zeit nicht im ___________. Wenn Sie eine ___________ übermitteln wollen, sprechen Sie bitte nach ___________ und hinterlassen ___________ und Ihre ___________. *(Tüüt)*

Glossar zum Hörtext

der Anrufbeantworter (—)	answerphone
zur Zeit (z.Z. or z.Zt.)	at the moment
übermitteln	pass on
hinterlassen	leave

2 Setzen Sie ein!

Hier ist die Im- und Export ___________ Hellbig. Wir können leider im Moment Ihren ___________ nicht entgegennehmen. Sprechen Sie bitte Ihren Namen und Ihre __________ auf den Anrufbeantworter und hinterlassen eventuell eine Nachricht. Wir werden Sie dann __________. Vielen Dank! – Sprechen Sie bitte __________. *(Tüüt)*

Glossar zum Hörtext	
entgegennehmen	take a call
eventuell	possibly

Anrufe auf dem Anrufbeantworter

Exercise 5.9

Ergänzen Sie die Nachrichten, die Sie auf dem Anrufbeantworter vorfinden! (Die Transkriptionen finden Sie im Schlüssel.)

1

Glossar zum Hörtext	
bestätigen	confirm
durchgeben	pass on

Mein Name ist __________. Ich bin von der __________ Kloppenburg __________ in __________. Ich bestätige, daß ich am __________, den __________ 04. bei Ihnen in Glasgow ankommen werde. Meine __________ ist BA 237, die __________ 10.45 Uhr. Ich __________ Sie am Flughafen. Ich bleibe drei __________. Könnten Sie mir noch schnell den __________ des für mich gebuchten Hotels durchgeben, per __________, __________ oder __________? Für den Notfall meine __________ Telefonnummer: Bremen 49 53 27 1. Bitte __________ Sie Herrn Clifford von meinen __________. Vielen Dank! Auf Wiederhören!

2

Glossar zum Hörtext	
die Sendung (en)	delivery, consignment, shipment, parcel
zu Bruch gehen	break, get wrecked
der Eierbecher (—)	egg cup
der Schadensbericht (e)	damage report

Name des Anrufers: ______________________________

Name der Firma: ______________________________

Informationen:

(a) Sendung ______________________________

(b) Keramikwaren sind ______________________________

(c) Liefern Sie bitte ______________________________

(d) Folgende Teile: __________ Tassen Nr __________

__________ Untertassen Nr __________

__________ Eierbecher __________

(e) Schadensbericht für die ______________________________ wird zugeschickt

(f) __________ Lieferung wird erwartet

3

Glossar zum Hörtext	
abschleppen	to tow
Bescheid geben	inform

Hier spricht der Fahrer des __________ Grashoff. Ich bin mit meinem __________ auf dem Weg zu Ihnen nach Birmingham. Mein Wagen hat einen __________, und ich stehe auf der M20 hinter Canterbury. Der Wagen wird __________ von hier abgeschleppt zur __________ Werkstatt. Ich werde Sie __________ mittag anrufen und Bescheid geben, wann ich mit __________ __________ bei Ihnen sein werde. Könnten Sie bitte auch __________ __________ in Friedrichstadt anrufen und informieren? Die Nummer ist __________. Vielen Dank!

4

Glossar zum Hörtext	
ähnlich	similar
schriftlich zukommen lassen	send in writing

Name der Firma: ______________________
Bestellung: ______________________
Maschinen: ______________________
Name des Unternehmens: ______________________
Adresse: ______________________
____
____

5

Glossar zum Hörtext	
für den Fall	in case
inzwischen	in the meantime
die Terminvereinbarung (en)	(agreed) appointment

Name des Sprechers: ______________________
Name des Empfängers: ______________________
Details der Reservierung: ______________________
____
Terminvereinbarung: ______________________
Privatnummer: ______________________

6

Glossar zum Hörtext	
morgig	tomorrow's
überholt	out-dated
momentan	momentarily
folgendermaßen	as follows

Name des Sprechers: ______________________
Name der Firma: ______________________
Name des Empfängers: ______________________

Information: ____

____

____

____

____

____

____

____

Telefonat Rollenspiel

Exercise 5.10

Sie werden von einer deutschen Firma angerufen. Antworten Sie bitte mit Hilfe der Stichworte zu jedem Dialogteil. Drücken Sie die *Pause*–Taste, nachdem Sie die einzelne Frage oder Anweisung gehört haben. Antworten Sie bitte dann. Sie werden, wenn Sie den Kassettenrekorder wieder betätigen, eine mögliche Antwort hören und dadurch Ihre Antwort kontrollieren und verbessern können.
(Mit Hilfe des Schlüssels im Anhang können Sie diese Übung auch als Lese- und Schreibübung machen.)

Sprechen Sie bitte!

Frau Karpuste: (Guten Tag)
Sie: **... mein Name ...**

Frau Karpuste: (Wie ...?)
Sie: **... Herrn Franzen sprechen?**

Frau Karpuste: (Welche ...?)
Sie: **... Verkaufs ...**

Frau Karpuste: (Könnten ...?)
Sie: **⟨Antworten Sie!⟩**

Frau Karpuste: (Vielen Dank ...)
Sie: **Gut ...**

Frau Karpuste: (Ich ...)
Sie: **... anderen Mitarbeiter ...**

Frau Karpuste: (Sie . . .)
Sie: **Gut, . . . Frau . . .**

Frau Huber: (Guten Tag, . . .)
Sie: **. . . von . . . Browns Ltd.**

Frau Huber: (Wie . . . ?)
Sie: **. . . vor 1 Jahr Geschäftsbeziehungen . . . Ihnen**

Frau Huber: (In welcher . . . ?)
Sie: **. . . Lebensmittel . . .**

Frau Huber: (Und was . . . ?)
Sie: **. . . Schokoladenprodukte**
. . . fragen, ob . . . noch Schokoletten und Pralinen . . .

Frau Huber: (Ja . . .)
Sie: **Ja, . . . Preisliste**

Frau Huber: (Geben . . .)
Sie: **55 Argyle Road, Birmingham B12 5PT**

Frau Huber: (Können . . . buchstabieren?)
Sie: ⟨Antworten Sie!⟩

Frau Huber: (Vielen . . .)
Sie: ⟨Antworten Sie!⟩

Some adverbs and adverbial expressions of time

Present	Past	Future	Others
heute	gestern	morgen	immer
jetzt	vorgestern	übermorgen	stets
nun	(so)eben	bald	oft
gerade	bereits	demnächst	häufig
momentan	schon	später	wieder
augenblicklich	kürzlich	danach	mehrmals
gegenwärtig	neulich	nachher	jederzeit
derzeit	vorhin		nie(mals)
sofort	damals		(zu)erst
sogleich	vorher		zuletzt
vorerst	seither		schließlich
	bisher		inzwischen
	früher		zunächst
			nochmals

Exercise 5.11

Ordnen Sie den englischen Zeitadverbien die deutschen Entsprechungen zu!

(Wenn Sie nicht alle finden, sehen Sie zum Schluß im Schlüssel nach!)

tomorrow	
hitherto	bisher
later	
always	
at any time	jederzeit
recently	
	neulich
never	
at once	
soon	
now	
afterwards	danach
just (present)	
just (past)	soeben
since	
first of all	
at first, in the first place,	zuerst
yesterday	
the day after tomorrow	
at the moment	
for the time being	vorerst
once again	
often	

finally ____________________
meanwhile ____________________
again ____________________
already ____________________
____
before ____________________
today ____________________
then, in those days damals ____________
the day before yesterday ____________________
several times ____________________
earlier on ____________________
in the past früher ____________

Exercise 5.12

Ergänzen Sie ein Adverb der obigen Liste!

1 ____________ (hitherto) funktionierte die Organisation reibungslos.
2 Wir haben leider diese Waren ____________ (at the moment) nicht im Angebot.
3 Während der Firmenbesichtigung ging es ____________ (at first) in das Materiallager.
4 ____________ (for the time being) nehmen wir keine weiteren Bestellungen an.
5 Der Kunde hat ____________ (just now) die Rechnung beglichen.
6 Das Unternehmen kann ____________ (at any time) Bestellungen nach Wunsch ausführen.
7 Wir haben seit drei Monaten eine neue Marketingstrategie. ____________ (since then) haben sich die Verkaufszahlen verdoppelt.
8 Wir werden ____________ (soon) auch auf dem außereuropäischen Markt tätig sein.
9 Im Schreibdienst benötigen wir ____________ (meanwhile) leistungsfähigere Computer.
10 Vielleicht sollten Sie dieses Fax ____________ (once again) schicken!

-lich oder *-ig?*

-lich = every . . . *-ig* = lasting . . . long

die Minute	minütlich, minütig	die zehnminütige Besprechung Ich erwarte den Anruf minütlich.
die Stunde	stündlich, stündig	das fünfstündige Programm Sie ruft stündlich an.
der Tag	täglich, tägig	die eintägige Konferenz Er sieht sie täglich.
die Woche	wöchentlich, wöchig	der dreiwöchige Kurs die wöchentliche Abrechnung Sie meldet sich einmal wöchentlich.
der Monat	monatlich, monatig	das sechsmonatige Praktikum die monatliche Pressekonferenz Das Journal erscheint monatlich.
das Jahr	jährlich, jährig	die zehnjährige Tochtergesellschaft die jährliche Bilanz Einmal jährlich wird Revision gemacht.

Exercise 5.13

Wie wird das ins Englische übersetzt?

1 die jährliche Überprüfung ______________________
2 ein halbstündiges Einstellungsgespräch ______________________
____
3 die fünfmal wöchentlich erscheinende Zeitschrift ______________
____
4 der zehnstündige Flug ______________________
5 die dreitägige Konferenz ______________________

Exercise 5.14

Setzen Sie ein!

1 Die ________ Unterredung blieb ohne Ergebnis. (3 hours)
2 Das ________ Praktikum wurde ihr angerechnet. (6 months)
3 Die Zinsen werden ____ auf dem Konto verbucht. (every year)
4 Die Züge verkehren ____ zwischen 8 und 20 Uhr. (every day)
5 Der Betrieb feiert sein ____________ Bestehen. (20 years)

Telefonieren ins Ausland

Frau Jameson sitzt mit einer deutschen Geschäftsfrau beim Mittagessen.

Frau Jameson: Könnten Sie mir einmal sagen, wie ich am besten nach England telefonieren kann?

Frau Pfender: Sie können natürlich von Ihrem Hotel aus telefonieren. Das ist sehr bequem, aber es ist normalerweise ziemlich teuer.

Frau Jameson: Wenn es notwendig ist, zahlt es ja dann die Firma.

Frau Pfender: Dann gibt es die Telefonzellen. Dort gibt es einen Münzfernsprecher, und man zahlt mit Münzen. Man muß dabei das Kleingeld parat haben.

Frau Jameson: Kann man sich wie in Großbritannien anrufen lassen?

Frau Pfender: Das geht leider nicht. Aber wie in England gibt es jetzt schon öffentliche Fernsprecher für Telefonkarten. Man kann die Karten bei der Post kaufen, für entweder 12,–DM oder 24,–DM.

Frau Jameson: Was hat denn die Post mit dem Telefon zu tun?

Frau Pfender: Das Telefonmonopol gehört in Deutschland der Post. Deshalb findet man auch in allen Postämtern mehrere Telefonzellen, und man kann sich auch von dem Postbeamten eine Leitung herstellen lassen und danach am Schalter bezahlen. Dazu braucht man dann kein Kleingeld.

Frau Jameson: Das ist sehr praktisch. Ich glaube, daß ich alle diese verschiedenen Möglichkeiten nutzen werde. Es kommt immer darauf an, wo man ist und wie dringend es ist.

Glossar – Telefonieren ins Ausland

die Münze (n)	coin
parat	ready
der öffentliche Fernsprecher (—)	public telephone
das Postamt (¨er)	post office
die Telefonzelle (n)	telephone kiosk or booth
eine Leitung herstellen	set up/get a line
der Schalter (—)	counter
es kommt darauf an	it depends
dringend	urgent

Exercise 5.15

Welche vier Möglichkeiten gibt es, ein Telefongespräch zu führen? Füllen Sie aus mit Hilfe des obigen Dialogs!

1 [ ] — sehr bequem

2 [mit dem Münzfernsprecher]

3 [mit dem Kartentelefon]

4 [ ] — eine Leitung herstellen lassen

Im Hotel

Empfangschef: Kann ich Ihnen helfen, Frau Jameson?
Frau Jameson: Ja, können Sie mir sagen, wie ich nach England anrufen kann?
Empfangschef: Geben Sie mir die Nummer, und ich werde für Sie die Verbindung herstellen.
Frau Jameson: Vielen Dank! Aber ich möchte auch gerne wissen, wie es funktioniert, damit ich es auch alleine schaffe.
Empfangschef: Selbstverständlich. Wenn Sie nach Großbritannien anrufen wollen, dann müssen Sie als erstes 00 44 wählen. Um in die USA anzurufen, wählen Sie 00 1. Bei der Vorwahl, das ist die Nummer für die Stadt oder den Ort, muß man dann die Null streichen, also 286 statt 0286 und danach die Teilnehmernummer.
Frau Jameson: Vielen Dank für Ihre Hilfe! Auf Wiedersehen!
Empfangschef: Keine Ursache. Auf Wiedersehen!

Glossar

schaffen	manage, handle
keine Ursache	you are welcome, no problem

Geographical names

Names of towns, countries, regions and continents are used without the article (a), in conjunction with an adjective the article is *das* (b).

Beispiele:
(a) Frankreich, Italien und Spanien sind die größten Weinproduzenten Europas.
(b) Wir besuchten das sonnige Italien.

There are some exceptions.

The following country and region names take the definite article:

Maskulinum	**Femininum**	**Plural**
der Iran	die Schweiz	die USA
der Irak	die Türkei	die Niederlande
der Libanon	die Tschechoslowakei	
der Jemen	die Elfenbeinküste	
der Sudan	die Bretagne	
der Balkan	die Pfalz	
der Kongo	die Krim	
der Senegal	die Bundesrepublik	
der Tschad	Deutschland	
	die GUS	
	(die Gemeinschaft Unabhängiger Staaten)	

The preposition used for names without article is *nach*, and for those with article is *in*:
Ich rufe erst *nach* England und danach *in* die USA an.

Exercise 5.16

Übung

Stellen Sie mir bitte eine Leitung ________ Italien
________ Schweiz
________ Norwegen
________ USA
________ Jugoslawien
________ Kongo
________ GUS
________ Bundesrepublik
________ Iran
________ Frankreich
} her!

Unser Betrieb hat eine Zweigstelle ________ Niederlande____.
________ Türkei.
________ Kanada.
________ Irland.
________ Jemen.
________ Moskau.
________ GUS.
________ USA.
________ Manchester.
________ Tschad.

Kann ich bei Ihnen einen Flug ________ Italien
________ Paris
________ USA
________ Griechenland
________ Irak
________ Dänemark
________ Prag
________ Ungarn
________ Schottland
________ Schweiz
} buchen?

In der Firma des Geschäftspartners

Frau Jameson: Frau Küster, kann ich Sie mal etwas zum Telefonsystem hier fragen?
Frau Küster: Ja, was interessiert Sie denn?
Frau Jameson: Hier auf Ihrem Briefbogen stehen zwei Telefonnummern. Die eine lautet: 88 76 3–1.
Die andere: 88 76 3–5 15
Frau Küster: Wenn man die erste Nummer wählt, sprechen Sie mit der Vermittlung unserer Firma. Die kann Sie dann an die richtige Abteilung oder Person weiterleiten. Wenn Sie die zweite Nummer wählen, sind Sie sofort mit mir verbunden. Der Bindestrich soll Sie nicht irritieren, Sie wählen einfach durch.
Frau Jameson: Und was für eine Bedeutung hat es, daß die Telefonnummern in Zweiergruppen geschrieben werden?
Frau Küster: Man spricht die Telefonnummer immer in Zweiergruppen aus, z.B. meine Firmennummer ist achtundachtzig, sechsundsiebzig, einunddreißig. Naja, nicht immer, wenn eine Null in der Mitte drin ist, wird es schwierig, das durchzuhalten. Die Vorwahl von Köln ist für mich null zwei zwei eins. – Könnten Sie mir sagen, wie die Zugangsziffer und die Landeskennziffer für Deutschland in Großbritannien ist?
Frau Jameson: Zuerst wählen Sie 0 10 und danach 49. Anschließend die Teilnehmernummer ohne die Null.
Frau Küster: Das werde ich mir merken. Vielen Dank!
Frau Jameson: Ich danke Ihnen für Ihre Hilfe.

Glossar

der Bindestrich (e)	dash
die Zweiergruppe (n)	a group of two
die Zugangsziffer (n)	international code
die Landeskennziffer (n)	country code
anschließend	afterwards

Telefonnummern

Sprechen Sie bitte die folgenden Telefonnummern aus, und hören Sie sich dann die Telefonnummern auf der Kassette an.

Denken Sie daran, daß:

1 Telefonzahlen in Zweiergruppen geschrieben und gesprochen werden;
2 man am Telefon häufig *zwo* statt *zwei* spricht, damit man den Unterschied zwischen *zwei* und *drei* genau hört;
3 man z.B. 88 als *achtundachtzig* spricht (und nicht 'double 8' übersetzt);
4 die Vorwahl entweder durch Klammer (   ) oder durch Schrägstrich / abgetrennt wird;
5 bei Durchwahlnummern (zum Beispiel – 312) die Zahlen meistens einzeln ausgesprochen werden (— sprich *Durchwahl*).

(02 41) 78 52 34
0 80 / 3 56 77 34
09 21 / 27 32 15
(0 22 51) 3 96 10 – 113
(0 62 21) 1 99 34
(04 31) 17 77
0 64 21 / 7 13 18
0 53 41 / 20 02 44

Exercise 5.17

Hören Sie jetzt acht Telefonnummern auf der Kassette und schreiben Sie sie auf!

(a) ______________________
(b) ______________________
(c) ______________________
(d) ______________________
(e) ______________________
(f) ______________________
(g) ______________________
(h) ______________________

Telefon

Exercise 5.18

Schreiben Sie die englische Übersetzung!

1 das Telefon ______________________
2 der Hörer ______________________
3 die Tastatur ______________________
4 das Münztelefon ______________________
5 die Gebührenanzeige ______________________
6 das schnurlose Telefon ______________________
7 die Wählscheibe ______________________

Exercise 5.19

Übersetzen Sie!

1 durchstellen ______________________
2 die Leitung halten ______________________
3 anwählen ______________________
4 ein Gespräch annehmen ______________________
5 „kein Anschluß unter dieser Nummer" ______________________
6 besetzt ______________________
7 anrufen ______________________
8 die Durchwahlnummer ______________________
9 der Nebenstellenanschluß ______________________
10 das Telefonbuch ______________________
11 keine gute Verbindung haben ______________________
12 die Teilnehmernummer ______________________
13 der Anschluß ______________________
14 die Telefonauskunft ______________________
15 die Gebühren ______________________
16 das Fernmeldeamt ______________________
17 die Vorwahlnummer ______________________
18 der Ansagedienst ______________________
19 die Gelben Seiten ______________________
20 wählen ______________________
21 das Telefonat ______________________
22 fernmündlich ______________________

Vorwahlnummer	Teilnehmernummer (Anschlußnummer)
(0 24 07)	25 68 05

Exercise 5.20

Wählen Sie zum Einsetzen die Worte aus der obigen Liste!

1 Wenn man die Nummer eines Teilnehmers nicht hat, dann kann man entweder im ____________ nachschlagen oder ____________ anrufen.
2 In ____________ sind Dienstleistungen und Hersteller aufgelistet.
3 Sollte die Nummer, die man ____________, nicht mehr existieren, dann hört man die Ansage: ____________.
4 Will man Informationen über Veranstaltungen, Kinoprogramm oder einfach die Zeit wissen, dann kann man ____________ anrufen.
5 Ein anderes Wort für Telefongespräch ist ____________.
6 Wenn das Telefon klingelt, ____________ ich das Gespräch ______.
7 Zuerst wird die ____________ gewählt und dann die Teilnehmernummer.
8 Bei einem Ferngespräch kann es passieren, daß man ____________ ____________ hat.

Exercise 5.21

Was gehört zusammen?

1	durchstellen	(a)	to dial
2	die Leitung halten	(b)	engaged
3	umleiten	(c)	to hold the line
4	besetzt	(d)	to have a bad line
5	wählen	(e)	to put through
6	keine gute Verbindung haben	(f)	to redirect

Exercise 5.22

Setzen Sie ein!

zurückrufen	unterbrechen	durchkommen	aufgeben
auflegen	am Apparat bleiben		heraussuchen
abnehmen	durchstellen		umleiten

1 Die Leitung nach Großbritannien scheint überlastet zu sein, ich ____________ im Moment nicht ____________.
2 Herr Fröbe ist gerade in einer Besprechung, kann er Sie in einer halben Stunde ____________?
3 Frau Minder, ein Herr Kleinschmidt möchte Sie sprechen, soll ich ihn ____________?
4 Seit einer Stunde schon rufe ich sein Büro an, aber da ____________ keiner den Hörer ____________.
5 Guten Tag! Könnten Sie mir bitte eine Nummer in Frankfurt ____________?
6 Eine Stunde lang haben wir seine Nummer in Peru angewählt, danach haben wir ____________.
7 Wenn er mir eine solche Frechheit am Telefon gesagt hätte, dann hätte ich sofort ____________.
8 Plötzlich hörte ich seine Stimme nicht mehr. Ich glaube, wir sind ____________ worden.
9 Könnten Sie bitte die Gespräche für mich ab jetzt von der Nummer 95 84 63 auf die Nummer 83 65 11 ____________?
10 Ich versuche den Personalleiter zu finden. Können Sie bitte ____________?

oo Wie bereite ich mich vor?

Sie hören auf der Kassette drei Meinungen zum Thema „Wie bereite ich mich auf ein Telefongespräch vor?"

Exercise 5.23

Welche Meinung (A, B oder C) paßt zu welcher Äußerung? Kreuzen Sie an!

Hören Sie sich den Kassettentext mindestens zweimal an!
(Mit Hilfe des Schlüssels können Sie diese Übung auch als Lese- und Schreibübung machen.)

Wann machen sich die drei Geschäftsleute Notizen?	A	B	C
1 nur noch bei wichtigen Gesprächen	☐	☐	☐
2 wenn ich eine Fremdsprache sprechen muß	☐	☐	☐
3 früher habe ich mehr Notizen gemacht	☐	☐	☐
4 ich mache mir nicht immer Notizen	☐	☐	☐
5 ich schreibe mir Vokabel auf	☐	☐	☐
6 bei Zahlen mache ich mir vorher ein paar Notizen	☐	☐	☐

Fernmeldegebühren

Bereich der Deutschen Bundespost

Telefongespräche

Gebühreneinheit 0,23 DM	**Sprechdauer für eine Gebühreneinheit[2])**	
	Montag–Freitag 8–18 Uhr (Normaltarif)	übrige Zeit (Billigtarif)[3])
Orts- und Nahgespräche	**8 Min**	**12 Min**
Ferngespräche bei einer Tarifentfernung bis 50 km	**60 Sek**	**120 Sek**
bis 100 km	**20 Sek**	**38,571 Sek**
über 100 km	**18 Sek**	**38,571 Sek**

In das Ausland

Telefongespräche

Gebühreneinheit 0,23 DM	**Sprechdauer für eine Gebühreneinheit**	
	Montag–Freitag 8–18 Uhr (Normaltarif)	übrige Zeit (Billigtarif)
nach angrenzenden Ländern, Großbritannien und Irland	**12 Sek**	**16 Sek**
	Montag–Freitag 8–20 Uhr (Normaltarif)	übrige Zeit (Billigtarif)
nach Griechenland, Italien Portugal und Spanien	**12 Sek**	**16 Sek**
	Sprechdauer für eine Gebühreneinheit	
nach den übrigen europäischen Ländern, außerdem nach Ägypten, Algerien, Israel, Jordanien, Libyen, Marokko, Syrien und Tunesien	**10,667 Sek**	
nach allen übrigen Ländern	**4,42 Sek**	

Deutsche Bundespost

Fernmeldegebühren

Exercise 5.24

Übersetzen Sie!

Sprechdauer	____________
Billigtarif	____________
Nahgespräch	____________
Gebühreneinheit	____________
Ortsgespräch	____________
Normaltarif	____________
Ferngespräch	____________
Tarifentfernung	____________

Exercise 5.25

Setzen Sie die Begriffe aus der vorherigen Übung ein!

Definitionen:

1 Wenn man innerhalb einer Stadt oder in deren nähere Umgebung hin anruft, dann spricht man von ____________ und ____________, Gespräche über weitere Entfernungen werden ____________ genannt.
2 Des weiteren gibt es drei Kategorien von ____________, nämlich bis 50 km, bis 100 km und über 100 km.
3 Grundlage der Berechnung der Gebühren ist die ____________, die 0,23 DM beträgt.
4 Von 8–18 Uhr gilt der ____________, in der übrigen Zeit, am Samstag und Sonntag und an Feiertagen in Deutschland, gilt der ____________.
5 Die ____________ für eine Gebühreneinheit beträgt bei Ferngesprächen über 100 km während des Tages 15 Sek.

Wichtige Begriffe aus diesem Kapitel

1 Substantive (nouns)

deutsch	*englisch*

2 Verben + Kasus (verbs + case)

deutsch	*englisch*

3 Wichtige Redewendungen (idiomatic phrases)

deutsch	*englisch*

4 Notizen

Unit 6

Bürokommunikation II: Fernschreiben (Telex), Fernkopierer (Telefax), Teletex, Bildschirmtext

Business communication II: Telex, fax, teletex, viewdata systems

The different possibilities of forwarding messages or transferring materials are explained, giving you specific terminology for each means of communication. The use of modal verbs is revised in the present and past tense and the passive voice practised in all tenses.

Telex (Tx)

Das Fernschreiben war die am weitesten verbreitete Form der elektronischen Textkommunikation. Die weltweite Bedeutung hält immer noch an, wird jedoch von den anderen Arten der Textkommunikation verdrängt. Die Handhabung des Geräts ist leicht. Das standardisierte Telegraphenalphabet mit seinen lateinischen Schriftzeichen (nur Groß- oder nur Kleinbuchstaben und Zahlen, keine Umlaute) wird benutzt.

Die Übertragung der Nachrichten erfolgt nach einer weltweiten Norm mit 400 Zeichen pro Minute. Das entspricht ungefähr einer vollbeschriebenen Seite DIN A4 in 5 Minuten. Die Papierbreite beträgt immer DIN A4, die Papierlänge ist beliebig (Rollenpapier). Die Eingabe erfolgt je nach Gerät über eine Tastatur, per Lochstreifen oder direkt von einer Diskette.

Telex besitzt eine sehr große Reichweite. Viele ausländische Geschäftspartner lassen sich überhaupt nur per Telex schnell und zuverlässig erreichen. Niedrige Gebühren sorgen dafür, daß es ein sehr wirtschaftlicher Kommunikationsdienst ist. Überall werden der Zeitgewinn und die hohe Effektivität geschätzt. Das gilt vor allem für Bereiche, in denen Angebote eingeholt, Bestellungen aufgegeben und bestätigt, aktuelle Nachrichten übermittelt und vor allem Fristen eingehalten werden müssen.

Glossar

das Fernschreiben (—)	telex
anhalten	*here:* continue
verdrängen	push aside
die Handhabung (en)	operation
das Schriftzeichen (—)	character, font
erfolgen nach	take place according to
entsprechen	be the equivalent to
DIN (= Deutsche Industrienorm)	equivalent to BS (British Standard)
die Papierbreite (n)	paper width
beliebig	*here:* optional, varies according to need
das Rollenpapier *(no pl.)*	continuous paper
die Eingabe (n)	entry
der Lochstreifen (—)	punched tape
die Reichweite (n)	range, radius
zuverlässig	reliable
der Zeitgewinn (e)	time-saving
schätzen	appreciate
ein Angebot einholen	get an estimate
eine Bestellung aufgeben	place an order
bestätigen	confirm
die Frist (en)	*here:* deadline

Exercise 6.1

Ergänzen Sie die Begriffe aus dem obigen Text!

Die ____________ der Nachrichten beim Fernschreiben erfolgt mit lateinischen ____________. Für das Deutsche gibt es keine ____________. Wegen der ____________ Gebühren ist es sehr wirtschaftlich. Man kann seine Geschäftspartner zuverlässig ____________, Angebote ____________, Bestellungen ____________ und ____________ und somit ____________ einhalten.

Telefax (Tfx)

Telefax ist der Dienst, mit dem man Originalvorlagen per Telefon und Fernkopierer in wenigen Minuten als perfekte Kopien an einen Empfänger senden kann. Das können technische Zeichnungen, Produktabbildungen und -beschreibungen, Grafiken, Verträge, handgeschriebene Briefe, Geschäftsformulare oder bloße Notizen sein.

Mit Ihrem Fernkopierer können Sie mit vielen Ländern kommunizieren. Es ist daher auch kein Geheimnis, daß sich Telefax international zunehmend durchsetzt; denn Telefax ist universell einsetzbar, einfach in der Bedienung und weltweit möglich. Um Telefax einsetzen zu können, benötigt man ein Telefon, eine Anschlußdose und einen Fernkopierer. Telefaxgeräte der Qualitätsgruppe 3 benötigen z.B. für die Übertragung von einer Seite DIN A4 nur noch bis zu einer Minute, Geräte der Gruppe 2 dagegen stets drei Minuten (Geräte der Gruppe 1 gibt es in Deutschland nicht). Die Vorlage ist grundsätzlich DIN A4, die Wiedergabe erfolgt stets in Schwarzweiß.

Man kann, wenn der Geschäftspartner kein Telefaxgerät besitzt, die Fernkopie über den Telebriefdienst der Post dem Empfänger zustellen. Umgekehrt kann man einen Telebrief auch auf der Post aufgeben.

Der wichtigste Vorteil von Telefax ist wohl die Authentizität. Es gibt Vorlagen, wie z.B. Grundrisse, Embleme, Anzeigenlayouts usw., die sich hervorragend per Telefax direkt übermitteln lassen. Telefax macht vom Transport durch Boten oder andere Mittler unabhängig.

Telefax benutzen z.B. Konstruktionsbüros für Zeichnungen und Pläne, Verlage für eilige Anzeigen, Anwälte für Urkunden, Makler und Architekten für Grundrisse, Wissenschaftler und Techniker für Diagramme, Designer für erste Entwürfe, Einkaufs- und Verkaufsabteilungen für dezidierte Angebote und Bestellungen usw.

Glossar

die [Original]vorlage (n)	original
die technische Zeichnung (en)	technical drawing
das Geheimnis (se)	secret
zunehmend	increasingly
sich durchsetzen	be successful, prevail
universell	all-purpose
einsetzbar	usable
die Bedienung	*here:* operation
die Anschlußdose (n)	socket
der Fernkopierer(—)	fax machine
dagegen	*here:* however
grundsätzlich	basically, generally
zustellen	deliver
umgekehrt	conversely
aufgeben	*here:* post
der Grundriß (Grundrisse)	outline, plan
das Anzeigenlayout (s)	advertising lay-out
unabhängig machen	make independent
der Bote (n)	courier
der Mittler (—)	mediator
der Verlag (e)	publisher
der Anwalt (¨e)	lawyer, solicitor
die Urkunde (n)	certificate
der Makler (—)	estate agent
der Entwurf (¨e)	draft
dezidiert	detailed

Exercise 6.2

Suchen Sie bitte die Synonyme im obigen Text!

überall anwendbar ______
Foto eines Erzeugnisses ______
unkompliziert in der Handhabung ______
das Original ______
im Detail ______
der Kurier ______
frei ______
allgemein benutzbar ______
der Service ______
kurzer Bericht in Stichworten ______

Exercise 6.3

Wer benutzt Telefax für was?

Ordnen Sie zu!

Urkunden	Diagramme	Zeichnungen und Pläne	erste Entwürfe
Anzeigen	Angebote und Bestellungen		Grundrisse

Konstruktionsbüros ______
Verlage ______
Anwälte ______
Makler und Architekten ______
Wissenschaftler und Techniker ______
Designer ______
Einkaufs- und Verkaufsabteilungen ______

Teletex (Ttx)

Teletex ist einer der modernsten und schnellsten Kommunikationsdienste der Welt. Es ermöglicht die elektronische Textübertragung in Schreibmaschinenqualität und Formattreue von Schreibtisch zu Schreibtisch. Die Übertragungszeit für 1 Seite DIN A4 beträgt ca. 10 Sekunden. Dabei ist es egal, ob es sich um Geschäftsbriefe, Formulare, Tabellen, wissenschaftliche Formeln oder fremdsprachliche Texte handelt. Ein Zeichenvorrat von 309 Zeichen sorgt dafür, daß Sie die

Schrift- und Sonderzeichen fast aller Länder empfangen können.

Sie brauchen dazu entweder eine elektronische Speicherschreibmaschine oder einen Personalcomputer und können die vorhandene Telefonanlage benutzen. Die Textübermittlung erfolgt vollautomatisch von Speicher zu Speicher dieser Geräte, ohne daß Sie als Empfänger eine momentane Schreibarbeit unterbrechen müßten.

Die Speicherfähigkeit des Teletexgerätes macht Sie außerdem unabhängig von der Anwesenheit des jeweiligen Geschäftspartners. Sie können Texte eingeben, speichern und z.B. nachts oder am Wochenende automatisch übertragen lassen.

Teletex ist vor allem sehr schnell und sehr wirtschaftlich. Es erspart das wiederholte Abschreiben, Kopieren, Kuvertieren und Absenden umfangreicher Korrespondenzen. Mitteilungen per Teletex sind sicher, da sie direkt, ohne Umwege und Verzögerungen und ohne Mittler erfolgen. Die Möglichkeiten weltweit sind unbegrenzt und die Nachfrage steigt.

Jedes Büro, jede Abteilung und jede Branche kann fast die gesamte elektronisch übertragbare Geschäftskorrespondenz (bis auf Bilder und Grafiken) mit Teletex abwickeln. Teletex bietet sich vor allem dort an, wo Texte neu erstellt und verteilt werden müssen, wo ein starker Fluß an Einzeldokumenten vorherrscht, wo hohe Anforderungen an den Inhalt und das Layout dieser Dokumente gestellt werden und wo eine schnelle Textübermittlung erforderlich ist.

Glossar – Ttx

ermöglichen	enable
die Formattreue *(no pl.)*	authentic lay-out (format)
die Übertragungszeit (en)	transmission time
der Zeichenvorrat (¨e)	stock of character
dafür sorgen, daß	make sure that
das Sonderzeichen(—)	special character
die Speicherschreibmaschine (n)	electronic typewriter
vorhanden	existing
die Telefonanlage (n)	telephone system
die Textübermittlung (en)	text transfer
der Speicher (—)	(of computers) memory
das Gerät (e)	apparatus, machine
die Speicherfähigkeit (en)	memory storage capacity
die Anwesenheit (en)	presence
jeweilig	*here:* respective
eingeben	enter
speichern	store
übertragen	transmit
abschreiben	copy
kopieren	photocopy
kuvertieren	put into an envelope
umfangreich	extensive
die Korrespondenz (en)	correspondence
die Mitteilung (en)	notification
der Umweg (e)	detour, diversion
die Verzögerung (en)	delay
unbegrenzt	unlimited
die Branche (n)	line of business, branch of industry
abwickeln	process, effect, handle
erstellen	produce
verteilen	distribute
der Fluß (¨sse)	*here:* flow
vorherrschen	prevail
hohe Anforderungen stellen	make high demands
erforderlich sein	be necessary

Exercise 6.4

Beantworten Sie die folgenden Fragen zum Text!

1 Was kann man mit Teletex übertragen?
2 Welchen Vorteil hat es, daß es 309 Zeichen gibt?
3 Wie wird von Computerspeicher zu Computerspeicher übertragen?
4 Warum braucht der Geschäftspartner bei der Übertragung nicht anwesend sein?
5 Was kann man nicht mit Teletex übertragen?

Seite	Modell		Farben	Leistungsmerkmale	Kaufpreis einmalig	Miete monatlich
21	**MultiTel 12*** **		beige	Für Btx, Schwarz-Weiß-Monitor, Wahlwiederholung, Kurzwahl, Lautsprecher, Wahl bei aufliegendem Hörer, Tonruf	1 781,00	**** 48,00
21	**MultiTel 21*** **		beige	Für Btx, Farbmonitor, Kurzwahl, Wahlwiederholung, Lautsprecher, Wahl bei aufliegendem Hörer, Tonruf	2 929,00	**** 78,00
21	**MultiTel 31*** **		grau	Für Btx, Farbmonitor, Kurzwahl, Wahlwiederholung, Lautsprecher, Wahl bei aufliegendem Hörer, Frei-Sprechen, Gebührenanzeige, Tonruf, eingebauter Modem für Datenübermittlung	4 240,00	

Bildschirmtext (Btx)

Durch die Verbindung von Fernsehgerät und Telefon – Sie brauchen dazu einen Decoder – können Sie Daten und Informationen absenden und empfangen und mit anderen Teilnehmern einen Dialog führen. Sie können mittels Btx unzählige Anbieter von Waren und Dienstleistungen erreichen, Informationen von Behörden und aktuelle Nachrichten abrufen.

Der Informationsanbieter kann seine Angebote allen Teilnehmern zugänglich machen, indem er seinen Rechner an das Btx-Netz anschließt. Zusätzlich zu den herkömmlichen Buchstaben stehen Farbe und andere Veränderungsmöglichkeiten zur Verfügung, z.B. die Vergrößerung der Buchstaben.

Beispiele sind Fahrpläne abrufen, Bankdienstleistungen in Anspruch nehmen, Teleshopping ausnutzen, Theaterbuchungen vornehmen. Die Informationen haben Sie in Sekundenschnelle auf Ihrem Bildschirm. Es wird erwartet, daß die Teilnehmerzahl stark zunimmt.

Glossar – Btx

die Verbindung (en)	connection, link-up
der Dekoder (—)	
die Daten	data
der Teilnehmer (—)	participant
mittels	by means of
der Anbieter (—)	seller
die Behörde (n)	public authority
abrufen	call up
zugänglich	accessible
der Rechner (—) (= der Computer)	computer
anschließen	connect
zusätzlich	in addition
herkömmlich	*here:* ordinary
die Veränderungsmöglichkeit (en)	*here:* text-editing features
zur Verfügung stehen	be at s.o.'s disposal
die Vergrößerung (en)	enlargement
in Anspruch nehmen	call on, make use of
ausnutzen	make use of
die Buchung (en)	booking
vornehmen	carry out, undertake, conduct
der Bildschirm (e)	screen

Exercise 6.5

Ergänzen Sie die entsprechenden Begriffe aus dem obigen Text!

Man kann erstens mit anderen Teilnehmern __________ führen und zweitens von Anbietern und Behörden __________ bekommen. Dazu schließt der Informationsanbieter seinen __________ an das Netz an. Nicht nur Schwarzweiß, sondern auch __________ steht zur __________. Die Übertragung erfolgt in __________.

Exercise 6.6

Füllen Sie aus!	Tx	Tfx
Übertragungszeit	A4 in 5 Min	
Zeichenbegrenzung		keine
Vorteil		
Handhabung		einfach, per Telefon und Fernkopierer
Benutzer	Geschäftsleute	
Internationaler Trend	anhaltend bis abnehmend	

	Ttx	Btx
Übertragungszeit		
Zeichenbegrenzung		
Vorteil	unabhängig von der Anwesenheit, weltweit	
Handhabung		
Benutzer		
Internationaler Trend		

Exercise 6.7

Hören Sie sich den Kurzbericht an und ergänzen Sie die beiden Texte über Teletranslating und Teleprinting!

(Sie können diese Übung auch mit Hilfe des Schüttelkastens im Schlüssel machen.)

Kurzbericht

Hiermit möchte ich Ihnen noch ein paar Beispiele für die ___________ der elektronischen ___________ geben: *Teletranslating*. Gerade kleine Firmen können sich keinen eigenen ___________ leisten, und bei größeren Firmen ist diese ___________ oft ___________. Wenn dann schnell ein Brief übersetzt werden muß, kann man diesen ___________ an das ___________ senden. Diese mit uns ___________ Übersetzer arbeiten bereits mit ___________ Übersetzung, so daß der Text oft schon nach einer Stunde ___________ übersetzt zurückkommt oder gleich an den ___________ per Telex versandt werden kann.

Oder Teleprinting: Nehmen Sie zum Beispiel diese ___________ hier. Sie wurde ___________ und mit unserem Computer geschrieben. Sie kann dann sofort an eine angeschlossene ___________ einfach per ___________ gesandt und elektronisch ___________ und gedruckt werden. Wenn Sie so wollen, kann man das Desktop Publishing ___________ nennen, und das ist in den meisten Fällen ___________ als eine eigene ___________.

Glossar

sich leisten	afford
überlastet	over-burdened
computergestützt	computer aided (assisted)
sauber	*here:* perfect
gleich	*here:* immediately
der Adressat (en)	addressee, recipient
angeschlossen	connected
die Druckerei (en)	printing shop
die Telefonleitung (en)	telephone line
setzen	typeset
außer Haus	off the premises, outside
die Anlage (n)	equipment, system

Exercise 6.8

Ergänzen Sie das entsprechende Verb oder Substantiv!

Beispiel:

Substantiv	Verb
______________	kommunizieren
die Kommunikation	kommunizieren
die Bedeutung	______________
die Handhabung	______________
______________	standardisieren
______________	zählen
die Benutzung	______________
______________	übertragen
die Nachricht	______________
die Eingabe	______________
das Angebot	______________
______________	bestellen
die Bestätigung	______________
die Übermittlung	______________
der Kopierer	______________
der Empfänger	______________
______________	zeichnen
______________	abbilden
______________	beschreiben
die Durchsetzung	______________
der Einsatz	______________
______________	bedienen
der Besitz	______________
______________	zustellen
______________	konstruieren
der Plan	______________
______________	verlegen
das Design	______________
der Entwurf	______________
______________	einkaufen
______________	betragen
der Speicher	______________
die Unterbrechung	______________
______________	ersparen
______________	verzögern

die Nachfrage	____________
____________	ansteigen
die Abwicklung	____________
die Verteilung	____________
____________	verbinden
____________	anschließen
die Ausnutzung	____________

Exercise 6.9

Ordnen Sie zu!

Anforderungen	anschließen
auf der Post	in Anspruch nehmen
Dienstleistungen	stellen
Fristen	vornehmen
einen Dialog	eingeben
Texte	aufgeben
Rechner	führen
Buchungen	einhalten

Exercise 6.10

Bilden Sie Sätze!

Beispiel:
neu / da / werden. / Texte / wo / vor, / Teletex / herrscht / erstellt / viele /

Teletex herrscht da vor, wo viele Texte neu erstellt werden.

1 weil / ist / Teletex / erspart. / umfangreiche / wirtschaftlich, / Korrespondenzen / es
2 sicher, / sie / Umwege / Mitteilungen per Teletex / kommen. / Empfänger / sind / zum / da / ohne
3 muß. / bietet / man / Teletex / sich / an, / verteilen / Einzeldokumente / wo / viele
4 zugänglich / kann / Bildschirmtext / machen. / allen / Durch / Teilnehmern / unzählige / man / Dienstleistungen
5 Sekundenschnelle / Teilnehmerzahl / weil / in / Informationen / stark / zu, / Verfügung / Die / zur / nimmt / die / stehen.
6 wirtschaftlich, / Gebühren / ist / sehr / Teletex / weil / sind. / niedrig / die

7 muß. / wird / aktuelle / übermitteln / Telex / wo / Nachrichten / benutzt, / man
8 besitzt, / Post / Geschäftspartner / zustellen. / kann / Wenn / Fax / kein / das / ein / Telefaxgerät / die

Modal verbs

dürfen	be allowed to, may
können	be able to, can
mögen /	like to, want to
(möchten) = subjunctive of mögen	would like to
müssen	must, have to
wollen	want to
sollen	ought to, be supposed to

Present Tense

	dürfen	*können*	*mögen*	*mögen (subjunctive)*	*müssen*	*wollen*	*sollen*
ich	darf	kann	mag	möchte	muß	will	soll
du	darfst	kannst	magst	möchtest	mußt	willst	sollst
er/sie/es	darf	kann	mag	möchte	muß	will	soll
wir	dürfen	können	mögen	möchten	müssen	wollen	sollen
ihr	dürft	könnt	mögt	möchtet	müßt	wollt	sollt
sie/Sie	dürfen	können	mögen	möchten	müssen	wollen	sollen

Past Tense

ich	durfte	konnte	mochte	—	mußte	wollte	sollte

The past tense is regular, just add the endings *-te, -test, -te, -ten, -tet, -ten* to the stem!

Perfect Tense, Pluperfect and Future Tense

When the modal verb is followed by the infinitive of another verb, the present perfect, the pluperfect and the future tense are formed by using *haben, hatten* and *werden* + infinitive of verb + infinitive of modal verb. (The modal verb goes to the very end of the sentence!)

Er hat die Texte auf dem Computer speichern können.
(He was/has been able to save the texts on the computer.)

Sie hatte die Geschäftskorrespondenz sofort abwickeln müssen.
(She had had to deal with the business correspondence immediately.)

Der Geschäftsleiter wird die Verträge morgen früh unterschreiben wollen.
(The managing director will want to sign the contracts tomorrow morning.)

Exercise 6.11

Bilden Sie Sätze!

1 problemlos / Graphiken / per / übermitteln. / Telefax / Sie / Abbildungen / und / können /
2 Telefon / sollte / Der / angeschlossene / den / Text / Mitarbeiter / senden. / die / an / Druckerei / per /
3 möchte / erhalten. / saubere / Stunden / Kunde / Der / drei / eine / schon / Übersetzung / in
4 kann / Übersetzungsbüro / sitzen. / Teletranslating / das / Beim / Land / in / anderen / jedem
5 Fristen / Geschäftspartner / nicht / Der / einhalten / hatte / gesetzten / können. / die /
6 von / Der / Angebot / haben / Einkäufer / innerhalb von / wollen. / 7 Tagen / uns / wird / ein /
7 9 bis 17 Uhr / Telefax / Dürfen / von / wirklich / das / Sie / nur / benutzen?
8 müssen. / hat / über / Er / Bildschirmtext / Angebote / analysieren / alle
9 hatte / erreichen / über / Viele / können. / man / Geschäftspartner / Teletex / nur
10 hart / Position / mußte / die / erkämpfen. / sich / Sie

Passive voice

	wird		—
	wurde		—
subject	ist	participle	worden
(er/sie/es)	war		worden
	wird		werden

Note that *worden* is used in the perfect/pluperfect passive!

Present Tense

Der Text wird eingegeben.
(The text is entered.) or
(The text is being entered.)

Past Tense

Der Text wurde eingegeben.
(The text was entered.)

Present Perfect

Der Text ist eingegeben worden.
(The text has been entered.)

Pluperfect

Der Text war eingegeben worden.
(The text had been entered.)

Future

Remember that the present tense is widely used for expressing an action in the future. In general an adverb of time referring to the future is added.

1 Der Text wird (morgen) eingegeben.
(Tomorrow the text will be entered.)

The future passive is mainly used to express probability.

2 Der Text wird (wahrscheinlich) eingegeben werden.
(The text will be entered)

Substitute for the passive!

In German the active construction is very often preferred to the passive. The indefinite pronoun *man* is a common substitute. However, these *man* sentences are often translated into the passive in English.

Exercise 6.12

Bitte formen Sie um!

A Von einem *man*-Satz in einen Passivsatz:

Beispiel:

Man gibt Texte ein. Texte werden eingegeben.

1 Man benutzt für das Telex das Telegraphenalphabet.
2 Man wird Angebote per Fax einholen.
3 Man hat früher Bestellungen immer per Post aufgegeben.
4 Man hatte ihm die Nachricht zu spät übermittelt.
5 Man wird ab nächsten Monat nur noch Telefax einsetzen.

B Von einem Passivsatz in einen *man*-Satz:

1 Telefaxgeräte wurden schon viel früher in Behörden eingesetzt.
2 Anschlußdosen werden für den Gebrauch eines Telefaxgerätes benötigt.
3 Die Fernkopie wird dem Empfänger morgen zugestellt.
4 An das Lay-out sind hohe Anforderungen gestellt worden.
5 Das meiste Textmaterial war auf dem Computer gespeichert worden.

C Und nun mit Modalverb:

1 Alle Geschäftskorrespondenz muß termingerecht abgewickelt werden.
2 Schrift- und Sonderzeichen aller Länder konnten empfangen werden.
3 Besonders bei neuen Geschäftspartnern werden die Fristen immer genau eingehalten werden müssen.
4 Man durfte die Schreibarbeiten nicht unterbrechen.
5 Man wird Daten und Informationen in Sekundenschnelle abrufen können.
6 Man kann das Telefax neuerdings auch für Urkunden benutzen.

Wichtige Begriffe aus diesem Kapitel

1 Substantive (nouns)

deutsch | *englisch*

2 Verben + Kasus (verbs + case)

deutsch | *englisch*

3 Wichtige Redewendungen (idiomatic phrases)

deutsch | *englisch*

4 Notizen

Unit 7

Bürokommunikation III: Computer, Informationstechnologie

Business communication III: Computer, information technology

Important computer terminology is introduced in two different situations: a business person pointing out the advantages of a portable computer, and a new member of staff being shown how to use the computer in the office. We continue with the passive voice, i.e. the statal passive which is particular to the German language and also look at personal pronouns.

Glossar

alles im Blick haben	*here:* everything under control
gestochen scharf	crisp, clear
flimmerfrei	flickerless
riesig	huge
der Arbeitsspeicher (—)	RAM (random access memory)
die Zugriffzeit (en)	access time
die Festplatte (n)	hard-disc
verfügbar	available
die Ablage (n)	storage
das Spiralkabel (—)	spiral lead
die Zentraleinheit (en)	main unit
die Standortwahl (en)	choice of position
der Vielschreiber (—)	somebody who writes a lot
die Maussteuerung (en)	mouse control
der Eingabebefehl (e)	command
die Zeigetechnik (en)	'point and click'
der Leisedrucker (—)	'silent printer'
der Sofortausdruck (e)	immediate print-out, 'screen dump'
die Folie (n)	acetate

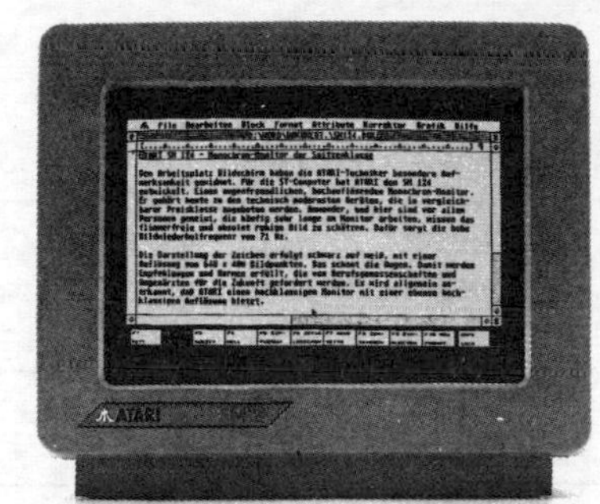

Alles im Blick. Gestochen scharf. Schwarz auf weiß auf dem flimmerfreien Monitor (Bildwiederholfrequenz 71 Hz).

Der Laserdrucker ATARI SLM 804 ist ein echter Leisedrucker. Acht Seiten pro Minute. Sofortausdrucke auch auf Folie.

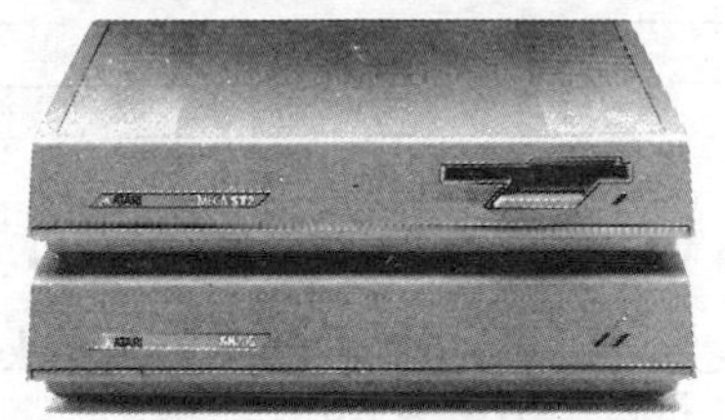

Riesige Arbeitsspeicher für über 2 bzw. über 4 Mio. Zeichen. Schnelle Zugriffzeiten.

Festplatte als bequeme und schnell verfügbare Ablage. Für Texte, Grafiken, Bilder und Zahlen.

Die Tastatur ist per Spiralkabel mit der Zentraleinheit verbunden. Flexible Standortwahl. Angenehm für Vielschreiber.

Maussteuerung, statt komplizierter Eingabebefehle einfache Zeigetechnik.

Atari Deutschland

Exercise 7.1

Ordnen Sie das passende Adjektiv zu den Substantiven!

Vorteile:			
leise	schnell	riesig	schnell verfügbar
flexibel	angenehm	einfach	flimmerfrei

1 Monitor ____________
2 Laserdrucker ____________
3 Maussteuerung ____________
4 Ablage auf Festplatte ____________
5 Arbeitsspeicher ____________
6 Standortwahl ____________
7 für Vielschreiber ____________
8 Zugriffzeiten ____________

Exercise 7.2

Setzen Sie die entsprechenden Wörter ein!

1 Normalerweise ist ein ____________ leiser als ein Typenraddrucker.
2 Der riesige ____________ verfügt über 2 bzw. 4 Mill. ____________.
3 Auf einer ____________ kann man bequem Texte, Grafiken, Bilder, und Zahlen speichern.
4 Bei der Maussteuerung braucht man keine komplizierten ____________.
5 Das Bild des Schwarz-Weiß-Monitors ist ____________ ____________ und ____________.

Exercise 7.3

Ordnen Sie die Begriffe zu!

1 der Bildschirm/der Monitor
2 die Tastatur
3 die Zeilenschaltung
4 der Computer
5 das Diskettenlaufwerk
6 die Leertaste
7 die Zentraleinheit
8 das Spiralkabel
9 der Helligkeitsregler
10 die Zusatztasten

der Computer

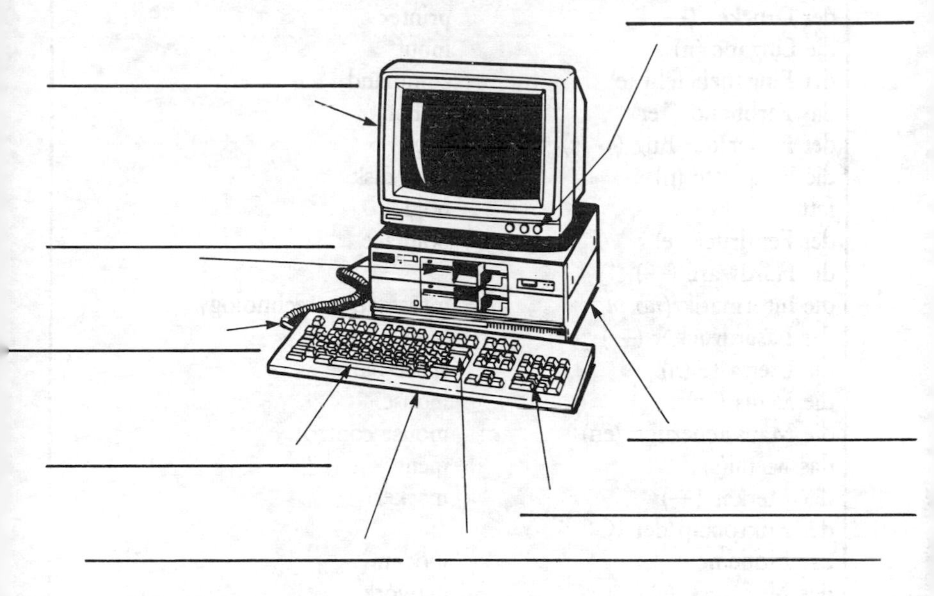

Wichtige Computerterminologie – auf einen Blick	
der Arbeitsspeicher (—)	RAM (random access memory)
der Ausdruck (e)	print-out
die Ausgabe (n)	output
bearbeiten einer Datei	edit a file
das Betriebssystem (e)	operating system
der Bildschirm (e) der Monitor (e)	screen, display
der Bindestrich (e)	hyphen
blättern/Datei durchgehen	browsing
booten/starten	boot
die Bürotechnik *no pl.*	office technology
der Computer/der Rechner (—)	microcomputer
die Datei (en)	file
das Dateienverzeichnis (se)	directory
die Datenbank (en)	database
das Datum/der Datensatz	datum
die Diskette (n)	floppy disc

das Diskettenlaufwerk/das Laufwerk (e)	disk-drive
der Drucker (—)	printer
die Eingabe (n)	input
der Eingabebefehl (e)	command
das Farbband (¨er)	ribbon
der Fehler/der Bug (—/s)	bug
die Festplatte (n)	hard disk
fett	bold
der Fettdruck (e)	boldface
die Hardware (—)	
die Informatik *(no pl.)*	information technology
der Laserdrucker (—)	laser printer
die Leertaste (n)	space bar
die Maus (¨e)	mouse
die Maussteuerung (en)	mouse control
das Menü(s)	menu
der Merker (—)	marker
der Mikrochip/der IC	
der Modem	modem
das Netzwerk (e)	network
die Positionzeile (n)	ruler line
das Programm (e)	programme
der Pufferspeicher (—)	buffer memory
die Rücktaste (n)	backspace key
die Schnittstelle/das Interface (n/-)	interface
die Seitentrennung (en)	page break
die Sicherheitskopie/das Backup (n/s)	back-up copy
der Speicher (—)	storage, memory
das Spiralkabel (—)	spiral lead
die Standardeinstellung(en)	default
die Tastatur (en)	key board
die Taste (n)	key
der Typenraddrucker (—)	daisywheel printer
das Verbrauchsmaterial (ien)	consumable (paper)
die Zeilenschaltung (en)	return
der Zeilenvorschub (¨e)	line feed
die Zentraleinheit (en)	main unit
die Zusatztaste (n)	additional key

Geschäftsgespräch

Herr Schreiber aus Wien trifft sich mit seiner Geschäftspartnerin Frau McCloud in Edinburgh.

Schreiber: Grüß Gott, Frau McCloud! Ist das schön, Sie wiederzusehen. Wie geht es Ihnen?

McCloud: Gut geht es mir, Herr Schreiber. Hatten Sie einen guten Flug?

Schreiber: Vielen Dank! Wunderbar.

McCloud: Gehen wir ins Büro und schauen uns mal das ganze Zahlenmaterial an, das Sie uns mitgebracht haben. Was haben Sie mir denn da in dem kleinen Köfferchen mitgebracht?

Schreiber: Ich habe mir einen tragbaren Personalcomputer zugelegt, und alle Daten, Zahlen und Texte kann ich nun auf Disketten speichern.

McCloud: Zeigen Sie doch mal. Hier können Sie ihn aufstellen. Müssen Sie ihn ans Stromnetz anschließen?

Schreiber: Nein, das brauche ich nicht. Ich kann ihn mit Batterien betreiben, nur die sind nach einigen Stunden erschöpft. Ich habe mir aber ein Netzteil mitgebracht, das ich auch hier in Großbritannien benutzen kann, nur müßte mir jemand einen britischen Stecker anbringen.

McCloud: Ich werde sofort einen unserer technischen Angestellten damit beauftragen. Können Sie uns denn Ihre Daten auch für unsere Rechner hierlassen?

Schreiber: Ja, unser Betriebssystem ist mit Ihrem kompatibel. Ich könnte Ihnen auch ein paar wichtige Listen später ausdrucken.

McCloud: Sind Sie denn zufrieden mit dem Computer? Ist die Tastatur nicht etwas eng?

Schreiber: Ich komme gut damit zurecht. Natürlich ist es nicht ganz so bequem wie mit dem großen Computer in der Firma. Doch für Reisen und für zwischendurch finde ich ein solches Gerät schon sehr praktisch.

McCloud: Und heutzutage haben die tragbaren Computer und Laptops fast schon die Schnelligkeit und Kapazität der größeren Personalcomputer.

Schreiber: Ich kann ja jetzt mal das Tabellenkalkulationsprogramm laden und Ihnen unsere Berechnungen zeigen.

McCloud: Gut, Herr Schreiber, machen Sie das!

Glossar – Geschäftsgespräch

erschöpft	exhausted, *here:* run out
das Netzteil (e)	mains adaptor
der Stecker (—)	plug
anbringen	fix, fasten
beauftragen	give order
der Rechner (—)	computer
zurechtkommen	cope, manage
zwischendurch	in between
das Tabellenkalkulationsprogramm	spread sheet

Exercise 7.4

Beantworten Sie die Fragen zum Text!

1 Was hat Herr Schreiber mitgebracht?
2 Was hat er in seinem Köfferchen?
3 Womit, außer mit Batterien, kann man einen tragbaren Computer betreiben?
4 Warum kann Herr Schreiber seine Daten Frau McCloud dalassen?
5 Für welche Gelegenheiten findet Herr Schreiber seinen tragbaren Computer praktisch?
6 Inwieweit sind die tragbaren Computer den größeren Personalcomputern ähnlich?

Exercise 7.5

Ordnen Sie die entsprechenden Verben aus dem Text zu!

1 einen Angestellten ____________________
2 ans Stromnetz ____________________
3 Listen ____________________
4 ein Tabellenkalkulationsprogramm ____________________
5 einen Stecker ____________________
6 alle Daten auf Diskette ____________________
7 mit Batterien ____________________
8 Zahlenmaterial ____________________

Mit dem Computer auf Reisen

Von der Babynahrung bis zum Kaviar, etwa 75% unseres Konsum-, Investitions- und Dienstleistungsbedarfs gehen durch Auftragsbücher und Provisionsabrechnungen von Verkaufsrepräsentanten und Handelsvertretern. PCs helfen beim Papierkram und im Kundengespräch.

Für Handelsvertreter ideal: Lap-tops — portable Computer.

Klaus Förster ist freier Handelsvertreter und verkauft Spezialgeräte und Einrichtungen für Krankenhäuser und Pflegeheime. Einige hundert Anstalten liegen in seinem Bezirk. „Der Verkauf meiner Produkte erfordert persönliche Kontakte und Vertrauen. Bei Besuchen und Anrufen muß ich die Struktur des Hauses, die Anforderungen des Betriebes und die zuständigen Mitarbeiter genau kennen. Das kann man nicht im Kopf behalten." Eine über Jahre gewachsene Kundendokumentation ist Försters wichtigstes Betriebskapital.

Gesamte Arbeitsorganisation rationeller gestaltbar mit PC

Vor fünf Jahren schaffte er sich seinen ersten PC an. „Es dauerte nicht lange, da benutzte ich meinen Schreibtisch nur noch zur Ablage von Akten. Mein eigentlicher Arbeitsplatz wurde der PC. Ich habe mein ganzes Gebiet vor Augen und schnellen Zugriff auf alle Informationen. Das Suchen in Ordnern, Karteikarten und Notizbüchern gehört der Vergangenheit an." Bis zu 32 „Bildschirmseiten" kann Förster für jeden Kunden anlegen und darin „blättern": in der Chronologie der Geschäftsverbindung, oder in seinen Gesprächsnotizen. Er weiß z.B., daß das Krankenhaus in X. einen Anbau plant. „Unser Betrieb besteht aus meinem Mann und mir", erläutert Frau Förster das Arbeitsgebiet des Familienbetriebs. „Wir suchen uns erstklassige Produkte aus und führen sie bei unseren Kunden ein. Zuerst müssen Anstaltsleitung und Pflegepersonal informiert werden. Dafür haben wir alle wichtigen Ansprechpartner mit Namen, Titel, Abteilung, Geburtstag usw. im System. Hundert persönliche Werbebriefe druckt der Computer in einer Stunde. Die Rücklaufquote ist sehr gut." Telefonisch werden Besuchs- und Vorführtermine vereinbart und in den Computer eingegeben, der eine Tourenplanung zusammenstellt und einen ausgedruckten Kundenspiegel der zu besuchenden Häuser mit auf die Reise gibt.

Ist eine Entscheidung gefallen, werden die Auftragsdaten in das System eingegeben. Es druckt Auftragsbestätigung, Lieferpapiere und Rechnung und überwacht den Zahlungseingang.

Bringt der PC im häuslichen Büro bereits Entlastung und eine Steigerung der Erfolgsquote, so wird Förster demnächst einen weiteren EDV-Komfort genießen: einen Lap-top, den tragbaren Computer im Aktenkoffer. Statt lange Kundenlisten auszudrucken, werden die benötigten Kundendaten in den Reisebegleiter überspielt. Vor oder während des Kundenbesuchs kann sich Förster auf dem Bildschirm über die aktuelle Kundensituation informieren. Und ebenso bequem gibt er anschließend seinen Besuchsbericht ein — im Auto, im Restaurant oder im Hotelzimmer. Aufträge sendet er auf einer Diskette nach Hause oder übermittelt sie per Telefonleitung, so daß Frau Förster prompt die Bestätigung versenden kann. „Eine so exakte und rationelle Arbeitsweise ist nur mit der EDV möglich. Früher sind mir viele Chancen entgangen. Einen Teil meines Erfolges verdanke ich dem PC."

Deutscher Sparkassenverlag GmbH

Glossar – Mit dem Computer auf Reisen

der Konsum (*no pl.*)	consumption
die Investition (en)	investment
der Bedarf (*no pl.*)	demand, requirement
das Auftragsbuch (¨er)	order book
die Provisionsabrechnung (en)	commission account (settlement)
der Verkaufsrepräsentant (en)	sales representative
der Handelsvertreter (—)	sales person
der Papierkram (*no pl.*)	paper work
das Kundengespräch (e)	customer contact
frei	*here:* freelance, independent
das Spezialgerät (e)	special equipment
die Einrichtung (en)	equipment
das Pflegeheim (e)	nursing home
die Anstalt (en)	institution
der Bezirk (e)	area
erfordern	require
das Vertrauen *(no pl.)*	confidence, trust
die Anforderung (en)	need, requirement
zuständig	responsible
das Betriebskapital	business capital
gestaltbar	organized
anschaffen	purchase, acquire
die Ablage *(no pl.)*	filing
das Gebiet (e)	area
der Zugriff (e)	access
der Ordner (—)	file
die Karteikarte (n)	filing card, index card
das Notizbuch (¨er)	note book
der Bildschirm (e)	screen
anlegen	*here:* open up record (file), indexing
blättern	*here:* scroll
die Geschäftsverbindung (en)	business connection
der Anbau (ten)	extension
bestehen aus	consist of
erläutern	explain
der Ansprechpartner (—)	(personal) contact
die Rücklaufquote (n)	return rate
der Vorführtermin (e)	presentation appointment

vereinbaren	agree, arrange
Tourenplanung (en)	(sales) itinerary
ausdrucken	print
der Kundenspiegel (—)	customer profile
eine Entscheidung fällen	make a decision
die Auftragsbestätigung (en)	confirmation of order
das Lieferpapier (e)	delivery note
überwachen	supervise, control
der Zahlungseingang (¨e)	in-payment
die Entlastung (en)	relief, ease s.o.'s work-load
die Erfolgsquote (n)	success rate
die EDV = die Elektronische Datenverarbeitung	computing (electronic data processing)
der Komfort	comfort, luxury, convenience
der Aktenkoffer (—)	brief-case
statt	instead
benötigen	need
überspielen	transfer, copy
anschließend	subsequent
der Besuchsbericht (e)	visit report
versenden	send
Chancen entgehen	miss opportunities

Exercise 7.6

Lesehilfe: Partizipialkonstruktionen

This is a German grammatical structure to abbreviate relative clauses. In English they are usually translated with a relative clause. See Exercise 23.16 in this book.

Übersetzen Sie bitte!

eine über Jahre gewachsene Kundendokumentation –
eine Kundendokumentation, die über Jahre gewachsen ist

einen abgedruckten Kundenspiegel der zu besuchenden Häuser =
einen abgedruckten Kundenspiegel der Häuser, die zu besuchen sind

Exercise 7.7

Beantworten Sie die folgenden Fragen zum Text!

1 Was vertritt Herr Förster?
2 Welche Informationen hat Herr Förster in seiner über Jahre gewachsenen Kundendokumentation?
3 Warum ist der PC jetzt sein eigentlicher Arbeitsplatz?
4 Wie hilft der Computer bei der Information von Kunden?
5 Wie kann der Computer bei der Organisation von Besuchsterminen helfen?
6 Was druckt der Computer bei einem Auftrag?
7 Warum möchte Herr Förster einen Lap-top für Kundenbesuche?
8 Wie schickt Herr Förster seine Aufträge zu seiner Frau?

Exercise 7.8

Suchen Sie die passenden Verben im Text!

1 der Vergangenheit (Dat.) ______
2 Produkte bei den Kunden ______
3 Kundenlisten ______
4 Chancen ______
5 in einem Bezirk ______
6 eine Tourenplanung ______
7 Zahlungseingänge ______
8 die Bestätigung ______
9 die Auftragsdaten in das System ______
10 Vertrauen ______
11 Vorführtermine ______
12 im Kopf ______
13 einen Besuchsbericht ______

Exercise 7.9

Bilden Sie Sätze!

1 die / Kundenbesuch / des / Man / ansehen. / Hauses / sich / einem / sollte / vor / Struktur /
2 nur / Auf / werden / Akten / dem / abgelegt. / Schreibtisch / noch /
3 gespeichert. / ihrem / Frau / alle / hat / Geschäftsverbindungen / PC / auf / Förster /

4 sind / Alle / des / erstklassig. / Familienbetriebs / Produkte /
5 der / Kundenhäuser / wird / Kundenspiegel / Bevor / ausgedruckt. / die / werden, / besucht /
6 in / eingegeben. / Sämtliche / werden / den / Auftragsdaten / Computer
7 auf / Kundendaten / werden. / den / überspielt / können / Computer / anderen / einem / von /
8 viele / entgehen. / können / Computer / einem / Ohne / Chancen /

Die neue Mitarbeiterin

Frau Mirbach: Guten Tag, Frau Williams! Darf ich Sie als neue Mitarbeiterin in unserem Büro begrüßen. Ich bin Franziska Mirbach.

Frau Williams: Guten Tag, Frau Mirbach! Ich freue mich, hier arbeiten zu können.

Frau Mirbach: Da Sie das erste Mal in Deutschland arbeiten, gebe ich Ihnen mal einige Hinweise zu unseren Geräten der Bürokommunikation.

Frau Williams: Ja, das ist gut. Theoretisch ist mir ja schon einiges bekannt, aber ich möchte auch praktisch gerne die Unterschiede zu britischen Geräten sehen.

Frau Mirbach: Als erstes können Sie hier sehen, daß wir nicht die QWERTY-Tastatur benutzen, sondern die Tastaturbesetzungen bei deutschen Schreibmaschinen und Textverarbeitungsprogrammen ist QWERTZ, d.h. der Buchstabe *Z* ist mit dem Buchstaben *Y* auf der Tastatur ausgetauscht, weil Z im Deutschen häufiger vorkommt als das *Y*.

Frau Williams: Da muß ich mich natürlich ein bißchen umstellen. Aber in ein paar Stunden habe ich mich sicherlich daran gewöhnt.

Frau Mirbach: Des weiteren müssen Sie auch mit den Umlauten aufpassen. Für *ä*, *ö*, *ü* und auch für das *ß* gibt es eigene Tasten.

Frau Williams: Mit Textverarbeitungsprogrammen, wie ich sie in anderen Ländern benutzt habe, kann man mittels der ALT-Taste und einer Zahlenkombination die meisten europäischen Sonderzeichen erzeugen.

Frau Mirbach: Sehr viele Begriffe, die mit der modernen Bürokommunikation zu tun haben, kommen aus dem Englischen. Was die Sache für Sie jedoch etwas schwieriger macht, ist, daß Sie den Artikel dazu wissen müssen. Manchmal muß ich selbst überlegen, welcher Artikel genommen wird.

Frau Williams: Ich habe auch gehört, daß man in Deutschland die Länge eines Dokuments nicht durch die Anzahl der Wörter, sondern durch die Anzahl der Anschläge angibt.

Frau Mirbach: Das stimmt. Das ist so ähnlich wie die Schreibgeschwindigkeit auf einer Schreibmaschine, die bei uns in Zeichen pro Minute angegeben wird und nicht wie in Großbritannien als Worte pro Minute.

Frau Williams: Besonders wenn wir für Broschüren und Prospekte mit Desk-Top-Publishing arbeiten, ist es besser, die exakte Länge der Texte zu wissen. Die kann man sicherlich am besten mit Hilfe der Anschlagszahl berechnen.

Frau Mirbach: Ich werde Ihnen jetzt unseren Übersetzungs-Arbeitsplatz zeigen, um Sie auch dort einzuführen.

Frau Williams: Vielen Dank! Daran bin ich sehr interessiert, da ich dort auch häufig arbeiten werde.

Frau Mirbach: Hier haben wir zum Beispiel ein CD-ROM-Gerät, auf dem sich eine Vielzahl von mehrsprachigen Wörterbüchern befinden, die man beim Übersetzen abrufen kann. Und so kann man in Sekundenschnelle mehrere Übersetzungsvorschläge für einen Begriff bekommen. Weitere Hilfsmittel sind Programme mit einer Datenbank von Standardsätzen für Geschäftsbriefe in verschiedenen Sprachen. Des weiteren haben wir noch Programme zur Rechtschreibkontrolle in verschiedenen Sprachen und auch Synonymwörterbücher, die wir zur Produktion von fremdsprachlichen Texten benötigen.

Glossar

der Hinweis (e)	instruction
die Tastaturbesetzung (en)	keyboard definition
der Buchstabe (n)	letter
austauschen mit	exchange for
vorkommen	occur
umstellen	adapt, adjust
die Taste (n)	key
die Tastatur (en)	keyboard
das Sonderzeichen (—)	special character
erzeugen	produce
überlegen	think
die Anzahl *(no pl.)*	number

angeben	state, specify, indicate
der Anschlag (¨e)	stroke, character
ähnlich	similar
die Schreibgeschwindigkeit (en)	(typing) speed
berechnen	calculate
der Vorschlag (¨e)	suggestion
die Vielzahl (en)	multitude
der Begriff (e)	term
das Synonymwörterbuch (¨er)	thesaurus, dictionary of synonyms
die Rechtschreibkontrolle	spell-checker

Exercise 7.10

Beanworten Sie folgende Fragen!

1 Was ist der Unterschied zwischen einer britischen und einer deutschen Tastaturbesetzung?
2 Wie werden Umlaute und das ß auf deutschen Tastaturen geschrieben?
3 Wie kann man Umlaute und das ß ohne deutsches Textverarbeitungsprogramm schreiben?
4 Wie wird in Deutschland die Länge eines Dokuments angegeben?
5 Wie wird die Schreibgeschwindigkeit in Deutschland angegeben?
6 Wie kann man exakte Ausmaße eines Textes berechnen?
7 Welches Programm hat Frau Mirbach auf dem CD-ROM-Gerät?
8 Welche weiteren Hilfsmittel gibt es?

Exercise 7.11

Zur Erinnerung: Deklination der Personalpronomen

Nom.	ich	du	er	sie	es	wir	ihr	sie	Sie
Akk.	mich	dich	ihn	sie	es	uns	euch	sie	Sie
Dat.	mir	dir	ihm	ihr	ihm	uns	euch	ihnen	Ihnen

Setzen Sie die entsprechenden Personalpronomen ein!

1 Machen Sie bitte einen Computerausdruck von der Kundenliste. Wenn Sie ____________ fertig haben, dann geben Sie ____________ ____________.

2 Berechnen Sie bitte die Anschlagszahlen dieses Textes genau, und leiten ____________ ____________ dann an Herrn Schorl weiter,

denn ___________ braucht ___________ für die Berechnung des Katalogs. ___________ muß sofort in den Druck gegeben werden.

3 Darf ich Ihnen die neue Mitarbeiterin vorstellen. Der Bereich Kundenbetreuung wurde ___________ übergeben. Informieren Sie ___________ bitte über unsere Bürokommunikation.

4 Am Netzwerk sind sechs Computer angeschlossen. Mit ___________ kann man nur über einen Laserdrucker ausdrucken. ___________ ist jedoch ein sehr leistungsfähiges Gerät.

5 Kontrollieren Sie bitte den Text mit der Rechtschreibkontrolle. Ich vermute, daß wir ___________ so nicht abschicken können.

6 Geben Sie mir das Synonymwörterbuch bitte. Ich gebe ___________ ___________ gleich zurück.

7 Wenn Sie Herrn Möller treffen, können ___________ ___________ mitteilen, daß wir ___________ 10% Rabatt einräumen. Wenn ___________ ___________ auf der Messe nicht treffen, schreiben ___________ ___________ einen Brief. Ich möchte ___________ als Kunden nicht verlieren, denn wir haben ___________ immer gut verstanden.

8 Zeigen Sie mir das neue Tabellenprogramm. Ich habe jetzt gerade etwas Zeit, ___________ auszuprobieren.

9 Paul, kannst ___________ ___________ mal mit diesem Programm helfen? ___________ muß diese Kalkulation bis morgen fertig haben.

10 Ihr habt gute Arbeit geleistet. Man kann ___________ dazu gratulieren.

Exercise 7.12

Setzen Sie ein!

unterbrechen (stop, interrupt)	**speichern** (save)	**löschen** (delete)	**formatieren** (format)	**laden** (load)
drücken (press)	**einfügen** (insert)	**auflisten** (list)	**auslassen** (omit)	**einstellen** (set)

1 Ich benötige diese Datei nicht mehr, Sie können sie ruhig ___________.

2 Können Sie bitte diese Datei ___________, ich möchte einige Bearbeitungen vornehmen.

3 In diesen Text müssen wir noch einige neue Zahlen ___________.
4 Wenn ich jetzt die Stop-Taste drücke, dann kann ich den Druckvorgang ___________.
5 Für Briefe wird normalerweise der „Flatterrand“ benutzt, für andere Dokumente sollte der Randausgleich ___________ werden.
6 Ich habe die Adresse für den Brief noch nicht gefunden. Können Sie sie bitte erstmal ___________?
7 Wenn Sie die Taste „Zeilenschaltung“ ___________, dann springt der Cursor an den Anfang der nächsten Zeile.
8 Könnten Sie bitte alle Dateien auf dem Bildschirm ___________.
9 Ich habe die Bearbeitung dieser Datei beendet. Wie kann man sie jetzt auf Diskette ___________?
10 Dies ist eine neue Diskette, vor der Benutzung muß man sie zuerst ___________.

Zustandspassiv

In German a distinction is made between the *action* and the *state resulting from an action*. The statal passive is expressed by the verb *sein* plus past participle. Only the present and past tense of *sein* are used (subjunctive is also possible). Its meaning is descriptive, rather like an adjective. As it describes the result of a previous action, it is often translated in the perfect and pluperfect tense:

Die Broschüre ist übersetzt. (statal passive)
Die Broschüre ist übersetzt worden. (actional passive)

and also:

Die Ladung war schon verkauft, bevor ich ein Angebot machen konnte. (statal passive)
Die Ladung war schon verkauft worden, bevor ich ein Angebot machen konnte. (actional passive)

A difficulty for English learners is that the English passive uses a form of *be* which looks confusingly like the less common statal passive.

Exercise 7.13

Formen Sie um ins Zustandspassiv!

Sie erhalten Aufträge von Ihrer Chefin. Die Aufträge sind aber bereits erledigt. Machen Sie die Übung auf der Kassette nach folgendem Beispiel!

Beispiel:
Chefin: Legen Sie bitte eine Firmendatei an!
Sie: Die Firmendatei ist bereits angelegt.

(Mit Hilfe des Schlüssels können Sie diese Übung auch als Lese- und Schreibübung machen.)

Wichtige Begriffe aus diesem Kapitel

1 Substantive (nouns)

deutsch	*englisch*

2 Verben + Kasus (verbs + case)

deutsch	*englisch*

3 Wichtige Redewendungen (idiomatic phrases)

deutsch	*englisch*

4 Notizen

Unit 8

Handelskorrespondenz I: Briefe
Business correspondence I: Letters

The lay-out of a German business letter is explained step-by-step and a variety of sample letters is given, covering areas like placing an order, invoicing, sending a reminder or a complaint. The exercises focus on producing replies to business letters and sample replies can be found in the key section at the end of the book. The expressions you learn to complement the topic of this chapter are phrases of dissatisfaction and complaint. You will find a list of useful abbreviations for business letter-writing within this chapter and a more extensive list in the appendix.

Beispielbrief (1)

1 Frank Gölz Lampen Friedmannstraße 179 4630 Bochum

3 Tel. 0234/577622 Telefax 0234/577625

9 Halley & Co. Bochum, 12.02.98
10 Herrn Peter Tolly
11 25 Leicester Street

13 Liverpool L12 5FG

15 Großbritannien

21 Anfrage nach Glaslampenschirmen

24 Sehr geehrter Herr Tolly,

26 wir haben über die britische Industrie- und
27 Handelskammer in Köln erfahren, daß Sie
28 verschiedenartige Lampenschirme herstellen. Wir
29 interessieren uns insbesondere für modische und antike
Lampenschirme aus Glas.

31 Könnten Sie uns bitte einen Katalog und eine Preisliste
32 mit Ihren Konditionen schicken. Sollte Ihr Sortiment
33 schon in Deutschland oder im sonstigen Europa
34 vertreten sein, setzen Sie uns bitte darüber in
Kenntnis.

36 Mit freundlichen Grüßen

38 Frank Gölz Lampen

44 Frank Gölz
45 Geschäftsführer

Glossar – Beispielbrief	
der Glaslampenschirm (e)	glass lampshade
erfahren	learn about, hear about
verschiedenartig	different, various
insbesondere	especially
das Sortiment (e)	range

Zeilen 1–3

Die meisten Briefbögen eines Unternehmens haben einen Briefkopf, der häufig individuell gestaltet ist. Haben Sie kein offizielles Briefpapier, dann schreiben Sie Ihren Absender in die obere linke Ecke.

Glossar	
der Briefbogen (¨)	sheet of paper
der Briefkopf (¨e)	letterhead
der Absender (—)	return address

Beispiel:
Franz Gölz
Friedmannstr. 179
4630 Bochum
Tel. 0234/577622

Man läßt keine Leerzeile zwischen den einzelnen Angaben des Absenders.

Zeile 5

Diese Zeile ist für besondere Vermerke vorgesehen, wie z.B. *Luftpost, Einschreiben, Drucksache* und *Eilzustellung*.

Zeilen 9–15

Hier schreiben Sie die vollständige Adresse. Vor der Stadtangabe befindet sich eine Freizeile. Bei manchen Ländern kann man vor die Postleitzahl das Kfz-Landeszeichen setzen, z.B. für eine Pariser Adresse F-75003 Paris. Für Deutschland ist es ein *D*. Wenn es kein Länderzeichen gibt (wie z.B. bei Großbritannien), dann folgt der Ländername in der übernächsten Zeile.

Glossar

die Leerzeile (n)	blank line
der Vermerk (e)	note, entry
die Luftpost *(no pl.)*	air mail
das Einschreiben (—)	registered letter
die Drucksache (n)	printed matter
die Eilzustellung (en)	express delivery
vollständig	complete
Kfz = Kraftfahrzeug	car
übernächst	next but one
vereinbaren	agree, arrange

Zeile 9

Am rechten Ende der Zeile schreibt man den Ort und das Datum.

Die modernste Form ist:	Hamburg, 12.06.97
Folgende Formen sind auch möglich:	Hamburg, 12.06.1997
	Hamburg, den 12.06.1997
	Hamburg, den 12. Juni 1997

Zeile 18

Bei einigen Briefköpfen gibt es eine Bezugszeile, die wie folgt aussehen kann:

Ihr Zeichen	*Ihre Nachricht vom*	*Unser Zeichen*	*Datum*
Da/re	23.04.95	WE/po	02.05.95

Die darauf folgende Zeile wurde maschinenschriftlich ausgefüllt, dabei verweist die Abkürzung vor dem Schrägstrich auf den Verantwortlichen für den Inhalt des Briefes, die Abkürzung nach dem Schrägstrich auf die Person, die den Brief per Schreibmaschine geschrieben hat.

Da/re = Frau Dahlem (Verkauf) / Frau Reiners (Sekretärin)

Glossar

vorgedruckt	*here:* headed
verweisen auf	point to
die Abkürzung (en)	abbreviation
der Schrägstrich (e)	oblique
der/die Verantwortliche (n)	person in charge, person responsible

Zeile 21

Die *Betreffzeile*. Heutzutage schreibt man nur noch selten *Betr.:*, *Betreff* oder *Betrifft* an den Anfang dieser Zeile. Manche vorgedruckten Briefbögen haben diese Bezeichnung noch. Hier beschreibt man mit wenigen Worten, um was es in dem Brief geht.

Man kann sich hier auch auf vorherige Korrespondenz beziehen, z.B. Ihre Mahnung vom 19.05.91.

Glossar

der Betreff	reference
vorherig	previous
sich beziehen auf	refer to
die Mahnung (en)	reminder

Zeile 24

Die Anrede folgt nach zwei Leerzeilen im Anschluß an die Betreffzeile:

Sehr geehrte Frau Heinze,
Sehr geehrter Herr Meurer,

Wenn der Name nicht bekannt ist:

Sehr geehrte Damen und Herren,

Die Anrede *Sehr geehrte Herren,* wird nur noch benutzt, wenn es sich eindeutig nur um Männer handelt.

Glossar

eindeutig	unmistakable

Liebe Frau Bollenrath, / Lieber Herr Kirchberger, kann man benutzen, wenn man die Person schon länger kennt oder mit ihr befreundet ist, gleichzeitig aber per Sie ist. Die Anrede ist persönlicher und weniger offiziell.

Liebe Claudia, / Lieber Dietmar, benutzt man bei Freunden, mit denen man per Du ist.

Heutzutage ist es üblich, die Anrede mit einem Komma abzuschließen und nicht mehr mit einem Ausrufezeichen (!). (Früher: Sehr geehrte Frau Bork!)

Glossar	
im Anschluß an	*here:* following
die Anrede (n)	address, salutation
das Ausrufezeichen (—)	exclamation mark

Zeile 24

Nach dem Komma am Ende der Anredezeile wird wie nach einem Komma weitergeschrieben: normalerweise Kleinschreibung außer bei Substantiven, Namen etc. (Früher wurde nach dem Ausrufezeichen natürlich groß geschrieben.)

Zeile 24–34

Keine Zeile wird eingerückt, alle Zeilen beginnen streng linksbündig. Das gilt auch für den ganzen Brief – mit Ausnahme des Orts/Datums.

Zwischen den einzelnen Abschnitten wird eine Leerzeile Zwischenraum gelassen.

Die Anredeworte *Sie, Ihr, Du, Dein* etc. werden groß geschreiben.

Glossar	
einrücken	indent
streng	strict
linksbündig	all lines have the same left margin
der Abschnitt (e)	paragraph
der Zwischenraum (¨e)	space

Zeile 34

Wenn der letzte Satz mit einem Punkt endet, beginnt die Grußformel mit einem Großbuchstaben. Man kann jedoch auch den Brieftext mit der

Grußformel verbinden:

Zum Schluß wünsche ich Ihnen noch frohe Weihnachten und verbleibe mit freundlichen Grüßen

In diesem Fall beginnt die Zeile mit der Grußformel mit einem Kleinbuchstaben. In beiden Fällen kommt am Ende der Grußformel kein Satzzeichen.

Die gebräuchlichste Grußformel ist:

Mit freundlichen Grüßen

Des weiteren gibt es:

Mit freundlichem Gruß
Freundliche Grüße
Herzliche Grüße

Die früher häufig benutzte Formel

Hochachtungsvoll

wird nur noch bei hochgestellten Persönlichkeiten oder bei sehr schlechten Geschäftsbeziehungen (Geldforderungen, gerichtlichen Klagen) benutzt. Der Ton dieser Grußformel klingt heutzutage sehr offiziell/formell.

Die folgenden Grußformeln verwendet man in privaten Briefen:

Gruß
Viele Grüße
Bis bald
Herzlichst
Alles Liebe und Gute

Glossar

dergleichen	*here:* or similar
verbleiben	remain
gebräuchlich	customary, usual
des weiteren	furthermore
hochgestellt	superior
die Geschäftsbeziehung (en)	business relation, connection
die Geldforderung (en)	(payment) reminder
die gerichtliche Klage (n)	lawsuit

Zeile 36

Nach einer Freizeile wird der Name der Firma eingefügt und ggf. auch die Abteilung.

Zeile 41

Vor die Unterschrift wird, wenn notwendig, die juristische Zuständigkeit des Unterschreibenden handschriftlich vorgesetzt:

i.V. = in Vertretung
i.A. = im Auftrag
ppa. = per procura (Unterschrift des Prokuristen)

Bei Freunden und guten Bekannten kann man der Unterschrift noch ein handgeschriebenes Ihr, Ihre, Dein, Deine vorsetzen:

(handschriftlich) Ihr Manfred Stegelmann

Glossar

einfügen	insert
ggf. (=gegebenenfalls)	if necessary
die Unterschrift (en)	signature
die Zuständigkeit (en)	responsibility
in Vertretung	by order of
im Auftrag	for, by order
per procura	by proxy
der Prokurist (en)	officer authorized to act and sign on behalf of the firm

Zeile 44–45

Unter der handschriftlichen Unterschrift sollte der Vor- und Nachname des Unterschreibenden und dessen Funktion maschinenschriftlich erscheinen.

Zeile 49

In diese Zeile kommt die Verteilerangabe oder die Anlage, häufig noch mit Doppelpunkt und unterstrichen:

Verteiler	Herr Uerlichs Frau Mertens Frau Kragl Frau Backes Herr Zillmann
Anlage	Rechnungskopie
Anlagen	Broschüren Katalog Preisliste Werbematerial

Glossar

erscheinen	appear
der Verteiler (—)	cc, copies
die Anlage (n)	enclosure

Der Briefumschlag

```
Autoverleih Schors
Jülicher Straße 116a
5100 Aachen 1

                          Einschreiben
                          Wenn unzustellbar zurück

                          Heinz Haas
                          Im Ginsterfeld 1

                          5100 Aachen 1
```

Erläuterung

A

Der *Absender* wird auf deutschen Briefen *immer* angegeben, auch bei Privatbriefen!

Entweder befindet er sich auf der Umschlagsrückseite:

Agnes Grevenstein, Martinstraße 22, 4410 Warendorf

oder

Josef Hildebrandt
Bussardweg
2150 Buxtehude

oder er befindet sich auf der *Aufschriftseite* (Briefvorderseite) *oben links* in genügend großem Abstand zur Aufschrift (= Adresse).

Den Absender erkennt man daran, daß es keine Leerzeile zwischen Straße und Ort gibt.

B
Die *Anschrift* befindet sich unten rechts auf dem Umschlag.
Die ersten zwei Zeilen sind für die *postalischen Vermerke* vorgesehen.

Drucksache, Einschreiben, Eilzustellung, Wenn unzustellbar zurück etc.

C
Bei der *Anschrift* wird zwischen der Straßenangabe und der Ortsangabe eine Leerzeile gelassen. Vor den Ort wird die *Postleitzahl* geschrieben. Diese wird immer auf vier Stellen durch das Anhängen von Nullen erweitert.

D
Bei Fensterumschlägen befindet sich das Anschriftfenster unten links, die Absenderangabe sollte dann besser auf der Rückseite erscheinen, wenn sie nicht im Fenster miterscheint.

Glossar

der Briefumschlag (¨e)	envelope
die Erläuterung (en)	explanation
entweder ... oder	either ... or
die Umschlagsrückseite (n)	back of envelope
die Aufschriftseite (n)	front of envelope
genügend	sufficient
der Abstand (¨e)	distance
die Postleitzahl (en)	post code
die Stelle (en)	digit
anhängen	add
erweitern	extend
der Fensterumschlag (¨e)	window envelope

Abkürzungen in Briefen

a	für, je, zum Preis von	at (the price of)
Abs.	Absender	sender
Abt.	Abteilung	department
Adr.	Adresse	address
Anl.	Anlage	enclosure
Art.	Artikel	article
Az, AZ	Aktenzeichen	reference number
beil.	beiliegend	enclosed
Betr.	Betreff	re, subject
bez.	bezahlt	paid
Bhf.	Bahnhof	railway station
b.w.	bitte wenden	please turn over
bzw.	beziehungsweise	respectively
ca.	zirka, etwa	circa, about
desgl.	desgleichen	the like
dgl.	dergleichen	the like
d.h.	das heißt	that is
DIN	Deutsche Industrienorm	German industrial standard
d.J.	dieses Jahres	of this year
d.M.	dieses Monats	of this month
Dtz.	Dutzend	dozen
entspr.	entsprechend	corresponding
evtl.	eventuell	perhaps
exkl.	exklusive	exclusive of
Fa.	Firma	company
Forts.	Fortsetzung	continuation
Gebr.	Gebrüder	Brothers
gegr.	gegründet	founded
Gew.	Gewicht	weight
gez.	gezeichnet	signed
ggf.	gegebenenfalls	if necessary
i.A.	im Auftrag	for, by order
i.H.v.	in Höhe von	amounting to
Inh.	Inhaber	proprietor
inkl.	inklusive	inclusive
i.V.	in Vertretung	by order of
Kat.	Katalog	catalogue
Kl.	Klasse	class

Kt., Kto.	Konto	account
lfd.	laufend	current
Lfg.	Lieferung	delivery
lt.	laut	according to
Mod.	Modell	model
MwSt.	Mehrwertsteuer	Value-Added Tax (VAT)
Nr.	Nummer	number
Pfd.	Pfund	pound
Pkt.	Paket	parcel
pp., ppa.	per procura	by proxy
Rab.	Rabatt	discount
rd.	rund	roughly
s.	siehe	see
S.	Seite	page
s.o.	siehe oben	see above
St.	Stück	piece
s.u.	siehe unten	see below
usw.	und so weiter	and so forth
u.U.	unter Umständen	circumstances permitting
v.H.	vom Hundert	per cent
z.B.	zum Beispiel	for example
z.H.	zu Händen	for the attention of
z.T.	zum Teil	partly
Ztr.	Zentner	50 kg
zw.	zwischen	between
z.Z.	zur Zeit	at present
zzgl.	zuzüglich	plus

Redewendungen in Briefen

Mit Bezug auf Ihr Schreiben vom 01.07. teilen wir Ihnen mit, daß ...
In bezug auf die Lage unseres Hauses ...
Wir wären Ihnen dankbar, wenn ...
Leider müssen wir Ihnen mitteilen, daß ...
Wir hoffen, daß Sie für Bestellungen in solchen Mengen einen Rabatt gewähren können.
Wir danken Ihnen für Ihr Schreiben vom ...
Könnten Sie diese Bestellung so bald wie möglich bestätigen?
Wir interessieren uns besonders für ...
Die Unannehmlichkeiten, die wir Ihnen bereitet haben, bedauern wir sehr.

Wir möchten Sie darauf hinweisen, daß ...
Lieferung bitte an die obengenannte Adresse.
Könnten Sie bitte unverzüglich ...
In Erwartung Ihrer baldigen Zahlung ...
Wir hoffen auf baldige Antwort.
Wegen der großen Nachfrage unserer Kunden ...
Wir möchten Ihnen die folgende Bestellung erteilen.
Vielen Dank für Ihr Schreiben vom ...
Mit getrennter Post schicke ich ...
Darf ich Sie daran erinnern, daß ...
Wir brauchen dringend folgende Artikel:
Wir spezialisieren uns auf die Herstellung von ...
Wir freuen uns auf weitere Zusammenarbeit.
Auf weitere erfolgreiche Zusammenarbeit!

Exercise 8.1

Brief 1

Antworten Sie auf den Beispielbrief (1) und übernehmen Sie die Form des folgenden Briefes! Benutzen Sie dazu folgendes Vokabular!

die Anfrage (n) seit über zwanzig Jahren fertigen
der britische Markt zur Zeit keine Vertreter beliefern
der europäische Einzelhandel das Distributionslager (–)
in Canterbury die Bestellung richten an Adresse in Liverpool
anliegend finden das Angebot (e)
der Katalog (e) die Preisliste (n)

Halley & Co.
25 Leicester Street
Liverpool L12 5FG

______________________ Liverpool________

____

____

D-____________________

____

____

____

____

____

____

____

____

____

____

____

____

Anlagen __________

____

Exercise 8.2

Beantworten Sie den Beispielbrief 2 mit Hilfe der folgenden sechs Punkte!

1 Bedanken Sie sich für das Angebot!
2 Bestellen Sie 10 Herrenanzüge Nr. 424 und 16 Herrensakkos Nr. 478!
3 Erinnern Sie an Rabatt!
4 Sie sind mit den Lieferbedingungen einverstanden.
5 Bitten Sie um Bestätigung der Bestellung!
6 Sie hoffen auf weitere Zusammenarbeit.

Beispielbrief (2)

Friedhelm Ohligschläger & Co.
Ludwigsallee 10
6600 Saarbrücken 1

Reuter-Herrmanns Saarbrücken, 03.06...
Wäsche und Mode
z.H. Frau Uebach
Freunder Landstr. 153

7100 Heilbronn

Angebot Herrenbekleidung

Sehr geehrte Frau Uebach,

in Beantwortung unseres Telefongesprächs vom 30.05. kann ich Ihnen jetzt ein entsprechendes Angebot vorlegen.

Ich beziehe mich auf unseren Katalog HE 12- VS.

Wir bieten Ihnen an

14	Herrenanzüge, sortiert Größe 46-54 Nr. 421	à DM 732,-	DM 10.248,-
10	Herrenanzüge, sortiert Größe 46-54 Nr. 424	à DM 944,-	DM 9.440,-
16	Herrensakkos, sortiert Größe 46-54 Nr. 478	à DM 574,-	DM 9.184,-
26	Herrenoberhemden, blau und weiß, Größe 37-45, Nr. 734	à DM 72,-	DM 1.872,-
40	Seidenkrawatten, silber, gelb, bordeaux, royal-blau, Nr. 26	à DM 34,-	DM 1.360,-

Wir bieten Ihnen einen Rabatt auf diese Preise von 5% für die oben genannten Mengen und bei Eingang der Bestellung vor dem 15.07. dieses Jahres.

Unsere Lieferzeit beträgt vier Wochen nach Auftragseingang. Die Sendung versteht sich frei Haus, einschließlich Verpackung.

Die Zahlung hat uns innerhalb von 60 Tagen zu erreichen. Dieses Angebot ist gültig bis 15.07. dieses Jahres.

In Erwartung Ihrer Bestellung verbleibe ich

mit freundlichen Grüßen
Friedhelm Ohligschläger & Co.

Jens Jacobi

Exercise 8.3

Beantworten Sie den Beispielbrief 3 mit Hilfe der folgenden Punkte!

1 Bedanken Sie sich für das Schreiben und die Auftragsbestätigung!
2 Wiederholen Sie seinen Terminvorschlag für die Montage!
3 Zu diesem Zeitpunkt sind alle Hotelzimmer belegt.
4 Bitten Sie ihn um Montagebeginn am 09.05!
5 Entschuldigen Sie sich!
6 Bitten Sie um Antwort!
7 Sie hoffen auf gute Zusammenarbeit.

Glossar – Martin Brab

die Auftragsbestätigung (en)	confirmation of order
gewähren	grant
ansonsten	otherwise

Beispielbrief (3)

Martin Brab Elektrogroßhandel

Bismarckplatz 120–122
5630 Remscheid

Hotel Rheinischer Hof
Herr Vonderbank
Wilhelmsallee 78-82

5000 Köln 2

Remscheid, 27.03...

Ihr Zeichen	Ihr Schreiben vom	Unser Zeichen	Unser Schreiben vom
VOB-tu	23.03...	Br/oh	05.03...

Auftragsbestätigung
Ihre Auftragsnummer 0943

Sehr geehrter Herr Vonderbank,

ich bestätige hiermit die Bestellung von

45 Farbfernsehgeräten der Marke DEGO: SG 205 à 780,-DM

Ich gewähre Ihnen wie verabredet einen Mengenrabatt von 10%. Ansonsten gelten die Konditionen meines Angebots vom 05.03...

Mein Mitarbeiter wird am Montag, den 26.04..., mit der Montage der Geräte in den Hotelzimmern beginnen.

Freundliche Grüße

Martin Brab

Exercise 8.4

Schreiben Sie eine *Mängelrüge* an Kleinschmitt GmbH, Brückstraße 44, 4010 Hilden. Ihr heutiges Datum. Ihr Absender: Anderson, Clifton House, Argyle Road, Crawley, West Sussex, RH9 3RS.

Angekommen sind:
statt 200 Pakete Filtertüten Nr. 3 nur 50,
statt 300 Pakete Filtertüten Nr. 2 nur 100,
schnellstens nachliefern!

8 der 35 Plastikfilter beschädigt, Ersatz!

Werbematerial in Deutsch und nicht in Englisch, das war nicht verabredet!

(Die Übung ist ohne Beispielbrief.)

INTRA-VIDEO GmbH · Heerstraße 2 · D-1000 Berlin 19

Köln, den 10.01.88
Si/Fö

INTRA-VIDEO GmbH · Heerstraße 2 · D-1000 Berlin 19

Köln, den 10.01.88
Si/Fö

Sehr geehrter

wir danken Ihnen für Ihr Interesse an den Produkten und Dienstleistungen der INTRA-VIDEO GmbH. Als Anlage übersenden wir Ihnen zunächst einmal Informationsmaterial über das Gesamtangebot der INTRA-VIDEO GmbH und über das MAVIS-System.

Ein Schwerpunkt der Arbeit der INTRA-VIDEO GmbH liegt in der Beratung für mediengestützte Aus- und Weiterbildung und Informationsvermittlung, der Durchführung von Analysen sowie Schulungsmaßnahmen und Seminaren. Dazu gehört auch die Produktion von, genau auf die Bedürfnisse unserer Kunden zugeschnittenen, interaktiven Systemen. Hierzu nutzen wir in der Regel standardmäßige Computer-Technologien und übermitteln dabei nicht nur Text- und Grafikinformationen, sondern beziehen auch Medienträger wie Bildplatte, Video, Tonband etc. für Training, Dokumentation und Präsentation ein.

In unserem Verzeichnis der Teachware Bibliothek können Sie sich über unsere Standardlernprogramme informieren. Diese Standardprogramme bieten Ihnen die Möglichkeit, Ihr spezifisches, individuelles Lernprogrammangebot zu günstigen Konditionen abzurunden und zu erweitern. Wenn Sie Interesse an diesem Verzeichnis haben, lassen wir es Ihnen gerne zukommen.

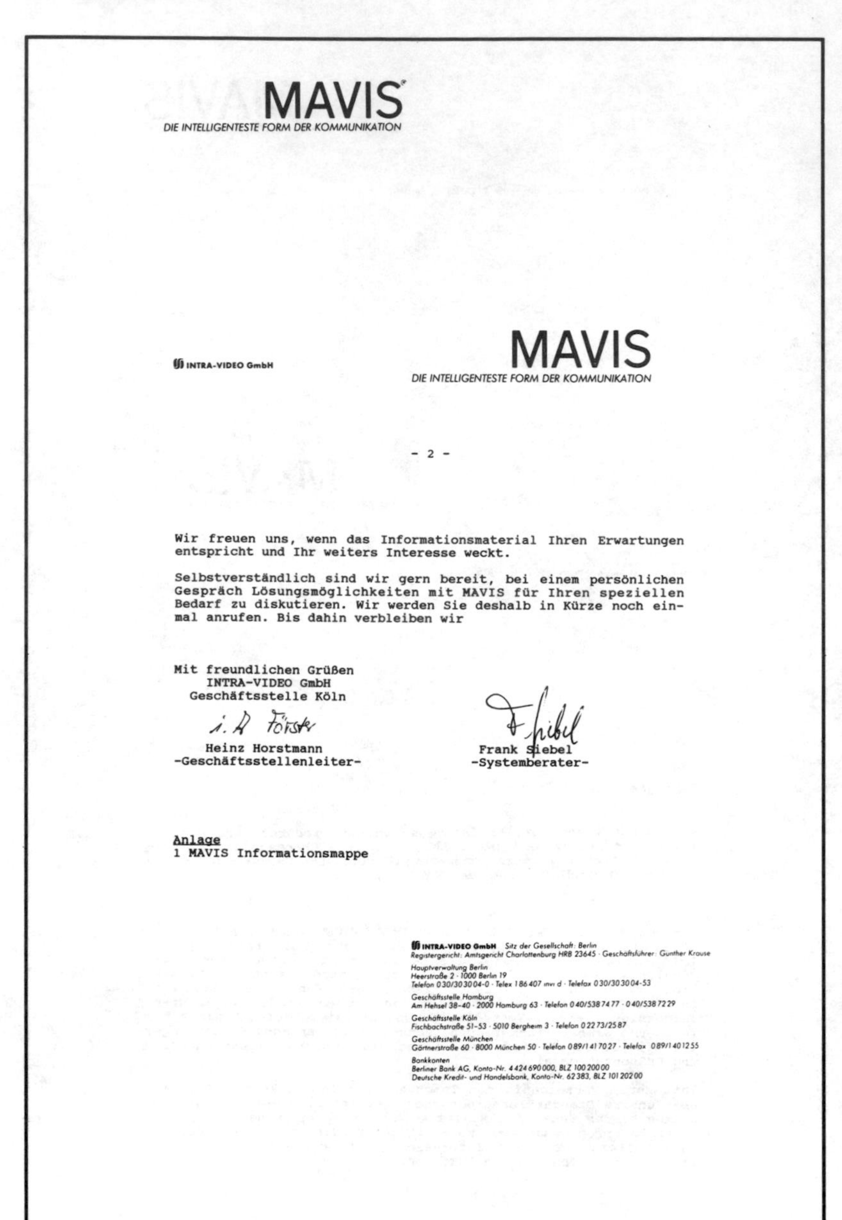

MAVIS
DIE INTELLIGENTESTE FORM DER KOMMUNIKATION

INTRA-VIDEO GmbH

MAVIS
DIE INTELLIGENTESTE FORM DER KOMMUNIKATION

- 2 -

Wir freuen uns, wenn das Informationsmaterial Ihren Erwartungen entspricht und Ihr weiters Interesse weckt.

Selbstverständlich sind wir gern bereit, bei einem persönlichen Gespräch Lösungsmöglichkeiten mit MAVIS für Ihren speziellen Bedarf zu diskutieren. Wir werden Sie deshalb in Kürze noch einmal anrufen. Bis dahin verbleiben wir

Mit freundlichen Grüßen
INTRA-VIDEO GmbH
Geschäftsstelle Köln

i. A. Förster

Heinz Horstmann
-Geschäftsstellenleiter-

Frank Siebel
-Systemberater-

Anlage
1 MAVIS Informationsmappe

INTRA-VIDEO GmbH Sitz der Gesellschaft: Berlin
Registergericht: Amtsgericht Charlottenburg HRB 23645 · Geschäftsführer: Günther Krause

Hauptverwaltung Berlin
Heerstraße 2 · 1000 Berlin 19
Telefon 030/303004-0 · Telex 186407 invi d · Telefax 030/303004-53

Geschäftsstelle Hamburg
Am Hehsel 38–40 · 2000 Hamburg 63 · Telefon 040/5387477 · 040/5387229

Geschäftsstelle Köln
Fischbachstraße 51–53 · 5010 Bergheim 3 · Telefon 02273/2587

Geschäftsstelle München
Gärtnerstraße 60 · 8000 München 50 · Telefon 089/1417027 · Telefax 089/1401255

Bankkonten
Berliner Bank AG, Konto-Nr. 4424690000, BLZ 10020000
Deutsche Kredit- und Handelsbank, Konto-Nr. 62383, BLZ 10120200

Exercise 8.5

Übersetzen Sie die folgenden Begriffe oder Satzteile aus dem Musterbrief!

for your particular needs ____________________
very soon ____________________
enclosed ____________________
branch ____________________
be happy to send ____________________
in our catalogue ____________________
media-assisted training ____________________
tailor-made ____________________
on favourable terms ____________________
tape-recorder ____________________
meet your expectations ____________________
information about the whole range of products ____________________
services ____________________
normally ____________________
complete and expand a programme ____________________

Glossar

die Zuschrift (en)	letter
als Anlage	enclosed
die Ausstattung (en)	*here:* specification
die Eigenschaft (en)	characteristic
der Vorzug (¨e)	advantage
der Kreis der Kunden (= der Kundenkreis)	customers, clientele

Exercise 8.6

Übersetzen Sie den Brief ins Englische!

Deutsche Olivetti GmbH

Postfach 71 02 64
Lyoner Straße 34
6000 Frankfurt am Main 71
Telefon (069) 66 92-1
Telefax (069) 666 49 58
Fernschreiber 04-13 596
Telegramme
Olivetti Frankfurtmain

Ihre Zeichen Ihre Nachricht Unser Zeichen Office-G/ma Datum 02.01.1989

Der neue Personalcomputer Olivetti M 290

Sehr geehrte

wir bedanken uns für Ihre Zuschrift und freuen uns über Ihr Interesse an dem neuen Personalcomputer M 290.

Als Anlage übersenden wir Ihnen ein Katalogblatt, das Ihnen die Ausstattung und Eigenschaft des M 290 zeigt.

Besser als jeder Prospekt ist jedoch eine Demonstration.

Wir haben deshalb Ihre Zuschrift an einen unserer regionalen Vertriebspartner weitergeleitet, der sich mit Ihnen in Verbindung setzen wird, um Ihnen die Vorzüge und Leistungen des M 290 zu präsentieren.

Wir würden uns freuen, Sie schon bald zum Kreise unserer zufriedenen Kunden zählen zu dürfen.

Mit freundlichen Grüßen

DEUTSCHE OLIVETTI
BÜROMASCHINEN GMBH
Verkaufsleitung PC/PR

Simais

Anlage

Vorsitzender des Aufsichtsrates: Dr. Francesco Tatò
Amtsgericht Frankfurt (Main) HR B 23 047.

Geschäftsführer: Peter C. Günthard, Frankfurt am Main

1/0007/7

Exercise 8.7

Schreiben Sie für die Abkürzungen das deutsche Wort!

Nr. Nummer
lfd. ______
gez. ______
Fa. ______
zzgl. ______
Anl. ______
ggf. ______
desgl. ______
beil. ______
z.Z. ______
Abt. ______
entspr. ______
Gebr. ______
MwSt. ______
lt. ______
s.u. ______

Redemittel: Unzufriedenheit ausdrücken, sich beschweren, tadeln

1 Ihre Arbeit ist nicht zufriedenstellend.
2 Der Auftrag wurde nicht zu unserer Zufriedenheit ausgeführt.
3 Ihre Leistung ist unzureichend.
4 Ich bin mit dem Ergebnis höchst unzufrieden.
5 Wir hatten uns das anders vorgestellt.

6 Das Produkt entspricht nicht der Beschreibung.
7 Das entspricht aber nicht unseren Vorstellungen.
8 Das Resultat entspricht im wesentlichen nicht unseren Erwartungen.

nur mündlich:
9 So kann man das nicht angehen. Sie hätten...
10 Das haben Sie sich zu einfach gemacht.

Exercise 8.8

Übersetzen Sie die obigen Sätze ins Englische!

1 ______

2 ______
3 ______
4 ______
5 ______
6 ______
7 ______
8 ______
9 ______
10 ______

Exercise 8.9

Ordnen Sie zu!

inaccurate	incorrect	dissatisfied	insufficient/unsatisfactory	
unlawful	useless	unreasonable	unsatisfactory	bad
defective/faulty		poor/shabby		unreliable

1 schlecht ______
2 unbefriedigend/nicht zufriedenstellend ______
3 unbefriedigt dissatisfied
4 unzureichend/ungenügend ______
5 ungenau ______
6 mangelhaft defective, faulty
7 unbrauchbar ______
8 dürftig poor
9 unzumutbar ______
10 unzutreffend ______
11 unzuverlässig ______
12 unzulässig unlawful

Exercise 8.10

Setzen Sie ein!

1 Das ist nur ein ______ (poor) Ersatz.
2 Ihre Konditionen sind ______ (unreasonable).
3 Die ______ (defective) Lieferung habe ich gleich wieder zurückgesandt.

4 Die Ersatzteile waren völlig ___________ (useless).
5 Er ist ein äußerst ___________ (unreliable) Mitarbeiter.
6 Ihre Aussage über unsere Ware ist ___________ (incorrect).
7 Was Sie von mir verlangen, ist ___________ (unlawful).
8 Die Erklärungen zu Ihrem Vorhaben sind leider ___________ (insufficient).

Erste Mahnung

H. Jochum
Postfach 566

Theresienallee 46
5400 Koblenz

Stewart Ltd
St Giles House
50 Poland Street
London W1V 4AX

Koblenz, den 24.09...

Rechnungsauszug

Sehr geehrte Damen und Herren,

Sie haben sicherlich übersehen, daß der untenstehende Betrag inzwischen fällig ist.

Wir erwarten Ihre Zahlung umgehend.

Mit freundlichen Grüßen
H. Jochum

Günther Wertz

Rechnung Nr. 86375

Rechnungsdatum: 22.07...

Betrag: 3.870,-DM

Glossar – Erste Mahnung

der Rechnungsauszug (¨e)	extract of account
inzwischen	in the meantime
umgehend	at once

Exercise 8.11

Schreiben Sie eine Antwort auf diese 1. Mahnung!

1 Nehmen Sie Bezug auf das Schreiben vom ...
2 Erklären Sie, daß Sie die Rechnung schon am 05.08. bezahlt haben!
3 Verweisen Sie auf die Fotokopie der Überweisung in der Anlage!
4 Erklären Sie, daß für Sie die Angelegenheit damit erledigt ist!

Zweite Mahnung

Turner Ltd
89 Church Street, Dunstable
Bedfordshire LU5 4HB

Fabian Klaßen KG 04.12...
Goldammerweg 34

D-8034 Germering

Unsere Rechung vom 01.10.19.., fällig am 01.11.19..

Sehr geehrte Frau Horn,

leider haben Sie immer noch nicht unsere ausstehende Rechnung vom 01.10.19.., die am 01.11.19.. fällig war, beglichen. Das Zahlungsziel ist um mehr als 30 Tage überschritten. Wir müssen auf sofortiger Zahlung bestehen.

Die Rechnung beträgt: £3.344,–

Mit freundlichen Grüßen
Turner Ltd

Andrew Brown

Glossar

ausstehend	outstanding
begleichen	settle
das Zahlungsziel (e)	term of payment
überschreiten	exceed
bestehen auf	insist on

Exercise 8.12

Schreiben Sie eine Antwort auf diese zweite Mahnung!

1 Nehmen Sie Bezug auf das Schreiben vom...
2 Erklären Sie, warum Sie z.Z. einen finanziellen Engpaß haben
— Kundenrechnungen stehen offen
— strukturelle Veränderungen im Management
3 Bitten Sie um Aufschub!
4 Garantieren Sie die Zahlung!
5 Schlagen Sie neues Ziel von 60 Tagen vor!
6 Entschuldigen Sie sich!

Letzte Mahnung

Hofrichter GmbH
Postfach 121
8000 München 1

GEE Leisure Ltd
Oliver House
18 Marine Parade
Brighton
BN2 1TB

28.11...

Unsere Rechnung vom 02.08...

Sehr geehrte Damen und Herren,

trotz mehrfacher Erinnerung haben Sie unsere Rechnung vom 02.08... über

680,-DM, die am 16.08... fällig war, immer noch nicht beglichen.

Ich hatte Ihnen eine weitere Frist bis zum 18.09.. gesetzt, die Sie auch verstreichen ließen. Mittlerweile lassen Sie mir keine andere Möglichkeit, als gerichtlich gegen Sie vorzugehen.

Darf ich Sie ein letztes Mal bitten, die Rechnung zu begleichen, um uns beiden den unangenehmen Weg zum Gericht zu ersparen. Auch kann ein Abbruch unserer Geschäftsbeziehungen nicht zu Ihrem Vorteil sein.

Ich gebe Ihnen hiermit eine letzte Frist bis zum 15.12...

Hochachtungsvoll

HOFRICHTER GmbH

Mankowski

Glossar	
mehrfach	manifold, repeated
die Erinnerung (en)	*here:* reminders
die Frist (en)	deadline, notice
verstreichen	pass by
gerichtlich vorgehen	sue, take legal action

Exercise 8.13

Finden Sie für die englischen Begriffe deutsche Entsprechungen im obigen Brief!

be advantageous ______________________
save an unpleasant experience ______________________
not to meet a deadline ______________________
in the meantime ______________________
despite numerous reminders ______________________
pay a bill ______________________
set a time limit ______________________
leave no other choice ______________________
take legal action ______________________
end business relations ______________________
due, payable ______________________

Wichtige Begriffe aus diesem Kapitel

1 Substantive (nouns)

deutsch *englisch*

2 Verben + Kasus (verbs + case)

deutsch *englisch*

3 Wichtige Redewendungen (idiomatic phrases)

deutsch *englisch*

4 Notizen

Unit 9

Handelskorrespondenz II: Aktennotizen, Mitteilungen
Business correspondence II: Memos, notes

Part II of our 'Business correspondence' concentrates on the daily routine of office communication, such as taking notes or writing different kinds of memos. There are different forms for you to fill in as a practical exercise for organising information. Again, you can compare your answer to the sample forms we have prepared for you in the Key. How to express your own or somebody else's intentions is demonstrated by a collection of phrases and is also practised.

IN IHRER ABWESENHEIT

Datum ________________ 11 12 1

Mitteilung an 10 2

________________ 9 Uhr 3

Aufgenommen von 8 4

________________ 7 6 5

Herr/Frau ________________________________

Firma ________________________________

Adresse ________________________________

Telefon ________________________________

< > hat angerufen   < > hat aufgesucht

< > bittet um Besuch   < > wird zurückkommen um ________

< > bittet um Rückruf   < > wird zurückrufen um ________

< > wichtig!

Mitteilung ________________________________

____

____

____

____

____

____

____

Glossar

die Abwesenheit (en)	absence
die Mitteilung (en)	message
der Rückruf (e)	return call

GESPRÄCHSNOTIZ

11 12 1
10 2
9 Uhr 3
8 4
7 6 5

Datum ____________________

Betrifft ____________________

Herr/Frau ____________________

Firma ____________________

Adresse ____________________

Tel./FS/FAX ____________________

< > hat angerufen < > hat aufgesucht

Nachricht ____________________

____

____

____

____

____

____

Anlagen ____________________

Aufgenommen von ____________________

Erledigt durch ____________________

< > Brief < > Telefon

< > Fax < > Besuch

< > ____________________

< > abgelegt unter ____________________

Datum

Glossar – Gesprächsnotiz

angerufen	phoned
aufgesucht	visited
aufgenommen von	taken by
erledigt durch	attended to by
abgelegt unter	filed under

AKTENNOTIZ

An ______________________________

Von ______________________________

Betrifft: ______________________________

____

____

____

____

____

____

Bitte um

☐ Stellungnahme ☐ Rücksprache bis __________

☐ Kenntnisnahme ☐ Erledigung bis __________

☐ Genehmigung ☐ __________

Datum __________

Glossar

die Aktennotiz (en)	memo
betrifft	regarding
die Stellungnahme (en)	answer, comment
die Kenntnisnahme (n)	acknowledgement
die Genehmigung (en)	approval
die Rücksprache (en)	consultation
die Erledigung (en)	action

Zu Ihrer Information

A Das Formular *In Ihrer Abwesenheit* wird für Mitteilungen von Kunden oder Mitarbeitern an nicht anwesende Kollegen verwendet.

B Die *Gesprächsnotiz* wird zur Dokumentation von wichtigen Gesprächen mit Kunden gebraucht.

C Die *Aktennotiz* wird für interne Kommunikation benutzt, d.h. wenn Sie einer Kollegin oder einem Kollegen etwas mitteilen wollen.

Exercise 9.1

Welches Formular benutzen Sie?

	A	B	C
1 Sie bekommen einen Anruf für einen Kollegen.	☐	☐	☐
2 Sie haben in einer Firma Verhandlungen geführt.	☐	☐	☐
3 Sie haben eine Besprechung mit dem Einkaufsleiter geführt.	☐	☐	☐
4 Sie wollen mit einem Mitarbeiter im Rechnungswesen sprechen.	☐	☐	☐
5 Sie bestellen zehn Kugelschreiber im Lager.	☐	☐	☐
6 Ein Kunde möchte Ihre Chefin sprechen. Er hinterläßt seine Telefonnummer.	☐	☐	☐

Beispiel für eine Abwesenheitsnotiz

IN IHRER ABWESENHEIT

Datum *30.03*

Mitteilung an *P. Hinzen*

Aufgenommen von *Jörg Grote*

11	12	1
(10)		2
9	Uhr	3
8		4
7	6	5

Herr *Otten*

Firma *Seifert*

Adresse

Telefon *0812/85523*

<x> hat angerufen < > hat aufgesucht

< > bittet um Besuch < > wird zurückkommen um ________

<x> bittet um Rückruf < > wird zurückrufen um ________

<x> wichtig!

Mitteilung *Unsere Warensendung von*

Heizkörpern unvollständig angekommen.

Nur 60 Stück Größe 3, 40 Stück Größe 4.

Wenn Nachlieferung nicht sofort,

dann Stornierung des Gesamtauftrags.

Sehr verärgert!

Glossar

der Heizkörper (—)	radiator
die Nachlieferung (en)	(additional) delivery
die Stornierung (en)	cancellation
der Gesamtauftrag (¨e)	entire contract
verärgert	annoyed

Exercise 9.2

Hören Sie nun den vollständigen Text zu dieser Abwesenheitsnotiz auf der Kassette und schreiben Sie die gesamte Notiz in ganzen Sätzen auf!

Herr Otten hat ______________________________

____

____

____

____

____

____

____

____

____

____

Vergleichen Sie Ihren Text mit der Mitteilung im Schlüssel!

Eine Mitteilung

Exercise 9.3

Auf der Kassette hören Sie jetzt eine Mitteilung von Ihrem Anrufbeantworter. Nehmen Sie die Informationen auf, indem Sie das Formblatt „In Ihrer Abwesenheit" ausfüllen. Wenn Sie wollen, können Sie die Mitteilung auch zwei- oder dreimal abhören.
(Mit Hilfe des Schlüssels können Sie diese Übung auch als Lese- und Schreibübung machen.)

IN IHRER ABWESENHEIT

Datum ________________

Mitteilung an

____

Aufgenommen von

____

11 12 1
10 2
9 Uhr 3
8 4
7 6 5

Herr/Frau ________________

Firma ________________

Adresse ________________

Telefon ________________

< > hat angerufen < > hat aufgesucht

< > bittet um Besuch < > wird zurückkommen um ________

< > bittet um Rückruf < > wird zurückrufen um ________

< > wichtig!

Mitteilung ________________

Vergleichen Sie Ihr Formular mit dem im Schlüssel.
Haben Sie daran gedacht, daß man Kästchen oder Kreise mit einem × ankreuzt und *nicht* abhakt? ☒richtig ☑ falsch
Der Text der Mitteilung befindet sich im Schlüssel.

Dialog

Lesen Sie zuerst den folgenden Dialog und vergleichen Sie ihn mit dem ausgefüllten Formular „Gesprächsnotiz“!

Gespräch zwischen Frau Wilhelm und Frau Vogt von der Firma Hansa am 06.08.19.. um 14.00 Uhr.

Frau Wilhelm: Können Sie mir mal genau sagen, wie sich die Preise verändert haben?

Frau Vogt: Die Kaffeesorte Mild wird DM 6,95 kosten, die Sorte Gold DM 7,90 und die Sorte Mocca DM 6,30. Das heißt, die Erhöhungen betragen für Mild DM –,30 für Gold DM –,40 und für Mocca DM –,25.

Frau Wilhelm: Warum müssen Sie denn die Preise heraufsetzen?

Frau Vogt: Zum einen sind die Preise für Rohkaffee in die Höhe gegangen, und zum anderen haben sich die Transportkosten erhöht. Die Konkurrenz wird auch nicht daran vorbeikommen, ihre Großhandelspreise heraufzusetzen.

Frau Wilhelm: Und uns bleibt nichts anderes übrig, als die Erhöhung auf den Einzelhandelspreis abzuwälzen. Wir sehen nämlich keine Möglichkeit, eventuelle Einsparungen vorzunehmen. Der Kunde wird sich nicht freuen.

Frau Vogt: Das kann ich gut verstehen.

Frau Wilhelm: Um den Kunden anfänglich nicht die ganze Preiserhöhung aufzulasten, bitte ich Sie, uns bessere Konditionen in bezug auf den Mengenrabatt zu gewähren. Ich habe mir überlegt, daß ein Mengenrabatt von 4% ab Abnahmen von 1000 kg pro Monat doch möglich sein muß. Was halten Sie davon?

Frau Vogt: Lassen Sie mich mal in meine Unterlagen schauen. Na ja! 4% kann ich akzeptieren.

Frau Wilhelm: Gut, dann bin ich mit allem einverstanden. Vielen Dank für Ihren Besuch.

Glossar – Dialog

die Kaffeesorte (n)	coffee brand
die Erhöhung (en)	increase
heraufsetzen	put up
nichts anderes übrig bleiben	there is nothing else one can do
abwälzen	pass on to
eventuell	possible
die Einsparung (en)	saving
anfänglich	initially
in bezug auf	with reference to
auflasten	burden
gewähren	grant
überlegen	think
die Unterlage (n)	document, paper

GESPRÄCHSNOTIZ

Uhr	
11 12 1 10 ② 9 Uhr 3 8 4 7 6 5	Datum *06.08.19 . .* Betrifft *Preiserhöhung bei Kaffee – Mengenrabatt*

~~Herr~~/Frau *Vogt*

Firma *Hansa – Kaffee*

Adresse

Tel./FS/FAX

< > hat angerufen <x> hat aufgesucht

Nachricht *Preiserhöhung: Mild + 30 Pf = 6,95 DM*

Gold + 40 Pf = 7,90 DM

Mocca + 25 Pf = 6,30 DM

weil Rohkaffeepreise erhöht

Vorschlag: Mengenrabatt 4% akzeptiert

Anlagen *Preisliste*

Aufgenommen von *Eva Wilhelm (Einkauf)*

Erledigt durch

< > Brief < > Telefon

< > Fax < > Besuch

< > *Kopie der Notiz an Bächtle (Verkauf)*

< > abgelegt unter *Hansa – Kaffee*

Datum *07.08.19 . .*

Exercise 9.4

Fragen zur ausgefüllten Gesprächsnotiz

Welche Informationen sind nicht in die Gesprächsnotiz aufgenommen worden? Geben Sie dabei an, welche Sie wichtig und welche Sie unwichtig finden!

1 Transportkosten haben sich erhöht.
☐ wichtig ☐ unwichtig

2 ______________________
☐ wichtig ☐ unwichtig

3 ______________________
☐ wichtig ☐ unwichtig

4 ______________________
☐ wichtig ☐ unwichtig

Vergleichen Sie Ihr Ergebnis mit den Antworten im Schlüssel!

Druckereibesuch

Exercise 9.5

oo Gespräch zwischen Herrn Lang und Frau Wittke

Als Marketingassistent begleiten Sie den Marketingleiter bei einem Besuch einer Druckerei. Hören Sie das Gespräch auf der Kassette. Anschließend machen Sie Notizen nach der Tonbandaufzeichnung und füllen das Formular „Gesprächsnotiz" aus. Sie können sich den Dialog natürlich auch zwei- oder dreimal anhören.

(Mit Hilfe des Schlüssels können Sie diese Übung auch als Lese- und Schreibübung machen.)

15.12.19. . 10.00 Uhr
Herr Lang (Marketingleiter)
Frau Wittke (Schnell-Druckerei)

Vergleichen Sie Ihre „Gesprächsnotiz" auf Seite 202 mit der im Schlüssel!

Sie finden die Transkription des Dialogs im Schlüssel. Wenn Sie Teile auf der Kassette nicht verstanden haben, sehen Sie sich diese in der Transkription an.

Glossar – Gespräch Lang-Wittke

begleiten	accompany
die Druckerei (en)	printing business
die Tonbandaufzeichnung (en)	tape recording
anspruchsvoll	sophisticated
halten von	think of
ungefähr	roughly, about
herkömmlich	usual
der Kostenvoranschlag (¨e)	estimate
schätzen	estimate
der finanzielle Rahmen (—)	*here:* budget
sich verlassen auf	rely on

GESPRÄCHSNOTIZ

Uhr	
11 12 1 10 2 9 Uhr 3 8 4 7 6 5	Datum ____________ Betrifft ____________

Herr/Frau ____________

Firma ____________

Adresse ____________

Tel./FS/FAX ____________

< > hat angerufen < > hat aufgesucht

Nachricht ____________

____

____

____

____

____

____

Anlagen ____________

Aufgenommen von ____________

Erledigt durch ____________

< > Brief < > Telefon

< > Fax < > Besuch

< > ____________

< > abgelegt unter ____________

Datum

Exercise 9.6

Überstunden

AKTENNOTIZ

An *Herrn Lilley*

Von *Franziska Esser (Personalabteilung)*

Betrifft: *Überstunden/Urlaub*

Da Sie in letzter Zeit häufig Überstunden gemacht haben, stehen Ihnen bis dato (30.06.) 4 Tage u. 3 Stunden zusätzlich zu Ihrem Urlaub zu. Könnten Sie uns bitte mitteilen, wann Sie gedenken, diesen Urlaub anzutreten. Wir müssen der Zentralverwaltung genaue Angaben machen, damit evtl. Urlaubsvertretung eingesetzt werden kann.

Bitte um

☒ Stellungnahme	☐ Rücksprache bis ______
☐ Kenntnisnahme	☒ Erledigung bis *10.7.19. .*
☐ Genehmigung	☐ ______
	Datum *3.7.19. .*

Glossar – Aktennotiz

die Überstunde (n)	overtime
häufig	frequently
bis dato	up to now
zusätzlich	additional
gedenken	consider, intend
Urlaub antreten	take holiday
die Angabe	information
die Urlaubsvertretung (en)	holiday replacement

Bitte kreuzen Sie an!

1 Sie haben in diesem Jahr vier Tage und drei Stunden Urlaub.
☐ richtig ☐ falsch
2 Sie sind in letzter Zeit häufig zu spät gekommen.
☐ richtig ☐ falsch
3 Sie bekommen noch zusätzlich Tage zu Ihrer Urlaubszeit.
☐ richtig ☐ falsch
4 Sie müssen bis zum 30.06. in Urlaub gehen.
☐ richtig ☐ falsch
5 Sie müssen Frau Esser eine Antwort geben.
☐ richtig ☐ falsch
6 Vielleicht wird eine Urlaubsvertretung für Sie eingesetzt.
☐ richtig ☐ falsch
7 Sie sollen zur Zentralverwaltung gehen.
☐ richtig ☐ falsch
8 Ihre Antwort darf nicht später als bis zum 10.07.19. . erfolgen.
☐ richtig ☐ falsch

Redemittel: Absicht ausdrücken	
Ich beabsichtige, . . . etwas zu tun.	intend
gedenke	consider, intend
habe vor	plan
nehme mir vor	plan
habe mir vorgenommen	planned
habe mir gedacht	thought of
habe mir vorgestellt	envisage, have in mind
habe mich entschlossen	decided
habe mich entschieden	decided
Meine Absicht ist	My intention is
Die Intention ist	The intention is

Exercise 9.7

Übersetzen Sie ins Deutsche!

1 Mr Scheins has in mind to test the new product first.

____

2 She thought of finding a holiday replacement for him.

____

3 We decided to sell the product in Germany and Austria.

____

4 The company planned to expand their product range.

____

5 Her intention is to compare market prices.

____

Exercise 9.8

Antwort auf Aktennotiz 'Überstunden'

Benutzen Sie das Aktennotiz-Formular, um Ihre Antwort zur Aktennotiz Überstunden zu erledigen.

Antworten Sie in ganzen Sätzen:

im Sommer zwei Wochen nehmen, ungefähr ab 12.07. / für zehn Tage im Dez. wegfliegen / fragen, ob man die restlichen Tage fürs neue Jahr gutschreiben kann / nach Bezahlung der Überstunden fragen / Antwort erbitten bis 14.07.

AKTENNOTIZ

An ______________________________

Von ______________________________

Betrifft: ______________________________

____

____

____

____

____

____

Bitte um

☐ Stellungnahme ☐ Rücksprache bis ________

☐ Kenntnisnahme ☐ Erledigung bis ________

☐ Genehmigung ☐ ________

Datum ________

Vergleichen Sie Ihr ausgefülltes Formular mit dem im Schlüssel!

Wichtige Begriffe aus diesem Kapitel

1 Substantive (nouns)

deutsch	*englisch*

2 Verben + Kasus (verbs + case)

deutsch	*englisch*

3 Wichtige Redewendungen (idiomatic phrases)

deutsch	*englisch*

4 Notizen

Unit 10

Bewerbung I: Stellenanzeigen und Tips zur Bewerbung in Deutschland

Job applications I: Job advertisements and advice about job applications in Germany

How to read and analyse job advertisements with different job specifications in a foreign language needs some practice. It helps to know the terminology, however, a more profound understanding about cultural differences is vital, if you hope to stand a chance of getting the job. We present you with the various possibilities of applying for a job and tell you how to go about it.

Glossar

die Karriere (n)	**career**
die Börse (n)	*here:* market
der Personalberater (—)	personnel consultant
ausschreiben	advertise
der Interessent (en)	interested person, interested party
die Beratungsfirma (-firmen)	consultancy company, firm
sich in Verbindung setzen mit	to get in touch with
die Geschäftsführung (en)	**company management, director**
der Vertrieb (e)	sales
der Vorsitzende (n)	director, head
EK = das Einkommen (—)	income
jeweils	respectively
der Generalist (en)	generalist, 'jack of all trades'
der Akademiker (—)	academic, *here:* graduate
Ing. = der Ingenieur (e)	engineer
Kfm. = der Kaufmann (-leute)	merchant, business person, *here:* graduate in business studies

Karriere-Börse

Die deutschen Personalberater nennen Capital monatlich die neuesten von ihnen ausgeschriebenen Positionen. Interessenten können sich unmittelbar mit der Beratungsfirma in Verbindung setzen.

Geschäftsführung

Geschäftsführer Vertrieb als Vorsitzender für Unternehmensgruppe des Maschinenbaus/Automatisierungstechnik in Norddeutschland sowie vergleichbare Aufgabe in Württemberg; EK jeweils 300000 DM *(Mönnekemeyer, Bremen, 0421/321848).*

Vorsitzender der Geschäftsführung für Unternehmen des Sondermaschinenbaus, Generalist, Akademiker (Ing. oder Kfm.), international erfahren, 45 Jahre; EK 300000 DM plus *(Meyer-Mark, Düsseldorf, 0211/480363).*

Geschäftsführer für großes deutsches Markenartikelunternehmen im Nahrungsmittel- und Getränkebereich, Umsatz um 400000 DM, Erfahrung auf GF-Ebene im Marketing-Vertrieb; EK um 300000 DM *(EG Consulting, Vevey, 004121/9211700).*

Vertrieb/Verkauf

Vertriebschef für über 100 Außendienstler (Markenartikel, Direktverkauf im Fachhandel); EK 150000 DM plus *(Ihde, Bendestorf, 04183/6041).*

Vertriebsdirektor für langlebige techn. Konsumgüter bei intern. Konzern in Süddeutschland, bis Mitte 40; EK 150000 DM plus *(H. Neumann, Düsseldorf, 0211/454890).*

Verkaufsleiter Deutschland für marktführenden US-Hersteller von medizin.-techn. Analysesystemen; EK um 150000 DM *(Keith Manning, Köln, 0221/501843).*

Kaufmännischer Bereich

Leiter Einkauf Materialwirtschaft für bekannten Möbelhersteller in Ost-Westfalen, Umsatz über 40 Mio. DM; EK ab 90000 DM *(Plaut, Düsseldorf, 0211/592058).*

Marketing

Leiter Produktmarketing Elektronikrechner, Süddeutschland; EK um 250000 DM *(Dolan Consulting, Frankfurt, 069/23 08 76).*

Marketing/Vertriebs-Direktor für Markenartikler in NRW, hervorragendes Marketing-Know-how, Englisch; Start-EK 150000 bis 200000 DM *(Dieter Schröder, Düsseldorf, 0211/68 44 69).*

Group-Product-Manager, Konsumgüter, Englisch; EK bis 160000 DM *(F. F. M., Frankfurt, 069/72 16 49).*

Personalwesen

Hauptabteilungsleiter Personal für intern. Elektronikkonzern, Mitte 30; EK um 130000 DM *(Management Research, Hamburg, 040/44 50 65).*

Leiter Personal, Schwerpunkt PE, für branchenführendes Dienstleistungsunternehmen mit Sitz in NRW, um 35 Jahre; EK um 120000 DM *(Jochen Kienbaum, Gummersbach, 02261/70 31 41).*

Technischer Bereich

Technischer Direktor für deutsche Tochter eines multinationalen Unternehmens (Elektrogeräte), Englisch; EK um 230000 DM plus *(GKR, Düsseldorf, 0211/59 20 51).*

Leiter Entwicklung Verpackungsmaschinen, Bayern; EK bis 200000 DM *(Kirschner, Stuttgart, 0711/76 70 73).*

Finanzen/Banken

Holding-Controller für deutschen Investitionsgüterkonzern mit Milliardenumsatz; EK 200000 bis 300000 DM *(Dr. Dieter Schulz, Wiesbaden, 06121/80 80 39).*

Wirtschaftsprüfer Schwerpunkt Steuern und/oder Bankwesen, Akademiker, Englisch; EK 100000 DM plus *(Langer, Frankfurt, 069/72 77 48).*

EDV

Marketing- und Vertriebsleiter Office Automation mit langjähriger Fach- u. Führungspraxis im Vertrieb von Office-Automation/Software auf Großkundenebene für führendes Unternehmen der EDV- und Software-Industrie; EK um 190000 DM *(HMF, Frankfurt, 069/75 10 75).*

Software-Manager für bek. DV-Hersteller, verantwortl. für sämtl. SW-Aktivitäten einschl. Betreuung von SW-Häusern, mehrjähr. Führungserfahrung; EK 180000 DM *(KMC, Düsseldorf, 0211/58 80 39).*

Capital. Das Deutsche Wirtschaftsmagazin

erfahren	with job experience
der Markenartikel (—)	brand article
das Nahrungsmittel (—)	food
der Umsatz (¨e)	turnover, sales
GF = Geschäftsführung	
die Ebene (n)	level
der kaufmännische Bereich (e)	**commercial (business) side**
der Leiter (—)	manager, head
der Einkauf (¨e)	purchasing
die Materialwirtschaft (en)	material purchasing
der Möbelhersteller (—)	producer of furniture
der Vertrieb	**distribution, sales**
der Verkauf (¨e)	sale
der Vertriebschef (s)	sales manager
der Außendienstler (—)	sales representative
der Direktverkauf (¨e)	direct sale
der Fachhandel *(no pl.)*	specialized trade
der Vertriebsdirektor (en)	sales manager
langlebig	durable
techn. = technisch	technical
das Konsumgut (¨er)	consumer good
intern. = international	
der Konzern (e)	company, firm
bis Mitte 40	up to the mid-forties (in age)
marktführend	market leading
medizin. = medizinisch	medical
das Marketing *(no pl.)*	
der Elektronikrechner (—)	computer
der Controller (—)	manager in charge of financial control and accounting
Investitionsgut (¨er)	capital good
der Wirtschaftsprüfer (—)	Accountant
der Schwerpunkt (e)	emphasis
die Steuer (n)	tax
das Bankwesen *(no pl.)*	banking
das Personalwesen *(no pl.)*	**personnel department, management**

Hauptabteilungsleiter (—)	head, departmental manager
branchenführend	leading in this branch of industry
mit Sitz	situated
NRW = Nordrhein-Westfalen	
EDV = Elektronische Datenverarbeitung *(no pl.)*	**computing**
langjährig	for years
die Fach- und Führungspraxis	trade and management experience
der Großkunde (n)	*here:* large companies
bek. = bekannte	well-known
DV = Datenverarbeitung *(no pl.)*	computing
verantwortl. = verantwortlich	responsible
sämtl. = sämtliche	all
SW = die Software	
einschl. = einschließend	including
die Betreuung (en)	care, servicing, *here:* being in charge of
mehrjährig	for several years
der technische Bereich (e)	**technical side, production side**
die Tochter (= die Tochterfirma)	subsidiary
die Verpackungsmaschine (n)	packaging machine

Exercise 10.1

Auf welche Stellenausschreibung könnten Sie sich bewerben?

Ergänzen Sie die entsprechende Position aus der Anzeige!

1 Sie sind Spezialist für Bürocomputer und arbeiten in der Werbung.

____

2 Sie haben vor drei Jahren Rechnungswesen studiert.

____

3 Sie sind Mitte 40 und Geschäftsführer und haben schon viele verschiedene Sachen gemacht.

____

4 Sie kennen sich in der Holzwirtschaft aus.

____

5 Sie sind Personalleiter und wohnen in Süddeutschland.

____

6 Sie sind ein Topmanager in der Lebensmittelbranche.

____

Exercise 10.2

Kreuzen Sie an, ob die Aussage richtig oder falsch ist!

		richtig	falsch
1	Alle Positionen im Verkauf haben ungefähr das gleiche Jahreseinkommen.	☐	☐
2	„Englisch" bedeutet, daß man fließend Englisch spricht.	☐	☐
3	Es gibt zwei Positionen im Lebensmittelbereich.	☐	☐
4	Die Kandidaten für das Personalwesen sollen beide ungefähr dasselbe Alter haben.	☐	☐
5	Nur für eine EDV-Stelle braucht man Erfahrung mit SW.	☐	☐
6	Es gibt eine internationale und eine amerikanische Firma, die jemanden für den Vertrieb suchen.	☐	☐
7	Ein internationaler Elektronikkonzern sucht einen EDV-Spezialisten.	☐	☐
8	Es gibt mindestens vier Firmen in dieser Anzeige, dic Maschinen herstellen.	☐	☐

Anzeigen

Glossar – Deutsche Bank

überzeugen	convince
wirtschaftsnah	*here:* related to business studies
überdurchschnittlich	above average
der Abschluß (Abschlüsse)	final grade, 'degree classification'
sich engagieren	commit oneself
der Lebensbereich (e)	area of life
das Führungstalent (e)	management talent
die Fachkompetenz (en)	competence in your field
das Einfühlungsvermögen *(no pl.)*	intuitional understanding
der Leistungswille *(no pl.)*	will to succeed
der Mut *(no pl.)*	courage
schildern	describe
sich einsetzen	show commitment
entfalten	develop, unfold
ausführlich	comprehensive
der Hochschulabsolvent (en)	graduate

UNI-F.A.Z. Von der Hochschule

in die Praxis April 89 · Seite 27

Trainee bei der Deutschen Bank

Gesucht: Ihre Persönlichkeit.

Womit können Sie uns überzeugen?

Sie haben in Ihrem wirtschaftsnahen Studium gute Leistungen gezeigt und rechnen mit einem überdurchschnittlichen Abschluß. Sie engagieren sich auch in anderen Lebensbereichen – zum Beispiel politisch, kulturell, sozial. Die Deutsche Bank sucht Führungstalente, die mit Fachkompetenz und Einfühlungsvermögen, Leistungswillen und Mut zur Kreativität weltweit Kundenbeziehungen aufbauen und intensivieren können. *Schildern Sie uns bitte in einem kurzen Brief, wo und wie Sie sich überzeugend eingesetzt haben und wie Sie Ihre Persönlichkeit bei uns entfalten wollen.* Wir schicken Ihnen dann eine ausführliche Broschüre über *db-trainee:* das neue Ausbildungs- und Entwicklungsprogramm der Deutschen Bank für Hochschulabsolventen.

Deutsche Bank

Deutsche Bank AG, Zentrale Personal-Abteilung/Führungsnachwuchs/UF, Taunusanlage 12, 6000 Frankfurt am Main 1

Wo, bitte, steht geschrieben, daß Männer die besseren Manager sind?

Bei Audi ist es selbstverständlich, daß Frauen dieselben beruflichen Start- und Aufstiegsmöglichkeiten haben wie Männer. Beispiel dafür ist die seit mehr als zehn Jahren erfolgreiche Ausbildung junger Frauen in gewerblich-technischen Berufen und deren Weiterentwicklung zur Meisterin oder Technikerin. Beispiel dafür ist auch unsere Initiative, verstärkt Frauen für den technischen und kaufmännischen Management-Nachwuchs zu gewinnen und zu fördern.

Wenn Sie also Ingenieurwesen, Informatik oder Wirtschaftswissenschaften studieren: Nur Mut! Wir von Audi bieten Ihnen bereits während des Studiums Unterstützung an, unter anderem durch das Angebot von Praktika, Werkstudententätigkeiten oder auch durch die Vergabe von Themen für Studien- und Diplom-Arbeiten.

Und wenn Sie sich neben einem theoretischen Basiswissen mindestens ein Spezialgebiet angeeignet und darüber hinaus Ihre Initiative und Ihre überfachlichen Interessen und Fähigkeiten bewiesen haben, dann haben Sie bei uns auch nach dem Examen die besten Chancen, gefordert und aktiv gefördert zu werden.

Also – worauf warten Sie noch? Wir warten auf Ihre Bewerbung!

AUDI AG
Personalwesen
Angestellte
Postfach 220
8070 Ingolstadt
Postfach 11 44
7107 Neckarsulm

Vorsprung durch Technik

Glossar – Audi

wo steht geschrieben, daß	where does it say that
selbstverständlich	of course, self-evident
die Startmöglichkeit (en)	opportunity to start s.th.
die Aufstiegsmöglichkeit (en)	promotion prospect
gewerblich-technische Berufe	trade and industrial jobs
der, die Meister/in (-/nen)	person with a *Meister* certificate
verstärkt	increased, stronger
der Nachwuchs (*no pl.*)	new generation, 'new blood'
fördern	promote
das Ingenieurswesen (*no pl.*)	engineering
die Informatik (*no pl.*)	computing, computer science
die Wirtschaftswissenschaft (en)	business studies
die Unterstützung (en)	support, assistance, help
das Praktikum (Praktika)	industrial placement
der Werkstudent (en)	student with a part-time job
die Vergabe (n)	allocation
das Thema (Themen)	subject
die Studien-Arbeit (en)	academic project, essay
die Diplom-Arbeit (en)	dissertation
das Spezialgebiet (e)	special area of study, specialisation
sich aneignen	acquire, learn
überfachlich	outside the academic field
beweisen	prove
fordern	challenge

Exercise 10.3

Kreuzen Sie an, was in welcher Anzeige vorkommt!

		Deutsche Bank	Audi
1	Man kann sich mit einem Abschluß in Wirtschaftswissenschaften bewerben.	☐	☐
2	Auch Informatiker können sich bewerben.	☐	☐
3	Überdurchschnittlicher Abschluß ist wichtig.	☐	☐
4	Überfachliche Interessen sind wichtig.	☐	☐
5	Man muß zuerst einen kurzen Brief schreiben.	☐	☐
6	Das Unternehmen vergibt auch Praktika.	☐	☐
7	Frauen werden besonders angesprochen.	☐	☐
8	Das Foto zeigt eine Mitarbeiterin, nicht das Produkt.	☐	☐
9	Man kann ein Diplomarbeitsthema bekommen.	☐	☐

Wir liefern Maschinen und Material für die grafische Industrie

Für die Annahme und Überprüfung der eingehenden Warenlieferungen sowie für die Zusammenstellung und den Versand ausgehender Sendungen suchen wir einen tüchtigen

Mitarbeiter für unser Lager

der gewohnt ist, selbständig zu arbeiten. Für diese Tätigkeit benötigen Sie einen Führerschein der Klasse III.

Wir bieten Ihnen einen sicheren Arbeitsplatz mit gutem Gehalt sowie allen üblichen Sozialleistungen.

Bitte senden Sie uns Ihre Bewerbungsunterlagen oder rufen Sie Herrn Hassemer an.

Heinrich Baumann
Grafisches Centrum
Ludwig-Landmann-Straße 309
6000 Frankfurt am Main 60
Telefon 069 / 79 30 02 - 91

Glossar

die Annahme (n)	acceptance (of incoming goods)
die Überprüfung (en)	control
eingehend	*here:* incoming
die Warenlieferung (en)	delivery of goods
die Zusammenstellung (en)	compilation
der Versand *(no pl.)*	despatch
ausgehend	outgoing
tüchtig	efficient, industrious
selbständig	independent
die Tätigkeit (en)	job, task
der Führerschein der Klasse III	driving licence (car)

der Arbeitsplatz (¨e)	job, employment
das Gehalt (¨er)	salary
üblich	common, usual
die Sozialleistung (en)	company benefits
die Bewerbungsunterlagen *(pl.)*	*here:* application

Jahrespraktikum BWL/VWL

Rationalisierungsberatung

Die deutsche Niederlassung eines weltweiten Konzerns der Elektronik-Druck-Branche gibt Studierenden die Möglichkeit, kontrollierte Erfahrungen im Beratungs- und Verkaufsdienst zu sammeln. Schreiben Sie an unsere Agentur mit Angabe des Semesters und Ihres Studienschwerpunktes.

P & S Promotion, z. Hd. Frau Riese, Osterwaldstr. 9—10, 8000 München 40

Glossar

das Jahrespraktikum (-praktika)	year-long placement
BWL = Betriebswirtschaftslehre	business studies
VWL = Volkswirtschaftslehre	economics
die Rationalisierungsberatung	efficiency consulting
die Niederlassung (en)	subsidiary
die Druck-Branche (n)	printing industry
mit Angabe des Semesters	indicate your study semester
der Studienschwerpunkt (e)	academic specialisation

Glossar – 3i

bedeutend	important
die Größenordnung (en)	size
sich beteiligen	participate
die Minderheitsbeteiligung (en)	minority share
die Familiengesellschaft (en)	family business
finanzieren	finance
der Gesellschafter(—)	shareholder
die Geschäftsbank (en)	commercial bank
abwechslungsreich	varied
anspruchsvoll	sophisticated
kollegial	friendly, amicable

etwas angehen	take up
die Berufserfahrung (en)	job experience
vertraut	familiar
kaufmännische Zusammenhänge	*here:* commercial procedures
ein Gespür *(no pl.)* für	a nose for
schwungvoll	vivacious

Exercise 10.4

Setzen Sie die Begriffe aus den drei Anzeigen ein!

1 Wenn Sie bei uns ein Praktikum machen wollen, schreiben Sie uns mit ___________ Ihrer Semesterzahl und Ihrem ___________.

2 In unserem Unternehmen der Elektronik-Druck-Branche werden Sie in den Bereichen ___________ und ___________ Erfahrung sammeln.

3 Für die Position als __________ __________ __________ __________ brauchen Sie keinen Studienabschluß zu haben. Sie müssen aber einen __________ __________ __________ besitzen.
4 Ihre Arbeit umfaßt die __________ und __________ der eingehenden Warenlieferungen und des weiteren die __________ und den __________ ausgehender Sendungen.
5 In der Position als __________ müssen Sie perfektes Englisch sprechen und schreiben können.
6 Für diese Aufgabe bringen Sie mehrere Jahre __________ mit.
7 Die Bank von England sind unsere __________.
8 Unsere Atmosphäre ist __________ und __________.
9 Sie sollten gewohnt sein, __________ zu arbeiten.
10 Sie werden in einem kleinen Team arbeiten und bringen ein __________ für das Wichtige mit.

Exercise 10.5

Schreiben Sie ein Verb aus dem Schüttelkasten hinter das entsprechende Substantiv!

angehen	erwerben	verstehen	gehören
vertraut sein	benötigen	bieten	arbeiten
sich beteiligen	finanzieren	suchen	sammeln

1 einen Arbeitsplatz __________
2 an einem Unternehmen __________
3 Erfahrungen __________
4 für eine Tätigkeit __________
5 für unser Büro __________
6 Beteiligungen __________
7 zu einer Gruppe __________
8 mit Aufgaben __________
9 in einem Team __________
10 Buyouts __________
11 eine Aufgabe __________
12 Zusammenhänge __________

Die deutsche Bewerbung:

Es gibt einige grundlegende Unterschiede zwischen einer Bewerbung für eine Stellung im deutschen Sprachbereich und einer Bewerbung in Großbritannien. Es hat in erster Linie etwas mit den kulturellen Unterschieden der beiden Länder zu tun. Im Ausbildungsbereich – Schule und Universität – aber auch im gesellschaftlichen und familiären Leben wird in deutschsprachigen Ländern viel Wert auf formale Qualifikationen gelegt. Viele deutsche Personalleiter erachten die Note der Qualifikation als wichtigstes Entscheidungskriterium. Wenn man hunderte Bewerbungen für eine Einstiegsstellung bekommt, wird der erste Selektionsprozeß stark durch die Diplom- oder Examensnote beeinflußt. Persönliche Merkmale, wie Integrationsfähigkeit, soziales Engagement, Kreativität, sicheres Auftreten und gute kommunikative Fähigkeiten kommen oft erst an zweiter Stelle. Der Bereich der Persönlichkeitsbildung wird vom britischen Hochschulsystem stärker betont.

Glossar

grundlegend	fundamental
Wert legen auf	attach importance to
das Merkmal (e)	characteristic
das Engagement *(no pl.)*	commitment
sicheres Auftreten	self-assured manner
zu kurz kommen	be neglected
betonen	emphasise, stress
erachten	consider
die Note (n)	class, grade
die Einstiegsstellung (en)	first job
beeinflussen	influence

Wie bewerben Sie sich?

Folgende wichtige Punkte sind zu beachten:
Sie müssen *eine Bewerbungsakte/mappe* anfertigen: einen Karton- oder Plastikschnellhefter mit Klarsichtfolien. In diesen Hefter gehören:

das Anschreiben; das ist das Bewerbungsschreiben
der tabellarische Lebenslauf
das Lichtbild, d.h. ein Photo, welches Sie oben rechts auf den Lebenslauf kleben können (kein Automatenphoto). Sie können das Photo auch auf

ein gesondertes Blatt kleben mit dem Text: „Es bewirbt sich bei Ihnen als Praktikant der Betriebswirtschaftsstudent:" und danach Ihr Name, Adresse und Telefonnummer

alle Zeugnisse in Abschrift, d.h. als Photokopie,

weitere Dokumente, Arbeitsbestätigungen, kleinere Referenzen, Kurzzeugnisse, Praktikumsnachweise, Sprachkurse

u.U. *Arbeitsproben*; wenn zutreffend z.B. Zeitungsartikel, Marketingbroschüre; man sollte jedoch nicht die umfangreiche Diplomarbeit einschicken; einen zweiseitigen Marktreport, den man während des Praktikums verfaßt hat, kann man beifügen

* Alle Zeugnisse (besonders Diplomzeugnisse) müssen durch *eine Photokopie* belegt sein
* Wenn gewünscht, müssen Sie das Zeugnis *als beglaubigte Abschrift beilegen*, d.h. die Photokopie muß auf der Rückseite durch den Stempel einer offiziellen Stelle beglaubigt sein
* Auch der tabellarische Lebenslauf sollte Ihre Unterschrift tragen – Sie bestätigen damit juristisch die Korrektheit
* Hochschulabsolventen können auch Kopien *Ihrer Leistungsnachweise*, (ihrer „Scheine") beifügen, insbesondere, wenn sie sich vor der Diplomprüfung bewerben
* Beim deutschen Lebenslauf sollten *keine Hobbys* – oder nur wenn es wirklich notwendig erscheint – angegeben werden. (Ihr Privatleben z.B. Mitgliedschaft in einem Sportverein oder in einer Diskussionsgruppe interessiert deutsche Personalleiter selten.)
* Nur größere Unternehmen verschicken ein Bewerbungsformular, bei den meisten Zeitungsanzeigen steht *mit den üblichen Unterlagen* (siehe oben), d.h. was nicht aus Ihrem Lebenslauf ersichtlich ist, muß aus Ihrem Bewerbungsschreiben und aus Ihren weiteren Anlagen ersichtlich werden
* Eine perfekte Bewerbung läßt vermuten, daß der Bewerber auch andere Aufgaben ebenso gut lösen kann.

Glossar

gesondert	separate
die Arbeitsbestätigung (en)	letter to confirm work
u.U. = unter Umständen	possibly
zutreffend	applicable
umfangreich	comprehensive
verfassen	compile, put together

beifügen	add
belegt durch	supported by
anfertigen	*here:* compile, put together
der Stempel (—)	stamp
beglaubigen	certify, attest
der Leistungsnachweis (e)	credit
insbesondere	especially
die üblichen Unterlagen	the usual documentation
ersichtlich	evident, clear
vermuten	assume

Verschiedene Bewerbungsmöglichkeiten:

A Zeitungsannonce des Unternehmens
B eigene Zeitungsannonce
C Telefonanruf
D Anschreiben
E persönliche Kontakte
F Arbeitsamt

A Zeitungsannonce des Unternehmens

Die Samstagsausgabe der *Frankfurter Allgemeinen Zeitung* (FAZ) und auch die Wochenendausgaben der *Süddeutschen Zeitung* und der *Welt* bieten die umfassendsten Angebote an freien Stellen. Die Angebote konzentrieren sich auf mittlere und leitende Positionen, d.h. gesucht werden Facharbeiter und Jungakademiker. Ausbildungsplätze für Schulabgänger werden nur selten per Annonce angeboten.

Große Firmen inserieren meistens in überregionalen Zeitungen. Die *Süddeutsche Zeitung* beschränkt sich hauptsächlich auf den süddeutschen Raum. Die Wochenzeitschrift *Die Zeit* hat ihren Schwerpunkt in den Bereichen Öffentlicher Dienst, Forschung und Lehre, Pädagogik und Gesundheitswesen. Handwerksbetriebe und die mittelständische Industrie plazieren ihre Anzeigen überwiegend in Lokalzeitungen. Außerdem gibt es auch Angebote in den entsprechenden Fachzeitschriften.

Vorteil: Die Lektüre der Annoncenteile der Zeitungen gibt Ihnen einen Überblick über vakante Stellen – allgemein, was gesucht wird.

Nachteil: Sie befinden sich im Wettbewerb; bei Großbetrieben oft mit 500–1000 Mitbewerbern.

Glossar

die Annonce (n) (= die Anzeige)	advertisement
inserieren	place an advertisement
überregional	national
der Schwerpunkt (e)	main emphasis
überwiegend	predominantly, mainly
entsprechend	appropriate
der Überblick (e)	general idea, survey

B Eigene Zeitungsannonce

Man kann natürlich auch selber inserieren. Das zeigt Eigeninitiative.

Vorteil: Wenn Sie agieren, sparen Sie Zeit, bestimmen die Planung, erhalten schnell Informationen und bekommen gute Informationen über Ihren Markt.

Nachteil: Es kostet Sie Geld für das Inserat. Ihr Text sollte gut durchdacht sein und vor den anderen herausstechen.

Glossar

das Inserat (e)	advertisement
durchdacht	thought out
herausstechen	stick out

C Telefonanruf

Zuerst den Namen des Personalleiters in Erfahrung bringen. Dann sollte man versuchen, ihn ans Telefon zu bekommen. Sie können sich dann bei ihm nach dem momentanen Bedarf des Unternehmens erkundigen, die zukünftige Entwicklung erfragen oder sich die Fristen geben lassen für Bewerbungen für Betriebspraktika für Studenten oder Trainee-Programme für Hochschulabsolventen. Von vornherein müssen Sie sich gut verkaufen.

Vorteil: Schnelle Informationsbeschaffung. Sie haben die Chance, sich darzustellen.

Nachteil: Sie müssen Hemmungen überwinden. Sehr viele dieser Anrufe werden erfolglos sein.

Glossar	
sich erkundigen	ask about, seek information
zukünftig	future
sich darstellen	present oneself
die Hemmung (en)	inhibition
überwinden	overcome

D Anschreiben

Schicken Sie an Unternehmen Ihrer Wahl eine unverlangte Kurzbewerbung (Anschreiben und Lebenslauf). Auch hier sollten Sie den Namen des Personalleiters kennen.

Vorteil: Schnelle Informationsbeschaffung.

Nachteil: Auch hier sind viele Absagen zu erwarten.

Glossar	
unverlangt	unrequested
die Absage (n)	rejection

E Persönliche Kontakte

Für studentische oder schulische Praktikumsplätze geeignet.

Vorteil: Sie können sich bewähren.

Nachteil: Sie werden aufgrund der Kontakte nicht objektiv behandelt.

Glossar	
geeignet	suitable
sich bewähren	prove one's worth
aufgrund	because of
behandeln	treat

F Arbeitsamt

Die Bundesanstalt für Arbeit unterhält bei vielen Arbeitsämtern in Hochschulstädten Fachvermittlungsdienste (FVD). Deren Aufgabe ist die Beratung und Vermittlung von Bewerbern mit abgeschlossenem Studium oder gleichwertiger Befähigung aufgrund mehrjähriger Berufserfahrung. Die FVD ist mit der Zentralstelle für Arbeitsvermittlung (ZAV) in Frankfurt/Main durch ein EDV-System verbunden. Die ZAV ist jedoch nur zuständig für obere und oberste Führungspositionen.

Vorteil: Sie erhalten eine persönliche Beratung über Ihre Chancen. Unter Umständen kann von hier aus landesweit für Sie gesucht werden.

Nachteil: Manche Firmen geben vakante Stellen beim Arbeitsamt nicht an.

Glossar

unterhalten	*here:* operate, run
landesweit	national
angeben	report

Ein paar Tips!

Folgende typisch deutsche Eigentümlichkeiten treten manchmal auf:

(a) der tabellarische Lebenslauf soll handschriftlich geschrieben sein. (Tabellarisch wird hier im Unterschied zum berichtenden bzw. erzählenden Lebenslauf gebraucht, der in früherer Zeit üblich war.)

(b) gelegentlich gibt es eine psychologische oder pseudopsychologische Welle in Personalbüros, die graphologische Gutachten überbetont. Manche Firmen operieren mit diesen Auswahlkriterien. Man glaubt z.B., feststellen zu können, ob jemand Führungspotential, Willensstärke, Durchsetzungsvermögen und Eigeninitiative hat.

Glossar

gelegentlich	occasional
die Welle (n)	wave
überbetonen	overemphasize
die Willensstärke (n)	determination
das Durchsetzungsvermögen *(no pl.)*	assertiveness, authority, forcefulness

Trainee-Programme

Zuerst in den USA entwickelt, danach nur von Großunternehmen angeboten, gibt es Trainee-Programme heutzutage in vielen Betrieben. Es handelt sich um ein Einarbeitungsprogramm für Akademiker der wirtschaftswissenschaftlichen und technischen Fachrichtungen. Sie dauern meistens zwischen 15 und 24 Monaten.
(Bewerbungen für Praktika in einem deutschen Unternehmen müssen äußerst früh erfolgen, d.h. ca. 18 Monate vor dem Praktikumsbeginn.)

Man kann drei Varianten unterscheiden:

1 Im klassischen (ressortübergreifenden) Trainee-Programm werden die betriebswirtschaftlichen Funktionsbereiche Beschaffung, Fertigung, Absatz- und Finanzwirtschaft durchlaufen. Neben der theoretischen Einweisung in die einzelnen Ressorts übernimmt der Trainee Aufgaben mit teilweiser Verantwortung.

2 Die andere Variante ist das ressortbezogene Trainee-Programm. Hier steht das künftige Aufgabengebiet bereits bei der Einstellung fest. Der Trainee wird auf ein bestimmtes Ressort vorbereitet, z.B. im Bereich Absatz oder Personalwesen.

3 Eine Kombination bietet das ressortübergreifende Trainee-Programm mit Fachausbildungsphase. In der Grundausbildung lernt der Trainee die einzelnen Ressorts kennen, in der Fachausbildungsphase erfolgt die Konzentration auf das Ressort, in dem der Trainee künftig eingesetzt werden soll.

Glossar

das Einarbeitungsprogramm (e)	trainee-programme, training on the job
ressortübergreifend	across fields
durchlaufen	pass through
ressortbezogen	related to a field
das Vorstellungsgespräch (e)	interview

Exercise 10.6

Ergänzen Sie!

1 In deutschsprachigen Ländern legt man mehr Wert auf ___________ ___________.
2 Ein Bewerbungsschreiben besteht aus einem Hefter mit dem Anschreiben, dem ___________ ___________, einem Lichtbild und allen ___________ ___________ ___________.
3 Manchmal wird gewünscht, daß das Zeugnis als ___________ ___________ beigelegt wird.
4 Mit Ihrer ___________ bestätigen Sie juristisch die Korrektheit Ihres Lebenslaufs.
5 An Hochschulen nennt man Leistungsnachweise auch _______.
6 ___________ werden nicht von allen Unternehmen verschickt.
7 Oft werden Stellen in Zeitungen ___________: große Firmen ___________ ihre Anzeigen meistens in überregionalen Zeitungen und mittelständische Industrien überwiegend in ___________.
8 Vakante Stellen findet man im ___________ der Zeitungen.
9 Falls Sie selber inserieren, sollte Ihr Text gut ___________ sein und herausstechen.
10 Durch einen Anruf können Sie Informationen über den momentanen ___________ des Unternehmens bekommen.
11 Studenten können sich über die Fristen von ___________ erkundigen.
12 Eine Kurzbewerbung sollte aus einem ___________ und dem Lebenslauf bestehen.
13 Wenn man unverlangt an ein Unternehmen schreibt, ist oft mit einer ___________ zu rechnen.
14 Die ZAV kann nicht nur regional, sondern auch ___________ nach Stellen für Sie suchen.
15 Manchmal besteht ein Unternehmen darauf, daß der Lebenslauf ___________ geschrieben wird.
16 Gelegentlich benutzen Personalbüros graphologische ___________, um Führungspotential festzustellen.
17 Das klassische Trainee-Programm ist das ___________ Trainee-Programm.
18 Das ressortbezogene Programm bezieht sich auf ein bestimmtes ___________.

Wichtige Begriffe aus diesem Kapitel

1 Substantive (nouns)

deutsch	***englisch***

2 Verben + Kasus (verbs + case)

deutsch	***englisch***

3 Wichtige Redewendungen (idiomatic phrases)

deutsch	***englisch***

4 Notizen

Unit 11

Bewerbung II: Die schriftliche Bewerbung
Job applications II: The written application

In this second part of our series on Job Applications, we introduce you to the format of a German *curriculum vitae*, take you through sample letters of application for jobs or trainee posts and help you to fill in an application form. You will practice how to express a possibility, we revise relative pronouns and adverbial phrases ending in *-weise*, which are handy expressions for writing letters.

	LEBENSLAUF
NAME	Caroline S. Greenwood
ADRESSE	44 Union Street Guildford GU4 5HE
TELEFON	(0483) 6879038
GEBOREN	17.04.1971
DERZEITIGE ANSTELLUNG	Stellvertretende Verkaufsleiterin
BILDUNGSGANG	
1987-1990	Holloway College, Godalming A-levels (Abitur) in Deutsch, Geographie, Französich
1990-1994	Integrierter Studiengang der „Europäischen Betriebswirtschaftslehre" am Anglia Polytechnic University, Cambridge mit Fachhochschule Berlin
	darin integriert:
1991-1992	3. und 4. Studiensemester an der Fachhochschule für Wirtschaft Berlin
Okt. 1993-Febr. 1994	7. Studiensemester an der FHW Berlin
QUALIFIKATIONEN	
1994	B.A. (Hons.) European Business Administration, Anglia Polytechnic University, Cambridge
1994	Diplom-Kauffrau, FHW Berlin
BERUFSERFAHRUNG	
seit 1994	Stellvertretende Verkaufsleiterin, Glaxo Chemicals, London
1992-1993	Einjähriges kaufmännisches Praktikum im Chemiekonzern Schering, Berlin
1989	Zweimonatige Tätigkeit bei Frissons als Verkäuferin, Guildford
WEITERE KENNTNISSE	Deutsch fließend, Französisch gut, gute Kenntnisse der EDV

Glossar

schriftliche Bewerbung (en)	written application
der Lebenslauf (-läufe)	curriculum vitae
derzeitige Anstellung (en)	current employment
stellvertretender Verkaufsleiter	assistant manager
stellvertretende Verkaufsleiterin	assistant manageress
der Bildungsgang (¨e)	education
das Abitur *(no pl.)*	equivalent to A-level examination
integriert	integrated
der Studiengang (¨e)	course (at College)
die Betriebswirtschaft die Betriebswirtschaftslehre	business studies
die Fachhochschule (n)	College of Higher Education
das Semester (—)	semester (equivalent of half an academic year)
das Studiensemester (—)	one semester of a course
die Wirtschaft *(no pl.)*	economics
die Qualifiktion (en)	qualification
der Diplom-Kaufmann die Diplom-Kauffrau	title equivalent to BA (Hons) Business Studies
die Berufserfahrung (en)	work experience
kaufmännisch	commercial, business
das Praktikum (Praktika)	(industrial) placement
der Chemiekonzern (e)	chemical concern, group
der Verkäufer (—)	sales assistant
weitere Kenntnisse	further qualifications (knowledge)
fließend	fluent
EDV = elektronische Datenverarbeitung	computing (electronic data processing)

Bewerbungsschreiben für ein Praktikum

Francis Jones
64 Blenheim Road
Caversham
Reading
RG4 7RS

Tel. (0734) 473156

An Herrn W. Schuhmacher
Rank Xerox GmbH
Hauptverwaltung/
Personalabteilung
Emanuel-Leutze-Straße 20

D-4000 Düsseldorf-Lörick

Reading, den 14.02...

Bewerbung um eine Praktikantenstelle für
Betriebswirtschaftsstudentin

Sehr geehrter Herr Schuhmacher,

kürzlich ist mir Ihre Anzeige für Verkaufs-Trainees in der Absolventen-Zeitung aufgefallen. Leider bin ich noch nicht soweit, mich bei Ihnen bewerben zu können. Ich stehe gerade erst am Anfang meines Studiums, d.h. ich habe ein Jahr hinter mir.

Dennoch möchte ich mich jetzt um eine Praktikantenstelle im kaufmännischen Bereich bewerben.

Ich befinde mich in einem integrierten Studiengang; die eine Hälfte des Programms studiere ich an der Fachhochschule für Wirtschaft Berlin, die andere Hälfte an der Anglia Polytechnic University.

Fester Bestandteil meines Studiums ist ein einjähriges Praktikum in Deutschland. Besonders interessiere ich mich für den Bereich Marketing und Verkauf. In diesen Bereichen werde ich mich in meinem Studium spezialisieren. Ich kann mir denken, daß Sie an Studenten Interesse haben, die durch den Studiengang „Europäische Betriebswirtschaftslehre“, Flexibilität und Engagement zeigen. Mit meinen Deutschkenntnissen werden Sie voll zufrieden sein, da während meines Studienjahres in Berlin alle Vorlesungen und Seminare auf Deutsch gehalten wurden.

Während der ersten zwei Semester studierte ich in Cambridge, jedoch in gemischten Seminargruppen mit deutschen Studenten zusammen. Dadurch hat sich meine kulturelle Erfahrung schon sehr erweitert. Neben den Fächern Wirtschaftsrecht, Volkswirtschaftslehre, Finanz- und Rechnungswesen, Sozialwissenschaften, Wirtschaftsmathematik, Computer und Wirtschaftssprache hat mir besonders das Fach „Allgemeine Betriebswirtschaftslehre“ gefallen, da es Einblick in die Praxis eines Unternehmens gibt.

Erfahrung im Verkauf habe ich schon während der Schulzeit gemacht, da ich samstags und in den Ferien in einem Lebensmittelgeschäft beschäftigt war. Im ganzen habe ich diese Tätigkeit zweieinhalb Jahre ausgeübt.

Ich schicke Ihnen gerne noch ausführlichere Unterlagen, sollten Sie an meiner Person interessiert sein.

Ich könnte ab 15. Juli des nächsten Jahres (1995) anfangen. Ab Oktober 1994 studiere ich an der Fachhochschule für Wirtschaft. Meine Kontaktadresse dort ist

Fachhochschule für Wirtschaft
Sekretariat „European Business Studies“
Berlin

Meine Referenten sind:

Mr Joseph Smith
(Adresse)

Prof Dr Bernhard Pfeiffer
(Adresse)

Francis Jones

Anlagen: Lebenslauf
Lichtbild

Glossar – Bewerbungsschreiben

die Hauptverwaltung (en)	main administration
die Personalabteilung (en)	personnel department
die Stelle (n)	post, position
kürzlich	recent
die Anzeige (n)	advertisement
der Absolvent (en)	*here:* graduate
auffallen	attract attention
sich bewerben	apply
der Bestandteil (e)	component
der Verkauf	sales
das Engagement	commitment
die Vorlesung (en)	lecture
das Seminar (e)	seminar
die Erfahrung (en)	experience
das Wirtschaftsrecht (*no pl.*)	business law
die Volkswirtschaftslehre (*no pl.*)	economics
das Finanz- und Rechnungswesen	finance and accounting
die Sozialwissenschaften (*pl.*)	social sciences
die Wirtschaftsmathematik (*no pl.*)	business mathematics
die Wirtschaftssprache (n)	business language
die Allgemeine Betriebswirtschaftslehre (ABWL)	general business studies
der Einblick (e)	insight
das Lebensmittelgeschäft (e)	grocery
beschäftigt sein	be employed
eine Tätigkeit ausüben	do a job
ausführlich	comprehensive
die Unterlage (n)	*here:* document
der Referent (en)	*here:* referee

Exercise 11.1

Ergänzen Sie mit Worten aus dem obigen Brief!

Ihre Anzeige für Praktikantenstellen in der *Times* vom 22.03.1992 ist mir ____________. Ich ____________ ____________ z.Z. in einem integrierten Studiengang an der Fachhochschule in Köln. Fester ____________ meines Studiums ist ein Auslands____________. Besonders interessiere ich mich __________ den __________ Werbung. Meine __________ sind ausreichend, aber ich hoffe, sie durch zusätzliche Sprachkurse für Wirtschaftsenglisch zu __________. Ich würde gerne mein Praktikum bei Ihnen absolvieren, um __________ in die Praxis Ihres Unternehmens zu bekommen. Ähnliche Tätigkeiten habe ich bereits als Ferienarbeit __________, wie Sie meinem __________ entnehmen können. Falls Sie __________ meiner Person interessiert sind und ausführlichere __________ wünschen, könnte ich diese umgehend nachliefern.

Cheril Winter
78 Oxford Road
Manchester
M13 2ST

(061) 3726543

Manchester, den 04.11.19..

An
Löhner Elektronik
Flotowstraße 8
D-3300 Braunschweig

Bewerbung um die Stelle einer Fremdsprachensekretärin

Sehr geehrte Damen und Herren,

der <u>Times</u> vom 02.11.19.. habe ich entnommen, daß Sie eine Fremdsprachensekretärin suchen. Ich möchte mich hiermit Ihnen als Kandidatin vorstellen. Ich habe die letzten zwei Jahre hier in Manchester in einem Reisebüro gearbeitet. Während dieser Zeit habe ich die deutsche Sprache benutzen können, jedoch nicht so oft, wie ich erhofft hatte.

Davor hatte ich am Buckinghamshire College in High Wycombe ein zweijähriges Studium als Fremdsprachensekretärin absolviert. Da ich Deutsch schon bis zum Abitur gelernt hatte, habe ich während des Studiums durch das Fach Wirtschaftsdeutsch meine Sprachkenntnisse vervollkommnet. Außerdem habe ich an einem dreiwöchigen praktischen Studienaufenthalt in Berlin teilgenommen.

Schon während der Schulzeit habe ich mehrmals Deutschland besucht und einen Sommer lang in einem Hotel auf Sylt gearbeitet.

Da ich unabhängig bin und mich neue Aufgaben interessieren, möchte ich mich gerne bei Ihnen bewerben.

Ich habe 3 Monate Kündigungsfrist bei meiner Firma, könnte also am ersten Mai bei Ihnen anfangen. Sollten Sie weitere Fragen an mich haben, kann ich Ihnen noch ausführlichere Auskünfte geben.

In der Erwartung von Ihnen zu hören,

verbleibe ich mit freundlichen Grüßen

Cheril Winter

Anlagen Handschriftlicher Lebenslauf
A-level Zeugnis
Higher National Diploma
Institute of Linguists Diploma
3 Kurzreferenzen
Sprachzertifikat
Lichtbild

Glossar

die Fremdsprachensekretärin (nen)	bilingual secretary
der Kandidat/die Kandidatin	candidate
das Reisebüro (s)	travel agency
erhoffen	hope for
absolvieren	complete (a course)
das Abiturfach (¨er)	A-level subject
der Studienaufenthalt (e)	study period
unabhängig	independent
die Aufgabe (n)	task
die Auskunft (¨e)	information
handschriftlich	hand written
die Kurzreferenz (en)	short reference
das Sprachzertifikat (e)	language certificate
das Lichtbild (er)	photo

Exercise 11.2

Beantworten Sie die folgenden Fragen!

1 Was konnte man der Times vom 02.11.19 . . entnehmen?
2 Was hat Cheril Winter in Manchester gemacht?
3 Wic oft konnte sie Ihre Sprachkenntnisse benutzen?
4 Was hat sie studiert?
5 Was hat sie in Berlin gemacht?
6 Welche Arbeitserfahrung hat sie während ihrer Schulzeit gesammelt?
7 Wie lange dauert die Kündigungsfrist bei ihrer alten Firma?

Frederic Paulin

56 High Street
Pangbourne
Berkshire
RG8 7ER

Tel. (0734) 458877

An Herrn K.P. Geus
Baumgarten & Partner KG
Postfach 320
D-7032 Sindelfingen

Bewerbung Kennziffer G 222 K

Sehr geehrter Herr Geus,

ich möchte mich Ihnen hiermit als Bewerber für die Stelle des kaufmännischen Leiters bei dem Unternehmen BITO vorstellen. Ich bin der Überzeugung, daß ich für die ausgeschriebene Stelle sehr gute Voraussetzungen mitbringe, die ich Ihnen im folgenden darstellen möchte:

1 vierjährige Erfahrung im Einkauf eines großen internationalen Unternehmens in Großbritannien
2 Führungsqualitäten als Einkaufsleiter
3 Kenntnis der amerikanischen und europäischen Märkte

4 Zusatzausbildung in EDV
5 Hochschulabschluß BA European Business Studies
6 Praktikumsaufenthalt in Deutschland
7 Sehr gute Deutschkenntnisse
8 Flexibilität und Lernbereitschaft (Alter 30 Jahre)

1 Nach vierjährigem Studium und dreijähriger Tätigkeit im Verkauf und im Marketing eines britischen Haushaltswarenproduzenten bin ich zur Verkaufsabteilung meines jetzigen Unternehmens gewechselt. Nach zwölf Monaten bin ich zum Leiter der Einkaufsabteilung ernannt worden. In Zusammenarbeit mit dem technischen Direktor habe ich voll verantwortlich über mein Ressort entschieden. Zu neuen internationalen Lieferanten habe ich dauerhafte Geschäftsverbindungen herstellen können. Es ist mir ebenfalls gelungen, die Preissteigerungen der Produktionskosten unter denen anderer Hersteller zu halten. Wichtige Organisationsveränderungen sind durch meine Initiative durchgeführt worden: Verringerung des Lagerbestands und Herstellungskostenreduktion in bestimmten Produktbereichen durch Gebrauch von Ersatzstoffen.

2 Zur effektiven und schnellen Erarbeitung von Problemlösungen bietet sich vor allem die Teamarbeit an, bei der Mitarbeiter aus verschiedenen Bereichen und ohne Rücksicht auf Hierarchien an einem Projekt arbeiten. In diesem Sinne habe ich das Team meiner Abteilung (4 Mitarbeiter) geleitet und habe an anderen Projektgruppen (Bereich Herstellung, Organisation, Personalwesen) maßgebend teilgenommen.

3 Unter meiner Mitarbeit konnten Zulieferer aus den USA für unseren Bereich 'elektronische Schaltelemente' gewonnen werden. Halbfertigwaren wurden aus Deutschland, der Schweiz, Italien, Spanien, Frankreich und den Niederlanden eingekauft.

4 Vor drei Jahren habe ich einen dreiwöchigen Intensivkurs in Datenbankverwaltung und Grundlagen des Programmierens absolviert. Ich sitze einem

Beratungsteam zur Weiterentwicklung der Datenverwaltung vor.

5 Ich habe den Studiengang BA European Business Studies mit der Note 2.1 (gut) abgeschlossen. Drei Semester habe ich an der Middlesex University in London studiert und weitere drei Semester an der Fachhochschule in Reutlingen. Im Hauptstudium habe ich mich auf den Bereich Verkauf/Marketing spezialisiert. Das Thema meiner Diplomarbeit war „Absatzmöglichkeiten für britische Haushaltsgeräte der Firma Swan in Deutschland".

6 Das einjährige, ins Studium integrierte Praktikum habe ich bei einem Transportunternehmen in Karlsruhe absolviert. Es hat mich mit den Unternehmenspraktiken von unterschiedlichen Firmen vertraut gemacht.

7 Durch das Studium und Praktikum in Deutschland konnte ich meine durch das Abitur erreichten Deutschkenntnisse vertiefen und spreche fließend Deutsch. Durch mehrere Auslandsaufenthalte, bzw. Geschäftsreisen, habe ich diesen Standard aufrechterhalten können.

Obwohl ich für diese verantwortungsvolle Position vielleicht noch relativ jung erscheine, habe ich schon umfangreiche Berufserfahrung gesammelt. Da britische Hochschulabsolventen in der Regel 5 Jahre jünger sind als deutsche, ergab sich für mich der Berufseinstieg schon frühzeitig. Dennoch habe ich meine Flexibilität nicht aufgegeben, weshalb ich mich jetzt um eine Karriere in Deutschland bemühe. Auch daran, daß ich bereit bin, an Fortbildungsmaßnahmen teilzunehmen und mich immer für andere Firmenbereiche aktiv interessiert habe, können Sie meine Lernbereitschaft erkennen.

Ich könnte ab 1.11. eine neue Stellung annehmen. Ich stelle mir ein Jahreseinkommen von ungefähr 150000,-DM vor.

Zu einem Vorstellungsgespräch bin ich jederzeit bereit.
Ich erwarte Ihre Antwort und verbleibe
mit freundlichen Grüßen

```
Frederic Paulin

Anlagen:

Lebenslauf
Zeugniskopien
Lichtbild
Gutachten
```

Glossar

die Kennziffer (n)	code
der Bewerber (—)	applicant
der kaufmännische Leiter (—)	commercial manager
die Überzeugung (en)	conviction
ausschreiben	advertise
die Voraussetzung	*here:* qualification
darstellen	describe
die Führungsqualität (en)	leadership quality
die Zusatzausbildung (en)	additional training
der Hochschulabschluß (¨sse)	university qualification
die Lernbereitschaft *(no pl.)*	willingness to learn
die Haushaltsware (n)	household article
ernennen	appoint
das Ressort (s)	*here:* field
der Lieferant (en)	supplier
dauerhaft	permanent
die Preissteigerung (en)	price increase
die Produktionskosten *(no sing.)*	production costs
der Hersteller (—)	producer, manufacturer
die Organisationsveränderung (en)	organisational change
die Verringerung (en)	reduction
der Lagerbestand (¨e)	stock
der Ersatzstoff (e)	substitute
die Erarbeitung (en)	gain
die Rücksicht (en)	consideration, regard

maßgebend	leading, prominent
der Zulieferer (—)	supplier
das Schaltelement (e)	switch (element)
die Halbfertigware (n)	semi-finished good
die Datenbankverwaltung (en)	data base management
die Grundlage (n)	basic (introduction)
das Programmieren *(no pl.)*	programming
vorsitzen	chair
die Beratung (en)	consulting, consultation
die Weiterentwicklung (en)	(further) development, advancement
die Datenverwaltung (en)	data processing
das Hauptstudium (-studien)	second part of a university course
der Absatz (¨e)	sale
das Transportunternehmen (—)	haulage company
aufrechterhalten	maintain
sich bemühen	strive
die Fortbildung (en)	further training
das Jahreseinkommen (—)	yearly income
das Gutachten (—)	reference

Exercise 11.3

Kreuzen Sie an!

		richtig	falsch
1	Herr Paulin hat vier Jahre studiert.	☐	☐
2	Er arbeitet jetzt in der Marketingabteilung.	☐	☐
3	Er ist der technische Direktor der Firma.	☐	☐
4	Er hat internationale Geschäftserfahrung.	☐	☐
5	Leider konnte er die Preissteigerungen der Produktionskosten nicht verhindern.	☐	☐
6	Bei den Organisationsveränderungen hat er keine Initiative gezeigt.	☐	☐
7	Er hält nicht viel von Teamarbeit.	☐	☐
8	In seiner Firma werden elektronische Schaltelemente hergestellt.	☐	☐
9	Er hat Kenntnisse der Datenbankverwaltung.	☐	☐
10	Er hat sich in seinem Hauptstudium auf den Bereich Einkauf spezialisiert.	☐	☐

11	Das Praktikum ist ins Studium integriert.	☐	☐
12	Seine Deutschkenntnisse sind befriedigend.	☐	☐
13	Aufgrund seines Alters hat er langjährige Berufserfahrung.	☐	☐
14	Er ist stets bereit, an Fortbildungsmaßnahmen teilzunehmen.	☐	☐

BERLINER KREDITBANK
POSTFACH 30 33 20 Kleinfelder Straße 34–36
1000 Berlin 16
Telefon (030) 27 565–0 Telex 2 54 676
Telefax 27 565–234 Teletex 30 23 22 = BKRBANK

Datum 17.05.19..
Durchwahl 27 565-132
Do/fe

Mrs. Amanda D Steele
15 Rectory Road
Sheffield
Großbritannien

Betr.: Ihre Bewerbung vom 17.04.19..

Sehr geehrte Frau Steele,

Ihre Bewerbung um eine Praktikantenstelle haben wir erhalten.

Wir bieten Ihnen an, Ihrem Wunsch entsprechend, für die Zeit vom 4. Oktober 19.. bis zum 28. Februar 19.. in der Abteilung Rechnungswesen als Praktikantin zu arbeiten.

Die Arbeitszeit beträgt 40 Stunden von Montag bis Freitag. Es gelten die Bestimmungen über die gleitende Arbeitszeit. Näheres werden wir Ihnen bei Beginn Ihrer Tätigkeit erläutern.

Zu den Bedingungen unseres Angebotes gehört, daß Sie sich einem Mitglied unseres Vorstandes während der täglichen Arbeitszeit für Sprachübungen in Ihrer Muttersprache zur Verfügung stellen. Thematischer Schwerpunkt der Sprachübungen bildet die Wirtschaftspolitik.

Als Entgelt zahlen wir Ihnen DM 850,- pro Monat.

Wir würden uns freuen, wenn Sie alsbald Ihr Einverständnis mit den o.a. vorgesehenen Regelungen mitteilen.

Darüber hinaus wären wir Ihnen dankbar, wenn Sie uns einige Tage vor Beginn Ihrer Tätigkeit zur Klärung eventuell offener Fragen besuchen könnten.

Mit besten Wünschen verbleiben wir

mit freundlichen Grüben
BERLINER KREDITBANK

Meinert

Glossar – Berliner Kreditbank

erhalten	receive
entsprechend	according to
das Rechnungswesen *(no pl.)*	accounting
betragen	amount to
gelten	*here:* apply, be valid
die Bestimmung (en)	regulation
gleitende Arbeitszeit	'flexi time'
das Nähere (Näheres)	further details, particulars
die Bedingung (en)	condition
der Vorstand (¨e)	management, managing board
sich zur Verfügung stellen	be at s.o.'s disposal, be available
thematisch	topical
der Schwerpunkt (e)	emphasis
der thematische Schwerpunkt	with main emphasis on
bilden	form
die Wirtschaftspolitik *(no pl.)*	economic policy
das Entgelt *(no pl.)*	remuneration, payment
alsbald	soon, forthwith
das Einverständnis (se)	concent, approval
o.a. (oben angegebenen)	above
vorgesehen	*here:* planned, scheduled
die Regelung (en)	regulation
mitteilen	*here:* notify
darüber hinaus	moreover
die Klärung (en)	clarification
eventuell	possibly, if need be
verbleiben wir ...	we remain yours (faithfully, sincerely)

Exercise 11.4

Ergänzen Sie bitte die folgenden Begriffe mit Hilfe des Briefes:

1 ___________ werden wir Ihnen erläutern.
2 Wir würden uns freuen, wenn Sie uns Ihr ___________ mitteilen.
3 Es ___________ die ___________ ___________ die gleitende Arbeitszeit.
4 Wir bieten Ihnen ___________ ___________ entsprechend eine Praktikantenstelle an.
5 Zu ___________ ___________ unseres Angebots ___________, daß Sie zu Sprachübungen zur Verfügung stehen.

6 Wenn Sie uns ____________ ____________ eventuell offener Fragen besuchen, wären wir Ihnen sehr dankbar.
7 Würden Sie sich einem Mitglied unseres Vorstands für Sprachübungen ____________ ____________ stellen?

Exercise 11.5

Schreiben Sie als Praktikantin die Anwort zu diesem Brief! Sie brauchen nur ca. fünf Sätze zu schreiben.

Betr.: Praktikantenstelle zum 04.10.19 . . in der Abteilung Rechnungswesen

Sehr geehrte Frau Meinert,

vielen Dank . . .

Vergleichen Sie Ihren Brief mit dem Beispielbrief im Schlüssel!

Redemittel: Möglichkeit ausdrücken

(a) vielleicht
(b) möglicherweise
(c) eventuell (evtl.)
(d) gegebenenfalls (ggf.)
(e) unter Umständen (u.U.)
(f) vielleicht könnte man . . .
(g) vielleicht ließe sich . . .
(h) eventuell bestünde die Möglichkeit, daß . . .
oder
(i) eventuell bestünde die Möglichkeit, . . . zu . . .

Exercise 11.6

Bilden Sie Sätze mit den Redemitteln der Möglichkeit!

Beispiel:
jemanden für ein Praktikum einstellen
(f) Vielleicht könnte man jemanden für ein Praktikum einstellen.
(e) ______________________________
(g) ______________________________
(h) ______________________________
(i) ______________________________

Bewerbungsbogen

Name	Geb.-Name	Akad. Titel	Geburtsdatum
Jones	—		03.04.68
Vorname (Rufname unterstreichen)			**Geburtsort**
Jane			Manchester
Straße. Hausnummer			**Staatsangehörigkeit**
7 Bedfordstreet 15			britisch
Postleitzahl/Wohnort			**Telefon mit Vorwahl**
Oxford OX4 3FY			0865-276301
Bewerbung als		**für Aufgabengebiet**	
stellvertretende Einkaufsleiterin			
Hinweis auf Anzeige, Empfehlung			
Frankfurter Allgemeine Zeitung			

LICHTBILD

WIR BEHANDELN IHRE ANGABEN VERTRAULICH

AUSBILDUNG

Allgemeine Schulausbildung

Art der Schule	von – bis	Abschluß
Comprehensive School (Gesamtschule)	1978–1986	A-levels (Abitur)

Berufsausbildung

Lehrberuf

von – bis	Ausbildungsbetrieb	Abschluß/Note

Anderweitige Berufsausbildung (Fortbildung, 2. Beruf)

von – bis	Ausbildungsstätte	Abschluß/Note

Praktikantentätigkeit

von – bis	Ausbildungsbetrieb
10/87–8/88	Hertie, Frankfurt

Hoch- und Fachschulausbildung (auch Sprach-, Handelsschulen u.ä.)

Name der Anstalt und Ort	Dauer / Semester von bis	Prüfungsdatum	Prüfungsnote
Middlesex Polytechnic, London	9/86–6/90	12.6.90	gut

Hauptfächer: Europäische Betriebswirtschaftslehre

Nebenfächer: Rechnungswesen Marketing, Deutsch Französisch

Thema der Diplomarbeit: Britische Lebensmittelimporte nach Deutschland

Akad. Grad: B.A. Hons; Dipl. Betriebswirtin

Thema der Dissertation

Veröffentlichtes Schrifttum

Sprachkenntnisse

	Kenntnisse Grund-	Kenntnisse gute	Kenntnisse fließende	Schulkenntnisse Unterrichtsjahre	Auslandsaufenthalt von – bis, Land	weitere Schulung	Abschluß, Zeugnis
Englisch	☐	☐	☒	Muttersprache			
Französisch	☐	☒	☐	5	6/86–9/86 Frankreich		Abitur
Spanisch	☐	☐	☐				
Deutsch	☐	☐	☒	5	10/87–8/88 Deutschland	Wirtschaftsdeutsch	B.A. Hons
	☐	☐	☐				

Andere angeeignete Kenntnisse (z.B. Stenografie, Maschinenschreiben)

Maschinenschreiben
EDV-Kenntnisse

Für Bewerber aus dem Ausland (nicht EG)

Aufenthaltserlaubnis	ja ☐	nein ☐	von	bis
Arbeitserlaubnis	ja ☐	nein ☐	von	bis

Bisherige Stellen

Firma/Ort	Geschäftszweig	beschäftigt als	Position	von – bis (Monat, Jahr)
Aldi, Mönchengladbach	Lebensmittel	Trainee im Einkauf		8/90 – 7/92

Beschreibung der Tätigkeit in den bisherigen Stellen (Stichworte)

6 Monate in verschiedenen Abteilungen in der Hauptzentrale;
6 Monate in verschiedenen Filialen.
12 Monate Vertiefungstraining im Einkauf mit gleichzeitigem Managementtraining;

PERSÖNLICHE ANGABEN

Familienstand ledig ☒ verheiratet ☐ Zahl der unterhaltsberechtigten Kinder

Ist Ihr Ehegatte berufstätig? ja ☐ nein ☐

Anschrift der Eltern (nur bei Minderjährigen)

Leiden Sie an Erkrankungen oder Unfallfolgen, die Sie an der Ausübung der vorgesehenen Tätigkeit hindern können? ja ☐ nein ☒

Welche?

Ist bei Ihnen Schwerbehinderteneigenschaft ☐ festgestellt ☐
Gleichstellung ☐ beantragt ☐ ja ☐ nein ☒

Behinderung
(Kurzzeichen lt. Ausweis)

Minderung der Erwerbsfähigkeit um %

Sind Sie werdende Mutter? ja ☐ nein ☒

Haben Sie Wehrdienst/Ersatzdienst geleistet? ja ☐ nein ☒

von bis

Haben Sie sich schon einmal bei einem Unternehmen der Gruppe beworben? ja ☐ nein ☒

Bei welchem Unternehmen?

Wann könnte Ihr Eintritt erfolgen? 01.09.92

Freiwillige Angaben

Bruttogehalt/Lohn der letzten Stelle	Ihre Gehalts-/Lohnerwartungen
Monatlich	Monatlich
Jährlich	Jährlich DM 60.000
Std.-Lohn	Std.-Lohn
Tarifgruppe	Tarifgruppe

Ich bestätige die Richtigkeit meiner Angaben

Oxford 4.8.92 Joe Jones

Ort Datum Unterschrift

Anlagen
Tabellarischer Lebenslauf
Zeugniskopien
Lichtbild

Glossar – Bewerbungsbogen

der Bewerbungsbogen (¨)	application form
der akad(emische) Titel (—)	academic title
der Rufname (n)	name by which a person is called, i.e. *Maria* Claudia Schulze
die Staatsangehörigkeit (en)	nationality
die Postleitzahl (en)	postal code, zip code number
der Wohnort (e)	town, city
die Vorwahl (*pl.* = die Vorwahlnummern)	STD code, area code
das Aufgabengebiet (e)	area of responsibility, functions
der Hinweis auf Anzeige	'where did you see the post advertised'
die Empfehlung (en)	recommendation
das Lichtbild (er)	photo
die Angabe (en)	information
vertraulich	confidential
der Familienstand	marital status
ledig	single
verheiratet	married
unterhaltsberechtigt	entitled to maintenance
der Ehegatte (n)	marriage partner, i.e. husband/spouse
berufstätig	employed
die Anschrift (en)	address
der Minderjährige (n)	minor, under-age person
leiden	suffer
die Erkrankung (en)	illness
die Unfallfolge (n)	accident, accidental injuries
die Ausübung (en)	exercise, practice, carrying out
hindern	hinder, interfere
die Schwerbehinderteneigenschaft (en)	*here:* serious disability
festgestellt	established
die Gleichstellung (en)	equal opportunity
beantragt	applied for
die Behinderung (en)	disability
das Kurzzeichen (—)	abbreviation
lt. (laut) (+genitive)	acc. (according to)

der Ausweis (e)	pass, permit
die Minderung (en)	reduction
die Erwerbsfähigkeit (en)	earning capacity, fitness for work
die werdende Mutter (¨)	expectant mother, mother-to-be
der Wehrdienst (e)	military service
der Ersatzdienst (e)	alternative service
leisten	*here:* to serve
der Eintritt (e)	starting date, entry
freiwillig	voluntary, optional
das Bruttogehalt (¨er)	gross salary
die Erwartung (en)	expectation
der Lohn (¨e)	wages
Std. -Lohn (Stunden-)	hourly wages
die Tarifgruppe (n)	wage group
bestätigen	confirm
die Richtigkeit *(no pl.)*	correctness, truth
die Ausbildung (en)	education
die allgemeine Schulausbildung (en)	general school education
die Berufsausbildung (en)	vocational training
der Lehrberuf (e)	vocation requiring an apprenticeship
der Ausbildungsbetrieb (e)	training firm
der Abschluß (¨ssc)	degree, certificate
die Note (n)	grade, classification
anderweitig	other
die Fortbildung (en)	further training
die Ausbildungsstätte (n)	educational institution, i.e. college, school
die Praktikantentätigkeit (en)	industrial placement
die Hochschulausbildung (en)	education at degree level, i.e. University
die Fachschulausbildung (en)	education at certificate, diploma level, at Colleges of Further Education
die Handelsschule (n)	Commercial College of Further Education
die Anstalt (en)	institution
die Dauer *(no pl.)*	duration, length of time
das Prüfungsdatum (-daten)	date of examination

die Prüfungsnote (n)	examination grade
das Hauptfach (¨er)	major subject
das Nebenfach (¨er)	minor subject
das Thema (Themen)	subject, topic
die Diplomarbeit (en)	dissertation
die Dissertation (en)	PhD dissertation
das veröffentlichte Schrifttum	published books/articles, publications
die Sprachkenntnisse *(pl.)*	language proficiency
die Schulkenntnisse *(pl.)*	proficiency acquired at school
der Auslandsaufenthalt (e)	period abroad
weitere Schulung (en)	further training
das Zeugnis (se)	certificate
Grund-	basic
fließend	fluent
die Unterrichtsjahre *(pl.)*	years studied
angeeignet	acquired
die Stenografie	short hand
das Maschinenschreiben	typing
EG (Europäische Gemeinschaft)	EC (European Community)
die Aufenthaltserlaubnis (se)	residence permit
die Arbeitserlaubnis (se)	work permit
bisherige Stellen *(pl.)*	previous employment
der Geschäftszweig (e)	area of business
beschäftigt als	employed as
das Stichwort (e)	keyword, *here:* main point

Exercise 11.7

Füllen Sie diesen Bewerbungsbogen aus und sehen Sie sich danach noch mal den ausgefüllten Bewerbungsbogen auf S. 248–251 an!

	Bewerbungsbogen	

Name	Geb.-Name	Akad. Titel	Geburtsdatum
Vorname (Rufname unterstreichen)			Geburtsort
Straße, Hausnummer			Staatsangehörigkeit
Postleitzahl/Wohnort			Telefon mit Vorwahl
Bewerbung als		für Aufgabengebiet	
Hinweis auf Anzeige, Empfehlung			

LICHTBILD

WIR BEHANDELN IHRE ANGABEN VERTRAULICH

AUSBILDUNG

Allgemeine Schulausbildung

Art der Schule	von – bis	Abschluß

Berufsausbildung

Lehrberuf ______________________

von – bis	Ausbildungsbetrieb	Abschluß/Note

Anderweitige Berufsausbildung (Fortbildung, 2. Beruf)

von – bis	Ausbildungsstätte	Abschluß/Note

Praktikantentätigkeit

von – bis	Ausbildungsbetrieb

Hoch- und Fachschulausbildung (auch Sprach-, Handelsschulen u.ä.)

Name der Anstalt und Ort	Dauer / Semester von	bis	Prüfungsdatum	Prüfungsnote

Hauptfächer ______________________

Nebenfächer ______________________

Thema der Diplomarbeit ______________________

Akad. Grad ______________________

Thema der Dissertation ______________________

Veröffentlichtes Schrifttum

____

____

____

Sprachkenntnisse

	Kenntnisse Grund-	gute	fließende	Schulkenntnisse Unterrichtsjahre	Auslandsaufenthalt von – bis, Land	weitere Schulung	Abschluß, Zeugnis
Englisch	☐	☐	☐				
Französisch	☐	☐	☐				
Spanisch	☐	☐	☐				
	☐	☐	☐				
	☐	☐	☐				

Andere angeeignete Kenntnisse (z.B. Stenografie, Maschinenschreiben)

Für Bewerber aus dem Ausland (nicht EG)

Aufenthaltserlaubnis	ja ☐	nein ☐	von	bis
Arbeitserlaubnis	ja ☐	nein ☐	von	bis

Bisherige Stellen

Firma/Ort	Geschäftszweig	beschäftigt als	Position	von – bis (Monat, Jahr)

Beschreibung der Tätigkeit in den bisherigen Stellen (Stichworte)

PERSÖNLICHE ANGABEN

Familienstand ledig ☐ verheiratet ☐ Zahl der unterhaltsberechtigten Kinder

Ist Ihr Ehegatte berufstätig? ja ☐ nein ☐

Anschrift der Eltern (nur bei Minderjährigen)

Leiden Sie an Erkrankungen oder Unfallfolgen, die Sie an der Ausübung der vorgesehenen Tätigkeit hindern können? ja ☐ nein ☐

Welche?

Ist bei Ihnen Schwerbehinderteneigenschaft ☐ festgestellt ☐
Gleichstellung ☐ beantragt ☐ ja ☐ nein ☐

Behinderung
(Kurzzeichen lt. Ausweis)

Minderung der Erwerbsfähigkeit um %

Sind Sie werdende Mutter? ja ☐ nein ☐

Haben Sie Wehrdienst/Ersatzdienst geleistet? ja ☐ nein ☐

von bis

Haben Sie sich schon einmal bei einem Unternehmen der Gruppe beworben? ja ☐ nein ☐

Bei welchem Unternehmen?

Wann könnte Ihr Eintritt erfolgen?

Freiwillige Angaben

Bruttogehalt/Lohn der letzten Stelle	Ihre Gehalts-/Lohnerwartungen
Monatlich	Monatlich
Jährlich	Jährlich
Std.-Lohn	Std.-Lohn
Tarifgruppe	Tarifgruppe

Ich bestätige die Richtigkeit meiner Angaben

Ort Datum Unterschrift

Anlagen
Tabellarischer Lebenslauf
Zeugniskopien
Lichtbild

Exercise 11.8

Adverbs ending in *-weise*

They can have a qualifying function in the sentence or convey the speaker's view or attitude.
They are formed by adding *-weise* to certain nouns or adjectives (= way, manner).

Übersetzen Sie!

freundlicherweise ______
teilweise ______
beziehungsweise ______
vergleichsweise ______
tonnenweise ______
liebenswürdigerweise ______
stellenweise ______
bedauerlicherweise ______
glücklicherweise ______
unnötigerweise ______
stückweise ______
fälschlicherweise ______
dutzendweise ______
schrittweise ______
merkwürdigerweise ______
zufälligerweise ______
stundenweise ______
erstaunlicherweise ______
unvermuteterweise ______
begreiflicherweise ______
normalerweise ______
interessanterweise ______
paarweise ______
vorzugsweise ______
möglicherweise ______
pfundweise ______
probeweise ______
ausnahmsweise ______
versuchsweise ______
stufenweise ______
gruppenweise ______
zeitweise ______

Exercise 11.9

Setzen Sie ein!

unnötigerweise	beziehungsweise	stundenweise	probeweise
fälschlicherweise	pfundweise	stellenweise	gruppenweise
liebenswürdigerweise	schrittweise		

1 Die Aushilfskraft wird ___________ bezahlt.
2 Der Praktikantenbericht ist ___________ zu oberflächlich.
3 Die Früchte können nur ___________ abgepackt werden.
4 Sie wurde ___________ in den Tätigkeitsbereich eingeführt.
5 Die EDV-Anlage wurde zunächst ___________ für drei Monate geliefert.
6 ___________ wurde uns die Ware zum Vorzugspreis gelassen.
7 Der Auftrag wurde ___________ länger herausgezögert, als wir geplant hatten.
8 Er hatte ___________ angenommen, daß die Kandidatin um 5 Uhr zum Vorstellungsgespräch eingeladen worden wäre; das war aber nicht richtig.
9 Wegen der großen Anzahl an Interessenten wurden sie ___________ durch den Betrieb geführt.
10 Ein Studium dauert drei ___________ vier Jahre mit einem Studienaufenthalt im Ausland.

Exercise 11.10

Ersetzen Sie die kursiven Satzteile durch Adverbien auf *-weise*!

1 *Es ist bedauerlich, daß* wir Ihnen zur Zeit keine Praktikantenstelle anbieten können.
2 *Im Vergleich* sind seine Referenzen besser als ihre.
3 *Es war sehr freundlich, daß* er meine Bewerbungsunterlagen an die entsprechende Stelle weitergeleitet hat.
4 Ihre Berufserfahrungen erfüllen nur *zum Teil* unsere Stellenbeschreibung.
5 *Es war ein Zufall, daß* ich die Personalleiterin sofort am Apparat hatte.
6 *Es ist ganz normal, daß* man am Anfang sehr viele ablehnende Bescheide erhält.

7 *Zum Glück* hatten alle Kandidaten ausführliche Erfahrungen im Marketingbereich.
8 Sie wurde zunächst nur *zum Versuch* eingestellt.
9 *Es war ein Irrtum, daß* der Kandidat zum Vorstellungsgespräch eingeladen wurde.
10 *Es ist möglich, daß* die Kandidatin A besser geeignet ist als die Kandidatin B.
11 Der neue Mitarbeiter wird *in mehreren Stufen* in sein neues Arbeitsgebiet eingewiesen.
12 *Daß* sie gleich am Telefon nach ihrer Berufserfahrung gefragt wurde, *war eine Ausnahme.*

The relative pronoun

	masc.	**fem.**	**neut.**	**plural**
Nom.	der	die	das	die
Acc.	den	die	das	die
Dat.	dem	der	dem	denen
Gen.	dessen	deren	dessen	deren

In order to find the correct relative pronoun:

* First find the word the relative sentence refers to, then establish its gender and whether it is singular or plural.
* Then establish its grammatical position in the relative clause, i.e. subject (= nominative), object (= dative or accusative), or whether it expresses possession (= genitive).

Beispiel:

Die Zeit, ___________ ich mit Frau Meinert telefonisch ausgemacht habe, sagte dem Abteilungsleiter nicht zu.

The relative pronoun refers to:
Die Zeit (= fem. sing.)
Its grammatical position in the relative clause is:
accusative object

The relative pronoun is *die*:
Die Zeit, die ich mit Frau Meinert telefonisch ausgemacht habe, sagte dem Abteilungsleiter nicht zu.

Exercise 11.11

Setzen Sie die entsprechenden Relativpronomen ein!

1 Ich bin sehr an der Stelle eines Verkaufstrainees, __________ Sie in der Absolventenzeitung annonciert haben, interessiert.
2 Ich befinde mich in einem integrierten Studiengang, __________ ich jeweils zur Hälfte an der Fachhochschule Reutlingen und an der Middlesex University studiere.
3 Das Fach „Allgemeine Betriebswirtschaftslehre", __________ Einblick in die Praxis eines Unternehmens gibt, hat mir besonders zugesagt.
4 Die mündlichen Vereinbarungen, __________ Sie getroffen haben, sollten Sie auch einhalten.
5 Das Praktikum, __________ Wert bezweifelt wurde, war tatsächlich keine zufriedenstellende Vorbereitung für die Tätigkeit in der Firma.
6 Erfahrung im Verkauf, __________ ich schon während der Schulzeit gesammelt habe, ist von großem Nutzen.
7 Die Preissteigerungen, __________ der Verkaufsleiter nicht zustimmte, wurden von der oberen Managementebene bestimmt.
8 Die neue Verkaufsleiterin, __________ der technische Direktor nach Österreich gesandt hatte, stellte einige neue Geschäftsverbindungen her.
9 Die Bedingungen, __________ zu unserem Angebot gehören, sollten eingehalten werden.
10 Das Entgelt, __________ wir Ihnen am Monatsende zahlen, beträgt 850,–DM.
11 Die Organisationsveränderungen, __________ Anfang des nächsten Jahres durchgeführt werden, sollen von der neuen Mitarbeiterin mitgestaltet werden.
12 Die Firma, __________ der Auftrag angeboten wurde, konnte ihn nicht ausführen.
13 Sie führten trotzdem ein Vorstellungsgespräch mit einem Kandidaten, __________ sie wenig Chancen eingeräumt hatten.
14 Sie betrachtete den Kontakt, __________ ich mit einer deutschen Exportfirma aufgenommen hatte, als äußerst hilfreich.

Exercise 11.12

Setzen Sie die entsprechenden Präpositionen und Relativpronomen ein!

Achten Sie darauf, daß Sie den richtigen Kasus benutzen!

1 Stellen Sie sich bitte in der Rechnungsabteilung vor, __________ __________ Sie zuerst als Praktikantin eingesetzt werden.
2 Die Fortbildungsmaßnahmen, __________ __________ ich teilgenommen habe, lassen meine Lernbereitschaft erkennen.
3 Ich habe mir meine Deutschkenntnisse, __________ __________ Sie voll zufrieden sein können, während meines Studienjahrs in Kassel angeeignet.
4 Das Vorstellungsgespräch, __________ __________ sie eingeladen wurde, dauerte eine ganze Stunde.
5 Alle weiteren Unterlagen, __________ __________ Sie interessiert sind, schicke ich Ihnen gerne zu.
6 Die EDV-Zusatzausbildung, __________ __________ man in dieser Position nicht mehr auskommt, sollte möglichst vor Arbeitsantritt abgeschlossen werden.
7 Die Verkaufsabteilung für den deutschen Markt ist das Ressort, __________ __________ ich allein Verantwortung trage.
8 Das Jahreseinkommen, __________ __________ er gerechnet hatte, wurde ihm nicht angeboten.
9 Die Abteilung, __________ __________ sie ihre Tätigkeit beginnt, ist eine der interessantesten der Firma.
10 In den Bereichen Marketing und Verkauf, __________ __________ ich mich spezialisiert habe, wurden in der letzten Zeit viele Stellen angeboten.

Wichtige Begriffe aus diesem Kapitel

1 Substantive (nouns)

deutsch	*englisch*

2 Verben + Kasus (verbs + case)

deutsch	*englisch*

3 Wichtige Redewendungen (idiomatic phrases)

deutsch	*englisch*

4 Notizen

Unit 12

Bewerbung III: Die mündliche Bewerbung

Job applications III: Job interview

Finally, we have a telephone inquiry about a vacancy. Standard phrases for a polite inquiry which are useful in this context are practised. We simulate a job interview which will be analysed and assessed. The emphasis in the grammar section is put on reflexive verbs with and without prepositions and adverbial expressions of caution and intensification.

oo Telefonische Bewerbung

Richter: Richter, Personalabteilung. Guten Tag!
Grafmann: Grafmann, guten Tag! Könnte ich bitte mit dem Personalleiter Herrn Frische sprechen?
Richter: Worum handelt es sich denn?
Grafmann: Ich möchte mich nach möglichen Stellen im Bereich Finanz- und Rechnungswesen erkundigen. Ein Kollege hat mir empfohlen, mich bei Herrn Frische zu melden.
Richter: Einen Moment, bitte. Ich sehe einmal, ob er in seinem Büro ist. (. . .) Hallo, sind Sie noch da?
Grafmann: Ja.
Richter: Ich stelle Sie durch.
Frische: Frische, wie kann ich Ihnen helfen?
Grafmann: Mein Name ist Grafmann. Ich möchte mich bei Ihnen nach freiwerdenden Positionen in der Finanz- oder Buchhaltungsabteilung erkundigen.
Frische: Was für eine Stellung füllen Sie denn zur Zeit aus?
Grafmann: Zur Zeit beende ich gerade mein Studium der Betriebswirtschaft mit Schwerpunkt Controlling. Da ich mich in der Praxis jedoch schon sehr gut auskenne, bin ich nicht an Trainee-Ausbildungen interessiert, sondern würde gerne in eine Firma wie

Ihre einsteigen. Ich wohne hier auch in Hannover und kenne Ihr Unternehmen.

Frische: Im Moment ist bei uns nichts frei. Wenn Sie jedoch nächste Woche Zeit haben, könnten wir uns vielleicht kurz unterhalten; dann können wir sehen, ob nicht in der Zukunft etwas frei wird.

Grafmann: Das wäre ausgezeichnet. Wann haben Sie denn Zeit?

Frische: Nächsten Donnerstag früh, um 10.30 Uhr. Können Sie dann?

Grafmann: Ja, das paßt mir gut.

Frische: Sie melden sich bitte beim Pförtner. Bis Donnerstag dann.

Grafmann: Bis Donnerstag. Auf Wiederhören!

Frische: Wiederhören!

Glossar

es handelt sich um	it is about
sich erkundigen	inquire
empfehlen	recommend
melden	report
durchstellen	put through
frei werden	become vacant
ausfüllen	*here:* occupy
einsteigen	enter
der Pförtner (—)	porter, receptionist

Exercise 12.1

Beantworten Sie die folgenden Fragen zum Telefonat!

1 Warum ruft Herr Grafmann die Personalabteilung an?
2 Wen möchte er sprechen?
3 Was macht Herr Grafmann zur Zeit beruflich?
4 Woran ist er nicht interessiert?
5 Wo wohnt er?
6 Gibt es für ihn jetzt eine Stelle in dem Unternehmen?
7 Wofür verabreden die beiden sich?
8 Für wann verabreden Sie sich?

Redemittel: Höfliche Anfragen

Vielleicht können Sie mir helfen ..
Ginge es, daß Sie ...
Wäre es möglich, daß...
Hätten Sie nicht ...
Könnten Sie mir bitte mit einer Information behilflich sein ...
Hätten Sie vielleicht einen Vorschlag zu machen ...
Würden Sie uns vielleicht die Möglichkeit geben, ...
Liegt es im Bereich des Möglichen, uns ...
Ist es denn überhaupt möglich ...
Könnten wir uns darauf einigen ...

Ich hätte gerne von Ihnen Auskunft über ... (a)
Sehen Sie unter Umständen einen Ausweg ... (b)
Sehen Sie eine Möglichkeit, daß ... (c)
Hätten Sic vielleicht einige Minuten Zeit, mir ... (d)
Wissen Sie eventuell, wie ... (e)

Exercise 12.2

Kombinieren Sie Satzteile! Schreiben Sie einen Buchstaben von (a)–(e) in die Klammer!

Beispiel:

Ich möchte mich bei Ihnen nach ...
... freiwerdenden Stellen erkundigen.
Ich möchte mich bei Ihnen nach freiwerdenden Stellen erkundigen.

1 ( ) ... Sie mir ein Gespräch mit dem Geschäftsführer vermitteln?
2 ( ) ... wir ein gutes Transportunternehmen finden können?
3 ( ) ... diesen Vertragsabschluß zu erklären.
4 ( ) ... aus der desolaten Lage dieser Firma?
5 ( ) ... Ihre Produktlinie.

Bewerbung um die Leitung der Marketingabteilung

1 Herr Minderjahn bewirbt sich bei Haller und Kleinschmidt GmbH CoKG als Leiter der Marketing Abteilung.

Vorstellungsgespräch zwischen Frau Hirtz (Personalleiterin) und
5 Herrn Minderjahn (Bewerber); anwesend Herr Dr. Knorren (Geschäftsleitung)

Frau Hirtz: Guten Morgen, Herr Minderjahn! Mein Name ist Hirtz, ich bin Personalleiterin hier bei Haller und Kleinschmidt.
10
Herr Minderjahn: Guten Morgen, Frau Hirtz!

Frau Hirtz: Darf ich Ihnen Herrn Dr. Knorren von der Geschäftsleitung vorstellen?
15
Herr Minderjahn: Guten Morgen, Herr Dr. Knorren!

Herr Dr. Knorren: Guten Morgen, Herr Minderjahn!

20 *Frau Hirtz:* Herr Dr. Knorren möchte dem Gespräch beisitzen, ich werde hauptsächtlich die Fragen während des Gesprächs stellen. – Und natürlich auch Antworten zu Ihren Fragen geben. – Herr Minderjahn, wie ich Ihren Unterlagen entnehmen kann, sind Sie Leiter des Bereichs Werbung und Ausstellung bei Falke in Düsseldorf.
25 An was für einem Projekt arbeiten Sie zur Zeit?

Herr Minderjahn: Wir bereiten im Moment die neuen Kataloge unseres Herrenstrumpfsortiments für die Wintersaison vor. Darauf abgestimmt arbeiten wir an Werbebroschüren und Faltblättern, die
30 wir für unsere Frühjahrsmesse benötigen. Die Messevorbereitung ist jedoch ein getrenntes Projekt, an dem noch andere Mitarbeiter mitwirken.

Frau Hirtz: Gefällt Ihnen Ihr Anteil an dieser Arbeit?
35
Herr Minderjahn: Ich bin voll verantwortlich für diesen Bereich und kann im Rahmen der finanziellen Möglichkeiten meine eigenen Gestaltungsvorstellungen durchsetzen. Ich habe diese Position nun

drei Jahre innegehabt, und ich interessiere mich jetzt für größere
40 Projekte und interessantere Aufgaben.

Frau Hirtz: Wie lange stellen Sie sich vor, in unserem Unternehmen zu bleiben, sollten Sie die Stelle bekommen?

45 *Herr Minderjahn:* Ich suche jetzt ein Unternehmen, in dem ich meine Fähigkeiten voll entwickeln und dem ich dann auch langfristig zur Verfügung stehe. Eine solche Position, wie die hier angebotene, sehe ich nicht als Sprungbrett zur Karriere an anderer Stelle.

50 *Frau Hirtz:* Was sind Ihre Stärken und was Ihre Schwächen?

Herr Minderjahn: Ich glaube, daß ich hart arbeite. Ich bin zuverlässig und bringe genügend Intelligenz und Kreativität mit. Meine Schwächen ... öh ... das finde ich schwierig zu beantworten – gerade
55 in dieser Situation, wo man sich positiv zeigen will. Vielleicht habe ich nicht genug Ausdauer bei sehr monotoner Arbeit. Da möchte ich eben in einer Position sein, wo ich solche Tätigkeiten delegieren kann.

60 *Frau Hirtz:* Wie würden Sie Ihren Führungsstil beschreiben?

Herr Minderjahn: In meiner jetzigen Anstellung habe ich drei Mitarbeiter als Untergebene in meinem Bereich. Mein Führungsstil ist kooperativ. Ich lege großen Wert auf Teamarbeit und ver-
65 antwortungsbewußte Mitarbeiter, andererseits bin ich selber sehr entscheidungsfreudig und in der Lage, klare Aufträge und Anweisungen zu geben. Bei Kontroversen bin ich es auch gewohnt, meine Entscheidungen zu begründen.

70 *Frau Hirtz:* Ich sehe hier in Ihrem Lebenslauf eine Zeitspanne, wahrenddessen Sie nicht angestellt gewesen waren. Handelt es sich hier um ein ganzes Jahr?

Herr Minderjahn: Das war gleich nach meinem Diplom. Da bin ich
75 10 Monate durch die Welt gereist, ich war eine Zeit in Südamerika und dann in den USA. Dort habe ich hin und wieder kleine Arbeiten angenommen, um mich über Wasser zu halten. Ich spreche – na, ich würde sagen – ein flüssiges Englisch, mein Spanisch reicht aus, um mich zurechtzufinden.

80

Herr Dr. Knorren: Hat es Ihnen denn in den Staaten gefallen?

Herr Minderjahn: Ja, ich fand die Menschen dort sehr aufgeschlossen und freundlich. Doch anderes findet man als Europäer auch
85 wiederum kalt. Ich könnte mir vorstellen, eine gewisse Zeit dort zu leben.

Frau Hirtz: Wie lange ist Ihre Kündigungsfrist bei Ihrem jetzigen Arbeitgeber?

90

Herr Minderjahn: Die Kündigungsfrist beträgt drei Monate.

Frau Hirtz: Haben Sie Fragen an uns, Herr Minderjahn?

95 *Herr Minderjahn:* Wie groß ist die Abteilung personell und wie ist sie technisch ausgerüstet?

Frau Hirtz: Es gibt die drei Ressortleiter und -leiterinnen mit jeweils einem Sachbearbeiter, dazu kommen zwei Sekretärinnen, eine
100 ausschließlich für Sie und die andere für die Arbeiten aus der Gruppe. Ihrer Abteilung stehen des weiteren sechs Apple Macintosh-Computer zur Verfügung und ein Laserdrucker. Natürlich können Sie auch die zentralen EDV-Computer benutzen.

105 *Herr Minderjahn:* Ich habe keine weiteren Fragen mehr.

Frau Hirtz: Gut, Herr Minderjahn, wir bedanken uns für Ihr Interesse an unserem Unternehmen. Wir werden Ihnen innerhalb der nächsten sieben Tage Bescheid geben. Wir haben nämlich zehn
110 Kandidaten/Kandidatinnen zu Vorstellungsgesprächen eingeladen, zwei davon kommen erst nächste Woche aus dem Ausland. Vergessen Sie bitte nicht im Sekretariat nebenan Ihren Spesenantrag abzuholen. Man wird Sie dann von dort hinausbegleiten. Auf Wiedersehen!

115 *Herr Minderjahn:* Auf Wiedersehen, Frau Hirtz! Auf Wiedersehen, Herr Dr. Knorren!

Herr Dr. Knorren: Auf Wiedersehen, Herr Minderjahn!

Glossar – Bewerbung . . .

beisitzen	sit in on
die Unterlage (n)	documentation
entnehmen	*here:* understand
darauf abgestimmt	accordingly
das Faltblatt (¨er)	leaflet
getrennt	separate
mitwirken	contribute
die Gestaltungsvorstellung (en)	design idea
eine Position innehaben	hold a position
langfristig	long-term
zur Verfügung stehen	be at s.o.'s disposal
das Sprungbrett (er)	spring-board
zuverlässig	reliable
die Ausdauer *(no pl.)*	perseverance, stamina
der Untergebene (n)	subordinate, junior
die Anweisung (en)	order
reicht aus	is sufficient
sich zurechtfinden	find one's way
aufgeschlossen	open-minded
die Kündigungsfrist (en)	period of notice
jetzig	present
die Abteilung (en)	department
ausgerüstet	equipped
der Sachbearbeiter (—)	clerk, specialist, person in charge
der Spesenantrag (¨e)	expenses form

Exercise 12.3

Fragen zum Dialog:

1 Für welches Unternehmen sind Frau Hirtz und Herr Dr. Knorren tätig?
2 Welche Position hat Frau Kleinschmidt?
3 Wem gehört Herr Dr. Knorren an?
4 Welche Funktion will Herr Dr. Knorren während des Vorstellungsgesprächs einnehmen?
5 Welche Position hat Herr Minderjahn bei dem Unternehmen Falke in Düsseldorf?
6 An welchen zwei Projekten arbeitet Herr Minderjahn zur Zeit?
7 Warum möchte er seine Stelle wechseln?
8 Als was sieht er seine mögliche neue Stelle nicht?
9 Nennen Sie seine Stärken!
10 Welche Schwäche nennt er?
11 Wie verhält er sich seinen Untergebenen gegenüber?
12 Wo war er während der zehn Monate, währenddessen er nicht gearbeitet hat?
13 Wie gut spricht er Fremdsprachen?
14 Was hat ihm im Ausland gefallen?
15 Was beträgt drei Monate bei seinem jetzigen Arbeitgeber?
16 Wieviele Personen gibt es ohne den Marketingleiter in der Marketingabteilung und welche Funktionen haben sie?
17 Wie ist die Abteilung technisch ausgerüstet?
18 Wann wird Herr Minderjahn Bescheid bekommen?
19 Wieviele Kandidaten sind zu Vorstellungsgesprächen eingeladen worden?
20 Was kann Herr Minderjahn im Sekretariat abholen?

Exercise 12.4

Suchen Sie weitere positive Eigenschaften und Stärken, die man bei einem Vorstellungsgespräch erwähnen kann:

die körperliche Belastbarkeit	physical strength
der Teamgeist	team spirit
das Improvisationstalent	talent to improvise
die Sprachgewandheit	communication skills
die Loyalität	loyalty

die Zuverlässigkeit	reliability
das Geschick im Umgang mit anderen	inter-personal skills
die Selbständigkeit	independence
______________________	______________________
______________________	______________________
______________________	______________________
______________________	______________________
______________________	______________________
______________________	______________________
______________________	______________________
______________________	______________________
______________________	______________________
______________________	______________________

Vergleichen Sie Ihre Liste mit der Liste im Schlüssel!

Der Allgemeineindruck

Was halten Sie von dem Vorstellungsgespräch? Hat Herr Minderjahn einen guten Eindruck hinterlassen? Versuchen Sie drei kurze Antworten zum Allgemeineindruck zu geben!

1 ____
____

2 ____
____

3 ____
____

Exercise 12.5

Bewerten Sie die Aussagen des Bewerbers!

Lesen Sie die entsprechenden Stellen im Text, kreuzen Sie dann *gut/nicht so gut* an und begründen Sie Ihre Entscheidung!

Halten Sie die Antwort für gut oder nicht so gut?

1 (*Gefällt* . . . Zeile 34) gut ☐ nicht so gut ☐
Warum? ____

2 (*Sprungbrett* . . . Zeile 48) gut ☐ nicht so gut ☐
Warum? ____

3 (Stärken ... Zeile 52) gut ☐ nicht so gut ☐
Warum? ____________________

4 (Schwächen ... Zeile 54) gut ☐ nicht so gut ☐
Warum? ____________________

5 (Führungsstil ... Zeile 60) gut ☐ nicht so gut ☐
Warum? ____________________

6 (Arbeitspause ... Zeile 70) gut ☐ nicht so gut ☐
Warum? ____________________

7 (Eigene Fragen ... Zeile 93) gut ☐ nicht so gut ☐
Warum? ____________________

Reflexive pronouns

Nom.	Acc.	Dat.
ich	mich	mir
du	dich	dir
er/sie/es	sich	sich
wir	uns	uns
ihr	euch	euch
sie/Sie	sich	sich

Reflexive verbs

sich ändern	change
sich außer Haus begeben	leave one's house/office
sich äußern	express (an idea)
sich aussuchen	choose
sich beherrschen	restrain oneself
sich bemühen	make an effort
sich bereit erklären	agree to do s.th.
sich darstellen	present oneself
sich freinehmen	take time off
sich irren	be mistaken
sich setzen	take a seat
sich über Wasser halten	stay above water
sich vergewissern	make sure
sich verhalten	behave
sich weigern	refuse
sich zurechtfinden	manage, cope
sich zur Verfügung stellen	make oneself available

Reflexive verbs with prepositions

sich bedanken bei	thank (a person)
sich bedanken für	thank for
sich befassen mit	deal with, concern oneself with
sich beklagen über/wegen	complain about
sich beschweren bei *(+Dat.)*	complain to a person
sich beschweren über *(+Acc.)*	complain about s.th.
sich bewerben um	apply for
sich beziehen auf	refer to, allude to
sich distanzieren von	move away from, distance o.s. from
sich einarbeiten in	acquaint o.s. with
sich einfühlen in	feel o.'s way into
sich einigen mit/über/auf	agree with/about
sich erinnern an	remember
sich erkundigen nach	inquire
sich entschließen für/gegen	decide for/against
sich entschuldigen bei	apologize to
sich entschuldigen wegen	apologize for
sich freuen auf	look forward to
sich freuen über	be pleased about
sich gewöhnen an	get accustomed, get used to
sich interessieren für	take an interest in, be interested in
sich konzentrieren auf	concentrate on
sich kümmern um	look after, take care of
sich richten nach	be guided by
sich verabschieden von	say good-bye
sich verlassen auf	rely on, depend on
sich vorstellen *(Acc.)*	introduce oneself
sich vorstellen *(Dat.)*	imagine
sich wenden an	turn to
sich wundern über	be surprised at

Exercise 12.6

Was paßt zusammen? Setzen Sie das entsprechende Reflexivpronomen ein!

		Reflexivpronomen	
1	Herr Grafmann interessiert	sich	(i)
2	In bezug auf die neue Stelle wenden Sie	______	______
3	Ich stelle	______	______
4	In unserem Schreiben beziehen wir	______	______
5	Ich finde	______	______
6	Du beklagtest	______	______
7	Sie nahmen	______	______
8	Sie bemühte	______	______
9	Ich verhalte	______	______
10	Ihr erklärt	______	______

(a) an die Personalabteilung.
(b) auf Ihre Bewerbung.
(c) meiner Firma gegenüber loyal.
(d) in der Abteilung schon zurecht.
(e) um eine bessere Stelle.
(f) über das niedrige Anfangsgehalt.
(g) bereit, auch am Sonntag zu arbeiten.
(h) den Freitag frei.
(i) für eine Buchhalterstelle.
(j) bei dem Unternehmen vor.

Exercise 12.7

Setzen Sie das passende Reflexivpronomen und die passenden Präpositionen ein!

1 Er hat ______ ______ seinem Kollegen ______ seiner Bemerkung entschuldigt.
2 Wir konzentrieren ______ ______ dem Projekt ______ das Auslandsgeschäft.
3 Richtet ______ bitte ______ den Anweisungen!
4 Im letzten Monat konnten sie ______ kaum über Wasser halten.
5 Sie hat ______ schnell ______ den neuen Aufgabenbereich eingearbeitet.
6 Ich erkläre ______ hiermit bereit, die Verantwortung für dieses Gebiet zu übernehmen.
7 Ich stelle ______ ein Anfangsgehalt von 80 000 DM vor.

8 Habt Ihr ___________ gestern ___________ einen neuen Lohnabschluß einigen können.
9 Sie hat ___________ nur langsam ___________ ihre schwierige Aufgabe gewöhnen können.
10 Die Sekretärin hat ___________ heute ___________ Personalleiter ___________ den Mitarbeiter beschwert.
11 Er hatte ___________ während der letzten Jahre kaum geändert.
12 Die Bewerberin hat ___________ zu unserem Bedauern ___________ unser Stellenangebot entschlossen.
13 Setzt ___________ doch bitte hin!
14 Da hat er ___________ aber sehr geirrt.
15 Du hättest ___________ dazu nicht äußern sollen.
16 Der Vorstandsvorsitzende distanzierte ___________ öffentlich ___________ den Pressemitteilungen.

Adverbial expression of caution

voraussichtlich	probably, presumably (time)
offenbar	obviously
scheinbar	apparently
unter Umständen	under certain circumstances, possibly
vermutlich	presumably
notfalls	if necessary, if need be
angeblich	allegedly
wahrschcinlich	probably
möglicherweise	possibly, perhaps
eventuell	possibly, perhaps

Exercise 12.8

Übersetzen Sie die englischen Begriffe in den Klammern!

1 Die Kandidatin kann ___________ (probably) am 1.3. anfangen.
2 Sie hat ___________ (obviously) bereits Erfahrung im Einkauf.
3 ___________ (if need be) könnte man sie auch in der Werbung einsetzen.
4 Ihre Vorgängerin hatte ___________ (allegedly) große Fehler gemacht.

5 Sie hatte ____________ (apparently) nicht die richtigen Qualifikationen für diese Stelle.
6 ____________ (presumably) arbeitet sie jetzt wieder bei ihrem alten Arbeitgeber.
7 Die neue Mitarbeiterin hat sich bereit erklärt, ____________ (under certain circumstances) an einem Weiterbildungskurs teilzunehmen.
8 ____________ (possibly) sollte sie diesen schon im nächsten Quartal besuchen.

Adverbial expression of intensification

sehr	very
höchst	extremely, most
äußerst	extremely, exceedingly
überaus	extremely, exceedingly
stark	strongly, greatly
besonders	especially
beachtlich	notably
beträchtlich	considerably
erheblich	considerably
außergewöhnlich	unusually
recht	really
maßlos	boundlessly
maßgeblich	substantially, considerably
über alle Maßen	beyond measure
im höchsten Grad	to the highest degree
durchaus	thoroughly

Exercise 12.9

Übersetzen Sie die englischen Begriffe in den Klammern!

Auswertung eines Vorstellungsgesprächs.

1. Die Kandidatin Frau Wedermeier hat sich an der Stelle ____________ (extremely) interessiert gezeigt. 2. ____________ (allegedly) möchte sie bereits in diesem Monat umziehen. 3. ____________ (determination) und ____________ (drive) sind ____________ (exceedingly) wichtige Voraussetzungen für diese Aufgabe. 4. Sie hat bereits im Vorstellungsgespräch ihr ____________ (unusually) gutes ____________

(negotiation skills) gezeigt. 5. ____________ (especially) wichtig ist uns, daß die Mitarbeiter ____________ (persuasiveness) und auch ____________ (communication skills) mitbringen sollten. 6. Andere Fähigkeiten können sie entwickeln, während sie ____________ bei uns ____________ den neuen Aufgabenbereich ____________ (acquaint oneself with). 7. Um ____________ in dieser modernen Abteilung ____________ (manage, cope), benötigt man eine ____________ (quickness of mind). 8. Die Bewerberin zeigte ____________ (notably) klare Vorstellungen in bezug auf ihre Karriere. 9. ____________ (possibly) wird sie bei uns schon bald aufsteigen, falls sie ____________ von Anfang an ____________ ____________ (agreed to do s.th.), längere Auslandsreisen zu machen.

Wichtige Begriffe aus diesem Kapitel

1 Substantive (nouns)

deutsch	*englisch*

2 Verben + Kasus (verbs + case)

deutsch	*englisch*

3 Wichtige Redewendungen (idiomatic phrases)

deutsch	*englisch*

4 Notizen

Unit 13

Berufsausbildung in Deutschland
Vocational training in Germany

A dialogue between a candidate for a training place and a careers advisor will give you an insight into vocational training in Germany. The dual system of being an apprentice at a company and simultaneously attending a vocational school will be explored in more detail. You will find a number of phrases for making suggestions, and you will practise compound nouns and the use of the pronoun *man* in the four different cases. At the end of this chapter, we introduce you to the particles (such as *denn, doch, ja*) frequently used in colloquial German.

Dialog zwischen einer Ausbildungsbewerberin, Heike Matuschek, und einer Berufsberaterin des Arbeitsamtes, Karin Lüders

Frau Lüders: Ja, bitte. Was kann ich für Sie tun?
Frau Matuschek: Sind Sie Frau Lüders?
Frau Lüders: Ja, kommen Sie bitte herein!
Frau Matuschek: Guten Tag, mein Name ist Heike Matuschek. Ich habe ein paar Fragen zur Berufsausbildung. Können Sie mich hier beraten?
Frau Lüders: Ja, dazu sind wir ja da. Nehmen Sie doch Platz! Wie kann ich Ihnen behilflich sein? Haben Sie schon eine Berufsvorstellung?
Frau Matuschek: Ja, ich möchte gerne Schreinerin werden. Ich denke, daß ich handwerklich begabt bin und würde gerne wissen, wie da meine Aussichten sind.
Frau Lüders: Die Aussichten sind sehr gut. Die meisten Bewerber interessieren sich für Berufe in der Verwaltung und im Büro, und wir haben einen akuten Mangel an Bewerbern für handwerkliche Ausbildungsplätze; d.h. Ihre Chancen stehen äußerst gut.
Frau Matuschek: Und wie lange dauert denn eine Ausbildung zur Schreinerin?
Frau Lüders: Die Ausbildungszeit beträgt in der Regel drei Jahre.
Frau Matuschek: Ich habe gehört, daß die Ausbildungszeit auch verkürzt werden kann. Stimmt das? Ich war nämlich ein Jahr im Ausland, in Wales, und habe dort in einer Schreinerei gearbeitet.

Frau Lüders: Ja, die Möglichkeit besteht durchaus, es hängt allerdings davon ab, ob Ihre Leistungen und Ihre Vorbildung eine Verkürzung rechtfertigen. Das wird dann individuell entschieden. Sie haben ja bestimmt eine Bewerbungsmappe, aus der Ihre Vorbildung und Ihre bereits erworbenen Qualifikationen hervorgehen.

Frau Matuschek: Ja, die stelle ich zur Zeit zusammen. Neben der Ausbildung im Betrieb geht man doch zusätzlich noch zur Berufsschule. Wie ist das organisiert?

Frau Lüders: Der Berufsschulunterricht läuft parallel zur betrieblichen Ausbildung. Ihr Ausbildungsbetrieb ist verpflichtet, Sie für ein bis zwei Tage in der Woche freizustellen. In einigen Fällen wird auch in mehrwöchigen Blöcken unterrichtet. An den Tagen, an denen Sie mindestens fünf Stunden Unterricht in der Berufsschule haben, darf Ihr Betrieb Sie nicht beschäftigen.

Frau Matuschek: Und wieviel Urlaub steht einem zu?

Frau Lüders: Das ist vom Alter des Auszubildenden abhängig. Es stehen Ihnen 25 bis 30 Werktage während der Berufsschulferien zu. Die geltenden Tarifverträge der einzelnen Branchen sehen oft längere Urlaubszeiten vor.

Frau Matuschek: Was meinen Sie damit?

Frau Lüders: Die einzelnen Gewerkschaften haben unabhängig von dem gesetzlichen Mindesturlaub oft günstigere Urlaubszeiten ausgehandelt. Die Zahlen, die ich Ihnen gegeben habe, sind lediglich die vom Gesetz vorgeschriebenen Mindesturlaubstage.

Frau Matuschek: Das verstehe ich jetzt. Eine ganz andere Frage: wer ist eigentlich für die betriebliche Ausbildung verantwortlich, z.B. für die Prüfungen?

Frau Lüders: Die Industrie- und Handelskammern sind für die Verwaltung zuständig und nehmen auch die Prüfungen an den Betrieben ab. Auszubildende wenden sich bei Problemen an die entsprechende IHK.

Frau Matuschek: Wenn es zwei unabhängige Ausbildungsträger gibt, mit wem schließt man denn den Ausbildungsvertrag ab?

Frau Lüders: Der Vertrag wird mit dem Ausbildungsbetrieb abgeschlossen, also mit dem jeweiligen Betriebsinhaber.

Frau Matuschek: Ach, das ist ja interessant, aber, ..., wenn ich noch eine letzte Frage stellen könnte, was passiert denn, wenn man mit den anderen im Betrieb nicht auskommt oder einem die Ausbildung nicht gefällt? Kann man dann selbst kündigen? Oder kann der Betrieb einem kündigen?

Frau Lüders (lachend): Man hat zuerst seine Probezeit von mindestens einem Monat. In dieser Zeit kann sowohl der Auszubildende als auch der Ausbildende das Ausbildungsverhältnis beenden. Es ist also eine beiderseitige fristlose Kündigung möglich. Danach ist eine Kündigungsfrist von vier Wochen einzuhalten, falls man sich zum Beispiel für einen anderen Beruf entscheidet.

Frau Matuschek: Vielen Dank, das war wirklich sehr informativ und danke, daß Sie sich so viel Zeit genommen haben. Ich werde mich jetzt bei mehreren Schreinereien bewerben. Mal sehen, wie es mit meinen Chancen aussieht.

Frau Lüders: Na, da wünsche ich Ihnen viel Erfolg und sollten Sie noch weitere Fragen haben, können Sie sich jederzeit an mich wenden. Vergessen Sie nicht, die Informationsbroschüren hier mitzunehmen, Tschüß.

Glossar

die Berufsberaterin (nen)	career advisor
das Arbeitsamt (¨er)	job centre
beraten	give advice
behilflich sein	help
die Berufsvorstellung (en)	ideas for a job, profession
die Schreinerin (nen)	female carpenter
handwerklich begabt	talent for crafts
die Aussicht (en)	prospect
die Verwaltung (en)	administration
akut	acute
der Mangel (¨)	lack
betragen	consist of
verkürzen	shorten
durchaus	by all means
von etwas abhängen	depend on
die Vorbildung (en)	pre-knowledge, pre education
rechtfertigen	justify
die Bewerbungsmappe (n)	application file, documentation
zusammenstellen	compile, put together
zusätzlich	in addition
verpflichtet sein	have the duty
jdn. freistellen	set s.o. free
mehrwöchig	lasting several weeks

jdm. steht etwas zu	s.o. is entitled to
unabhängig	independent
gesetzlich	legal, by law
Mindest-	minimum
günstig	favourable, advantageous
aushandeln	negotiate
lediglich	only
vorgeschrieben	required
der Betriebsinhaber (—)	firm owner
mit jdm. auskommen	get on with s.o.
kündigen	resign
jdm. kündigen	sack s.o.
die Probezeit (en)	trial period
der Lehrling (e)	apprentice
der Ausbildende (n)	instructor
das Ausbildungsverhältnis (s)	*here:* training contract
beiderseitig	mutual
fristlos	without notice
jederzeit	at any time

Exercise 13.1

Beantworten Sie die folgenden Fragen!

1 Warum möchte Frau Matuschek Schreinerin werden?
2 Weshalb sind ihre Aussichten günstig?
3 Wie lange dauert eine Schreinerausbildung?
4 Wie sind Berufsschulunterricht und betriebliche Ausbildung organisiert?
5 Wieviele Tage geht man auf die Berufsschule?
6 Wann darf der Betrieb den Auszubildenden nicht beschäftigen?
7 Wieviele Werktage Urlaub stehen dem Auszubildenden normalerweise zu?
8 Wofür ist die Industrie- und Handelskammer zuständig?
9 Mit wem schließt der Auszubildende einen Vertrag ab?
10 Wie lange dauert die Probezeit?
11 Wie lang ist die Kündigungsfrist danach?

Redemittel: Vorschläge machen

Ich schlage vor, (daß) ...
Was halten Sie von ...
Was halten Sie von der Idee, ... zu ...
Mein Vorschlag wäre ...
Wie wär's mit ...
Könnte man (nicht) ...
Sollte man (nicht) ...
Ich dachte eher an ...
Wenn ich einen Vorschlag machen dürfte ...
Dazu kommt mir folgendes in den Sinn, ...
Ich finde/meine/denke, (daß) ... (sollte/n)

Exercise 13.2

Konstruieren Sie Sätze nach folgendem Beispiel!

Beispiel:
Mein Vorschlag wäre, / die Ausbildungszeit / verkürzen. / auf zwei Jahre / zu
Mein Vorschlag wäre, die Ausbildungszeit auf zwei Jahre zu verkürzen.

1 Ich dachte eher an / im Verwaltungs- und Bürobereich. / eine Bewerbung
2 sechs Monate / arbeiten? / in Wales / Was halten Sie von der Idee, / in einem Ausbildungsbetrieb / zu
3 sich / entscheidet? / eine Probezeit / für eine andere Berufsausbildung / man / festlegen, / Könnte man nicht / falls / von mindestens einem Monat
4 den Ausbildungsvertrag / sich / durchzulesen. / Ich schlage vor, / genau
5 bevor / Wie wär's mit / Sie / einer Führung / sich entschließen? / durch den Ausbildungsbetrieb,
6 beantragen. / bei Ihrer Vorbildung / Ich finde, / sollten / eine Verkürzung Ihrer Ausbildungszeit / Sie

Exercise 13.3

Im folgenden Text finden Sie viele zusammengesetzte Substantive. Bevor Sie den Text lesen, machen Sie erst diese Übung!

Setzen Sie die Substantive zusammen und suchen Sie Entsprechungen im Englischen! Beachten Sie dabei, daß der erste Wortteil ähnliche Bedeutung trägt!

Beispiel:

Ausbildungsvertrag Berufsbildungsvertrag Berufsausbildungsvertrag	} contract of vocational training

1 training agent
2 vocational training contract
3 training institution
4 length of training
5 vocational training
6 vocational training regulations
7 here: contractual training agreement
8 profession for which vocational training is compulsory
9 here: training period
10 vocational training system

		beruf	______	(a)
		vertrag	______	(b)
		prozeß	9	(c)
Aus-		dauer	______	(d)
Berufs-		wesen	5	(e)
Berufsaus-	bildungs-	system	______	(f)
		ordnung	______	(g)
		träger	______	(h)
		einrichtung	______	(i)
		verhältnis	______	(j)

Lesen Sie nun den Text!

Glossar – das „duale“ System

unabhängig	independent
sogenannt	so-called
voneinander	of one another
gemeinsam	together
das Ziel (e)	aim
vergleichbar	comparable
die Einrichtung (en)	institution

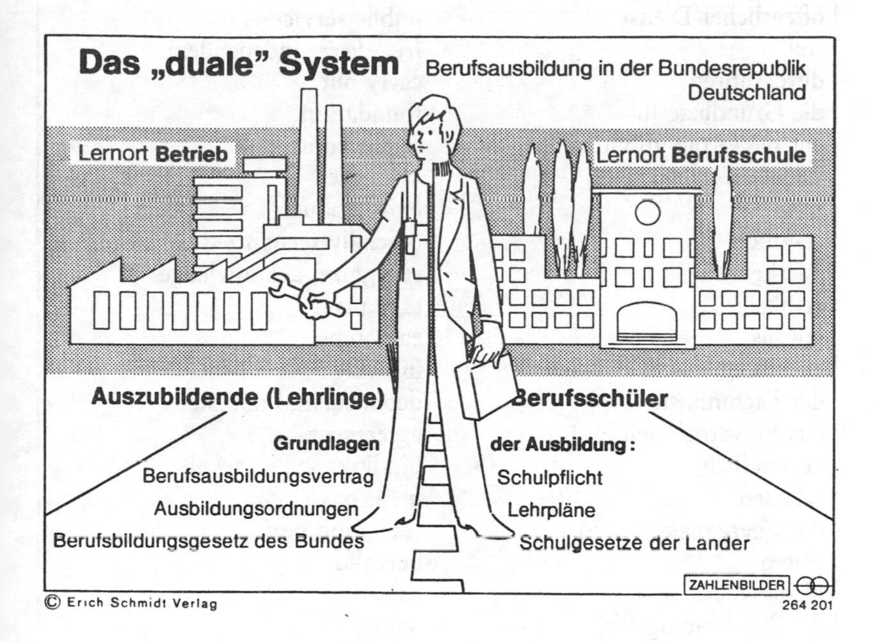

Das „duale" System: Berufsausbildung in der Bundesrepublik Deutschland

Im Mittelpunkt des Berufsbildungswesens der Bundesrepublik Deutschland steht das sogenannte duale System, in dem zwei voneinander unabhängige Ausbildungsträger – Betrieb und Berufsschule – mit dem gemeinsamen Ziel der beruflichen Qualifizierung von Jugendlichen zusammenarbeiten.

Die betriebliche Berufsausbildung wird in Betrieben der Wirtschaft, in vergleichbaren Einrichtungen des öffentlichen Dienstes und der freien Berufe oder in Haushalten durchgeführt. Grundlage des Ausbildungsverhältnisses ist ein Berufsausbildungsvertrag, den der Auszubildende (Lehrling) mit einem Betriebsinhaber abschließt. Die Ausbildung darf in der Regel nur in einem der rund 450 staatlich anerkannten Ausbildungsberufe erfolgen, zu denen der jeweils zuständige Fachminister im Einvernehmen mit dem Bundesarbeitsminister eine verbindliche Ausbildungsordnung erläßt. Für eine Übergangszeit gelten zum Teil auch noch die bisherigen Berufsbilder und Berufsbildungspläne fort. In der Ausbildungsordnung sind die Bezeichnung des Ausbildungsberufes, die Ausbildungsdauer, die zu vermittelnden Fertigkeiten und Kenntnisse, ein Rahmenplan zur sachlichen und zeitlichen Gliederung des Ausbildungsprozesses und die Prüfungsanforderungen enthalten. In der Ausbildungsordnung kann auch festgelegt sein, daß ein Teil der Berufsausbildung in Einrichtungen außerhalb des Betriebs, z. B. in überbetrieblichen Lehrwerkstätten, durchzuführen ist. Koordinations-, Verwaltungs-, Aufsichts- und Prüfungsinstanz im Bereich der betrieblichen Ausbildung sind die Kammern (Industrie- und Handelskammern, Handwerkskammern usw.).

In der Berufsschule erhalten die Jugendlichen, die in einem Ausbildungsverhältnis stehen, vor allem fachtheoretischen Unterricht als Teil ihrer beruflichen Ausbildung. Rechtlich-organisatorisch gehört das Berufsschulwesen in die Zuständigkeit der Bundesländer, deren Schulpflichtgesetze von allen Jugendlichen bis zum Alter von 18 Jahren den Besuch einer (Teilzeit-)Schule verlangen. Die Kultusminister der Länder erlassen Rahmenlehrpläne für die Berufsschule, die mit den entsprechenden Ausbildungsordnungen inhaltlich möglichst eng verzahnt werden sollen.

Der Berufsschulunterricht erfolgt an 1–2 Tagen der Woche oder zu mehrwöchigen Unterrichtsblöcken zusammengefaßt im Wechsel mit der betrieblichen Ausbildung. Als neues Element wurde 1969 das Berufsgrundbildungsjahr in das deutsche Berufsbildungssystem eingeführt. Mit ihm soll in einem von 13 übergreifenden Berufsfeldern (z. B. Wirtschaft und Verwaltung, Metalltechnik, Elektrotechnik) eine mehr theoretisch orientierte berufliche Grundbildung vermittelt werden.

Berufsbildungseinrichtungen bestehen auch außerhalb des „dualen" Systems; die wichtigsten sind die vollzeitlichen Berufsfachschulen.

öffentlicher Dienst	public service
frei	free, *here:* independent
durchführen	carry out
die Grundlage (n)	foundation
einen Vertrag abschließen	sign a contract
in der Regel	as a rule
rund	*here:* about
staatlich	officially recognized by the state
anerkennen	recognize, acknowledge
erfolgen	take place
jeweils	each time
zuständig	in charge
der Fachminister (—)	departmental minister
das Einvernehmen (—)	agreement
verbindlich	binding
erlassen	*here:* pass
die Übergangszeit (en)	transition period
gelten	be valid
bisherig	so far
die Bezeichnung (en)	name
vermitteln	convey
die Fertigkeit (en)	skill
sachlich	factual
die Gliederung (en)	organization, plan
enthalten sein	be included
festlegen	fix
die Verwaltung (en)	administration
die Aufsicht (en)	invigilation
die Instanz (en)	body
die Kammer (n)	chamber
erhalten	receive
die Schulpflicht	compulsory education
verlangen	demand
entsprechend	appropriate
verzahnen	link
einführen	introduce
übergreifend	comprehensive
bestehen	exist
vollzeitlich	full-time

Exercise 13.4

Finden Sie die richtige Antwort. Eine oder mehrere Antworten sind möglich.

1 Warum wird das Ausbildungssystem als duales System bezeichnet?
   (a) die Ausbildung erfolgt in zwei Stadien, ein Jahr Unterricht in der Berufschule und ein Jahr im Betrieb
   (b) es gibt zwei Ausbildungsträger, der Betrieb und die Berufsschule, die miteinander für die Ausbildung des Lehrlings zuständig sind
   (c) bei der Industrie- und Handelskammer müssen die Auszubildenden zwei Prüfungen ablegen, die Betriebs- und die Schulprüfung

2 Wo erfolgt die betriebliche Ausbildung?
   (a) in einem der rund 450 staatlich anerkannten Ausbildungsberufe
   (b) in der Berufschule
   (c) in Betrieben der Wirtschaft, Einrichtungen des öffentlichen Dienstes, in freien Berufen oder Haushalten

3 Mit wem schließt der Auszubildende den Berufsausbildungsvertrag ab?
   (a) mit dem Staat
   (b) mit dem Land
   (c) mit dem Betriebsinhaber

4 Was steht in der Ausbildungsordnung?
   (a) Bezeichnung des Ausbildungsberufes, Dauer der Ausbildung, Fertigkeiten, die erlernt werden sollen
   (b) Kleiderordnung und Verhaltensmaßregeln
   (c) Rahmenplan zur sachlichen und zeitlichen Gliederung der Ausbildung sowie Prüfungsbedingungen

5 Was sind überbetriebliche Lehrwerkstätten?
   (a) der Schulunterricht findet in den Betrieben statt
   (b) Lehrwerkstätten an den Berufsschulen
   (c) Lehrwerkstätten, die nicht direkt an einen Betrieb angeschlossen sind

6 Welche Aufgaben haben die Industrie- und Handelskammern bei der Ausbildung?
   (a) sie koordinieren und verwalten die Ausbildung an allen Betrieben

(b) sie unterrichten Auszubildende in den Betrieben
(c) sie führen die Prüfungen durch

7 Was wird in den Berufsschulen unterrichtet?
(a) allgemeinbildende Fächer
(b) fachliches und theoretisches Wissen
(c) praktische Fertigkeiten

8 Wer ist rechtlich-organisatorisch für das Berufsschulwesen zuständig?
(a) der Arbeitsminister des Bundes
(b) die Kultusminister der Bundesländer
(c) der Betriebsinhaber

9 Wer erläßt die Ausbildungsordnung für die betriebliche Ausbildung?
(a) der Betriebsinhaber
(b) der Berufsschulleiter
(c) der Fachminister zusammen mit dem Bundesarbeitsminister für Arbeit

10 Wie ist der Berufsschulunterricht zeitlich und organisatorisch eingeteilt?
(a) mehrmonatige Unterrichtsblöcke
(b) 1–2 Tage wöchentlich und mehrwöchige Unterrichtsblöcke
(c) halbjährlich abwechselnde betriebliche und schulische Ausbildungsgänge

Grammar revision: the use of *man*

Man can be translated as 'one', 'you', 'they' and 'people'.

Forms:

Nom.	**man**	Kann *man* dann selbst kündigen, oder . . .
Acc.	**einen**	Kann der Betrieb *einen* entlassen?
Dat.	**einem**	Wieviel Urlaub steht *einem* denn zu?

Possessive Pronoun
sein Man hat zuerst *seine* Probezeit.

Reflexive Pronoun
sich Falls man *sich* für einen anderen Beruf entscheidet . . .

Exercise 13.5

Schreiben Sie die folgenden Sätze um, indem Sie *man* als Subjekt benutzen!

Beispiel:
Sie dürfen um zwölf Uhr eine Mittagspause machen.
Man darf um zwölf Uhr eine Mittagspause machen.

1 Sie müssen sich an die Ausbildungsordnung halten!

___

___

2 Die Ausbildung kann nur in einem der rund 450 staatlich-anerkannten Ausbildungsberufe gemacht werden.

___

___

___

3 Die Ausbildungsordnung legt für Sie fest, ob Sie an zwei Tagen der Woche oder zu mehrwöchigen Unterrichtsblöcken in die Berufsschule gehen müssen.

___

___

___

4 Ihren fachtheoretischen Unterricht erhalten Sie in der Berufsschule.

___

___

5 Die Schulpflichtgesetze verlangen von Ihnen, daß Sie bis zum Alter von 18 Jahren eine Schule besuchen.

___

___

___

6 Wenn Sie sich für einen Ausbildungsberuf interessieren, sollten Sie sich frühzeitig bewerben.

___

___

___

Merke:
The passive can be replaced by *man*.

Exercise 13.6

Ersetzen Sie die Passivkonstruktionen durch eine Konstruktion mit *man*!

Beispiel!
Der Betriebsrat wird gewählt.
Man wählt den Betriebsrat.

1 Die Ausbildungszeit wird verkürzt.
2 Die Berufsbildungspläne wurden zusammengestellt.
3 Die Rahmenlehrpläne wurden erlassen.
4 Die vermittelten Fertigkeiten werden im Examen geprüft.
5 Das Berufsgrundbildungsjahr wurde eingeführt.

Plural forms

There are various forms of plural endings and the best method of memorizing them is to learn them with every new noun.

Group 1
plural form without ending, some take an umlaut
der Koffer – die Koffer
der Schlüssel – die Schlüssel
das Zimmer – die Zimmer
die Tochter – die Töchter

Group 2
one syllable nouns, often add *–e* in plural
die Nacht – die Nächte
das Jahr – die Jahre

Group 3
add –er, nouns containing *a, o, u, au* form an umlaut (most of these nouns are neuter, some masculine)
das Bild – die Bilder
das Haus – die Häuser
das Buch – die Bücher

Group 4
add *–(e)n*, most are feminine and never form an umlaut
die Antwort – die Antworten
die Stunde – die Stunden
die Fabrik – die Fabriken
der Präsident – die Präsidenten
die Firma – die Firmen
das Zentrum – die Zentren

Group 5
add *–s*, nouns of foreign origin
der Job – die Jobs
die Bar – die Bars
das Hotel – die Hotels

Gender

Although no definite rules for genders can be given, the following generalizations may be helpful on gender identification by word ending:

nouns ending in *-el, -en, -ig, -er, -ich* and *-ling* are usually masculine:

important exceptions:
die Mutter, Tochter, Gabel
das Wasser, Messer, Zimmer, Fenster, Wetter, Leder

nouns ending in *-age, -e, -ei, -heit, -keit, -schaft, -ie, -in, -ik, -ion, -tät, -ung, -ur* are always feminine
die Courage, Partei, Fabrik, Nation, Universität, Rechnung, Diktatur

nouns ending in *-tum, -ment, -ium, -um* are usually neuter
das Instrument, Datum, Imperium, Museum

verbs used as nouns are always neuter
das Bezahlen

verbs used as nouns by adding *-ung* to the stem are always feminine
vorbereiten, die Vorbereitung

Compound nouns

Compound nouns are formed by combining two or more words or syllables together. The last word has to be a noun and determines the gender, some link with *-s-*, *-n-*, or *-en-*

der Ausbildungsträger, der Warenkorb

s always with
masculine ending: *-ling, -ing*
die Lehrlingsausbildung
feminine ending: *-heit, -keit, -schaft, -ung, -ion, -tät*
die Qualitätsmarke

n with
many feminine endings: *-e*
der Warenkorb
(exception: *Schul(e)-, der Schulunterricht*)

Adjective and noun:
der Großhandel
die Großbestellung

Exercise 13.7

Nominalisierung von Verben mit der Endung *-ung:* Bilden Sie Substantive und übersetzen Sie!

ausbilden	Ausbildung___	______________________
einrichten	__________	______________________
ordnen	__________	______________________
bezeichnen	__________	______________________
gliedern	__________	______________________
durchführen	__________	______________________
beraten	__________	______________________
vorstellen	__________	______________________
verpflichten	__________	______________________
kündigen	__________	______________________

Exercise 13.8

Finden Sie die entsprechenden Artikel und Pluralendungen!

Beispiel:

________ Fabrik, ________ die Fabrik, en
________ Etage, ________
________ Abonnement, ________
________ Stadium, ________
________ Lehrling, ________
________ Rechnung, ________
________ Qualität, ________
________ Datum, ________
________ Möglichkeit, ________
________ Institution, ________
________ Kondition, ________
________ Ministerium, ________
________ Experiment, ________
________ Roboter, ________
________ Probe, ________
________ Lager, ________
________ Instrument, ________
________ Ware, ________
________ Irrtum, ________
________ Käufer, ________
________ Industrie, ________
________ Mangel, ________
________ Nachnahme, ________
________ Parlament, ________
________ Tabelle, ________
________ Zentrum, ________

Exercise 13.9

Suchen Sie die entsprechenden Verben aus dem Schüttelkasten!

gehören	zusammenstellen	erlassen	erwerben	freistellen
abschließen	bestehen aus	einhalten	aushandeln	

1 Berufsausbildungsvertrag ____________
2 Bewerbungsmappe ____________
3 Berufseinrichtungen bestehen aus ____________
4 Kündigungsfrist ____________
5 Ausbildungsordnung ____________
6 Qualifikationen ____________
7 Urlaubsraten ____________
8 für eine Woche ____________
9 in die Zuständigkeit ____________

Exercise 13.10

Zusammengesetzte Substantive mit oder ohne *s, n*?

1 Vermittlung____________gebühr
2 Mangel____________ware
3 Schul(e)____________pflicht
4 Lager____________bestand
5 Lehrling____________zeit
6 Fabrik____________inhaber
7 Beratung____________gespräch
8 Probe____________zeit
9 Nachnahme____________auftrag
10 Präzision____________arbeit

Wichtige Begriffe aus diesem Kapitel

1 Substantive (nouns)

deutsch	*englisch*

2 Verben + Kasus (verbs + case)

deutsch	*englisch*

3 Wichtige Redewendungen (idiomatic phrases)

deutsch	*englisch*

4 Notizen

Unit 14

Präsentation einer Firma
Presenting a company

A good presentation is very often the beginning of a successful business contact. In this chapter, we want to show you how to organize a presentation effectively. After you have studied the two examples and read our advice, you can practise preparing a presentation accordingly. We revise prepositions and adjective endings, which, although they are simple to understand, need to be learnt thoroughly.

oo Präsentation

Guten Tag, meine Damen und Herren! Ich heiße Patricia Kline und bin Mitarbeiterin beim Body Shop. Ich gehöre zum Team, das sich um die Franchisegeschäfte kümmert. Zuallererst möchte ich Ihnen etwas zum Body Shop erzählen. Sicherlich wissen Sie schon das meiste, da Sie sich ja alle um ein Franchise bewerben. Deshalb mache ich es auch ganz kurz, nur so fünf Minuten. Danach können Sie natürlich Fragen stellen.

Der Body Shop ist ein etwas anderes Geschäft. Schon wenn man den Laden betritt, empfängt einen der Geruch von Lavendel, Holunder und Ananas. Nichts ist aufdringlich oder synthetisch. Die vorherrschende Farbe ist Grün. Unser Logo, das Sie auf allen unseren Produkten finden, zeigt ein kreisförmiges Zeichen, zwei nach oben wachsende Ranken. Unsere Philosophie ist, nur Naturprodukte zu verwenden. Genauer gesagt, besteht unsere Produktpalette fast ausschließlich aus Naturkosmetik. Hinzu kommen dann noch Bürsten, Kämme u.s.w.

Unsere hochqualifizierten Kräuterspezialisten und Chemiker bestehen darauf, daß jeder Bestandteil der von ihnen entwickelten Produkte einen bestimmten Zweck erfüllen muß. Außerdem müssen die ausgewählten Bestandteile sich in einem möglichst naturnahen Zustand befinden.

Darüber hinaus führt der Body Shop weder mit den Produkten noch mit den einzelnen Bestandteilen Tierversuche durch. Dies verlangen wir auch von unseren Zulieferern.

Der Body Shop hat eine ganz spezielle Verkaufsmethode: Wir verwenden qualitativ hochwertige Bestandteile und verkaufen die Produkte in einfacher Verpackung. Unsere Preise sind attraktiv, weil wir auf kostspielige Werbung verzichten, und – was das Wichtigste ist – wir bieten den Nachfüllservice an. Bewußt vermeiden wir es, im Gegensatz zur Konkurrenz, unsere Kundinnen mit falschen Versprechungen zum Kauf von Kosmetikwaren zu verführen. So finden Sie bei uns keine Photomodellwerbung, die falsche Ideale vorspiegelt. Mit den Bereichen Geschenkartikel und Produkte für Männer haben wir uns weitere Kundenkreise eröffnet.

Diese Konzeption stammt von der Gründerin des Body Shops, Anita Roddick, die den ersten Laden 1976 in Brighton in England eröffnete. Anita, wie wir sie nennen, ist auch verantwortlich dafür, daß es im Unternehmen anders zugeht: man ist rücksichtsvoller und intuitiver, d.h. weibliche Prinzipien herrschen vor. Und dadurch ist sie auch auf der ganzen Welt berühmt geworden: für ihr alternatives Management.

Unsere Philosophie hat also zwei Seiten: eine ökologische und eine ethische.

Ihr Mann Gordon Roddick hat das Franchisesystem für den Body Shop entworfen. Die Muttergesellschaft verkauft die Ware und das Marketing, der Franchisenehmer eröffnet den Laden auf eigenes finanzielles Risiko. Bis jetzt hat noch keiner pleite gemacht.

Zum Schluß noch ein paar Zahlen:
Heute gibt es in Großbritannien mehr als 100 Filialen und weitere 400 in Ländern wie Australien, Dubai, Holland, Kanada, Schweiz, Schweden, Singapur und Deutschland. In Hamburg gibt es schon drei. Der Jahresumsatz aller Unternehmen beträgt zur Zeit 55 Mill. Pfund.

Vielen Dank für Ihre Aufmerksamkeit!

Glossar

der/die Mitarbeiter/in (—/nen)	staff member, employee
gehören zu	belong to
das Team (s)	
sich kümmern um	look after
das Franchise (—)	
zuallererst	first of all

sich bewerben um	apply for
der Laden (¨)	shop
betreten	enter
der Geruch (¨e)	smell, scent
Holunder	elderberry
Ananas	pineapple
aufdringlich	obtrusive
vorherrschend	predominant, prevalent
das Logo (s)	logo
das Produkt (e)	product
kreisförmig	round, circular
die Ranke (n)	tendril
die Produktpalette (n)	product range
ausschließlich	exclusively, solely
die Naturkosmetik (no pl.)	natural cosmetic
hochqualifiziert	highly qualified
das Kraut (¨er)	herb
der/die Spezialist/in (en/nen)	expert
der/die Chemiker/in (–/nen)	chemist, chemical engineer
auf etwas bestehen	insist on s.th.
der Bestandteil (e)	component, ingredient
entwickeln	develop
bestimmt	definite
der Zweck (e)	purpose
der Zustand (¨e)	condition
der Tierversuch (e)	animal testing, 'cruelty'
verlangen	demand
der Zulieferer (—)	supplier
die Verkaufsmethode (-n)	sales method
hochwertig	of high quality
die Verpackung (-en)	packaging
kostspielig	expensive, costly
die Werbung (en)	advertising
verzichten	to do without
der Nachfüllservice *(no pl.)*	refill service
bewußt	conscious
vermeiden	avoid
der Gegensatz(¨e)	contrast
die Konkurrenz (no pl.)	competition
der/die Kunde/Kundin (n/nen)	customer, client

die Versprechung (en)	promise
der Kauf (¨e)	purchase
verführen	seduce, tempt
die Kosmetikware (-n)	cosmetic product
das Photomodell (-e)	(photographer's) model
das Ideal (e)	ideal
vorspiegeln	*here:* present
die Palette (n)	range
weit	vast
der Kundenkreis (e)	customers, clients, clientel
der Bereich (e)	area, region, range, scope
der Geschenkartikel (—)	gift (article), fancy goods
die Konzeption (en)	conception, idea, plan
der/die Gründer/in (—/nen)	founder
das Unternehmen (—)	enterprise, company
rücksichtsvoll	considerate, caring
es geht anders zu	it is different
das Prinzip (ien)	principle
vorherrschen	predominate, prevail
berühmt	famous
das Management (s)	
das Franchisesystem (e)	
entwerfen	develop, draw up, design
die Muttergesellschaft (en)	parent company
das Marketing *(no pl.)*	
der Franchisenehmer/in (—/nen)	franchisee
finanziell	financial
das Risiko (-ken)	risk
pleite machen	go bankrupt
die Filiale (n)	branch
der Jahresumsatz (¨e)	yearly turnover
betragen	amount to, come to
die Aufmerksamkeit (en)	attention

Exercise 14.1

Fragen zum Text

1 Zu welchem speziellen Team gehört Patricia Kline?
2 Zu welchen Leuten spricht sie?

3 Was kann man nach der Präsentation machen?
4 Was fällt auf, wenn man den Body Shop betritt?
5 Welche Produkte kann man im Body Shop hauptsächlich kaufen?
6 Welche Produkte gibt es noch zusätzlich?
7 Worauf bestehen die Kräuterspezialisten und Chemiker?
8 Wie sieht die spezielle Verkaufsmethode aus?
9 Warum sind die Produkte preisgünstig?
10 Warum gibt es in den Läden keine Photomodellwerbung?
11 Wann und wo wurde der erste Laden eröffnet?
12 Was bedeutet, daß es in dem Unternehmen *anders* zugeht?
13 Was bedeutet Franchise?
14 Wieviele Body-Shop-Geschäfte gibt es auf der Welt?
15 Was beträgt 55 Mill. Pfund?

Glossar	
auffallen	be striking, attract attention
hauptsächlich	mainly
zusätzlich	in addition
preisgünstig	reasonably priced

Exercise 14.2

Wählen Sie die passende Präposition und setzen Sie die Wendung ein!

verzichten
sich kümmern
stammen
sich bewerben
gehören
bestehen
verführen
sich befinden

um
zu
um
aus
auf
in
von
zu

Das __gehört__ alles __zu__ unserer Produktpalette.
Unsere Kosmetik ______ nur ______ Naturstoffen.
______ Hamburg ______ ______ drei Läden.
Die Idee ______ ______ der Gründerin.
Man kann ______ ______ ein Franchise ______.
Kunden werden nicht ______ Kauf ______.
Ich ______ ______ teures Marketing.
Die Franchisenehmer ______ ______ selbst ______ ihren Laden.

Exercise 14.3

Übersetzen Sie!

verantwortlich	responsible
hochqualifiziert	________
einfach	________
wachsend	________
aufdringlich	________
entwickelt	________
hochwertig	________
kreisförmig	________
kostspielig	________
vorherrschend	________
finanziell	________

Adjective endings at a glance

Type 1 *der/die/das* + adjective + noun:

N der günstige Preis	die große Palette	das neue Produkt
A den günstigen Preis	die große Palette	das neue Produkt
D dem günstigen Preis	der großen Palette	dem neuen Produkt
G des günstigen Preises	der großen Palette	des neuen Produkts

Type 2 *ein/kein/mein/Ihr* etc. + adjective + noun:

N ein günstiger Preis	eine große Palette	ein neues Produkt
A einen günstigen Preis	eine große Palette	ein neues Produkt
D einem günstigen Preis	einer großen Palette	einem neuen Produkt
G eines günstigen Preises	einer großen Palette	eines neuen Produkts

Type 3 adjective + noun

N günstiger Preis	große Palette	neues Produkt
A günstigen Preis	große Palette	neues Produkt
D günstigem Preis	großer Palette	neuem Produkt
G günstigen Preises	großer Palette	neuen Produkts

Type 1 and Type 2 plural forms	Type 3 plural forms
N die/keine schnellen Verkäufe	N schnelle Verkäufe
A die/keine schnellen Verkäufe	A schnelle Verkäufe
D den/keinen schnellen Verkäufen	D schnellen Verkäufen
G der/keiner schnellen Verkäufe	G schneller Verkäufe

Exercise 14.4

Setzen Sie die Adjektivendungen ein!

Decken Sie, während Sie diese Übung machen, die grammatischen Erklärungen mit einem Blatt ab.

Die hochwertig____ Produkte, die in unserem attraktiv____ Katalog angeboten werden, sind aus naturnah____ Bestandteilen. Die wachsend____ Umsätze beweisen, daß auch mit unaufdringlich____, einfach____ Werbung, Gewinne zu erzielen sind. Unser hochqualifiziert____ Verkaufsteam bemüht sich um verantwortlich____ Service ohne falsch ____ Versprechen. In ausgewählt ____ Filialen bieten wir auch unser speziell____ Schreibpapier an.

Glossar

beweisen	prove
Gewinn erzielen	achieve, score profit
das Versprechen (—)	promise
sich bemühen	make an effort, strive for
ausgewählt	selected
die Filiale (n)	branch

Exercise 14.5

Setzen Sie die Substantive in den nachfolgenden Text ein!

das Logo	die Verpackung	der Preis
die Werbung	der Bereich	die Gründerin
das Unternehmen	die Muttergesellschaft	das Risiko
die Konkurrenz		

Das __________ The Body Shop macht keine kostspielige __________ wie die __________. Der Sitz der __________ befindet sich in England. Das __________ ist ein kreisförmiges Zeichen. Anita Roddick ist die __________. Die __________ der Produkte ist sehr einfach, daher ist der __________ sehr günstig. Der __________ „Nur für Männer“ wurde erst später hinzugenommen. Die Franchisenehmer tragen das finanzielle __________.

Exercise 14.6

Suchen Sie die passenden Verben im Text und in den Übungen und übersetzen Sie!

pleite __________ __________
Risiko __________ __________
Gewinne __________ __________
Zweck __________ __________
falsche Ideale __________ __________
einen Kundenkreis __________ __________

Dualit Präsentation

Lisa Farrell: Guten Tag, Frau Fischer! Ich freue mich, Sie hier in London zu begrüßen. Wie Sie mir geschrieben haben, vertreten Sie und Ihre Mitarbeiter Geräte für die Gastronomie in Deutschland.

Claudia Fischer: Ja, wir kaufen weltweit ein und bieten diese Geräte dann dem Endverbraucher an. Sie können sich ja vorstellen, was zu unserer Angebotspalette gehört: angefangen von Espressomaschinen aus Italien, Spezialbestecken und Gläsern aus Frankreich ... Aber erzählen Sie mir doch bitte etwas über Ihre Firma und Ihre Produkte, ich bin schon sehr gespannt.

Lisa Farrell: Dualit gibt es schon seit über 45 Jahren. Wir sind immer bestrebt, Geräte mit hoher Qualität herzustellen, die dennoch einfach zu bedienen sind und keine unnötigen technischen Spielereien eingebaut haben. Haltbarkeit und Einfachheit stand immer bei uns an erster Stelle. Wie Sie hier in unserem Prospekt sehen, ist die klassische Toaster-Reihe immer noch unser wichtigster Verkaufsschlager. Es gibt ihn für zwei, drei, vier und sechs Toastscheiben. Das Neue ist, das wir nun zusätzlich zum „Stainless Plus“-Toaster, der ganz aus Edelstahl hergestellt ist, ein Modell anbieten, welches eine Edelstahl-Abdeckung besitzt mit einem Spritzgußgehäuse aus Polyester. Dieser „Stainless Standard"-Toaster ist in Weiß und in Schwarz erhältlich.

Claudia Fischer: Gibt es denn preislich einen Unterschied?

Lisa Farrell: Natürlich ist der „Standard"-Toaster aufgrund seines höheren Polyester-Anteils preiswerter als der „Stainless Plus", aber am Design, an der hygienischen Ausstattung und der Robustheit haben wir keine Kompromisse gemacht. Vielen Kunden paßt das schwarze oder das weiße Design viel besser in ihre Küche oder an ihre Bar. Unsere Produkte werden nämlich häufig im Restaurant, in der Bar oder Snack-Bar benutzt, wo die Gäste die Geräte auch sehen.

Claudia Fischer: Ja, mir gefällt besonders das schwarze Modell. Das würde sehr gut in eine Küche mit schwarzer Arbeitsplatte passen. Ich bin eigentlich der Meinung, daß wir in Deutschland Ihre Produkte auch für eine zusätzliche Käuferschicht anbieten sollten. Industriedesign ist im Moment in Mode und in luxuriösen Küchen kann ich mir Ihre Toaster und auch einige Ihrer anderen Produkte sehr gut vorstellen.

Lisa Farrell: Ja, wir haben festgestellt, daß der kleine Toaster für zwei Scheiben häufig von Privatpersonen gekauft wird und nicht nur von der Gastronomie.

Claudia Fischer: Ich kann mir des weiteren vorstellen, den Bistro Grill, den Combi Grill und auch das Barmixgerät an einen gehobenen Kundenkreis zu vermarkten. Diese Kleingeräte passen in eine Privatküche und sind preislich noch erschwinglich.

Lisa Farrell: Wichtig ist auch noch, daß alle unsere Geräte handgefertigt sind und Einzelteile immer erhältlich sind. Zum Beispiel kann man die Heizelemente der Toaster nachbestellen und selbst durch das Lösen zweier Schrauben auswechseln.

Claudia Fischer: Wie sieht es denn mit den Steckern aus?

Lisa Farrell: Das ist für Großbritannien ein wichtiger Punkt. Traditionellerweise werden Elektrogeräte ohne Stecker verkauft. Der Kunde oder der Elektriker muß selbst einen an das freie Kabel anbringen. Das haben wir geändert. Alle unsere Geräte sind mit einem Sicherheitsstecker versehen, für jede Stromstärke und jedes Land passend.

Claudia Fischer: Was mir sehr gut an ihren Geräten gefällt, ist die Kombination von Solidität und gutem Design. Ich glaube, daß wir damit Erfolg bei der deutschen Gastronomie und auch beim Privatkunden verbuchen können.

Glossar

jdn. vertreten	represent s.o.
das Gerät (e)	equipment, machine
die Gastronomie	catering business
anbieten	offer
der Endverbraucher (—)	consumer, end-user
sich vorstellen	introduce o.s. *here:* imagine
die Angebotspalette (n)	range
das Besteck (e)	cutlery
gespannt sein	to be curious
bestrebt sein	be eager, anxious, aiming at doing s.th.
herstellen	manufacture, produce
dennoch	nevertheless
bedienen	operate
unnötig	unnecessary
die Spielerei (en)	gimmick
einbauen	build in
die Haltbarkeit *(no pl.)*	durability
die Einfachheit *(no pl.)*	simplicity
an erster Stelle stehen	to be of prime importance
der Prospekt (e)	catalogue, brochure
der Toaster (—)	toaster
die Reihe (n)	range
der Verkaufsschlager (—)	sales hit, bestseller
die Toastscheibe (n)	slice of toast
zusätzlich	in addition
der Edelstahl (e)	stainless steel
das Modell (e)	model
die Abdeckung (en)	cover
der Spritzguß (¨ sse)	die-casting
das Gehäuse (—)	case, box
erhältlich	obtainable, available
preislich	with regard to the price
der Unterschied (e)	the difference
aufgrund	because of
der Anteil (e)	percentage, share, portion, part
preiswert	inexpensive
das Design (s)	

hygienisch	hygienic
die Ausstattung (en)	outfit, design
die Robustheit *(no pl.)*	robustness
der Kompromiß (sse)	compromise
die Bar (s)	
nämlich	in effect
das Restaurant (s)	
der Snack (s)	
der Gast (¨e)	guest
die Arbeitsplatte (n)	worktop
die Käuferschicht (en)	group of customers
das Industriedesign (s)	industrial design
im Moment	at the moment
in Mode sein	to be fashionable
luxuriös	luxurious
die Küche (n)	kitchen
feststellen	notice
des weiteren	furthermore
der Grill (s)	
das Barmixgerät (e)	bar blender
gehobener Kundenkreis	up-market, affluent customers
vermarkten	market, commercialize
das Kleingerät (e)	small appliance
die Privatküche (en)	domestic kitchen
erschwinglich	affordable
handgefertigt	handmade
das Einzelteil (e)	spare part
das Heizelement (e)	heating element
nachbestellen	re-order
das Lösen	loosening, undoing (of a screw)
die Schraube (n)	screw
auswechseln	change
der Stecker (—)	plug
traditionellerweise	traditionally
das Elektrogerät (e)	piece of electrical equipment
der Elektriker (—)	electrician
das Kabel (—)	cable
anbringen	attach
ändern	change
der Sicherheitsstecker (—)	safety plug

versehen mit	equip with
die Stromstärke (n)	voltage
die Solidität *(no pl.)*	solidity, soundness
Erfolg verbuchen	score, achieve success

Exercise 14.7

Textverstehen

		richtig	falsch
1	Lisa Farrell befindet sich in London.	☐	☐
2	Sie ist Vertreterin, die Geräte für die Gastronomie verkauft.	☐	☐
3	Claudia Fischers Firma stellt Geräte und Maschinen her.	☐	☐
4	Zu ihrer Angebotspalette gehören Gläser.	☐	☐
5	Dualit stellt keine komplizierten Geräte her.	☐	☐
6	Der Prospekt zeigt die klassischen Toaster.	☐	☐
7	Es gibt den Toaster in vier Größen.	☐	☐
8	Man kann ihn jetzt in vielen verschiedenen Farben bekommen.	☐	☐
9	Der „Standard" kostet weniger als der „Plus".	☐	☐
10	Im Restaurant können Gäste die Toaster nicht sehen.	☐	☐
11	Claudia Farrell glaubt, eine zusätzliche Käuferschicht entdeckt zu haben.	☐	☐
12	Industriedesign ist nicht für luxuriöse Kunden gedacht.	☐	☐
13	Einige Produkte können an Privatkunden verkauft werden.	☐	☐
14	Alle Geräte werden in Handarbeit produziert.	☐	☐
15	Stecker befinden sich an jedem Gerät.	☐	☐

Exercise 14.8

Schreiben Sie die folgenden Sätze nach dem Beispiel um!

Beispiel:
Was mir gefällt, ist die Kombination von Solidität und gutem Design.
Was mir gefällt ist, daß Solidität mit gutem Design kombiniert ist.

1 Sie schreiben mir, Sie sind eine Vertreterin für Gerätehersteller.
   ____________, daß Sie ____________ vertreten.
2 Sie schlagen den weltweiten Einkauf vor.
   ____________, daß wir ____________.
3 Der Direktor besteht auf der Vorstellung der Geräte beim Endverbraucher.
   ____________ darauf, daß wir ____________ ____________.
4 Bedingung ist die Herstellung der Geräte in der Londoner Firma.
   ____________, daß unsere Firma ____________ ____________.
5 Es wird eine einfache Bedienung der Geräte vorausgesetzt.
   ____________, daß man ____________ ____________ kann.
6 Die Sicherheitsbestimmungen verbieten den Einbau von Spielereien.
   ____________, daß wir ____________ ____________.
7 Der Katalog zeigt unser Angebot an Edelstahl-Toastern.
   ____________, was wir ____________ ____________.

Exercise 14.9

Übersetzen Sie:

bestrebt sein	____________
erhältlich sein	____________
feststellen	____________
vermarkten	____________
versehen mit	____________
Erfolg verbuchen	

Exercise 14.10

Billig oder teuer? Ordnen Sie zu!

erschwinglich	unbezahlbar	preiswert	herabgesetzt	horrend
kostspielig	unerschwinglich	angemessen	happig	
vertretbar	günstig	vorteilhaft	preisgünstig	gepfeffert
zivil	bezahlbar	berechtigt	spottbillig	
halb umsonst	preisgerecht			

billig	*adäquat*	*teuer*

Präsentationshinweise

Welche Überlegungen muß ich mir für eine erfolgreiche Präsentation machen?

1 Was ist das Ziel der Präsentation?
Kauf, Verkauf, erste Kontaktaufnahme etc.
Möchte ich informieren, überzeugen, ermutigen, unterhalten, belehren?

2 Wer ist das Publikum, der Ansprechpartner?
Manager, Direktoren, Mitarbeiter, Kunden, Bewerber
in welcher Atmosphäre, wieviele Zuhörer?

3 Welche Erwartungshaltung hat das Publikum möglicherweise?
Möchte es Fakten in Kurzform, Anwendungsbeispiele, technische Daten/Erklärungen?
Was wird ihnen geboten?
Welche Vorteile werden erwartet?
Sind sie un/erfüllbar?

4 Welche Informationen möchte ich mitteilen?
  Auswahl
  Planung des Formats, des Inhalts
  nicht mehr als 10 Punkte
  Anordnung der Informationen in einem Diagramm mit Stichworten

5 Wie ist meine Vorgehensweise?
  Ausarbeitung des Diagramms
  Planung der Illustrationsmittel
  Einübung der Präsentationsform

Glossar – Präsentationshinweise

überzeugen	convince
ermutigen	encourage
unterhalten	entertain
belehren	teach, lecture
das Publikum *(no pl.)*	audience
der Ansprechpartner (–)	audience, listener
der Zuhörer (—)	listener, audience
die Erwartungshaltung (en)	expectation
das Anwendungsbeispiel (e)	example of usage
der Vorteil (e)	advantage
erfüllbar	capable of being fulfilled, satisfiable
mitteilen	impart, communicate
die Auswahl *(no pl.)*	choice, selection
die Anordnung (en)	arrangement
das Stichwort (e)	keyword
die Ausarbeitung	development, elaboration

Glossar – Vorbereitung

die Aufmerksamkeit (en)	attention
die Aufteilung (en)	arrangement
die Zusammenfassung (en)	summary
die Ankündigung (en)	announcement, introduction
die Requisite (n)	prop
abschließen	conclude
die Dauer *(no pl.)*	length
übersichtlich	clearly-organized
thematische Gliederung	arrangement of topics; plan

Vorbereitung der Präsentation

Beginn	Mittelteil	Ende	Fragezeit
Aufmerksamkeit d. Publikums gewinnen;	klare Aufteilung d. Informationen;	Zusammenfassung d. wichtigsten Punkte;	während/am Ende d. Vortrags
Ankündigung d. Themas, Dauer;	Requisiten zur Illustration;	Vortrag mit etwas Interessantem abschließen;	Zeit geben zum Fragen formulieren;
Möglichkeit zu Fragen;	Timing;		Zuhörer beteiligen;
klare/einfache Übersicht d. thematischen Gliederung;			beim Thema bleiben;

Durchführung der Präsentation

Technische Vorbereitung	Wichtige Tips
Hand-out, Film, Dias, Bilder, Mikros, Modelle, Tageslichtprojektor, Diaprojektor, Leinwand, Steckdosen, Raumverdunklung, richtige Lautstärke;	Notizen auf Karteikarten; nicht ablesen; richtige Lautstärke d. Stimme; Arrangement d. Raumes; üben Sie vorher!

Glossar – Durchführung

der Tip (s)	advice
das Dia (s)	slide
der Tageslichtprojektor (en)	overhead projector
die Lautstärke (n)	volume (of sound)
die Leinwand (¨e)	screen
die Steckdose (n)	socket
die Raumverdunklung (en)	black out (of room)

Stichwortkarten (cue cards)

Einige besondere Tips zur Präsentation:

Benutzen Sie Karteikarten mittlerer Größe (DIN A6), um den Text und/oder die Stichworte aufzuschreiben. Numerieren Sie diese, z.B. von 1 bis 15 oben links in der Ecke. Die Rückseite lassen Sie frei. Benutzen Sie keine großen DIN A4 Blätter, weil es dann aussieht, als würden Sie alles vorlesen, und häufig fallen die Blätter auch zu Boden. Schreiben Sie den Text so groß, daß sie ihn nicht vor die Nase zu halten brauchen. Unterstreichen Sie Worte, die Sie betonen wollen. Rahmen Sie Worte ein, die Sie auf den Tageslichtprojektor schreiben wollen oder geschrieben haben. Dazu können Sie natürlich auch verschiedenfarbige Leuchtmarker benutzen.

Bei schwierigen Worten schreiben Sie sich die Aussprache in Klammern dahinter oder machen Sie einen Bleistiftstrich für die Betonung. Auf der leeren Rückseite der Karteikarten haben Sie Platz, um Zusatzinformationen zu notieren, die bei Fragen während und auch nach dem Vortrag verwendet werden können. Dies können Adressen, weitere Produkte, Kunden, Statistiken, Daten und Jahreszahlen u.s.w. sein, vielleicht sogar ein Exkurs oder eine kleine witzige Geschichte.

Glossar

die Rückseite (n)	the flip side
der Boden (¨)	floor
unterstreichen	underline
betonen	stress, emphasize
einrahmen	frame
verschiedenfarbig	multi-coloured
der Leuchtmarker (—)	highlighter pen
die Aussprache (en)	pronunciation
die Klammer (n)	brackets
der Bleistiftstrich (e)	pencil line
die Betonung (en)	stress, emphasis
leer	empty

Exercise 14.11

Stellen Sie sechs Karten für eine Präsentation des Body Shops mit Hilfe der folgenden Übung zusammen!

1
Vorstellen
Fragen am Ende

2
Geruch
Naturprodukt

3
Kräuterspezialisten u. Chemiker

4
Verpackung
Konkurrenz

5
Gründerin
ökolog. u. ethisch

6
100 Filialen in GB

Wichtige Begriffe aus diesem Kapitel

1 Substantive (nouns)

deutsch	*englisch*

2 Verben + Kasus (verbs + case)

deutsch	*englisch*

3 Wichtige Redewendungen (idiomatic phrases)

deutsch	*englisch*

4 Notizen

Unit 15

Werbung
Advertising

You will find an introduction to the language and terminology of marketing and advertising as well as a wide range of information on advertising in Germany. Apart from many vocabulary exercises and our suggestions on how to express satisfaction you will revise the passive voice in the present tense, prepositions which take the genitive and dative case and useful adjectives which end in *-bar* and *-fähig*.

Werbung

Werbung verbilligt die Ware

Werbung – wenn sie marktgerecht betrieben wird – fördert die Nachfrage, Nachfrage schafft höhere Produktion, höhere Produktion schafft niedrigere Preise. Denn je mehr man produziert, desto rationeller und billiger kann man produzieren. Es ist daher kaum verwunderlich, daß ein Arbeiter in der Bundesrepublik, der 1950 etwa zwei Monatseinkommen für die Anschaffung eines Kühlschranks aufwenden mußte, heute nur noch zwei Wochenlöhne dafür braucht.

Ließe man die Werbung weg, verringerte sich auch der Verkauf der Ware. Und die Herstellungskosten auf weniger Produkte verteilt, würde bedeuten: höhere Preise pro Stück.

Was wird zum Beispiel mit einer ganzseitigen Vierfarbanzeige erreicht? Kontakt zu vielen Millionen Verbrauchern – und pro Kontakt weniger als 1 Pfennig.

Die gesamten Werbeaufwendungen für Fernsehwerbung, Anzeigen, Rundfunkwerbung und Plakate haben sich in allen entwickelten Ländern schon seit vielen Jahren auf zwischen 0,4 und 1,1 Prozent eingependelt.

Werbung verbessert Produkte

Die Erfahrung zeigt: In einer freien Wirtschaft wirkt nichts stimulierender, als wenn zwei Unternehmen mit zwei gleich guten Produkten auf dem

Markt sind – über die sie letztlich auch in der Werbung nur das gleiche sagen können. Jedes Unternehmen, das wirbt, möchte die besseren Argumente in seiner Werbung haben. Und das geht nur, wenn es die besseren Produkte hat.

So ist jede Werbung auch jedesmal eine Herausforderung an die Konkurrenz, möglichst besser, möglichst konkurrenzfähiger zu sein.

Glossar

marktgerecht	appropriate for the market
rationell	efficient, economical
daher	therefore
kaum	hardly
verwunderlich	surprising
die Anschaffung (en)	purchase
der Verbraucher (—)	consumer
die Herausforderung (en)	challenge
konkurrenzfähig	competitive

Exercise 15.1

Suchen Sie die deutschen Entsprechungen aus dem Text!

1 reduce the price of goods — Waren verbilligen
2 have a stimulating effect ______
3 distribute production costs ______
4 increase demand ______
5 advertise ______
6 create lower prices ______
7 advertising expenses are levelling out ______
8 spend a month's salary ______
9 sales are decreasing ______

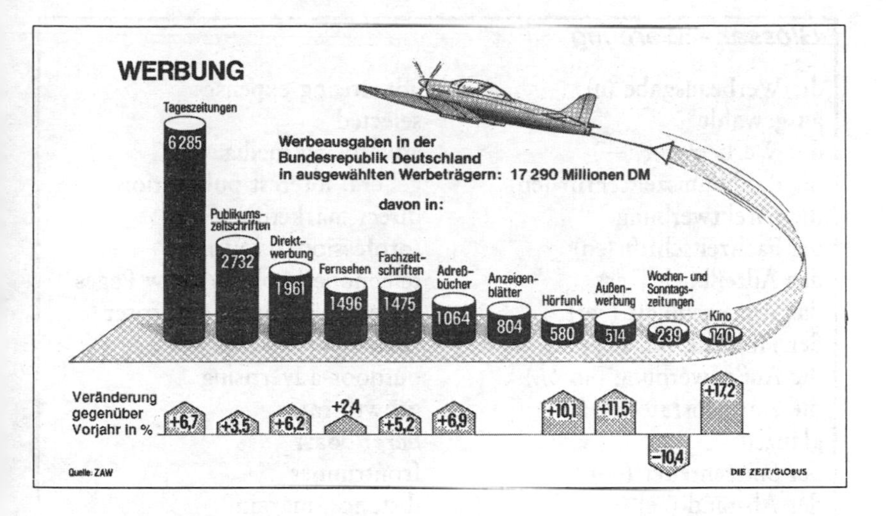

Exercise 15.2

Setzen Sie die Wörter aus dem Schüttelkasten in den Text zum Diagramm ein!

Statistik	Werbegelder	entfielen	kräftigen	Umsatz
privaten TV-Sender	Spitzenreiter	Kinowerbung		

Wachsende Werbung

Mit meist __________ Zuwachsraten konnten im vergangenen Jahr die Werbeträger der Bundesrepublik glänzen. __________ blieben mit deutlichem Abstand die Tageszeitungen. Am kräftigsten zugelegt hat die __________. Erstmals berücksichtigt wurden in der __________ des Zentralausschusses der Werbewirtschaft die Anzeigenblätter. Mit einem __________ von über 800 Millionen Mark kamen sie gleich auf Platz sieben. 530 Millionen davon __________ auf Anzeigenblätter, die von Zeitungsverlagen herausgegeben werden, 270 Millionen auf unabhängige Blätter. Die neuen Medien haben bisher keine Verschiebung der __________ bewirkt. Der Anteil der __________ an der Fernsehwerbung hat im vergangenen Jahr 2,4 Prozent betragen. 97,6 Prozent blieben bei den öffentlich-rechtlichen Anstalten.

Glossar – Werbung

die Werbeausgabe (n)	advertising expenses
ausgewählt	selected
der Werbeträger (—)	advertising media
die Publikumszeitschrift (en)	general interest publication
die Direktwerbung	direct marketing
die Fachzeitschrift (en)	(professional) journal
das Adreßbuch (¨er)	telephone book, 'Yellow Pages'
das Anzeigenblatt (¨er)	advertising paper, advertiser
der Hörfunk (*no pl.*)	radio
die Außenwerbung (*no pl.*)	outdoor advertising
die Zuwachsrate (n)	growth rate
glänzen	*here:* boast
der Spitzenreiter (—)	frontrunner
der Abstand (¨e)	distance, margin
zulegen	increase
berücksichtigen	take into consideration
entfallen	*here:* belong to
die Verschiebung (en)	change, movement
bewirken	bring out
betragen	amount to

Zu Ihrer Information

Die wichtigsten Werbemittel sind:

akustische Werbemittel:
1 der Hörfunkspot

audiovisuelle Werbemittel:
2 der Fernsehspot
3 der Werbefilm

visuelle Werbemittel:
4 die Leuchtschrift
5 der Prospekt
6 das Plakat
7 der Werbebrief
8 das Flugblatt
9 die Tragetasche

10 das Schaufenster
11 der Aufkleber
12 die Zeitungsanzeige
13 die Schwarz-Weiß-Anzeige
14 die Vierfarbanzeige

Exercise 15.3

Translate the terms of the information above

Beispiel:

1 radio commercial
2 ______
3 ______
4 ______
5 ______
6 ______
7 ______
8 ______
9 ______
10 ______
11 ______
12 ______
13 ______
14 ______

Exercise 15.4

Ergänzen Sie!

Eine Zeitungsanzeige *ist halbseitig.*

______ (2 pages)
______ (full-pagc)
______ (several pages)
______ (a quarter of a page)
______ (double-page)

Oder sie ist *einspaltig.*

______ (several columns)
______ (three columns)

Der Anzeigentext ist *zweizeilig*.

________________________ (twelve lines)

________________________ (several lines)

Das Anzeigenbild ist *kleinformatig*.

________________________ (large format)

Glossar – Berlin ist . . .

kontaktfreudig	sociable
das Verbreitungsgebiet (e)	distribution area, range
deckungsgleich	congruent
einmalig	unique
kostengünstig	inexpensive, value for money
gezielt	well-aimed, carefully directed
differenziert	differentiated, varied
aufmerksam machen	draw attention
vorhanden	existent, existing
vergleichbar	comparable
Gesamtmarktbedingungen	general market conditions
sämtlich	all, complete
die Gattung (en)	genre
vertreten sein	be represented
durchspielen	play through, rehearse
die Reichweite (n)	range
ein Programm fahren	run a programme
die Überlegung (en)	consideration, thought
eingeschlossen	including
erreichen	reach
der Kern (e)	core
bilden	form
die Besonderheit (en)	peculiarity, speciality
die Werktagsausgabe (n)	weekday edition
wobei	*here:* while
stattfinden	take place, happen
das Anzeigenblatt (¨er)	free paper, advertising paper
die Bezirkszeitung (en)	regional paper
die Stadtillustrierte (n)	city magazine

BERLIN IST...

kontaktfreudig

Die Medien. *Das Verbreitungsgebiet der Medien in Berlin ist deckungsgleich mit dem Markt. Das ist einmalig. Hier können Sie besonders kostengünstig, gezielt und differenziert auf Ihr Produkt aufmerksam machen und es unter realen Marktbedingungen testen.*

Die vorhandene Medienstruktur ist vergleichbar mit der des Gesamtmarktes Bundesgebiet – wichtig für die Simulation der Gesamtmarktbedingungen.

Im Testmarkt Berlin sind sämtliche Media-Gattungen vertreten. Damit hat man die Möglichkeiten, Multi-Media-Variationen durchzuspielen und schließlich ein optimales Media-Mix-Programm mit hohen Reichweiten und Kontaktchancen zu fahren.

Außer dem klassischen Mediaangebot können in Berlin auch die Neuen Medien mit in die Überlegungen zur Media-Konzeption eingeschlossen werden.

Print-Medien

Es gibt wohl keine Zielgruppe, die nicht über das fein differenzierte Berliner Print-Medienangebot zu erreichen ist. Den Kern des Berliner Zeitungsangebots bilden 5 regionale und 2 überregionale Titel mit spezieller Berlin-Ausgabe.

Die Kaufzeitungen BILD BERLIN und BZ, die Abo-Zeitungen BERLINER MORGENPOST, DER TAGESSPIEGEL, VOLKSBLATT und die beiden überregionalen WELT AM SONNTAG und die TAZ.

Eine Besonderheit gibt es in Berlin bei den Wochenend und Werktagsausgaben der Kauf- und Abo-Zeitungen:

Die Kaufzeitungen erscheinen von Montag bis Sonnabend, wobei die Sonnabend-Ausgabe eine normale Werktagsausgabe ist und montags die höchste Auflage erzielt wird. Die stärkste Anzeigenbelegung findet hier donnerstags und zum Wochenende hin statt.

Abo-Zeitungen erscheinen hier von Dienstag bis Sonntag.

Neben den 7 großen Titeln erscheint in Berlin noch eine ganze Reihe wöchentlicher und periodischer Publikationen:

Anzeigenblätter, Bezirkszeitungen und zwei Stadtillustrierte im 14-Tage-Erscheinungsintervall.

In Berlin selbst gibt es die Möglichkeit, überregionale Zeitschriften für Nielsen V teilzubelegen, ebenso wie überregionale Zeitschriften und Kombis die Möglichkeit der Teilbelegung für den Berliner Lesemarkt bieten.

Film/Funk/Fernsehen

Im FFF-Bereich kommt die Berliner Situation Testmarkt-Kunden besonders entgegen. Hier lassen sich Botschaften ohne geographische Streuverluste über die regionalen Funk- und Fernsehprogramme an den Konsumenten bringen.

In der Testmarkt-Praxis ein erfreulicher Kostenspar-Faktor.

Der Kinobesuch wird in der Filmstadt Berlin natürlich groß geschrieben. Premieren-, Bezirks- und Off-Kinos wenden sich dabei mit ihren Programmen an die unterschiedlichsten Zielgruppen. Effekt: treffsichere Ansprachemöglichkeiten auch bei Kinowerbung.

Funkwerbung erzielt im SFB-Hörfunk hohe Reichweiten und bietet die Möglichkeit, durch differenzierte Programmgestaltung auf zwei zielgruppenorientierten Programmen alle Altersgruppen zu erreichen.

In den besonders hörintensiven und für Information und Werbung wichtigen Morgenstunden von 6 bis 10 Uhr sendet SFB 1 Streuwerbung und SFB 2 bringt von 6.55 bis 18.00 Uhr 5-Minuten-Werbeblöcke zur vollen Stunde.

Private Anbieter, die auf zwei terrestrischen UKW-Frequenzen senden, sind Radio Hundert,6, Radio 100 und Radio in Berlin.

Außenwerbung

In Berlin sind alle Formen der Außenwerbung vertreten. Durch die Vermeidung der Streuverluste und der guten Selektierungsmöglichkeiten ist ein erfolgreicher Einsatz innerhalb des Werbemix möglich.

Der allgemeine Plakatanschlag kann in den Verwaltungsbezirken bzw. in den Verkehrsbereichen gezielt eingesetzt werden. Die Möglichkeiten bei der Großfläche und der Ganzsäule sind bis zum Umfeld des „Point of sale" gegeben.

Bus, U-Bahn und S-Bahn decken die gesamte Palette der Verkehrsmittelwerbung ab und können auch bei kurzfristigem Einsatz Testmarkt-Aktivitäten unterstützen.

Der Außenwerbung kann sich niemand entziehen, da sie, bewußt oder unbewußt wahrgenommen, ständig präsent ist.

Markt–Info–Berlin

das Erscheinungsintervall (e)	publication interval
teilbelegen	*here:* cover partially
entgegenkommen	accommodate
die Botschaft (en)	*here:* message
der Streuverlust (e)	loss through wide coverage
treffsicher	accurate, unerring
die Ansprachemöglichkeit (en)	address, contact
hörintensiv	with a high audience rating
die Streuwerbung (en)	wide coverage advertisement
der Werbeblock (¨e)	advertising block
die Vermeidung (en)	avoidance
der Einsatz (¨e)	*here:* use
der Plakatanschlag (¨e)	poster display
einsetzen	*here:* use
der Verwaltungsbezirk (e)	administrative district
die Großfläche (n)	large-sized poster/bill board
die Ganzsäule (n)	advertising pillar
das Umfeld (er)	environment
abdecken	cover
gesamt	total
kurzfristig	short-term
sich entziehen	evade, defy
bewußt	conscious
wahrnehmen	notice, perceive
ständig	constant, perpetual

Exercise 15.5

Fragen zum Text

1 Warum läßt sich anhand von Berlin der Gesamtmarkt des Bundesgebiets simulieren?
2 Welche Besonderheiten gibt es bei den Print-Medien in Berlin?
3 Wann findet die stärkste Anzeigenbelegung bei den Kaufzeitungen statt?
4 Wie oft erscheinen die Stadtillustrierten?
5 Warum ist die Kino-Werbung eine treffsichere Ansprachemöglichkeit?
6 Wann bringt der SFB 2 seine 5-Minuten-Werbeblöcke?
7 Warum ist der Einsatz von Außenwerbung in Berlin erfolgreich?
8 Welche Möglichkeiten der Verkehrswerbung stehen zur Verfügung?

Werbeberufe

Exercise 15.6

Wer macht was in einer Werbeagentur? Setzen Sie ein!

Fotograf	Texter	Creative Director	Termin-Koordinator
Werbeassistent	Art Buyer	Grafiker	Mediaplaner

Werbeberuf	Aufgabenbereich
	Mithilfe bei der Planung und Durchführung von Werbemaßnahmen
	Verantwortlich für die Gestaltung der Werbung in einer Werbeagentur, gestalterischer Leiter und Koordinator der verschiedenen Gestalter und Gestaltungsgruppen
	Visuelle Gestaltung von Werbemitteln auf der Grundlage einer festgelegten Gestaltungskonzeption
	Textgestaltung für unterschiedliche Werbemittel
	Beschaffung und Einkauf von Zeichnungen und Fotos externer freier Mitarbeiter
	Fotografische Durchführung nach Aufgabenstellung, Fotos für Werbemittel
Mediaplaner	Prüfung, Bewertung und Auswahl von Werbeträgern für die Durchführung von werblichen Maßnahmen
	Fixierung und Koordination aller Termine beim Ablauf von Werbemaßnahmen

Glossar – Werbeberuf

der Termin (e)	appointment
die Gestaltung (en)	*here:* overall organization
der gestalterische Leiter (—)	creative director
der Gestalter (—)	designer
die Gestaltung (en)	design
das Werbemittel (—)	advertising medium
festgelegt	assigned, fixed
die Gestaltungskonzeption (—)	creative plan
die Beschaffung (en)	acquisition
der freie Mitarbeiter	free-lance contributor/employee

Stellen- und Kostenübersicht

Großflächen

1.050 Flächen auf insgesamt 120 U-Bahnhöfen	
Preis pro Tag und Fläche	DM 17,–
6.253 Flächen im gesamten Stadtgebiet	
Preis pro Tag und Fläche	
(Belegung nach Dekaden)	DM 8,90

Ganzstellen

123 Säulen beleuchtet	
Preis pro Tag und Säule	DM 27,–
288 Säulen unbeleuchtet	
Preis pro Tag und Säule	DM 21,–
(Belegung nach Dekaden in Gruppen à 25 Säulen)	

Markt–Info–Berlin

die Aufgabenstellung (en)	task
die Prüfung (en)	test, analysis
die Bewertung (en)	assessment
der Werbeträger (—)	advertising medium/vehicle
die Maßnahme (n)	*here:* campaign
der Ablauf (Abläufe)	course, run

Glossar

die Stelle (n)	*here:* location
die Übersicht (en)	*here:* list, table, chart
Großfläche (n)	*here:* large bill boards
insgesamt	all together
die Belegung (en)	booking
die Dekade (n)	series of ten
die Ganzstelle (n)	free-standing bill board
die Säule (n)	advertising pillar
beleuchtet	illuminated

Einschaltpreise des SFB-Werbefernsehens

SFB	7 Sek.* in DM	15 Sek. in DM	20 Sek. in DM	25 Sek. in DM	30 Sek in DM	35 Sek. in DM	45 Sek. in DM	60 Sek. in DM
März/April Oktober/November	1.690	3.610	4.810	5.974	7.170	8.198	10.320	13.390
Februar/Mai/September	1.470	3.200	4.240	5.266	6.330	7.237	9.140	11.850
Januar/Juni/Dezember	1.270	2.740	3.640	4.520	5.450	6.231	7.840	10.180
Juli/August	1.110	2.370	3.170	3.937	4.710	5.385	6.790	8.830
Durchschnittspreis	1.385	2.980	3.965	4.924	5.915	6.762	8.522	11.062

(Über 60 Sek. nach Vereinbarung)
*pro Werbeblock werden maximal zwei 7-Sek.-Spots ausgestrahlt.
Alle Preise zuzüglich Mehrwertsteuer.

Quelle: Preisliste des Senders

Glossar – Einschaltpreise

der Einschaltpreis (e)	price of advertising time
SFB = Sender Freies Berlin	
der Durchschnitt (e)	average
nach Vereinbarung	by agreement
ausstrahlen	broadcast
zuzüglich	plus

Werbefernsehzeiten	
Montag bis Freitag 18.17 - 18.25 Werbeblock I 18.45 - 18.50 Werbeblock II 19.15 - 19.22 Werbeblock III 19.49 - 19.58 Werbeblock IV Samstag 17.50 - 17.55 Werbeblock I 18.55 - 19.00 Werbeblock II 19.17 - 19.22 Werbeblock III 19.49 - 19.58 Werbeblock IV	Quelle: Angaben des Senders

Glossar

die Werbefernsehzeit (en)	television advertising time
der Werbeblock (¨e)	advertising block

Exercise 15.7

1 Warum kosten manche Großflächen DM 17,– pro Tag und andere nur DM 8,90?
2 Warum gibt es bei Säulen einen Preisunterschied?
3 In welchen Monaten sind die Einschaltpreise des Werbefernsehens am günstigsten?
4 Wieviel kostet ein 45-Sek.-Spot im April?
5 Wie lang ist der längste Werbeblock im Fernsehen während der Woche?

Ein neuer Kunde

Gespräch zwischen dem Creative Director, dem Termin-Koordinator und der Mediaplanerin.

CD: Vielen Dank für Ihre Arbeit bislang. Alles hat ja ausgezeichnet geklappt. Dem Kunden hat unser Projekt sehr zugesagt. Er wünscht nun, daß sein Produkt in kürzester Zeit von möglichst vielen Personen gekannt wird, da er es zur gleichen Zeit massiv in den Markt einführt, um der Konkurrenz, die im Moment Winterschlaf hält, einen Schock zu verursachen.

MP: Welche Werbeträger stellt sich denn der Kunde vor, oder haben wir da etwa freie Hand?

CD: Er dachte dabei an Hörfunk und Regionalfernsehen. Außerdem habe ich vorgeschlagen, die Aktion mit Plakatwerbung in allen U- und S-Bahnhöfen und auf Bussen zu begleiten.

TK: Ich schlage vor, daß wir erst die Fernseh- und Hörfunkaktion anlaufen lassen, bevor wir mit der Außenwerbung beginnen.

CD: Lassen Sie uns nicht vergessen, daß der Kunde uns nur ein begrenztes Budget eingeräumt hat. Wir haben die Entscheidung getroffen, völlig auf Zeitungswerbung zu verzichten. Dadurch können wir es uns leisten, stärker in Radio und Fernsehen zu investieren. Die Außenwerbung wird nur unterstützende Funktion haben.

TK: Sehen Sie sich mal die Einschaltpreise für das Werbefernsehen an! Sollten wir nicht vielleicht angesichts der hohen Kosten die Kampagne von März auf Mai verlegen?

MP: Das kommt gar nicht in Frage. Wir müssen frühzeitig mit der Kampagne beginnen, und wir wollen nicht in den Urlaubsmonaten unsere Werbung im Fernsehen haben. Außerdem sollten wir Werbeblock IV ins Auge fassen, der liegt direkt vor dem Abendprogramm.

CD: Damit bin ich einverstanden. Zu welcher Sendezeit sollten wir denn die Hörfunkreklame laufen lassen?

MP: Hier möchte ich mich zugunsten einer breiten Streuung über den ganzen Tag verteilt aussprechen. Ich glaube, daß massive Werbung nur zu einem bestimmten Zeitpunkt nicht zu unserem Produkt paßt.

TK: Hinsichtlich der knappen Zeit werde ich schon mal mit den Hörfunksendern und auch mit dem SFB-Fernsehen Kontakt aufnehmen. Wir können dann eine genaue Kalkulation aufstellen. Vielleicht müssen wir ja von unserem Plan einige Abstriche machen.

CD: Ich werde mich mit den Grafikern und Textern zusammensetzen und Sie über die Ergebnisse dann informieren. Das wäre dann alles für heute. Damit können wir nun mehr als zufrieden sein.

Glossar

es hat gut geklappt	it went well
zusagen	*here:* please, like
Winterschlaf halten	hibernate
verursachen	*here:* to cause
sich vorstellen	imagine
freie Hand haben	have a free hand
außerdem	besides, in addition
begleiten	accompany
anlaufen	start
begrenzt	limited
ein Budget einräumen	allocate a budget
völlig	completely

verzichten	give up, abandon
sich leisten	afford
unterstützend	supporting
angesichts	in the face of, in view of
verlegen	postpone
in Frage kommen	be possible
frühzeitig	in time
ins Auge fassen	envisage, plan
zugunsten	for the benefit of, in favour of
verteilt	distributed
sich aussprechen für	declare oneself for, advocate
passen zu	match
hinsichtlich	with regard to
knapp	*here*: short
die Kalkulation aufstellen	make up, draw up a calculation
Abstriche machen	make cuts, moderate one's demands
das Ergebnis (Ergebnisse)	result

Exercise 15.8

Setzen Sie Worte aus dem obigen Dialog sinngemäß ein!

1 Da unser Budget klein ist, müssen wir leider an unserem früheren Plan einige ___________ machen.
2 Lassen Sie uns den Termin auf übernächste Woche ___________!
3 Für die Zeichnungen ist unser ___________ verantwortlich.
4 Wir können nicht noch länger über das Pro und Kontra diskutieren, wir müssen jetzt eine ___________ ___________.
5 Hat uns der Kunde bestimmte Auflagen gemacht, oder haben wir vollständig ___________ ___________?
6 Wir sollten in den U- und S-Bahnhöfen massiv ___________ machen.
7 Ist fünf vor acht die ___________ unseres Hörfunkspots?
8 Der Art Buyer hat den Einkauf von Fotos der französischen Agentur ___________ ___________ gefaßt.
9 In Deutschland wird Werbung häufig in ___________ ausgestrahlt.
10 Der neue Kunde hat uns ein überaus großzügiges Budget ___________.
11 Wann dachten Sie, daß wir die Fernsehaktion ___________ lassen?

12 Eine breite __________ der Werbung ist notwendig, wenn man viele Konsumenten erreichen will.

Glossar – Direktwerbung

überhaupt	anyway
die Direktwerbung *(no pl.)*	direct marketing
kurzgefaßt	in short, briefly
der Sammelbegriff (e)	general term
vervielfältigen	copy, reproduce
drucken	print
auswählen	select
der Empfänger (—)	recipient, addressee
versenden	send, dispatch
adressieren	address
die Botschaft (en)	message
die Wurfsendung (en)	unaddressed printed papers, house-to-house delivery of advertising matter

Was ist überhaupt Direktwerbung?

Kurzgefaßt könnte man es so definieren: Direktwerbung bezeichnet als Sammelbegriff solche Werbung, die geschrieben, vervielfältigt oder gedruckt direkt an ausgewählte Empfänger versendet wird. Also adressierte oder nicht adressierte Werbebotschaften von der Karte über den Katalog bis zur Wurfsendung. Und schließlich gehören auch Warensendungen dazu mit Warenproben und Werbegeschenken, die ebenfalls per Post oder als unadressierte Wurfsendung an ausgewählte Personen oder Personengruppen gerichtet sind. Mit anderen Worten: Es ist die Werbung im Briefkasten.

Und welche Vorteile bietet sie?

Direktwerbung ist persönlicher als jeder andere Werbeträger. Sie ermöglicht bei ausgewählten Personen bzw. Personengruppen eine individuelle Ansprache, die Ihre Werbung erfolgreicher macht und Streuverluste vermeidet. Sie können — unabhängig von Buchungszeiten und Redaktionsschlußterminen — aktuell und flexibel auf jede Marktsituation reagieren. Denn die Post kommt tagtäglich ins Haus.

Was die Forscher über Direktwerbung herausfanden.

Im Auftrag der Deutschen Bundespost wurde von der BBE Unternehmensberatung, Köln, in Zusammenarbeit mit der Werbeagentur Lintas:Hamburg eine Untersuchung durchgeführt, die verläßliche Antworten auf Fragen des Werbeeinsatzes im Bereich der Direktwerbung gibt. Es wurden 505 Einzelhändler in insgesamt 10 verschiedenen Branchen befragt. Hier die wichtigsten Ergebnisse:

1. Je mehr Erfahrung mit Direktwerbung vorlag, desto mehr Bedeutung gaben die Unternehmen dem Einsatz von Direktwerbung, weil sie sich vom Erfolg bereits überzeugen konnten.

2. In einem Punkt sind sich alle einig: Stammkunden sind ein wertvolles Kapital, und zur Kundenpflege eignet sich am besten der adressierte Werbebrief mit persönlicher Anrede. Besonders für hochwertige und erklärungsbedürftige Waren wird der adressierte Werbebrief bevorzugt. Als Anlässe werden überproportional häufig Aktionen, Neuheiten, Geschäftsjubiläen und der Saison-Beginn genannt.

3. Voraussetzung für erfolgreiche Direktwerbung ist ein gutes Adressen-Material. Denn der adressierte Werbebrief kann nur dann effektiv sein, wenn keine hohen Fehlerquoten bei den Adressen vorliegen. Das bedingt auch eine gut geführte Kundenkartei. Bei Unternehmen, die eine Kundenkartei besitzen — insbesondere bei denen, die bereits Direktwerbung bevorzugen — fanden folgende Argumente volle Zustimmung:

- Werbebriefe erhöhen die Bindung an das Geschäft, sind insbesondere zur Stammkundenpflege geeignet
- keine Streuverluste
- gezielte, persönliche Kundenansprache
- Selektionsmöglichkeit bestimmter Kundengruppen
- Berücksichtigung individueller Bedürfnisse der Kunden
- Kontakt in der häuslichen Atmosphäre, unabhängig von Konkurrenzangeboten
- seltene Kunden werden häufiger ins Geschäft geholt
- bestimmte Abteilungen/Bereiche können forciert werden
- ein wesentlicher Faktor zur Imagepflege

Und was sagt der Verbraucher zur Direktwerbung?

Man wird auf Angebote aufmerksam gemacht	70 %
Man kann das Angebot in Ruhe studieren	63 %
Man kann dadurch Neuigkeiten kennenlernen	40 %
Man kann das Angebot aufheben und hat es jederzeit	35 %
Man kann selbst aktiv darauf reagieren	33 %
Das Angebot kann ausführlicher als bei der sonstigen Werbung beschrieben werden	25 %

Deutsche Bundespost

die Warensendung (en)	postal product delivery
die Warenprobe (n)	sample, specimen
das Werbegeschenk (e)	advertising gift
der Briefkasten (¨)	letter box
ermöglichen	make possible
die Ansprache (n)	*here:* address
erfolgreich	successful
vermeiden	avoid
die Buchungszeit (en)	booking time
der Redaktionsschlußtermin (e)	printing deadline
aktuell	up-to-date
tagtäglich	daily
der Forscher (—)	researcher
herausfinden	find out
im Auftrag	by order, on behalf of
die Unternehmensberatung (en)	consultancy
dic Untersuchung (en)	research
durchführen	carry out
verläßlich	reliable
der Werbeeinsatz (¨e)	advertising campaign
der Einzelhändler (—)	retailer
je . . . desto . . .	the . . . the . . .
vorliegen	*here:* exist
die Bedeutung (en)	importance
der Einsatz (¨e)	*here:* use, application
sich überzeugen von	convince, satisfy oneself of
sich einig sein	be unanimous
der Stammkunde (n)	regular customer
wertvoll	valuable
die Kundenpflege *(no pl.)*	customer service
hochwertig	of high quality
erklärungsbedürftig	in need of explanation
bevorzugen	prefer
der Anlaß (Anlässe)	occasion
überproportional	excessive, out of all proportion
die Aktion (en)	campaign
die Neuheit (en)	novelty
das Geschäftsjubiläum (-jubiläen)	business anniversary
die Fehlerquote (n)	error quotient, rate
bedingen	*here:* require

gut geführt	*here:* well kept
die Kundenkartei (en)	customer files
die Zustimmung (en)	approval
die Bindung (en)	bond, commitment
bestimmt	certain
die Berücksichtigung (en)	regard, consideration
selten	rare, infrequent
forcieren	push, emphasize
wesentlich	important
die Imagepflege *(no pl.)*	image-building
aufmerksam machen	draw attention
aufheben	keep
jederzeit	at all times, always
ausführlich	extensive

Exercise 15.9

Nachdem Sie den obigen Text gelesen haben, können Sie nun Sätze bilden.

1 ausgewählte / Man / an / schicken. / kann / Personen / Wurfsendungen / unadressierte
2 per / lassen / Werbegeschenke / versenden. / sich / Post / ebenfalls
3 werden / Durch / Streuverluste / Direktwerbung / vermieden.
4 auf / reagieren / daß / jede / kann. / Der / Marktsituation / Vorteil / ist, / man
5 macht / individuelle / erfolgreicher. / Ihre / Ansprache / Werbung / Die
6 unabhängig / Redaktionsschlußterminen / werden. / Ausgewählte / von / können / Personengruppen / erreicht
7 505 / Untersuchung / Bei / befragt. / wurden / Einzelhändler / einer
8 positiver / eingestellt. / Je mehr Erfahrung / Direktwerbung / desto / waren / Einzelhändler / mit / die / hatten, / sie
9 Eine / vermeidet / geführte / Kundenkartei / Fehlerquoten. / gut
10 Vorteil / daß / Geschäft / können. / Der / ins / der / geholt / Direktwerbung / werden / ist, / seltene / Kunden
11 Stammkunden / einig, / wertvolles / Wir / daß / sind. / ein / uns / sind / Kapital
12 eignet / persönliche / Stammkunden. / besonders / sich / Die / für / Anrede / gut

Exercise 15.10

Stimmen folgende Aussagen mit dem Text „Was die Forscher über Direktwerbung herausfanden" überein?

		richtig	falsch
1	Einzelhändler mit Erfahrung in der Direktwerbung äußerten sich vorsichtig über ihren Erfolg.	☐	☐
2	Die persönliche Anrede eignet sich für alle Kundengruppen.	☐	☐
3	Geschäftsjubiläen werden nur selten als Anlaß für Werbebriefe genommen.	☐	☐
4	Eine gut geführte Adressenkartei vermeidet hohe Fehlerquoten.	☐	☐
5	Stammkunden werden durch Werbebriefe an das Geschäft gebunden.	☐	☐
6	Individuelle Kundenbedürfnisse lassen sich nicht berücksichtigen.	☐	☐
7	Durch den Werbebrief erreicht man den Kunden unabhängig von Angeboten der Konkurrenz.	☐	☐
8	Bestimmte Abteilungen müssen zur Direktwerbung gezwungen werden.	☐	☐

Exercise 15.11

Formen Sie die folgenden Sätze ins Passiv um!

Beispiel:
63% der Verbraucher sagen, daß man das Angebot in Ruhe studieren kann.
63% der Verbraucher sagen, daß das Angebot in Ruhe studiert werden kann.

1 35% sagen, daß man das Angebot aufheben kann.
2 40% sagen, daß man dadurch Neuigkeiten kennenlernen kann.
3 25% sagen, daß man das Angebot ausführlicher beschreiben kann.
4 63% sagen, daß man das Angebot in Ruhe studieren kann.
5 33% sagen, daß man auf das Angebot aktiv reagieren kann.

Ein Beispiel für Direktwerbung

FRIEDLÄNDER
Geschäftsleitung

Herrn
Edgar Hosenträger
Kleinmarschierstraße 52
7400 Tübingen

26.8.19..

Sehr geehrter Herr Hosenträger,

Friedländer ist Freude am guten Stil!

Unsere Herrenausstattungen unterliegen keinen kurzlebigen modischen Tendenzen, sondern sind Ausdruck stilistisch gültiger Kleiderkultur.

Friedländer, das ist die Freude an vollendeter Ästhetik!

Möge Ihnen dieser Katalog unseren Leitgedanken veranschaulichen und Ihnen unsere Freude am guten Stil vermitteln.

Gerne präsentieren wir Ihnen die neue Herbst/Winter-Kollektion in der gepflegten Atmosphäre eines unserer Friedländer-Häuser. Insgesamt 18 ausgesuchte Standorte stehen Ihnen in Deutschland zur Verfügung. Eine detaillierte Aufstellung der Friedländer-Adressen entnehmen Sie bitte dem Katalog.

Sie sind herzlich eingeladen! Unsere Mitarbeiter freuen sich auf Ihren Besuch und beraten Sie gerne in allen Kleidungsfragen.

Mit freundlichen Grüßen

Glossar

die Herrenausstattung (en)	menswear
unterliegen	*here:* liable to, subject to
kurzlebig	short-lived
modisch	fashionable
der Ausdruck (¨e)	expression
gültig	valid
vollendet	perfect
der Leitgedanke (n)	motto, slogan
veranschaulichen	illustrate
vermitteln	convey
gepflegt	cultivated, refined
der Standort (e)	location
zur Verfügung stehen	be available
die Aufstellung (en)	listing
entnehmen	take from

Exercise 15.12

Ergänzen Sie aus dem obigen Text!

1 Modische Tendenzen sind oft ___________.
2 Sie werden ___________ unseren Produkten hoffentlich viel ___________ haben.
3 Die Atmosphäre in unseren Verkaufshäusern ist ___________.
4 Unsere Herrenbekleidung ___________ nicht dem Wechsel der Mode.
5 In unserem Katalog sind alle Adressen ___________ aufgeführt.
6 Der Katalog ___________ sehr gut unseren Stil.
7 Die Preise ___________ Sie bitte der beiliegenden Preisliste.
8 Bei einem Besuch unseres Geschäftes ___________ wir Sie individuell.

Präpositionen mit dem Genitiv

Exercise 15.13

Ordnen Sie die englische Übersetzung zu und setzen Sie die richtige Endung ein!

by means of	for the benefit of	on the strength of	below
notwithstanding / in spite of		plus	with the aid of
outside	for the sake of / because of		subject to
notwithstanding	on the occasion of		with regard to
in place of	in view of	deducting	during

1 hinsichtlich d____ Kleidungsfragen with regard to
2 während d____ Laufzeit einer Werbekampagne ____________
3 außerhalb d____ Werbeblocks ____________
4 angesichts d____ Preise ____________
5 abzüglich d____ Mehrwertsteuer ____________
6 auf Grund d____ Neuigkeiten ____________
7 anläßlich d____ Geschäftsjubiläums on the occasion of
8 an Hand d____ Katalogs ____________
9 um d____ Kunden willen ____________
10 unterhalb d____ Budgetgrenze ____________
11 vorbehaltlich d____ Änderungen von Sendezeiten subject to
12 zuzüglich d____ Nebenkosten ____________
13 zugunsten d____ Kunden ____________
14 unerachtet d____ Fehlerquote ____________
15 an Stelle d____ Graphikers ____________
16 mittels d____ Außenwerbung ____________
17 ungeachtet d____ Einwände des Terminkoordinators ____________

Exercise 15.14

Übungen zu Präpositionen mit Dativ

within	together with	contrary to	apart from
together with	in accordance with		contrary to
in accordance with	thanks to		together with

1 nebst ein____ gut geführten Kundenkartei ________________
2 abgesehen von d____ Werktagsausgabe ________________
3 dank d____ Direktwerbung ________________
4 binnen d____ nächsten zwei Wochen ________________
5 samt all____ Warenproben together with______
6 entgegen ihr____ Meinung ________________
7 gemäß d____ Textergebnis in accordance with___
8 mitsamt ein____ Werbegeschenk ________________
9 d____ Bericht zufolge ________________
10 sein____ früheren Plan zuwider ________________

Exercise 15.15

Ergänzen Sie Artikel und Präposition!

anläßlich	abgesehen von	unterhalb	gemäß
zuzüglich binnen	nebst an Stelle	zufolge	vorbehaltlich

1 Abgesehen von den Werbegeschenken stimme ich mit ihrem Plan überein.
2 ____________ ____ Preisänderung im nächsten Jahr kann ich Ihnen dieses Angebot machen.
3 ____________ ____ nächsten 2 Wochen sollte die Werbeaktion anlaufen.
4 ____________ ____ Außenwerbung sollten wir auch das Printmedienangebot ins Auge fassen.
5 Mein____ Meinung ____________ sollten wir diesen Werbeauftrag ablehnen.
6 ____________ ____ Wettbewerbsbestimmungen ist es nicht erlaubt, ein Produkt der Konkurrenz zu kritisieren.
7 ____________ ____ 10 jährigen Firmenjubiläums werden wir an unsere Stammkunden ein kleines Werbegeschenk versenden.
8 ____________ ____ DM 50 000 Grenze werden wir Ihnen leider kein Angebot machen können. Sie müssen Ihr Werbebudget erhöhen.
9 Der Preis der Außenwerbungsaktion beträgt DM 15 000 ____________ ____ MwSt.
10 Die Fotowerbung gefällt mir nicht. ________ ________ Fotos sollten wir vielleicht eher einen erklärenden Text schreiben.

Redemittel: Zufriedenheit

Das hat ja gut geklappt/funktioniert.
ziemlich gut
sehr gut
äußerst gut
bestens
ausgezeichnet
hervorragend

Das hat mir (sehr) gefallen.
zugesagt.

Das war sehr schön.
interessant.
stimulierend.
informativ.
professionell.

Das ist gut angekommen.
Damit sind wir sehr zufrieden.
Mit dem Ergebnis bin ich sehr zufrieden.
Das wäre wohl zu unser aller Zufriedenheit erledigt.
Genauso habe ich mir das vorgestellt.
Damit können wir aber mehr als zufrieden sein.
Das Problem ist/wäre damit wohl gelöst.
Das hätten wir geschafft.
Gut gemacht.

Exercise 15.16

Bilden Sie aus diesen Verben Adjektive mit der Endung *-bar*.

1 Ein Produkt ist ______________. testen
2 Die Zahlen sind ______________. vergleichen
3 Die Meinung ist ______________. vertreten
4 Die Marktbedingungen sind ______________. simulieren
5 Die Produktpalette ist noch ______________. differenzieren
6 Die Höchstauflage ist ______________. erzielen
7 Die Mittel sind ______________. anwenden

8 Das Ziel ist ________________. erreichen
9 Der Kredit ist ________________. verfügen
10 Die Ergebnisse sind ________________. überprüfen
11 Die Werbeaktion ist ________________. durchführen
12 Die Produktserie ist noch ________________. ergänzen

Exercise 15.17

Bilden Sie Adjektive mit der Endung *-fähig* aus den folgenden Substantiven.

Beispiel:

die Zahlung – zahlungsfähig

(Kein Verbindungs-*s*, wenn das Substantiv auf *-s*, *-ß*, *-z*, und *-t* endet.)

Das Produkt ist ________________ die Konkurrenz
________________ der Markt
________________ die Produktion
________________ die Verbesserung

Die Mitarbeiter sind ________________ der Kontakt
________________ die Handlung
________________ die Anpassung

Der Kunde ist ________________ die Zahlung

Die Sitzung ist ________________ der Beschluß

Die Firma ist ________________ die Weiterentwicklung
________________ der Wettbewerb
________________ die Leistung

Wichtige Begriffe aus diesem Kapitel

1 Substantive (nouns)

deutsch	*englisch*

2 Verben + Kasus (verbs + case)

deutsch	*englisch*

3 Wichtige Redewendungen (idiomatic phrases)

deutsch	*englisch*

4 Notizen

Unit 16

Messen und Ausstellungen
Trade fairs and exhibitions

The importance of Germany as a centre for trade fairs is highlighted in this chapter. You will learn about the different events and trade fair centres and their relevance for certain branches of industry. Strong emphasis is put on how to prepare a company and its staff for their participation in a trade fair. The grammar covered in this chapter concentrates on the use of conjunctions and, finally, we show you how to express doubt.

Messen

Für die Bedeutung Deutschlands als Messeplatz gibt es verschiedene Gründe. Vorteilhaft ist die besondere geographische Lage im Herzen Europas. Immer wichtiger werden in letzter Zeit die sich verstärkenden Beziehungen zu den östlichen Nachbarn. Schon im Mittelalter entstanden an den wichtigsten Handelswegen die ersten „Messen". Man kann in Deutschland also auf eine lange Tradition zurückblicken.

Auf den Messen sind nicht nur deutsche Unternehmen vertreten, 40 Prozent der Aussteller kommen aus dem Ausland. Viele reisen sogar aus Asien und Nordamerika an. Mit dem europäischen Binnenmarkt gewinnen die deutschen Messen zunehmend an Bedeutung. Europäische Unternehmer stellen hier ihre Produkte zum erstenmal vor. Oft werden Neuheiten bis zum Messebeginn zurückgehalten, um für ein Produkt die größtmögliche Aufmerksamkeit zu garantieren.

Im internationalen Vergleich geben deutsche Unternehmer einen größeren Anteil ihres Werbebudgets für eine Repräsentanz auf den Messen aus. Daher ist auch die Messeindustrie in Deutschland sehr stark entwickelt, die konstant einen hohen Grad von Organisation gewährleistet.

Die wichtigsten Messeplätze in Deutschland sind Hannover, Frankfurt, Köln, Düsseldorf und München. Es folgen Berlin, Leipzig, Stuttgart, Nürnberg und Essen.

Bekannte Messen sind die Internationale Automobil-Ausstellung und die Buchmesse (Frankfurt), die Messe für Informations- und Kommunikationstechnik CeBIT (Hannover), die Photokina (Köln), die Anuga- Nahrungs- und Genußmittel-Ausstellung (Köln), die Internationale Bootsausstellung (Düsseldorf).

Glossar

die Messe (n)	trade fair
die Ausstellung (en)	exhibition
der Messeplatz (¨e)	location for trade fairs
vorteilhaft	advantageous
die Lage (n)	situation, position
sich verstärken	strengthen
das Mittelalter	Middle Ages
entstehen	*here:* develop
der Handelsweg (e)	trade route
der Binnenmarkt (¨e)	Internal Market
zunehmend	increasingly
die Aufmerksamkeit (en)	attention
der Anteil (e)	share
der Grad (e)	degree
gewährleisten	guarantee

Exercise 16.1

Fragen zum Text

1 Welcher Aspekt der geographischen Lage Deutschlands ist besonders vorteilhaft?
2 Was hat sich in letzter Zeit besonders verstärkt?
3 Worauf blickt Deutschland zurück?
4 Woher kommen die Aussteller?
5 Warum gewinnen die deutschen Ausstellungen für den europäischen Binnenmarkt an Bedeutung?
6 Warum ist das Messewesen in Deutschland so stark entwickelt?
7 Wo findet die Internationale Automobil-Ausstellung statt?
8 Welche zwei Messen werden in Köln abgehalten?

Exercise 16.2

In den nachfolgenden Texten werden Sie häufig auf folgende Zusammensetzungen stoßen.

Ergänzen Sie die Übung, indem Sie die deutsche Entsprechung mit den Begriffen im Schüttelkasten zusammenstellen!

Messe-						
einsatz	ziel	besucher	termin	veranstalter	ort	angebot
gelände	kalender	zahlen	beschicker	vorbereitung		
preis	beteiligung	stand	ausschuß	bericht		

1 exhibition report __________
2 fair participation __________
3 fair calender __________
4 fair figures __________
5 exhibition stand __________
6 exhibits on offer __________
7 preparation of a fair __________
8 visitor to a fair __________
9 exhibition grounds __________
10 exhibitor __________
11 exhibition committee __________
12 exhibition management __________
13 exhibition assignment __________
14 aim of the exhibition __________
15 exhibition date __________
16 exhibition price __________
17 place where an exhibition is held __________

Exercise 16.3

Kombinieren Sie jeweils zwei Worte aus dem Schüttelkasten nach folgendem Beispiel!

Beispiel:

Abbau – Aufbau = Ab- und Aufbau

Ausstellungszahlen Abbau Mittelbetrieb Ausbildungskräfte
Messebeschicker Filialfunktion Unterbesetzung beladen
Telefonanschlüsse Geschäftsstellenfunktion Messe-Ausschuß
Wasseranschlüsse Fachkräfte Messezahlen entladen Kleinbetrieb
Public-Relations-Maßnahmen großformatig Überbesetzung
einräumen sonstige Anschlüsse Werbemaßnahmen
Ausstellungsbeschicker ausräumen Aufbau Ausstellungsausschuß
kleinformatig

1 Ausstellungs- und Messezahlen
2 ______
3 ______
4 ______
5 ______
6 ______
7 ______
8 ______
9 ______
10 ______
11 ______
12 ______

Sie sind der Leiter der Projektgruppe „Messevorbereitung“. *Ihre Aufgabe ist die Vorbereitung Ihres neuen Mitarbeiterstabes auf die Teilnahme an einer Messe. Stellen Sie sich anhand dieses Textes einen Stichwortzettel zusammen!*

A

Weltweit werden Messen und Ausstellungen als unentbehrliche Marketinginstrumente für Unternehmen anerkannt. Sie dienen nicht nur der Bekanntmachung einer Firma oder deren Produkte, sondern auch der Profilierung gegenüber den Wettbewerbern. Nicht zu unterschätzen sind auch die Kontaktmöglichkeiten zu Abnehmern, Lieferanten, potentiellen Arbeitnehmern und Partnerunternehmen. Hinzu kommen Möglichkeiten der Marktbeobachtung und der Erfahrungsaustausch mit Experten.

Glossar – A

unentbehrlich	indispensible
anerkennen	recognize
die Bekanntmachung (en)	announcement
die Profilierung (en)	the attainment of status, a strong image
unterschätzen	underestimate
der Abnehmer (—)	buyer, customer
der Lieferant (en)	supplier
der Arbeitnehmer (—)	employee
die Marktbeobachtung (en)	market analysis

Exercise 16.4

Warum gelten Messen als unentbehrliches Marketinginstrument?

1 ______________________
2 ______________________
3 ______________________
4 ______________________
5 ______________________

B

Um dem potentiellen Messe- und Ausstellungsbeschicker die Entscheidung über eine Teilnahme zu erleichtern, bieten der AUMA, die FKM (Gesellschaft zur freiwilligen Kontrolle von Messe- und Ausstellungszahlen) sowie die einzelnen Messegesellschaften eine ganze Reihe von Informationen.

Alle wichtigen Messen und Ausstellungen werden in den halbjährlich bzw. jährlich erscheinenden AUMA-Messekalendern erfaßt, getrennt nach inländischen, ausländischen und regionalen Veranstaltungen. Wichtige Informationen bietet auch der Besucherstrukturtest der FKM, dem sich allerdings noch nicht alle Messeveranstalter unterwerfen. Erfaßt werden hier unter anderem Beruf, Stellung, Betrieb und Standort der Besucher. Diese Zahlen geben dem Aussteller die Sicherheit, nicht vor das falsche Publikum zu treten und damit seine Zielgruppe zu verfehlen. Schließlich bieten die größeren Messegesellschaften Checklisten, Handbücher, Videokassetten und andere Informationsunterlagen als Vorbereitung zur Messeteilnahme in mehreren Sprachen kostenlos an.

Glossar – B

erleichtern	alleviate
freiwillig	voluntarily
erscheinen	appear
erfassen	*here:* include
getrennt nach	differentiated
unterwerfen	subject to
die Zielgruppe (en)	target group
verfehlen	miss

Exercise 16.5

Woher kann man welche Informationen beziehen?

1 AUMA = Ausstellungs- und Messe-Ausschuß der deutschen Wirtschaft:

2 ____

____

3 ____

____

C

So unterschiedlich die Zielsetzungen der Messeaussteller sind, so unterschiedlich sind auch die einzelnen Standkonzepte. Erste Informationen für Planung und Standentwurf liefern die technischen Daten: Standgröße und Standtyp, Plazierung in der Halle oder im Freien, Infrastruktur des Ausstellungsgeländes und Auflagen des Veranstalters. Wesentlich für den Standentwurf ist die Frage, ob als Messeziel mehr die Information (vor allem bei Publikumsmessen) oder die Kommunikation (vor allem bei Fachmessen) im Vordergrund steht. Auch das Innenleben eines Standes, also die Funktionsbereiche, sollten nicht vernachlässigt werden. Welche Räumlichkeiten und Einrichtungen werden benötigt (beispielsweise Besprechungsräume, offene Plätze, Wirtschaftsräume. Garderobe, Wasser-, Telefon- und sonstige Anschlüsse)? Der Stand und seine Funktionen müssen nicht nur zum Produkt passen, sondern es auch optimal hervorheben.

Glossar – C

die Zielsetzung (en)	target, objective
unterschiedlich	different
der Standentwurf (¨e)	plan of stand
im Freien	outdoors
die Auflage (n)	*here:* condition
im Vordergrund stehen	*here:* be more important
der Funktionsbereich (e)	operating area
vernachlässigen	neglect
die Räumlichkeit (en)	space, area
die Einrichtung (en)	furnishing, equipment
der Besprechungsraum (¨e)	meeting room
die Garderobe (n)	cloakroom
der Anschluß (üsse)	mains connection, socket
hervorheben	highlight

Exercise 16.6

Welche Informationen werden für den Standentwurf benötigt?

1 ____

____

2 ____

3 ____

4 ____

D

Der Auf- und Abbau der Stände mit den daran geknüpften Bedingungen ist in den allgemeinen Ausstellungsbedingungen der Messegesellschaften geregelt. Darin finden sich Angaben über Auf- und Abbauzeiten, das zulässige Baumaterial, die Standhöhen, die Bodenbelastbarkeit sowie die verschiedenen Installationsmöglichkeiten. Wohl nur wenige Klein- und Mittelbetriebe verfügen über das notwendige Knowhow für den Standbau und dic Messeorganisation. Es kann deshalb durchaus von Vorteil sein, mit einer erfahrenen Messebaufirma zusammenzuarbeiten.

Glossar – D

geknüpft an	linked with
zulässig	allowed
die Standhöhe (n)	height of stand
die Bodenbelastbarkeit (en)	strength of floor
verfügen	have at o.'s disposal
durchaus	by all means
erfahren *(adj.)*	experienced

Exercise 16.7

Was ist im einzelnen in den Ausstellungsbedingungen geregelt?

1 ______________________________
2 ______________________________
3 ______________________________
4 ______________________________
5 ______________________________

E

Der wichtigste Faktor für den Messeerfolg dürfte wohl die Qualität des Standpersonals sein. Schließlich „repräsentiert" das Messepersonal den Betrieb während der Dauer der Messe. Kein Beschicker kann es sich leisten, einen nichtqualifizierten Mitarbeiter auf seinen Messestand zu schicken. Viele Messebesucher interessieren sich nicht in erster Linie für ein Produkt, sondern für eine Problemlösung. Gefragt sind deshalb geschulte und sachkundige Mitarbeiter, die sowohl kaufmännische wie auch technische Fragen beantworten können. Für einfachere Tätigkeiten wie etwa Bewirtung und Prospektverteilung bieten sich Aushilfskräfte an, die oft vor Ort kostengünstig engagiert werden können. Bei der Vermittlung sind die örtlichen Arbeitsämter und meist auch die Messegesellschaften behilflich. Für Fach- und Aushilfskräfte sollte rechtzeitig ein detaillierter Personaleinsatzplan erstellt werden, um überstürzte Notlösungen oder eine Unter- bzw. Überbesetzung des Standes zu vermeiden.

Glossar – E

sich etw. leisten	afford
in erster Linie	above all
die Problemlösung (en)	solution to a problem
geschult	trained
sachkundig	competent, knowledgeable
kaufmännisch	commercial, business
die Tätigkeit (en)	task
die Bewirtung (en)	catering
der Prospekt (e)	brochure
die Aushilfskraft (¨e)	temporary staff
vor Ort	*here:* on the spot
kostengünstig	cost efficient
behilflich sein	help
Plan erstellen	put together a plan
überstürzt	over-hasty
die Notlösung (en)	temporary solution
Unter- und Überbesetzung	under-staffing and over-staffing

Exercise 16.8

Was für ein Standpersonal wird benötigt?

1 ____
2 ____

F

Eine ganz wichtige Rolle für den Messeerfolg spielen auch gezielte Werbe- und Public-Relations-Maßnahmen. Vor und während, aber auch nach einer Veranstaltung sollte dem Gespräch mit den Pressevertretern hohe Priorität zukommen. Als Basis dient eine Pressemappe mit Informationen über das Unternehmen, das Ausstellungsprogramm und die Messeneuheiten mit Fotos. Die Pressemappen sollten den zuständigen Fachjournalisten etwa sechs Wochen vor Beginn der Veranstaltung zugeschickt werden, für die Tagespresse genügt eine Frist von 14 Tagen. In diesem Zusammenhang ist auch eine persönliche Einladungskarte zum Standbesuch empfehlenswert. Sinnvollerweise sollten die Presseinformationen bei Auslandsmessen in der jeweiligen Landessprache,

wenigstens aber in Englisch abgefaßt werden. Die Werbeabteilungen der Messegesellschaften bieten Hilfe bei der Erstellung solcher Unterlagen und die Vermittlung von Übersetzungsdiensten an.
Viele Messeveranstalter legen Neuheitenlisten aus, die von der Fachpresse gern genutzt werden. Für die Aufnahme in diese Listen sollten mindestens drei Monate vor Messebeginn kurze Produktinformationen an die Presseabteilung des Veranstalters geschickt werden. Während einer Messe können im Pressezentrum Fächer angemietet werden. In diesen Fächern können Nachrichten, Produktinformationen und Pressemitteilungen hinterlegt werden, um interessierte Journalisten direkt und schnell zu erreichen. Auf keiner Presseinformation sollte der Name des zuständigen Standmitarbeiters fehlen. Termine für offizielle Pressekonferenzen müssen rechtzeitig mit der Presseabteilung der Messegesellschaft abgesprochen werden. Dort ist man bemüht, Terminüberschneidungen soweit wie möglich zu vermeiden.

Glossar – F

eine Rolle spielen	be of importance
die Pressemappe (n)	press folder
genügen	be sufficient
die Einladungskarte (n)	invitation card
empfehlenswert	recommendable
sinnvollerweise	sensibly
jeweilig	*here:* appropriate
in Englisch abgefaßt	written in English
die Erstellung (en)	compilation
die Unterlage (n)	documentation
auslegen	put on display
die Aufnahme (n)	incorporation
hinterlegen	deposit
absprechen	discuss, agree on, arrange
bemüht sein	be eager
die Terminüberschneidung	overlapping appointments

Exercise 16.9

Welche PR-Maßnahmen sind notwendig?

1 ______________________________
2 ______________________________

3 ______________________________
4 ______________________________
5 ______________________________
6 ______________________________
7 ______________________________

G

Der „Manöverkritik" kann ein Messebericht dienen, in dem alle Erfahrungen und Vorkommnisse ihren Niederschlag finden: Was war besser und was war schlechter als beim letzten Mal, und wo liegen die Ursachen dafür? Wie haben sich die Geschäftsabschlüsse und die Interessentenkontakte entwickelt? War das Personalaufgebot angemessen und der Platz ausreichend? War der Standplatz gut oder schlecht – etwa genau neben der Konkurrenz? Waren die technischen Anlagen ausreichend und in Ordnung?
Wie war die Resonanz der Kundschaft? Und nicht zuletzt: War das eingesetzte Personal mit der Arbeitssituation und der Unterbringung zufrieden? Der Messebericht sollte eine offene, ungeschminkte Zustandsbeschreibung sein. Damit auch nichts vergessen wird, empfiehlt es sich, tägliche Notizen anzufertigen.

adapted from Sigurd R. Betz
Deutscher Sparkassenverlag

Glossar – G

das Vorkommnis (se)	incident, occurrence
Niederschlag finden	be reflected
die Ursache (n)	reason
der Geschäftsabschluß (üsse)	business transaction, deal
das Personalaufgebot (e)	staffing
angemessen	appropriate
ausreichend	sufficient
die Anlage (n)	*here*: equipment
die Resonanz *(no pl.)*	*here:* feed-back
die Kundschaft (en)	customers
und nicht zuletzt	last but not the least
eingesetzt	assigned
ungeschminkt	unvarnished
die Zustandsbeschreibung (en)	description of state of affairs
Notizen anfertigen	take notes

Exercise 16.10

Welche Punkte gehören in den Messebericht?

1 ______________________________
2 ______________________________
3 ______________________________
4 ______________________________
5 ______________________________
6 ______________________________
7 ______________________________

Exercise 16.11

Finden Sie die zugehörigen Substantive im Text und übersetzen Sie die Redewendungen!

1 sich einen ____________ verschaffen ____________
2 sich in ____________ halten ____________
3 sich den ____________ ersparen ____________
4 ein ____________ herausstellen ____________
5 den ____________ entsprechen ____________
6 ins ____________ stechen ____________
7 keinen ____________ scheuen ____________
8 sich ein ____________ ____________ machen ____________
9 in die ____________ einbinden ____________
10 die ____________ treffen ____________
11 einen ____________ erstellen ____________
12 einen ____________ vermitteln ____________
13 einen gewissen ____________ bieten ____________
14 im richtigen ____________ erscheinen ____________
15 ____________ herausheben ____________
16 über ____________ verfügen ____________
17 eine ____________ spielen ____________
18 ____________ auslegen ____________
19 ____________ anmieten ____________
20 ____________ hinterlegen ____________
21 ____________ absprechen ____________
22 ____________ sparen ____________
23 ____________ anfertigen ____________

Redemittel: Zweifel

Ich möchte zu bedenken geben, daß ...
Ich bezweifele, daß ...
Ich glaube nicht, daß ...

Sind Sie sicher, daß ...?
Denken Sie nicht auch, daß ...?

Das kann ich nicht recht glauben.
Da habe ich aber meine Zweifel.
Da bin ich aber skeptisch.
Das wage ich zu bezweifeln.
Da möchte ich meine Zweifel anmelden.

Woher haben Sie denn die Informationen dazu?
Wie kommen Sie zu der Annahme, daß ...?

Das müßte erst überprüft werden.
Haben Sie das auch überprüft?

Exercise 16.12

Finden Sie die deutschen Entsprechungen aus dem Schüttelkasten!

Arbeitsamt — Zimmerreservierung — Büroräume
technische Versorgung — Club- und Kongreßräume
Dolmetscher — Parkplätze — Tresoranlagen — Patentanwälte
IHK und Fachverbände — Pressezentrum — Geschäfte
Grünflächen und Teiche — Telefax- und Teletex-Dienst
Standaufbau, -bewachung, -abbau — Versicherungen

Service-Einrichtungen Ein umfassender Service steht für Sie bereit:	**Service facilities** A comprehensive range of services is available:
1 ____________	Interpreters
2 ____________	Shops
3 ____________	Technical supplies
4 ____________	Parking
5 ____________	Offices
6 ____________	Green areas and ponds
7 ____________	Patent lawyers

8	______________________	Club and congress rooms
9	______________________	Stand assembly, guarding, dismantling
10	______________________	Employment office
11	______________________	Chamber of Industry and Commerce and Associations
12	______________________	Telefax and telex service
13	______________________	Insurance companies
14	______________________	Press centre
15	______________________	Room reservation service
16	______________________	Safe facilities

Glossar – Ab 1.870,–DM

entsprechend	according
der Gang (¨e)	aisle
die Freifläche (n)	open space
aufplanen	*here:* plan
der Besucherstrom (¨e)	stream of visitors
die Fläche (n)	space
frühzeitig	early
nahezu	almost
die Einschränkung (en)	restriction, limitation
vorsehen	*here:* take care, is planned for
gering	little
der Bedarf *(no pl.)*	need
der Eckstand (¨e)	corner stand
bezugsfertig	ready for occupancy
der Systemstand (¨e)	pre-arranged stand
fix und fertig	all finished
das Exponat (e)	exhibit
erledigen	finish, take care
die Miete (n)	rent, hire-charge
der Reihenstand (¨e)	stand in an aisle
der Kopfstand (¨e)	end of an aisle stand with three open sides
der Blockstand (¨e)	see above
der Fertigstand (¨e)	fully-fitted stand
die Frontfläche (n)	front of a stand
die Grundausstattung (en)	basic design

Entsprechend dem Ausstellungskonzept wird spielaktiv Köln mit offenen Ständen, breiten Gängen und viel Freifläche für Aktionszentren aufgeplant. Jeder Ausstellerstand liegt daher mit mindestens zwei Seiten im Besucherstrom.

Die Flächenwünsche der Aussteller lassen sich, bei frühzeitiger Option, nahezu ohne jede Einschränkung erfüllen.

Das spielaktiv-Ausstellungskonzept sieht vor, daß auch Aussteller mit geringem Flächenbedarf beste Präsentationsmöglichkeiten haben: Eckstände werden beispielsweise bereits ab 10 qm Größe angeboten.

Die sicherlich preisgünstigste und rationellste Beteiligungsmöglichkeit an der spielaktiv ist die Anmietung des bezugsfertigen Systemstands. Der Aussteller findet ihn in Köln fix und fertig vor, braucht seine Exponate nur noch einzuräumen und nach Messeschluß wieder abzutransportieren. Alles andere erledigt die KölnMesse.

Ab 1.870,– DM sind Sie dabei

Standmiete pro qm

Reihenstand	140,– DM
Eckstand	147,– DM
Kopf-/Blockstand	154,– DM

Fertigstand inkl. Standmiete pro qm

Reihenstand	180,– DM
Eckstand	187,– DM
Kopf-/Blockstand	194,– DM

Ein Beispiel: Der 10 qm große Eckstand mit 4 x 2,5 m Frontfläche kostet in der Grundausstattung inklusive Fertigstand 1.870,– DM zuzüglich MwSt.

KölnMesse

Exercise 16.13

Sie schreiben eine Notiz an Ihre Kollegin von der Finanzabteilung!

Liebe Frau Weinrich!

Für die spielaktiv-Messe in Köln beabsichtigen wir einen Fertigstand, d.h. einen ____________ Systemstand anzumieten. Wir benötigen einen ____________ für 180,–DM. Die Größe 2 + 4 m.

Die Kosten in der ____________ inklusive ____________ belaufen sich auf 1440,–DM ____________ MwST. Wir bitten um Anweisung des Geldes.

Glossar – Aktiv für spielaktiv

die Besucherwerbung (en)	canvassing
die Pressearbeit *(no pl.)*	press liaising
die Schiene (n)	*here:* line, issue
die Fachmedien *(pl.)*	specialized media
die Redaktion (en)	*here:* editor
das Thema (en)	topic, subject
die Aktion (en)	campaign
durchführen	carry out, implement
die Presseabteilung (en)	public relations department
die Auslage (n)	display
firmeneigen	company-owned
die Kontaktvermittlung (en)	arrangement of contacts
die Pressekonferenz (en)	press conference

Exercise 16.14

Stellen Sie eine Checkliste für Ihre Presseabteilung zusammen!

1 Versenden von ____________________

2 Themen und Aktionen ____________________

3 Auslegen von ____________________

4 Kontakt vermitteln zu ____________________

5 Durchführen von ____________________

Aktiv für spielaktiv: Intensive Besucherwerbung und Pressearbeit

... City-Plakatierung in den Großstädten im Einzugsgebiet.

... persönliche Einladungen an Kindergärten, Schulen und Jugendclubs. Die KölnMesse organisiert Gruppenfahrten zur spielaktiv.

Kontinuierliche Pressearbeit weckt den Bedarf

Die zweite wichtige Schiene: Die Pressearbeit. Von Anfang an werden kontinuierlich Presseinformationen an alle Fachmedien versandt. Im engen Kontakt mit den Redaktionen der Printmedien, der Rundfunk- und Fernsehsender werden Themen und Aktionen individuell nach den Interessen der Leser, Hörer und Seher vereinbart und durchgeführt. Darüber hinaus bietet die Presseabteilung jedem Aussteller der spielaktiv einen umfassenden PR-Service an: Auslage von firmeneigenem Pressematerial in Wort und Bild im Pressezentrum der spielaktiv; Kontaktvermittlung zu Journalisten; Beratung für die Organisation und Durchführung eigener Pressekonferenzen.

Exercise 16.15

Hören Sie die Information zur „spielaktiv"-Messe auf der Kassette und vervollständigen Sie Übung A und B!

(Mit Hilfe des Schlüssels im Anhang können Sie die Übung A auch als Lese- und Schreibübung machen.)

Glossar zur Kassettenübung	
dicht	dense
besiedelt	populated
kaufkraftstark	strong in spending power
der Umkreis (e)	radius
der Einzugsbereich (e)	targeted area
gemeinsam	*here:* joint
Bedarf wecken	create a demand

A

Köln liegt im Zentrum der ___________ besiedelten und ___________ Region der Bundesrepublik Deutschland. Im ___________ von 60 Autominuten leben acht Millionen ___________. Auch von Belgien, Luxemburg und den ___________ ist Köln schnell und ___________ zu erreichen. Für die jungen Familien und ___________ liegt die spielaktiv im November vor der ___________. Die KölnMesse ___________ die Verbraucher zum ___________ der spielaktiv über ___________ in den Zeitungen und ___________ im Einzugsbereich. Funkspots im ___________ Radio. ___________ Werbeaktionen mit dem ___________ und den spielaktiv-Ausstellern. City-Plakatierung in den Großstädten im ___________. Persönliche ___________ an Kindergärten, Schulen und Jugendclubs. Die KölnMesse organisiert ___________ zur spielaktiv.

B Wie wird der Verbraucher zum Besuch motiviert?

durch

1 ______________________________
2 ______________________________
3 ______________________________
4 ______________________________
5 ______________________________

Zu Ihrer Information eine Liste mit wichtigen Konjunktionen

Subordinating conjunctions (with change of word order):

als	when, than, as
bevor	before
bis	until
da	as, because, sincc
damit	in order to
daß	that
falls	if
indem	by (doing)
nachdem	after
ob	if whether
obgleich, obwohl, obschon	although
seit	since
seitdem	since
sobald	as soon as
so daß	so that
solange	as long as
während	while, as
weil	because
wenn,	when
wenn	if
immer wenn	whenever
wie	as, how

Coordinating conjunctions (without change of word order):

aber	but
denn	for, because
doch	yet, but, however
oder	or
sondern	but (on the contrary)
und	and

Correlative conjunctions:

entweder ... oder	either ... or
je ... desto/umso	the ... the
sowohl ... als auch	as well as
nicht nur ... sondern auch	not only ... but also
weder ... noch	neither ... nor
zwar ... aber	it is true ... but

Hinweise für den Messebeschicker!

Exercise 16.16

Setzen Sie die folgenden Konjunktionen ein!

ob	während	damit	da	obwohl	indem	je ... desto

Das Messeziel muß rechtzeitig definiert werden, __________ ausreichend Vorbereitungszeit zur Verfügung steht.

__________ früher man sich für einen Stand entscheidet, __________ mehr Möglichkeiten hat man bei der Standauswahl.

Das Standpersonal sollte gut ausgebildet und freundlich sein, _____ es für die Dauer der Messe den Betrieb repräsentiert.

__________ das Marketing-Team die Pressemappe zusammenstellt, sollte bereits mit den Pressevertretern Kontakt aufgenommen werden, __________ ihnen Einladungen zugeschickt werden.

__________ die Zahl der Geschäftsabschlüsse zeigt, __________ eine Messebeteiligung erfolgreich war, ist es dennoch wichtig, am Ende eine Manöverkritik durchzuführen.

Exercise 16.17

Setzen Sie die folgenden Konjunktionen ein!

obgleich	so daß	sobald	wie	bevor

__________ ein Messestand gewissermaßen die Geschäftsstellenfunktion übernimmt, sollten Geschäftsführer und das ganze Führungspersonal anwesend sein.

__________ Kosten zu sparen sind, erfahren Sie von der AUMA. __________ alle Produkte gleich wichtig sind, sollte man Neuheiten besonders herausstellen.

__________ die Messe beginnt, sollten Produktinformationen an die Presseabteilung der Messeveranstalter geschickt werden.

Der Personaleinsatzplan sollte frühzeitig erstellt werden, __________ man überstürzte Notlösungen vermeiden kann.

Exercise 16.18

Ergänzen Sie die richtige Konjunktion!

während	bevor	nachdem

__________ die Messe läuft, schreibt das Standpersonal alle Aktivitäten in ein Pflichtenheft.

__________ das Messepersonal zur Betriebszentrale zurückgekehrt ist, wird ein Soll-Ist Vergleich erstellt.

__________ eine Firma sich an einer Messe beteiligt, wird eine Projektgruppe zur Messeplanung bestimmt.

__________ der zeitliche Einsatzplan fertiggestellt ist, wird er an die Standcrew weitergeleitet.

__________ die Marketingstrategie für ein Produkt entschieden wird, muß die Zielgruppe definiert werden.

Exercise 16.19

When = *wenn, immer wenn, als, wann*

The English 'when' has three meanings in German: *wenn, als, wann.* They are not interchangeable:

wenn, immer wenn used in present and future; in the past only in the meaning of 'whenever' (repeated or regular occurrence in the past)
als used for a singular occurrence in the past
wann used as an interrogative in direct and indirect questions

Verbinden Sie die Sätze mit den entsprechenden Konjunktionen!

1 Sie fährt zur Messe. Sie führt Gespräche mit neuen Lieferanten.

____

2 Der Systemstand war um 5 Uhr bezugsfertig. Die Standcrew räumte die Exponate ein.

____

3 Die Firma möchte ihr Produkt der Presse vorstellen. Sie verschickt Einladungen zum Standbesuch.

____

4 Die Geschäftsleitung sprach mit dem Herrn vom Wirtschaftsmagazin. Sie stellte immer ein bestimmtes Produkt besonders heraus.

___

5 Der Betrieb ließ sein Produkt zum erstenmal von einem anderen Betrieb mitvertreten. Die Messebeteiligungskosten waren geringer.

___

6 Sie prüften die Resonanz auf ihr Produkt. Sie waren immer zufrieden.

___

7 Er hat kurzzeitig Zimmerbedarf für potentielle Kunden. Er setzt sich mit der Zimmerreservierung des Messeveranstalters in Verbindung.

___

Exercise 16.20

Setzen Sie ein!

entweder ... oder	weder ... noch	je ... desto
einerseits ... andererseits	nicht nur ... sondern auch	zwar ... aber

1 Ein Stand sollte ___ unter- ___ überbesetzt sein.
2 Die Messekonzeption sollte ___ den Marketingzielen und ___ dem bereits vorhandenen Image entsprechen.
3 Man kann sich ___ von einer anderen Firma mitvertreten lassen, ___ sich einen Stand teilen.
4 ___ ist ein sachkundiges Personal am Messestand unentbehrlich, ___ für die Bewirtung und die Prospektverteilung können auch Aushilfskräfte angeworben werden.
5 ___ intensiver die Vorbereitungsphase, ___ größer der Gewinn.
6 Die Messebeteiligung ist wichtig ___ für das Image ___ für die Auftragslage der Firmen.

Exercise 16.21

Ordnen Sie die Verben aus dem Schüttelkasten zu!

engagieren	treffen	wecken	auslegen
vermeiden	erledigen	treten	anfertigen

1 vor ein Publikum ___

2 Auswahl ______________________
3 Korrespondenz ______________________
4 Aushilfskräfte ______________________
5 Neuheitenliste ______________________
6 Notizen ______________________
7 Bedarf ______________________
8 Streuverluste ______________________

Exercise 16.22

Ergänzen Sie sinngemäß!

Sie wollen sich mit einer potentiellen Mitarbeiterin Ihrer Firma, die am Flughafen Düsseldorf ankommt, an Ihrem Stand in Halle 13 treffen. Schreiben Sie ihr eine Notiz mit der Weganweisung. Nehmen Sie den Text und das Bild auf der nächsten Seite zu Hilfe.

Liebe Frau Wegner,
ich erwarte Sie morgen um 14.00 __________ an unserem Stand in __________ 13, 2. Obergeschoß. Nehmen Sie den Bus zum __________. Der Preis des Fahrscheins __________ DM 16,– für __________. Der Bus fährt von __________ 2 ab und trägt die __________ „KölnMesse". Steigen Sie am __________ Köln-Deutz aus und gehen Sie die Deutz-Mülheimer Straße entlang bis zum __________ __________. Auf der linken Seite sehen Sie dann Halle 13. Ich freue mich auf Ihren Besuch.

Verkehrsanbindungen City – Messegelände

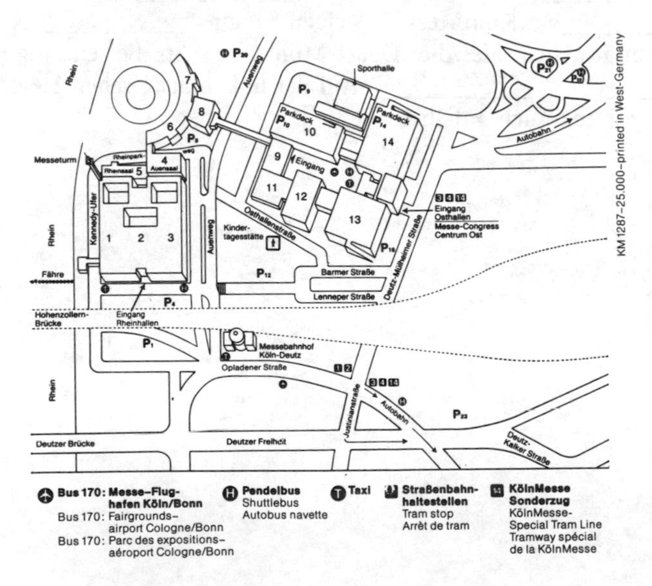

Busverbindungen Düsseldorf–Köln/ Köln–Düsseldorf

Nach Ankunft Ihres Fluges in Düsseldorf wird Sie unser Bus zum Messegelände befördern und am Abend wieder zum Flughafen bringen. Der Preis des Fahrscheines beträgt DM 16,– (stets Hin- und Rückfahrt).

Abfahrt von Düsseldorf:
Terminal 2
09.15 Uhr, 11.00 Uhr, 11.35 Uhr, 12.15 Uhr
Ihr Bus trägt die Aufschrift „KölnMesse"

Abfahrt von Köln:
Messebusbahnhof am Haupteingang Osthallen
07.45 Uhr, 09.30 Uhr,
10.30 Uhr, 11.00 Uhr,
16.30 Uhr, 17.30 Uhr.

Bitte kalkulieren Sie für die Rückfahrt etwa 1 Stunde Busfahrt und ½ Stunde Check-in am Flughafen ein.
Ihr Bus trägt die Aufschrift „Flughafen Düsseldorf"

Busverbindung zum Flughafen Köln/Bonn (KVB-Linie 170)

Abfahrt:

Während aller Veranstaltungen vor dem Messebahnhof Köln-Deutz alle 20 Minuten.

Während der links aufgeführten Veranstaltungen am Haupteingang Osthallen von 08.05 bis 10.05 Uhr und von 15.20 bis 19.00 Uhr alle 20 Minuten.

Achtung: Diese Angaben beziehen sich nur auf die links aufgeführten Veranstaltungen.

Wichtige Begriffe aus diesem Kapitel

1 Substantive (nouns)

deutsch	*englisch*

2 Verben + Kasus (verbs + case)

deutsch	*englisch*

3 Wichtige Redewendungen (idiomatic phrases)

deutsch	*englisch*

4 Notizen

Unit 17

Marktforschung
Market research

Before you launch your products on the market, thorough market research has to be carried out. Here, Berlin is taken as an example for this case study in market research. A British exporter is talking to a German contact about the introduction of her products to the German market and a market research interview with a customer is carried out. In the context of an unsatisfied customer's reply, we demonstrate how to express regret or disappointment. We revise verbs which take the dative and genitive case and prepositions with the accusative.

Glossar – Der Einstieg

der Einstieg (e)	way in, entry into
der Zufall (¨e)	coincidence, chance
die Neueinführung (en)	launching of a new product
wagen	dare, risk
besetzt	saturated
der Verbraucher (—)	consumer
aufnahmebereit	receptive
fundiert	well-founded
in dieser Hinsicht	in this respect
ausgeklügelt	clever, well-contrived
die Aussagekraft (*no pl.*)	*here:* information value
bis zu einem Grad	up to a certain level
verfeinert	refined
überbieten	surpass, outbid
verringern	reduce, diminish
sorgfältig	careful
einsetzen	*here:* use, apply

Der Einstieg. *Ein erfolgreicher Markteinstieg schließt den Zufall aus. Denn, wer heute eine Neueinführung wagt, riskiert viel. Märkte sind besetzt, Verbraucher kritisch und der Handel nicht immer aufnahmebereit. Zu einer fundierten Prognostik auf realer Grundlage gibt es deshalb keine Alternative.*

Zu den heute am weitesten entwickelten Instrumenten in dieser Hinsicht gehört der Markttest. Seine Methodik ist ausgeklügelt und in ihrer Aussagekraft bis zu einem Grad verfeinert worden, die durch kaum etwas anderes zu überbieten ist. Trotzdem läßt es sich nicht ausschließen, daß eine Produktinnovation nicht vom Markt angenommen wird. Das Risiko eines Flops kann jedoch verringert werden, wenn das Testinstrumentarium entsprechend sorgfältig gewählt und eingesetzt wird.

Testmarkt Berlin – reale Marktbedingungen in einer kaufkraftstarken Millionenstadt.

Über die Vergleichbarkeit in Bevölkerungs-, Handels- und Medienstruktur hinaus hat Berlin alles – und mehr – zu bieten, was diesen Testmarkt zum idealen Versuchsfeld macht:

- *Berlin verfügt über alle wichtigen Handelsformen.*
- *Die Kaufkraft in Berlin ist für ein Ballungsgebiet typisch überdurchschnittlich. In höheren Einkommensbereichen wird sogar mehr verdient als im Bundesdurchschnitt.*
- *Das Medien-Angebot ist lückenlos, einschließlich der neuen elektronischen Möglichkeiten.*
- *Der Testmarkt Berlin ist nicht übertestet. Das Verbraucherverhalten ist normal.*
- *Der Testmarkt Berlin bietet im Hinblick auf Kosten-Nutzen-Strategien optimale Bedingungen. Marktforschungseinrichtungen, wie Panels, sind vorhanden und müssen nicht erst eingerichtet werden.*
- *Die gesamtwirtschaftliche Entwicklung, besonders im Bereich innovativer Technologien, wird in Berlin von international stark beachteten Impulsen bestimmt.*
- *Berlin ist Zentrum von Forschung, Wissenschaft, Kunst und Kultur und einer der bedeutendsten Messe- und Kongreßplätze in Europa.*

Diese Informationsbroschüre gibt Ihnen auf den folgenden Seiten Basismaterial über den Testmarkt Berlin in die Hand. Damit Prognosen zuverlässiger, Unsicherheiten beseitigt und Flops vermieden werden können.

Nutzen Sie die realen Bedingungen, die Sie im Testmarkt Berlin vorfinden.
Nutzen Sie die Informations- und Serviceangebote der Arbeitsgemeinschaft **MARKT-INFO-BERLIN.**

die Vergleichbarkeit (en)	comparability
das Versuchsfeld (er)	area of investigation
das Ballungsgebiet (e)	conurbation
überdurchschnittlich	more, higher than average
der Einkommensbereich (e)	income bracket
lückenlos	complete, without a gap
die Kosten-Nutzen-Strategie (n)	cost-benefit-strategy
die Marktforschungseinrichtung (en)	market research services, utilities
einrichten	set up, install
bestimmen	determine
in die Hand geben	supply with
die Unsicherheit (en)	insecurity, uncertainty
beseitigen	remove
vermeiden	avoid
vorfinden	find

Exercise 17.1

Beantworten Sie die Fragen!

1 Warum ist eine Neueinführung heutzutage mit Risiko verbunden?
2 Was ist das am weitesten entwickelte Instrument zur Prognostik?
3 Was kann durch sorgfältige Auswahl des Testinstrumentariums verringert werden?
4 Wie sieht das Angebot der Medien einschließlich der elektronischen Medien aus?
5 Warum sind die Bedingungen im Testmarkt im Hinblick auf Kosten-Nutzen-Strategien optimal?
6 Wovon ist Berlin Zentrum?
7 Wofür ist Berlin in Europa bedeutend?

Exercise 17.2

Verwenden Sie statt der kursiv gedruckten Ausdrücke Wendungen aus dem Text!

Beispiel:
Ein guter Vertragsabschluß *darf nicht dem Zufall überlassen werden.*
Ein guter Vertragsabschluß schließt den Zufall aus.

1 Man riskiert viel, wenn man *versucht, etwas neu auf den Markt zu bringen.*

____

2 Der Handel war nicht *bereit, neue Produkte in sein Sortiment zu nehmen.*

____

3 Die Aussagekraft des Markttests *ist besser als* andere Methoden.

____

4 *Die Gefahr eines Fehlschlags kann man jedoch einschränken*, indem man das Testinstrument sorgfältig auswählt.

____

5 *In Berlin findet man* alle wichtigen Handelsformen.

____

6 In Berlin *verdienen Bevölkerungsgruppen, die ein höheres Einkommen haben, mehr Geld* als im Bundesdurchschnitt.

____

7 *Die Verbaucher verhalten sich* normal.

____

8 *Im* Testmarkt Berlin *gibt es die bestmöglichen Voraussetzungen.*

____

9 *Es gibt* Marktforschungseinrichtungen.

____

10 Der Broschüre *können Sie Material entnehmen.*

____

11 In Berlin kann man reale Bedingungen *antreffen.*

Exercise 17.3

Lesen Sie den nachstehenden Dialog und entscheiden Sie, welche der folgenden Aussagen richtig oder falsch sind.

		richtig	falsch
1	Frau Frazer möchte erfahren, ob die neue Produktserie vom Markt genommen wurde.	☐	☐
2	Markt-Info-Berlin ist ein Marktforschungsinstitut.	☐	☐
3	Mit geringen finanziellen Mitteln läßt sich keine gute Untersuchung machen.	☐	☐
4	Frau Frazer findet es wichtig, das Testgebiet genau zu kennen.	☐	☐
5	Frau Höfer hat in Berlin ihre Tasche verloren.	☐	☐

6 Berlin ist zu klein, um aussagekräftige Daten zu liefern. ☐ ☐
7 Der Service des Testshop-Focus ist kostenlos. ☐ ☐
8 Frau Frazer ist damit einverstanden, eine kleine Marktbefragung in Auftrag zu geben. ☐ ☐

Dialog am Telefon

Frau Frazer (Wales)
Frau Höfer (Deutsche Importagentur)

Frau Frazer: Tag, Frau Höfer! Ich rufe Sie eigentlich nur mal schnell an, um zu erfahren, was Sie Neues über die Einführung unserer Produktserie herausbekommen haben.

Frau Höfer: Ja, guten Tag, Frau Frazer! Ich glaube, ich habe da eine neue Idee. Es gibt in Berlin die Arbeitsgemeinschaft *Markt-Info-Berlin*, die Marktforschung im Testmarkt Berlin betreibt. Und das halte ich für eine gute Idee. Außerdem kann man schon mit geringen finanziellen Mitteln eine vernünftige Untersuchung machen lassen.

Frau Frazer: Ich kenne Berlin gar nicht, ich fände es besser, das Testgebiet zu kennen, um die Daten und Ergebnisse genauer interpretieren zu können.

Frau Höfer: Da können Sie sich auf mich verlassen, da ich Berlin wie meine Westentasche kenne. Ich habe nämlich mehrere Jahre dort gearbeitet und kenne den Einzelhandel sehr gut.

Frau Frazer: Na ja! Ist aber Berlin nicht ein bißchen klein, um aussagekräftige Daten geliefert zu bekommen?

Frau Höfer: Soweit ich sehen kann, zeigen die Daten, die mir vorliegen, daß Berlin beispielhaft für das gesamte Deutschland ist. Ich habe auch von anderen Firmen gehört, die Untersuchungen in Auftrag gegeben haben und sehr zufrieden mit den Ergebnissen sind. Ich mache Ihnen einen Vorschlag: Die Berliner bieten einen kostenlosen Service an, der *Testshop-Focus* heißt. Da handelt es sich um eine kleine Beobachtung und Befragung, die dann ausgewertet werden. Das kostet Sie nichts. Wir können ja aufgrund des Berichtes entscheiden, ob wir das dann weiter verfolgen wollen.

Frau Frazer: Gut, damit bin ich einverstanden. Vielleicht können wir uns zusammen Berlin und das Institut einmal ansehen. Dann bekommen wir einen besseren Einblick.

Frau Höfer: Schön, daß Sie mir zustimmen. Ich werde alles Weitere in die Wege leiten.
Frau Frazer: Einverstanden. Schreiben Sie mir bitte mehr zu diesem Projekt, und wenn Sie etwas zu den Preisen sagen können, dann tun Sie das bitte.
Frau Höfer: Werde ich machen.
Frau Frazer: Auf Wiederhören, Frau Höfer!
Frau Höfer: Auf Wiederhören! Bis bald.

Glossar – Dialog

die Arbeitsgemeinschaft (en)	association, team
Marktforschung betreiben	undertake market research
etwas für eine gute Idee halten	think that s.th. is a good idea
gering	little, few
vernünftig	sensible
die Untersuchung (en)	test, research
etwas besser finden	think it would be better
das Ergebnis (se)	result
sich verlassen auf	rely on
etwas wie seine Westentasche kennen	know s.th. like the back of one's hand
aussagekräftig	telling
soweit	so far
vorliegen	be present
beispielhaft	as example, exemplary
etwas in Auftrag geben	order
der Vorschlag (¨e)	suggestion, proposal
die Beobachtung (en)	observation
die Befragung (en)	poll, inquiry
auswerten	evaluate
aufgrund	on the basis of
etwas weiter verfolgen	follow s.th. up
der Einblick (e)	insight
zustimmen	agree
alles Weitere in die Wege leiten	prepare, pave the way for everything, get everything going

Testmarkt für Erfolge

Der TESTSHOP-FOCUS. *Bei Testmarktentscheidungen kommt es in erster Linie auf eines an: auf zuverlässige, aktuelle Daten über Akzeptanz, Distribution und Umsatz. Aber Zahlen allein vermitteln nicht immer das, was als Entscheidungshintergrund genauso wichtig ist: Gefühl und Gespür für das, was sich tatsächlich am Regal tut.*

Der TESTSHOP-FOCUS will eine sinnvolle Ergänzung zu den üblichen, eher breit angelegten Forschungsmethoden wie Repräsentativbefragungen, Haushaltspanels, Werbewirkungsmessungen oder Nielsenerhebungen sein. Er ermöglicht den konzentrierten, intensiven Blick auf das aktuelle Geschehen im Berliner Einzelhandel. Er vermittelt ein Stimmungsbild. Also, wichtige qualitative Informationen zur Abrundung und Ergänzung der objektiven Zahlen über das Testmarktgeschehen.

BERLIN

Der Service

Wir bieten eine Untersuchungseinheit (parallele Beobachtung und Befragung durch zwei geschulte Interviewer in einem ausgewählten Testmarktgeschäft über einen Zeitraum von vier Stunden) als ***kostenlosen Service*** *der Arbeitsgemeinschaft MARKT-INFO-BERLIN.*

Soll die Erhebungsbasis aufgestockt werden, kostet dies in Absprache mit unserem Berliner Partner-Institut pro Untersuchungseinheit nur DM 980,–.

Die Methode

Die Methode ist ganz einfach. In speziell ausgewählten Geschäften werden Käufer und Nichtkäufer des Testmarktproduktes am Regal beobachtet und befragt.

Es erfolgt eine Abstimmung darüber, welche Geschäfte in den TESTSHOP-FOCUS mit einbezogen werden. Daß sich das durchführende Institut bestens in der Berliner Szene auskennt, ist dabei sicherlich von Vorteil.

Das Ergebnis

Der TESTSHOP-FOCUS liefert wertvolle Hinweise und Tendenzen über

- *Kaufanteile im gesamten Produktbereich*
- *Soziodemographische und typologische Käuferstrukturen*
- *Präferenzen im Hinblick auf Ihr Produkt und auf Konkurrenzprodukte*
- *Kaufgewohnheiten, -absichten und -motive*
- *Produkterwartungen*
- *Beobachtete „Entscheidungsprobleme" am Regal*

Markt–Info–Berlin

Glossar – Testmarkt

vermitteln	provide, pass on
der Entscheidungshintergrund (¨e)	background to a decision
das Gefühl (e)	feeling
das Gespür *(no pl.)*	flair for
tatsächlich	actually
das Regal (e)	shelf
sinnvoll	*here:* useful, appropriate
die Ergänzung (en)	complement
üblich	usual
breit angelegt	wide-scale
die Repräsentativbefragung (en)	sample poll, inquiry
das Haushaltspanel (—)	household panel
die Werbewirkungsmessung (en)	measurement of advertising impact
die Nielsenerhebung (en)	survey by Nielsen
das Geschehen (—)	event, development
das Stimmungsbild (er)	mood, atmosphere
die Abrundung (en)	rounding off, completion, perfection
die Untersuchungseinheit (en)	survey unit
geschult	trained
ausgewählt	selected
der Zeitraum (¨e)	length of time
die Erhebungsbasis (-basen)	basis of a survey
aufstocken	add, increase, raise
die Absprache (n)	(verbal) arrangement
die Abstimmung (en) erfolgt	*here:* an agreement is reached
einbeziehen	include
durchführen	implement
sich auskennen	be quite at home, be knowledgeable about
von Vorteil sein	be of advantage
wertvoll	valuable
der Hinweis (e)	tip
der Kaufanteil (e)	share in the market
die Käuferstruktur (en)	category, group of buyers
im Hinblick auf	with regard to
die Kaufgewohnheit (en)	buying habit
die Kaufabsicht (en)	buying intention

die Produkterwartung (en)	expectation towards a product
das Entscheidungsproblem (e)	problem of decision-making
der Erfahrungsbericht (e)	report on one's experience
ausschlaggebend	decisive

Exercise 17.4

Richtig oder falsch? Testmarkt für Erfolge

		richtig	falsch
1	Zahlen vermitteln genau das, was wichtig ist.	☐	☐
2	Testshop-Focus ist Ergänzung zu den anderen Methoden.	☐	☐
3	Man bekommt die Stimmung im Einzelhandel vermittelt.	☐	☐
4	Eine Untersuchungseinheit besteht aus Beobachtung und Befragung.	☐	☐
5	Die Einheit wird in verschiedenen Geschäften durchgeführt.	☐	☐
6	Dieser vierstundenlange Service kostet nur wenig.	☐	☐
7	Jede weitere Untersuchungseinheit kostet DM 980,–.	☐	☐
8	Die Geschäfte werden zufällig ausgewählt.	☐	☐
9	Nichtkäufer werden nicht befragt, nur beobachtet.	☐	☐
10	Das Institut kennt sich in der Berliner Szene aus.	☐	☐
11	Man bekommt auch Hinweise über Konkurrenzprodukte.	☐	☐
12	Die Tests können allerdings keine Aussage über Kaufgewohnheiten machen.	☐	☐
13	Man erhält nach zwei Tagen einen Bericht.	☐	☐

Exercise 17.5

Setzen Sie Begriffe aus dem obigen Text ein!

1 Daten über ____________, Distribution und Umsatz müssen ____________ und aktuell sein.

2 Man benötigt nicht nur quantitative, sondern auch ____________ Informationen über den Testmarkt.

3 Die Untersuchung wird durch zwei ____________ Interviewer durchgeführt.

4 In Absprache mit dem Berliner Partnerinstitut kann die ____________ aufgestockt werden.
5 Es wird entschieden, welche Geschäfte in die Untersuchung mit ____________ werden.
6 Das Marktforschungsinstitut kann dem Kunden wichtige ____________ und Tendenzen vermitteln.

Exercise 17.6

Hören Sie den Text auf der Kassette und beantworten Sie die Fragen!

Decken Sie den nachstehenden Dialogtext mit einem Blatt ab, während Sie die Kassettenübung machen. (Sie können die Übung auch als Lese- und Schreibübung machen.)

1 Warum hat sich die Kundin das Produkt lange angesehen?
2 Warum kauft die Kundin das Produkt, obwohl sie es etwas teuer findet?
3 Warum will sie keine weiteren Produkte aus der Produktreihe kaufen?
4 Was gefällt ihr an der Verpackung nicht?
5 Was soll die Kundin mit nach Hause nehmen?

Dialog am Regal einer Drogerie

Befrager: Guten Morgen! Ich führe eine Untersuchung durch. Dürfte ich Sie mal etwas fragen?
Kundin: Um was geht's denn?
Befrager: Es geht um dieses Duftkissen, das Sie in Ihren Einkaufskorb gelegt haben. War es das erste Mal, daß Sie so etwas gekauft haben?
Kundin: Ja, das stimmt, deshalb habe ich es mir auch so lange angeguckt.
Befrager: Finden Sie 5,80 DM als preiswert oder als zu teuer?
Kundin: Ich finde es etwas teuer, aber ich will es verschenken, da guckt man nicht so genau auf den Preis.
Befrager: Würden Sie auch andere Produkte aus dieser Reihe hier kaufen?
Kundin: Ich glaube schon. Die Tütchen mit den Blütenblättern finde ich sehr schön, aber ich will nicht so viel Geld auf einmal ausgeben.
Befrager: Wie gefällt Ihnen die Verpackung der Produkte?

Kundin: Man kann nicht genau erkennen, welche Artikel hier zusammengehören. Die Verpackung muß schon schön sein, um es als Geschenk zu verkaufen.

Befrager: Geben Sie häufig Geld für Luxusprodukte dieser Art aus, z.B. für parfümierte Seife?

Kundin: Na ja! Wie jeder normale Mensch auch.

Befrager: Dürfte ich Ihnen diesen detaillierten Fragebogen mit frankiertem Umschlag mit nach Hause geben?

Kundin: Sicherlich, ich muß Ihnen ja nicht jede Frage beantworten, außerdem habe ich jetzt keine Zeit mehr. Auf Wiedersehen!

Befrager: Auf Wiedersehen! Und vielen Dank!

Glossar

Um was geht's denn?	What's it about?
das Duftkissen (—)	perfumed sachet
der Einkaufskorb (¨e)	shopping basket
angucken	look at
das Tütchen (—)	small bag
das Blütenblatt (¨er)	blossom
auf einmal	all at once
frankiert	stamped
außerdem	besides

Redemittel: Enttäuschung und Bedauern

das hat mich sehr enttäuscht
das war sehr enttäuschend
das finde ich enttäuschend

wie schade!

das ist aber bedauerlich
ich bedauere sehr, daß ...
bedauernswerterweise ...
leider ...

das tut mir leid
unglücklicherweise
das hatte ich mir anders vorgestellt

Brief:

Hierüber möchte ich meine Enttäuschung zum Ausdruck bringen.
Ich möchte über ... meine Enttäuschung zum Ausdruck bringen.
Es tut uns leid, Ihnen mitzuteilen, daß ...
Leider müssen wir Ihnen mitteilen, daß ...

Martha Riemer
Neußerstraße 178
4630 Bochum

Bochum, den 12.03.19..

An das
Marktforschungsinstitut
Hallervorden
Graf Dreihoff Str. 12
8000 München 80

Sehr geehrte Damen und Herren,

ich möchte meine Enttäuschung über das Probeprodukt, das Sie mir vor vierzehn Tagen zugesandt haben, zum Ausdruck bringen. Es tut mir leid, Ihnen mitzuteilen, daß obgleich mir die Verpackung der Schokolade sehr gefiel, ich Ihr Produkt geschmacklich aber sehr langweilig fand.

Auch meine Familie ist nicht besonders begeistert, und wir schicken Ihnen hiermit den Rest der Packungen wieder zurück.

Ich möchte Ihnen leider nicht mehr als Testperson zur Verfügung stehen.

Mit freundlichen Grüßen

Martha Riemer

Glossar	
geschmacklich	as regards taste
begeistert	enthusiastic

Exercise 17.7

Hören Sie den Dialog auf der Kassette und setzen Sie die fehlenden Worte in den Text ein!

(Mit Hilfe des Schlüssels können Sie die Übung auch als Lese- und Schreibübung machen.)

Dialog zur Auswertung des Testergebnisses in Berlin.

Frau Frazer: Doch, das mit diesem ____________ hat mir gefallen. Ich glaube, die haben gute Arbeit ____________.

Frau Höfer: Ich fand ____________, daß die uns die Tonbandaufzeichnungen der Befragungen ____________ haben und den Fragebogen über ____________ mit nach Hause gegeben haben.

Frau Frazer: Ja, man kann eine Kundin im Geschäft nicht einfach nach Ihrer ____________ fragen. So etwas ist nur ____________, z.B. mit einem Fragebogen, möglich.

Frau Höfer: Ich bin nun auch ____________ Meinung, daß die Verpackung verändert werden sollte. Wenn Sie wollen, kann ich Ihnen da auch einige ____________ vorlegen.

Frau Frazer: Daran bin ich ____________. Was ich außerdem interessant fand – das deckt sich zum Teil natürlich mit Großbritannien – war, daß unsere ____________ meistens von Frauen und oft als Geschenk gekauft wird. Darauf müssen wir unser Marketing, auch für Deutschland, sehr genau ____________.

Frau Höfer: Und wie hat Ihnen Berlin denn gefallen?

Frau Frazer: Sehr, sehr gut. Ich hoffe, hier noch ____________ arbeiten zu können. Lassen Sie uns doch einen ____________ ____________ Test hier durchführen. Wir brauchen natürlich immer noch genaue Daten und Trends.

Frau Höfer: Das freut mich sehr. Lassen Sie uns gleich loslegen.

Glossar – Dialog	
gute Arbeit liefern	make a good job of it
imponierend	impressive
die Tonbandaufzeichnung (en)	tape recording
jdm. etwas überlassen	let s.o. have s.th.
der Befrager (—)	interviewer
die Einkommensstufe (n)	income bracket
der Fragebogen (¨)	questionnaire
der Meinung sein	be of the opinion
einen Vorschlag vorlegen	put forward a proposal
zum Teil	partly
sich decken	*here:* correspond
ausrichten auf	target
groß angelegt	large-scale
loslegen	go ahead

Prepositions with accusative

Exercise 17.8

Setzen Sie die folgenden Präpositionen sinngemäß ein und ergänzen Sie die Endung!

betreffend	with regard to
eingerechnet	including (in the account)
per	per, by
pro	per (each)

1 Die Zahlungen erfolgten stets ____________ sechsmonatig____ Abrechnung.
2 Das Projekt umfaßte 200 Tests ____________ voll____ Arbeitstag.
3 D____ Extras ____________ kostete der Aufrag 12.000,–DM.
4 Der Kollege hat mich d____ Bericht ____________ angerufen.

Some verbs taking the dative

Exercise 17.9

Ordnen Sie zu!

1	genügen	decline s.o.'s invitation
2	zustimmen	resemble
3	gehören	agree
4	nützen	answer
5	ähneln	agree with
6	fehlen	be lacking, missing
7	begegnen	belong to
8	beistimmen	be successful
9	gelingen	be sufficient
10	absagen	benefit, be of use
11	etwas verschaffen	force s.th. on s.o.
12	etwas aufdrängen	be at s.o.'s disposal
13	zur Verfügung stehen	procure s.th. for s.o.
14	antworten	meet

Exercise 17.10

Setzen Sie die richtige Dativendung ein!

1 Ein Produkt ähnelt d____ anderen.
2 Ich kann Ihr____ Meinung nur beistimmen.
3 Können Sie d____ Kundin das neueste Modell verschaffen?
4 Die Testbefragung ist d____ beid____ geschult____ Interviewern gut gelungen.
5 Haben Sie d____ Marktforschungsinstitut abgesagt?
6 Wichtige Hinweise und Informationen fehlen d____ Firma noch.
7 Die Marktbeobachtung hat d____ Abteilungsleiterin wenig genützt.
8 Die Ergebrisse der letzten Repräsentativbefragung ähneln d____ Ergebnissen des letzten Jahres.

Some verbs taking the genitive

Exercise 17.11

Ordnen Sie zu!

1	anklagen	need, require
2	sich einer Sache annehmen	accuse s.o. of
3	sich einer Sache enthalten	assure oneself of s.th.
4	verdächtigen	refrain from s.th.
5	überführen	lack
6	bedürfen	accuse s.o. of
7	sich einer Sache versichern	suspect s.o. of
8	beschuldigen	look after a matter
9	entbehren	prove s.o. guilty

Exercise 17.12

Setzen Sie die richtige Genitivendung ein!

1 Der Einstieg in den ausländischen Markt bedarf ein____ gründlich__ Analyse.
2 Er hat sich bislang d____ Neueinführung von Elektroprodukten angenommen.
3 Sie wurde d____ Flops der gesamten Produktreihe beschuldigt.
4 Der Leiter des Rechnungswesens wurde d____ Betrugs angeklagt.
5 Dieses Testergebnis entbehrt jeglich____ Aussagekraft.
6 Er hat sich vorher d____ lückenlos____ Medienangebots einschließlich der elektronischen Möglichkeiten versichert.
7 Während der Generalversammlung enthielt sie sich d____ Stimme.
8 Obwohl seine Methodik ausgeklügelt war, wurde er d___ Nachlässigkeit verdächtigt.
9 Das Gericht überführte den Angeklagten d____ Diebstahls.

Exercise 17.13

Bilden Sie Sätze!

Beispiel:

ohne Zögern / zustimmen / schriftlich / Der Mitarbeiter / der Erfahrungsbericht

Der Mitarbeiter stimmte dem schriftlichen Erfahrungsbericht ohne Zögern zu.

1 mit dem Verkaufsleiter / abgesagt werden / Der Termin / der Vertreter
2 völlig. / gut / fehlen / Service / Die Firma
3 gelingen / die britische Firma / Der Einstieg / sofort. / der deutsche Markt / in
4 sehr. / Die deutschen Forschungsmethoden / die englischen / ähneln
5 Unsicherheiten und Flops / Um / zu vermeiden, / schon / ein kleiner Verbrauchertest. / genügen
6 die Unternehmerin / Harte soziodemographische Daten / zur Verfügung. / durch die Repräsentativbefragung / stehen
7 das Projekt / kostenlos / Die Arbeitsgemeinschaft Markt-Info Berlin / sich annehmen
8 verdächtigt werden / Die Firma / die illegale Produktkopie

Wichtige Begriffe aus diesem Kapitel

1 Substantive (nouns)

deutsch	*englisch*

2 Verben + Kasus (verbs + case)

deutsch	*englisch*

3 Wichtige Redewendungen (idiomatic phrases)

deutsch	*englisch*

4 Notizen

Unit 18

Analyse statistischer Daten
Analysis of statistical data

We take you step by step through the analysis of statistical data, and there will be an opportunity to practise analysing data once you have familiarized yourself with the appropriate terminology, in particular the different ways of expressing an increase or decrease. In the grammar part, we concentrate on the two past tenses imperfect and perfect.

Statistiken verstehen und analysieren

Gut ausgestattet

Von 100 Vierpersonen-Arbeitnehmer-Haushalten hatten:

	1975	1985
Rundfunkgeräte	94	100
Waschmaschinen	74	98
Telefon	57	94
PKW	76	93
Farbfernsehgeräte	42	87
Kaffeemaschine	42	85
Gefrierschrank, -truhe	52	70
Geschirrspülmaschine	10	41
Videorecorder		20

Glossar – Statistik

das Rundfunkgerät (e)	radio
der PKW = der Personenkraftwagen	car
der Gefrierschrank (¨e)	upright freezer
die Gefriertruhe (n)	chest freezer
die Geschirrspülmaschine (n)	dish-washer
ausgestattet sein	be equipped, fitted with

Beschreibungs- und Analyseschritte

Folgende Beschreibungs- und Analyseschritte werden wir jetzt gemeinsam durchführen, um ein Schaubild oder eine Statistik zu verstehen:

I Beschreibung/Begriffserklärung des Schaubilds / der Statistik
II Analyse
III Interpretation
IV Kritik

Exercise 18.1

I Beschreibung und Begriffserklärung des Schaubilds „Gut ausgestattet"

(a) Welche Informationen sind wichtig?

Welche Information steht in welcher Zeile? Ordnen Sie die Zeilenzahl den Stichworten unter (a) zu! Tragen Sie die Zeilenzahl in die Klammer hinter das passende Stichwort ein!

Folgende Stichworte könnte man sich dazu machen:

Säulendiagramm (____)
Bundesrepublik Deutschland (____)
Von 100 = v.H. = % = Prozent (____)
Vierpersonen-Arbeitnehmer-Haushalt (____)
langlebige Konsumgüter (____)
neun Säulen (____)
acht Säulen für 1975 (____)
1975 und 1985 (____)

Mit diesen Stichworten kann man nun folgenden beschreibenden Text schreiben:

1 Das *Säulendiagramm* zeigt, welcher Prozentsatz an Vierpersonen-
2 Arbeitnehmer-Haushalten mit neun verschiedenen langlebigen
3 Konsumgütern ausgestattet ist. Es handelt sich um die Jahre 1975
4 und 1985 in der Bundesrepublik Deutschland. Für 1975 gibt es nur 8
5 Säulen, da es für Videorecorder für 1975 keine Angabe gibt.

(b) Begriffserklärungen

- Rundfunkgeräte: Radios
- PKW = Personenkraftwagen = Auto
- Gefrierschrank und -truhe = ohne Kühlschränke
- Arbeitnehmerhaushalt, Arbeitnehmer = jemand, der für Lohn oder Gehalt bei einem Arbeitgeber arbeitet

Als Text sieht das dann so aus:

Man versteht unter Rundfunkgeräten – Radios und unter PKW – Auto. Die Kategorie Gefrierschrank und -truhe schließt einfache Kühlschränke nicht ein. Ein Arbeitnehmerhaushalt ist ein Haushalt mit einer oder mehreren Personen, die für Lohn oder Gehalt bei einem Arbeitgeber arbeiten. Es handelt sich wahrscheinlich um die Durchschnittsfamilie.

Exercise 18.2

II Analyse

(a) Welche Reihenfolge?
(b) Welche wichtigen Veränderungen? Besonders groß/klein?
(c) Welche Besonderheiten am oberen Ende und am unteren Ende?
(d) Sprünge?
(e) Bündelung zu Gruppen
(f) Veränderungen (Zunahme oder Abnahme) von absoluten Zahlen in Prozentsätze umschreiben!

Das ergibt nun folgenden Text:

Tragen Sie in den Klammern hinter den Absätzen den entsprechenden Buchstaben aus den Hinweisen zur Analyse (a)–(f) ein!

1 Die Säulen der Konsumgüter für das Jahr 1985 sind nach Größe geordnet: Von Rundfunkgeräten (100/100) bis Video-Recorder (20/100). Dadurch werden die Veränderungen über die zehn Jahre deutlich. (____)

2 Bemerkenswert ist der starke Anstieg bei Geschirrspülmaschinen (mehr als das Vierfache), bei Kaffeemaschinen und Farbfernsehgeräten (mehr als das Doppelte) und bei Telefonen (um ca 65%). Das heißt, daß die Anzahl der Haushalte, die ein Telefon besitzen, von 1975 bis 1985 um 65% gestiegen ist.

3 Die ersten vier Konsumgüter: Rundfunkgeräte, Waschmaschinen, Telefone und PKWs gibt es fast schon in allen Haushalten, das kann bedeuten, daß man z.B. keine Werbung machen kann mit dem Slogan: „Auch Sie sollten zu Hause ein Radio haben", oder „Waschen Sie doch nicht mehr mit der Hand, kaufen Sie sich eine Waschmaschine"! (____)

4 Anders bei Videorecordern und Geschirrspülmaschinen, wo noch nicht alle Haushalte den Artikel besitzen. Hier können noch Zuwachsquoten erzielt werden, indem neue Käufer gewonnen werden. (____)

5 Der Anstieg von Videorecordern von 0 auf 20 in zehn Jahren ist erstaunlich. (____)

Exercise 18.3

III Interpretation

Warum gibt es diese Veränderungen und warum diese Unterschiede? Welche Zusatzinformationen oder welches Vorwissen haben Sie, um die Veränderungen zu erklären?

Mögliche Gründe und Argumente:

(a) Preisentwicklung: Verbilligung des Produkts
(b) technische Entwicklung
(c) Einkommensverbesserung der Haushalte
(d) Sättigung: keine starken Zuwachsraten
(e) keine Sättigung: expansiver Markt
(f) veränderte Lebensgewohnheiten
(g) frühere Technikfeindlichkeit
(h) der hohe oder niedrige Preis

Ein vollständiger Text könnte wie folgt aussehen:

Tragen Sie in den Klammern hinter den Absätzen den entsprechenden Buchstaben aus den Hinweisen (a)–(h) ein!

1 Die Veränderung bei der Anzahl der Haushalte mit Telefon von 57% auf 94% ist besonders erstaunlich, wenn man es mit Zahlen aus anderen hochindustrialisierten Ländern vergleicht, wie zum Beispiel den USA und auch Großbritannien und Frankreich. Vielleicht ist sie damit zu erklären, daß stärkere örtliche Mobilität und kleinere Familien die Notwendigkeit des Telefons verstärkt haben und die Technikfeindlichkeit und der Hauch von Luxus verloren gegangen sind. Zum anderen sind die Anschaffungskosten nicht sehr hoch. (____)

2 Beim PKW zeigt sich trotz hoher Anschaffungskosten die Tendenz, daß bald jeder Haushalt mindestens ein Auto besitzt. Hier ist das höhere Einkommen in den achtziger Jahren der Hauptgrund. (____)

3 Das spielt zwar auch eine Rolle bei Farbfernsehgeräten und Videorecordern, jedoch kann man besonders bei letzteren sehr deutlich den Beginn der Billigrecorder für die Privathaushalte erkennen, der durch technische Verbesserungen begründet ist. (____)

4 Die Veränderung bei Kaffeemaschinen ist noch schwerer zu interpretieren: Vielleicht dauerte es so lange, die Hausfrau davon zu überzeugen, daß sich die geringe Investition lohnt, um sich die Arbeit zu erleichtern. Wahrscheinlich war die anfängliche Qualität der Kaffeemaschinen noch nicht so gut wie der eigene Kaffeeaufguß mit dem Filter und dem Heißwasserkessel. (____)

5 Kann man generelle Trends ablesen? Werden die letzten drei langlebigen Konsumgüter in wenigen Jahren auch bei fast 100% sein, oder gibt es Gründe, warum sie bei ihrem jetzigen Haushaltsanteil stehenbleiben? Brauchen 30% der Haushalte keine Gefriertruhe, weil sie vielleicht keinen Garten haben, um etwas einzufrieren, weil sie keine gefrorenen Gerichte einkaufen oder weil sie nicht lange im voraus planen? (____)

Glossar

der Hauch von	a touch of
die Anschaffungskosten *(pl.)*	prime, purchasing costs
erleichtern	make easier
anfänglich	initial
der Kaffeeaufguß (-güsse)	the making of coffee
der Heißwasserkessel (—)	kettle
im voraus	in advance

IV Kritik

(a) Ist das Schaubild aussagekräftig?
(b) Sind die Angaben eindeutig?
(c) Gibt es offensichtliche Fehler?
(d) Ist etwas Wichtiges ausgelassen worden?
(e) Was ist die implizite oder explizite These?

Und so könnten die Schlußabsätze aussehen:

Ist ein Arbeitnehmerhaushalt wirklich die deutsche Durchschnittsfamilie? Wie sieht es mit Einpersonenhaushalten heutzutage aus? Warum diese Auswahl der langlebigen Konsumgüter? Was ist mit SW-Fernsehgeräten, Kühlschränken, Heimcomputern?

Was bedeutet die Überschrift „Gut ausgestattet“? Wahrscheinlich meint sie, daß die Bundesrepublik jetzt – 1985 – gut ausgestattet ist. Heißt das auch, daß sie 1975 noch nicht so gut ausgestattet war? Wie sieht der Trend aus? Für 1995, 2005, 2015, 2025?

Glossar

aussagekräftig	valuable as regards information
eindeutig	clear, unmistakable
offensichtlich	obvious
auslassen	omit
heutzutage	today
die Auswahl *(no pl.)*	choice, selection
der Kühlschrank (¨e)	fridge

Einige nützliche Ausdrücke:

das Säulendiagramm (e)	bar chart
das Tortendiagramm (e)	pie chart
die graphische Darstellung (en)	graphical presentation
die tabellarische Darstellung (en)	tabular presentation
die Tabelle (n)	table
das Zahlenbild (er)	table
das Schaubild (er)	diagram
die Kurve (n)	graph

Exercise 18.4

Füllen Sie bitte folgendes Säulendiagramm mit Informationen aus dem nachfolgenden Text aus!

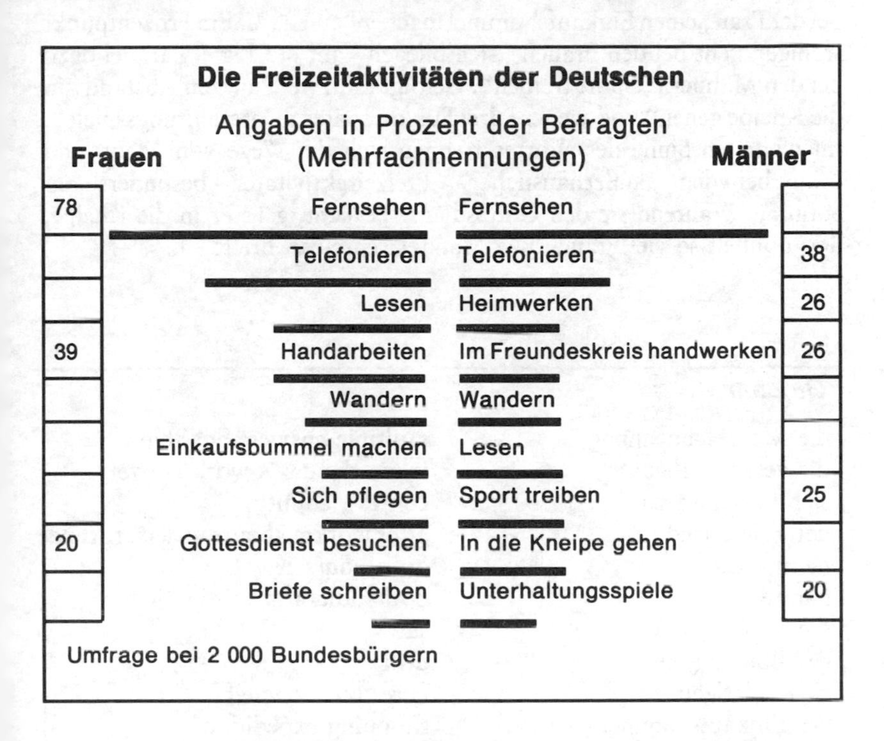

Nach getaner Arbeit genügt den meisten der Fernseher: acht von zehn Befragten bekannten sich zu dieser Freizeitbeschäftigung. Bei den Frauen waren es 78%, bei den Männern waren es 85%. An zweiter Stelle der Feierabend- und Wochenendtätigkeiten kommt das Telefonieren. Jede zweite Frau und jeder dritte Mann greifen zum Hörer.

Bei den weiteren Aktivitäten unterscheiden sich jedoch Frau und Mann. 39% der Frauen lesen in der Freizeit, wobei Männer nur zu 25% lesen. Bei Männern steht an dritter Stelle das Heimwerken mit 26%. Darauf folgt bei ihnen das Handwerken im Freundeskreis und danach das Wandern, beide mit derselben Prozentzahl. Das Wandern steht auch bei den Frauen an derselben Stelle, jedoch liegt die Prozentzahl um 6 Prozentpunkte höher.

Da wo die Männer sich mit Hammer, Säge und Bohrer nützlich machen, betätigen sich die Frauen zu 39% mit Handarbeiten. Auf Platz 6 kommt bei der Frau „einen Einkaufsbummel machen" mit 28%. Ein Prozentpunkt weniger steht bei den Frauen „sich pflegen" auf der Liste. Parallel dazu bei den Männern „Sport treiben". Gefolgt mit zwei Punkten Abstand „in die Kneipe gehen" und weitere drei Punkte später „Unterhaltungsspiele". Im wahrsten Sinne des Wortes trennen sich die Wege von Mann und Frau bei den „außerhäuslichen" Freizeitaktivitäten – besonders am Sonntag. Während *sie* den Gottesdienst besucht, geht *er* in die Kneipe, und doppelt so viel Frauen wie Männer schreiben Briefe – 15 % –.

Glossar

die Mehrfachnennung	multiple answers possible
die getane Arbeit	when the day's work is over
sich bekennen zu	confess, admit
der Feierabend (e)	after working hours, in leisure time
heimwerken	do-it-yourself
handwerken	do handicrafts
die Säge (n)	saw
der Bohrer (—)	drill
sich betätigen	*here:* busy oneself
der Einkaufsbummel (—)	shopping expedition
der Abstand (¨e)	distance
die Kneipe (n)	pub
das Unterhaltungsspiel (e)	game (for amusement)
im wahrsten Sinne des Wortes	in the true sense of the word
trennen	separate
der Gottesdienst (e)	church service

Exercise 18.5

Setzen Sie die passenden Verben ein!

mehr		weniger	
die Anhebung	anheben	der Abbau	______
der Anstieg	______	die Abnahme	______
die Aufstockung	______	die Abschwächung	______
der Ausbau	______	die Einschränkung	______
die Ausdehnung	______	die Einsparung	______
die Erhöhung	______	die Ermäßigung	______
der Gewinn	______	die Erniedrigung	______
die Steigerung	______	das Fallen	______
die Vergrößerung	______	die Kürzung	______
die Verstärkung	______	die Schrumpfung	______
das Wachstum	______	die Senkung	______
die Zunahme	______	das Sinken	______
der Zuwachs	______	die Verkleinerung	______
		die Verschlechterung	______
		der Verlust	______
		die Verringerung	______

Exercise 18.6

Setzen Sie die entsprechenden Zahlen aus dem Schaubild in den Text ein!

Lebensmittel – Geschäft

Das Sterben geht weiter (1989)

Der Strukturwandel im Lebensmitteleinzelhandel geht weiter. Seit 1971 haben über ______ Läden geschlossen. Nur in ______ Geschäften können sich die Bundesbürger noch versorgen. In den kommenden zehn Jahren werden nach Prognosen nochmals ______ Läden schließen. Für die Verbraucher bedeutet das vor allem, daß sie für Ihren Einkauf längere Wege zurücklegen müssen. Dieser Strukturwandel ist schon lange nicht nur Ausdruck für das bittere Ende der Tante-Emma-Läden, man erwartet, daß die Zahl der kleinen Geschäfte um ca. ______ % zurückgeht. Auch die großen

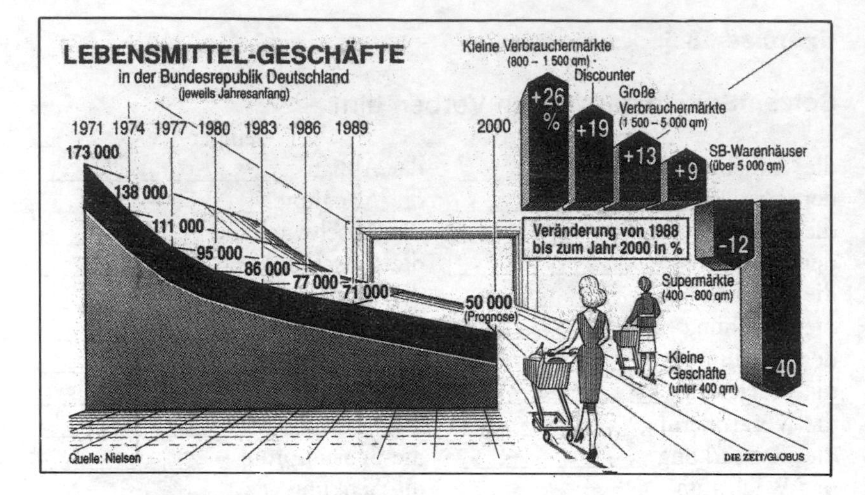

Konzerne und Filialisten schließen ihre Kleinstläden, um größere Geschäfte zu eröffnen. Die Anzahl der Supermärkte wird um ungefähr ___________ % sinken. Bei den größeren Geschäften werden denn auch die Zuwachsraten liegen. Die stärkste Zuwachsrate wird auf die kleinen Verbauchermärkte mit ___________ % fallen.

Glossar

der Verbrauchermarkt (¨e)	superstore
der Discounter (—)	discounter
SB = Selbstbedienung	self-service
SB-Warenhaus (häuser)	self-service department store
der Supermarkt (¨e)	supermarket
qm = der Quadratmeter (—)	square metre
das Sterben *(no pl.)*	*here:* demise
der Strukturwandel *(no pl.)*	structural change
der Lebensmitteleinzelhandel	food retailing
der Laden (¨)	shop
sich versorgen	supply oneself

einen Weg zurücklegen	cover a distance
der Ausdruck (¨e)	expression
der Tante-Emma-Laden	corner shop
ca. = circa (zirka)	circa
der Filialist (en)	chain company
der Kleinstladen	smallest shop
eröffnen	open up
ungefähr	about
die Zuwachsrate (n)	growth rate

Exercise 18.7

Schreiben Sie die Bezeichnung der Lebensmittel-Geschäfte neben die Größendefinition!

1 unter 400 qm ____________________
2 400–800 qm ____________________
3 800–1 500 qm ____________________
4 1 500–5 000 qm ____________________
5 über 5 000 qm ____________________

Redemittel: Ab- und Zunahme

Jahreszahlen

von 1986 bis 1989	from 1986 to 1989
1971 gab es ...	in 1971 there were ...
Im Jahre 1993 ...	in 1993 ...

Zahlen und Prozente

ist die Zahl um ... gestiegen	the number has risen by ...
gefallen	dropped
(hat sich die Zahl um ... erhöht	the number has risen by ...
verringert	dropped
ist von ... auf ... gestiegen	has risen from ... to ...
gefallen	dropped
ist um ... auf ... gestiegen	has risen by ... to ...
gefallen	dropped

Exercise 18.8

Setzen Sie die Präpositionen ein! (Die Informationen beziehen sich auf das Schaubild.)

___________ 1974 ___________ 1980 ist die Zahl der Lebensmittelgeschäfte ___________ 43.000 gefallen. Sie hat sich in dieser Zeit ___________ 138.000 ___________ 95.000 verringert. Jedoch hat sich die Zahl ___________ 1983 ___________ 1989 nur ___________ 15.000 verringert, nämlich ___________ 86.000 ___________ 71.000. Nur 50.000 Geschäfte wird es wahrscheinlich ___________ Jahre 2000 geben.

Die Anzahl der kleinen Verbrauchermärkte wird wahrscheinlich ___________ 1988 ___________ zum Jahre 2000 ___________ 26% steigen, die kleinen Geschäfte jedoch werden sich ___________ 40% verringern.

senken/steigern und sinken/steigen

senken/steigern (*lower/raise*)
These are transitive verbs, i.e. they must have an accusative object; remember that the accusative object becomes the subject in a passive sentence.

sinken/steigen (*fall/rise*)
These are intransitive verbs, i.e. they have no accusative object.

Er *senkt* die Ausgaben und *steigert* sein Einkommen. (with acc. object)
Die Ausgaben *sinken* und sein Einkommen *steigt*. (without acc. object)

Exercise 18.9

steigen oder *steigern*

1 Der Marktanteil wurde um 8% ___________.
2 Im letzten Jahr sind die Investitionen ___________.
3 Die Exportzahlen fürs Ausland ______________________jährlich.
4 Der Vertreter kann Ihren Umsatz sicherlich ___________.
5 Die Rentabilität des Unternehmens hätte ___________ werden müssen.
6 Die Schulden waren seit Jahren ___________, bevor das Management abgesetzt werden konnte.
7 Im letzten Monat ___________ die Steuern.
8 Die neue Geschäftsleitung konnte die Produktivität ___________.
9 Die Firma ___________ ihre Absatzquote.
10 Die Inflationsrate wird im nächsten Monat noch ___________.

Exercise 18.10

sinken oder *senken*

1 Im nächsten Frühjahr werden die Zinssätze ___________.
2 Die Konjunktur ___________ noch immer.
3 Das Forschungsinstitut hat seine Gebühren ___________.
4 Im letzten Jahr ___________ die Arbeitslosenzahlen im gleichen Zeitraum um 3%.
5 Die Inflation muß stärker ___________, bevor die Bundesbank den Zinssatz ___________.
6 Die Produktivität des Unternehmens war stark ___________, bevor die Banken eingriffen.
7 Die Arbeitslosenzahlen werden im nächsten Monat ___________ können.
8 Die Preise für das alte Modell wurden um 25% ___________.

Exercise 18.11

Setzen Sie ein!

steigen	verschlechtern	fallen	gewinnen	abbauen

1 Der Dollarpreis ___________ weiter von DM 1,54 auf DM 1,52.
2 Die Subventionen werden langsam ___________.
3 Die Ergebnisse ___________ sich zunehmend.
4 Dieses Jahr ist sehr erfolgreich. Der Umsatz ___________ weiter.
5 Wir können noch neue Marktanteile ___________.

Exercise 18.12

Setzen Sie die obigen Sätze erst ins Imperfekt, danach ins Perfekt.

Imperfekt
1 ____
2 ____
3 ____
4 ____
5 ____

Exercise 18.13

Perfekt
1 ____
2 ____
3 ____
4 ____
5 ____

Exercise 18.14

Schreiben Sie diese Sätze um, indem Sie für die kursiv gedruckten Substantive das passende Verb benutzen!

Beispiel:
Der *Anstieg* des Umsatzes wurde von allen begrüßt.
Daß der Umsatz *stieg*, wurde von allen begrüßt.

1 Der *Sturz* der Aktien konnte nicht verhindert werden.
2 Die *Reduzierung* des Personals war für alle Beteiligten unerfreulich.
3 Der *Verlust* der Marktanteile brachte das Unternehmen in Schwierigkeiten.
4 Die *Verringerung* des Angebots war notwendig.
5 Der *Anstieg* der Inflationsrate gegenüber dem Vormonat wurde von allen beklagt.

1 ______________________________
2 ______________________________
3 ______________________________
4 ______________________________
5 ______________________________

Exercise 18.15

Schreiben Sie das kursiv gedruckte Verb in ein Substantiv um!

Beispiel:
Sie sprachen davon, die Ausgaben im nächsten Jahr zu *senken*.
Sie sprachen von der *Senkung* der Ausgaben im nächsten Jahr.

1 Sie freut sich darüber, daß die Verkaufszahlen *zunehmen*.
2 Sie schlug vor, die Marktposition im Ausland stärker *auszubauen*.
3 Er dachte daran, seine Geschäftsbeziehungen mit dem Chemiegiganten *auszudehnen*.
4 Der Außenmitarbeiter berichtete darüber, daß seine Firma hohe Beträge *verloren* hätte.
5 Das Diagramm zeigt eindeutig, daß die Produktion gegenüber dem Vorjahr *gestiegen* ist.

____
____
____
____
____

Wichtige Begriffe aus diesem Kapitel

1 Substantive (nouns)

deutsch	*englisch*

2 Verben + Kasus (verbs + case)

deutsch	*englisch*

3 Wichtige Redewendungen (idiomatic phrases)

deutsch	*englisch*

4 Notizen

Unit 19

Distribution/Vertrieb
Distribution

The chapter deals with the different distribution channels in Germany and discusses the various forms of retailing. Finding an agent is illustrated in our example: a dialogue between a British exporter and a German importer. To improve your discussion and negotiating skills, we focus on ways to interrupt a dialogue politely and ask for clarification. The use of the compound *da* +preposition, which is a grammatical feature particular to the German language, will be demonstrated and practised.

Aufbau einer Vertriebsorganisation

Vom Produkt und der finanziellen Einsatzbereitschaft ist es abhängig, ob man sich mit einem Produkt direkt auf den deutschsprachigen Markt begibt oder ob eine Vertretung – und welche Art der Vertretung – zwischengeschaltet werden sollte.

Der Direktverkauf auf dem ausländischen Markt kann unter Umständen sehr aufwendig und teuer sein. Ein Vorteil ist allerdings, daß man direkte Kontrolle über das Marketing seines Produktes behält. Außerdem überläßt man Beratung und Service bei technisch komplizierten Maschinen nicht gerne einem Vertreter allein. Der Direktvertrieb rentiert sich auch, wenn Spezialprodukte an nur wenige Abnehmer vertrieben werden.

Bei Produkten, die sich an einen größeren Abnehmerkreis richten, wie zum Beispiel Lebensmittelartikel, wird es günstiger sein, eine Vertretung mit dem Vertrieb zu beauftragen. Aufgrund der föderalen Struktur Deutschlands könnte es sich empfehlen, verschiedene Vertretungen für die einzelnen Länder zu beauftragen. Somit kann auf regionale Unterschiede im Verbraucherverhalten und im Einzelhandel eingegangen werden.

Banken, Industrie- und Handelskammern, die Zentralvereinigung Deutscher Handelsvertreter- und Handelsmaklerverbände sowie die Industrie- und Handelsverbände des exportierenden Landes informieren über Vertretungen und rechtliche und finanzielle Rahmenbedingungen.

Bevor man sich für eine Vertretung entscheidet, ist es wichtig, mehrere Vertretungen einer gründlichen Prüfung zu unterziehen. Dazu gehört, daß man sich die Produktpalette der in Frage kommenden Agentur, deren Lagerungsmöglichkeiten, Kundenstamm und finanzielle Situation genau ansieht.

Des weiteren sollte man sich vergewissern, daß die Vertretung über ausreichendes Produktwissen verfügt oder bereit ist, sich dieses anzueignen. Dazu muß natürlich ein entsprechend gut geschulter Mitarbeiterstab zur Verfügung stehen.

Referenzen können Auskunft über Erfolg und Zuverlässigkeit einer Vertretung geben. Jedoch sollte man darauf achten, daß die Agentur am Markt etabliert ist, während die Größe der Agentur von exportstrategischen Entscheidungen abhängt.

Sicherlich will die seriöse Agentur ähnliche Informationen auch vom Lieferanten erhalten. Dieser sollte seine eigene Produktpalette, seine finanzielle Situation und seine Leistungen vorstellen können. Er sollte schon unbedingt über den zukünftigen Markt Erkundigungen eingeholt haben.

Wichtige Bestimmungen zur Sicherheit und Qualität müssen vorab geklärt werden. Dazu gehören beispielsweise die Anpassung an die technischen Normen des zukünftigen Marktes und an dessen Sicherheits- und Qualitätsbestimmungen.

Am meisten interessiert sich die Vertretung wohl für Lieferbedingungen und Kundendienst. Grundvoraussetzung für den Erfolg auf dem deutschen Markt sind Qualitätsgarantie und Lieferzuverlässigkeit. In Gesprächen über eventuelle Marketingstrategien und Preisvorstellungen erfährt man sehr viel, nicht nur über die Arbeitsweise der verschiedenen Vertretungen, sondern auch über die Chancen des Produktes auf dem fremden Markt.

Glossar

die Einsatzbereitschaft (en)	readiness, willingness for action
sich begeben	go, proceed
zwischenschalten	bring in
unter Umständen	possibly
aufwendig	time-consuming
allerdings	however, though, certainly, admittedly
jdm. etwas überlassen	leave s.th. to s.o.
sich rentieren	be profitable

der Abnehmer (-)	buyer, customer
vertreiben	distribute, market, sell
sich richten an	address to
beauftragen	commission s.o.
könnte es sich empfehlen	it could be worthy of recommendation
eingehen auf	consider, deal with, consent to
die Rahmenbedingung (en)	basic condition
gründlich	thorough
einer Prüfung unterziehen	investigate, scrutinize
in Frage kommen	be in question
die Lagerungsmöglichkeit (en)	availability of storage, warehousing
der Kundenstamm (¨e)	regular customers
sich etwas genau ansehen	scrutinize
des weiteren	moreover
sich vergewissern	make sure
sich aneignen	acquire
der Mitarbeiterstab (¨e)	staff
zwar	however
die Referenz (en)	reference, recommendation
die Zuverlässigkeit (en)	reliability
seriös	respectable
unbedingt	by all means
Erkundigungen einholen	seek information
die Bestimmung (en)	regulation
etwas vorab klären	clarify in advance
die Anpassung (en)	adjustment
die Grundvoraussetzung (en)	basic requirement
die Preisvorstellung (en)	idea for the price
etwas erfahren über	learn s.th. about
die Arbeitsweise (en)	mode of operation, method of working

Exercise 19.1

Ergänzen Sie mit Worten aus dem Text!

Was hat man zu beachten, bevor man eine Vertretung im Ausland beauftragt?

1 verschiedene Vertretungen ______ ______ __________ ________ beauftragen
2 sich über Vertretungen über ______ und ______ Rahmenbedingungen informieren
3 mehrere Vertretungen einer ______ ____________ unterziehen
4 Produktpalette, _________ , _________ und finanzielle Situation einer Agentur genau ansehen
5 sich vergewissern, daß ein gut ______ ______ zur Verfügung steht
6 Referenzen _________
7 darauf achten, daß die Agentur ______ ______ etabliert ist
8 eigene Produktpalette, finanzielle Situation und Leistung _________
9 vorher _________ über den _________ Markt einholen
10 Sicherheits- und Qualitätsbestimmungen _________ klären
11 _________ und Kundendienst klären
12 Marketingstrategie, Marktchancen und _________ diskutieren

Exercise 19.2

Schreiben Sie die folgenden Sätze um, indem Sie die kursiv gedruckten Ausdrücke durch Ausdrücke aus dem obigen Text ersetzen!

1 Er wollte *sein Produkt direkt auf dem Markt verkaufen.*
2 Man hatte der Unternehmerin geraten, eine Vertretung *zu benutzen.*
3 Bei sehr komplizierten Maschinen sollte man *den Vertreter* die Beratung nicht *machen lassen.*
4 Diese Produkte *setzen* wir nur an Spezialgeschäfte *ab.*
5 Die Produktpalette *spricht* damit nur einen ganz besonderen Abnehmerkreis *an.*
6 Sie wollten das Unternehmen vor Vertragsabschluß erst einmal *prüfen.*
7 Die *ins Auge gefaßte* Agentur heißt Wüterich.
8 Der neue Mitarbeiter mußte sich *genaue Informationen über das Produkt beschaffen.*
9 Die Firma *hatte einen festen Platz* am Markt.
10 Der Exporteur hatte *sich Informationen* über die Konkurrenz *besorgt.*
11 Importbestimmungen müssen *vorher überprüft* werden.
12 Man hatte nichts *darüber erfahren, wie die Leute arbeiten.*

Exercise 19.3

Hören Sie sich den Dialog zwischen Herrn Hecht (Vertreter, Hamburg) und Frau Frisby (Firma Stove Design, Plymouth) an und kreuzen Sie danach die richtige Aussage an!

Decken Sie den Dialog ab, während Sie diese Übung machen! (Sie können diese Übung auch als Lese- und Schreibübung machen!)

1

(a) Herr Hecht ist nur an der Vertretung eines Produktes interessiert. ☐
(b) Herr Hecht ist unter keinen Umständen an einer Vertretung interessiert. ☐
(c) Herr Hecht ist an der Vertretung der Produkte interessiert. ☐

2

(a) Frau Frisbys Produkte passen zum Bereich Geschenkartikel. ☐
(b) Herr Hecht möchte Frau Frisbys Produkte zum Bereich Haushaltwaren nehmen. ☐
(c) Frau Frisbys Produkte können in beiden Bereichen angeboten werden. ☐

3

(a) Frau Frisby schaut sich den Gesamtkatalog an. ☐
(b) Herr Hecht hat keinen Katalog. ☐
(c) Es gibt Kataloge für die einzelnen Bereiche. ☐

4

(a) Fachgeschäfte für Kaminzubehör gibt es in Deutschland gar nicht. ☐
(b) Inneneinrichtungsgeschäfte verkaufen Kaminzubehör. ☐
(c) Inneneinrichtungsgeschäfte stellen keinen Ausstellungsraum zur Verfügung. ☐

5

(a) Die Deutschen haben ebenfalls eine lange Kamintradition. ☐
(b) Es gibt eine Tendenz zur außergewöhnlichen Innendekoration. ☐
(c) Kamine sind fester Bestandteil des deutschen Wohnstils. ☐

6

(a) Die Produkte sind relativ billig. ☐
(b) Der Kunde wird für Qualität einen angemessenen Preis bezahlen. ☐
(c) Der Preis liegt zu hoch für die Qualität der Produkte. ☐

7

(a) Die Lieferzeit für die Grundausstattung beträgt drei Wochen. ☐
(b) Die Lieferzeit für die Grundausstattung beträgt 5 bis 6 Wochen. ☐
(c) Die Lieferzeit bei Sonderwünschen liegt bei 3 bis 5 Wochen. ☐

8

(a) Herr Hecht akzeptiert eine Provision von 15%. ☐
(b) Herr Hecht akzeptiert eine Provision von 15%, nur wenn er auch hochwertiges Werbematerial herstellen darf. ☐
(c) Herr Hecht verlangt 18% Provision, da er die Marketingseite ebenfalls übernimmt. ☐

Vertreterbesuch

Gespräch zwischen Herrn Hecht (Vertreter, Hamburg) und Frau Frisby (Firma Stove Design, Plymouth) in Hamburg.

Herr Hecht: Kommen wir gleich zur Sache. Ich habe Ihren Katalog mit Interesse gelesen und bin sehr an einer Vertretung Ihrer Produkte interessiert. Aber Sie wollen sich sicher erst einmal einen Überblick verschaffen über die Artikel, die wir hier in Norddeutschland vertreiben. Unser Tätigkeitsbereich fällt grob gesagt in zwei Kategorien: Geschenkartikel und Haushaltswaren. Haushaltswaren ist natürlich ein weiter Bereich. Hauptsächlich handelt es sich um Porzellan, Kessel, Töpfe, Pfannen und Kochbesteck. Die Geschenkartikel sind weiter gefächert, aber darunter fallen auch dekorative Kupfer- und Messingtöpfe, zu denen wir gerne Ihre Produkte hinzunehmen möchten.

Frau Frisby: Das würde ich mir gerne mal ansehen. Haben Sie eine Zusammenstellung des Produktsortiments, das Sie vertreten?

Herr Hecht: Ich habe keinen Gesamtkatalog, aber schauen Sie sich doch mal bitte diese Kataloge hier für die einzelnen Bereiche als Beispiel an. Hier können Sie erkennen, um was es sich handelt.

Frau Frisby: Ah ja! ... Welchen Geschäften würden Sie denn unsere Produkte anbieten wollen?

Herr Hecht: Ich denke da in erster Linie an Kaufhäuser, Geschenkartikelläden und Inneneinrichtungsgeschäfte.

Frau Frisby: Inneneinrichtungsgeschäfte finde ich eine gute Idee. Haben Sie bereits Kontakt zu Inneneinrichtungsgeschäften. Denn von Ihrer Produktpalette hier ist das nicht so eindeutig.

Herr Hecht: Ja, ja. Besonders im Bereich der Kupfer- und Messingtöpfe hat sich ein neuer Markt im Inneneinrichtungsgeschäft etabliert.

Dort habe ich schon gute Beziehungen. Sie wissen ja, Fachgeschäfte für Kaminzubehör, wie es sie in Großbritannien gibt, findet man selten in Deutschland. Diese Absatzmöglichkeit steht uns nicht offen. Deshalb ist es schwieriger, Ihre Produkte gut zu plazieren, und es ist wichtig, die richtigen Geschäfte zu finden, die uns entsprechenden Ausstellungsraum zur Verfügung stellen.

Frau Frisby: Glauben Sie überhaupt an einen Markt in Deutschland? Es gibt doch wohl kaum eine Kamintradition hier, und wir sind ja auch mehr auf traditionelle Kamine spezialisiert als auf moderne.

Herr Hecht: Deswegen sollten wir den Schwerpunkt des Sortiments auf schlichte Formen legen, die zu allen Einrichtungen und Wohnungsstilen passen. Im modernen Wohnungsbau heutzutage gibt es allerdings durchaus eine Tendenz zur außergewöhnlichen Innendekoration. Und das scheint mir, ist unsere Marktlücke.

Frau Frisby: Ich bin froh, daß Sie so optimistisch sind. Unsere eigene Marktforschung hat gezeigt, daß in Deutschland durchaus Interesse an englischem Design existiert, und der Trend zum gemütlichen Wohnen sich wieder durchsetzt. Lassen Sie uns über Preise reden. Sie sehen hier meine ungefähren Endpreisvorstellungen. Was halten Sie davon?

Herr Hecht: Ihre Produkte sind nicht billig, aber ich glaube, daß der Kunde die Qualität Ihrer Produkte erkennt. Außerdem richten wir uns ja an einen ganz speziellen Kundenkreis. Ich denke, daß Sie mit Ihren Vorstellungen richtig liegen ... Wenn ich eine Frage an Sie stellen dürfte? Wie sieht es mit Ihren Lieferzeiten aus? Wie schnell könnten Sie z.B. den viktorianischen Kamin hier 4120 mit allen Zusätzen liefern, und sind Sonderwünsche bezüglich der Kacheln zu verwirklichen, und wenn ja, wie schnell können Sie da reagieren?

Frau Frisby: Die Grundausstattung von jedem Kamin in diesem Katalog wird innerhalb von drei Wochen bei Ihnen sein. Bei Sonderwünschen in bezug auf Kacheln müßten Sie mit fünf bis sechs Wochen rechnen. Neben den Ausstellungsstücken, die Sie haben werden, sollten Sie nach einer Anlaufphase das Sortiment in der Grundausstattung auf Lager haben. Haben Sie dazu die Kapazitäten?

Herr Hecht: Schauen Sie sich doch einfach nachher meine Lagerräume einmal an, ich schlage vor, daß wir später gemeinsam dorthin fahren ... Welchen Provisionssatz haben Sie sich vorgestellt?

Frau Frisby: Als Provision kann ich Ihnen 10% gewähren.

Herr Hecht: Hm ... Ich bin allerdings nur bereit, Vertretungen zu übernehmen, wenn ich die Marketingseite ebenfalls übernehmen kann. Bei diesem Prozentsatz ist es mir aber nicht möglich, z.B. deutschsprachiges Katalog- und Werbematerial herstellen zu lassen. Meine Erfahrung hat gezeigt, daß es problemloser ist, diese Sachen vor Ort herzustellen.

Frau Frisby: Sicherlich, wenn Sie das übernehmen wollen, habe ich da keine Bedenken. In diesem Falle wären wir bereit, 15% Provision zu gewähren.

Herr Hecht: Damit kann ich aber nicht so hochwertiges Werbematerial herstellen, wie Sie es hier für den englischen Markt getan haben. Und das müßte es schon sein. Ohne hochwertiges Werbematerial sehe ich für den deutschen Markt keine Chance.

Frau Frisby: Mehr als 18% kann ich Ihnen aber nicht geben. Da gibt es bei uns Grenzen.

Herr Hecht: Damit bin ich einverstanden, wenn das an eine Exklusivvertretung für den Raum Hamburg, Bremen, Schleswig-Holstein und Niedersachsen und an monatliche Abrechnungsfristen gekoppelt ist.

Frau Frisby: Diese Konditionen kann ich akzeptieren. Dann sind wir uns wohl einig.

Glossar

Kommen wir gleich zur Sache!	Let's get down to business!
sich einen Überblick verschaffen	get a general view, idea
der Tätigkeitsbereich (e)	field of activity
grob gesagt	roughly outlined, speaking
der Geschenkartikel (–)	gift article
die Haushaltsware (n)	household article
das Porzellan (*no pl.*)	china
das Kochbesteck (e)	cooking utensils
gefächert	*here:* has a wide spread
darunter fallen	that includes
das Kupfer	copper
das Messing	brass
sich ansehen	have a (close) look
die Zusammenstellung (en)	list
das Produktsortiment (e)	product range
der Gesamtkatalog (e)	comprehensive catalogue
erkennen	*here:* see

in erster Linie	mainly
das Kaufhaus (¨er)	department store
das Einrichtungsgeschäft (e)	interior design shop, furniture shop
eindeutig	clear
die Beziehung (en)	contact, relationship
das Fachgeschäft (e)	specialized dealer
das Kaminzubehör (*no pl.*)	fire place accessories
die Absatzmöglichkeit (en)	sales opening
der Ausstellungsraum (¨e)	exhibition room
der Schwerpunkt (e)	main emphasis
schlicht	simple
die Form (en)	form, shape
der Wohnungsbau (*no pl.*)	housing construction
heutzutage	nowadays
durchaus	by all means
außergewöhnlich	exceptional, extraordinary
mir scheint	it seems to me
die Marktlücke (n)	gap in the market
gemütlich	comfortable
sich durchsetzen	prevail
die Endpreisvorstellung (en)	idea for the retail price
was halten Sie davon?	what do you think of that?
richtig liegen	be right
der Zusatz (¨e)	*here:* auxiliary equipment
der Sonderwunsch (¨e)	special wish
bezüglich	regarding
die Kachel (n)	tile
verwirklichen	realize
die Grundausstattung (en)	basic equipment
in bezug auf	regarding
rechnen mit	reckon, calculate with
das Ausstellungsstück (e)	exhibit
die Anlaufphase (n)	take-off phase
auf Lager haben	have in stock
nachher	afterwards
der Provisionssatz (¨e)	rate of commission
sich etwas vorstellen	think of
gewähren	grant
ebenfalls	also
übernehmen	take over

keine Bedenken haben	have no objection
hochwertig	of high quality
die Abrechnungsfrist (en)	accounting period, settlement period
sich einig sein	be in agreement

Exercise 19.4

_Da_-compounds

Where verbs with prepositional constructions are not followed by a noun or pronoun, but by the description of an action, *da*-compounds are used, followed by a subordinate clause or an infinitive phrase.

Formen Sie die Sätze um!

Beispiel:

Der Hersteller garantiert für gleichbleibende Qualität.
Der Hersteller garantiert dafür, daß die Qualität gleichbleibend ist.
(subordinate clause)

Er beklagte sich über den Mangel an Aufstiegschancen.
Er beklagte sich darüber, keine Aufstiegschancen zu haben.
(infinitive phrase)

1 Es hängt von dem Produkt ab.
Es ____________________, was man für ein Produkt hat.
2 Die Zweigstellenleiterin denkt an den Abnehmerkreis.
Sie ______________, wie ________________ aussieht.
3 Der Außendienstmitarbeiter muß sich über das Produktwissen des Vertreters vergewissern.
Er _________________, welches _________________ hat.
4 Die Kundendienstabteilung entschuldigt sich für die Nichteinhaltung der Lieferzeit.
Sie ______________, daß _______________ nicht eingehalten wurde.
5 Sie einigten sich über eine Provision von 18%.
Sie __________________, ihm _______________ zu bezahlen.
6 Der ausländische Anbieter muß sich ebenfalls nach den Sicherheits- und Qualitätsbestimmungen richten.
Er ______________, welche _________________ gelten.
7 Der Vertreter glaubt an eine Marktchance für Kaminzubehör in Deutschland.
Er __________________, daß ___________________ hat.

8 Man muß sich vollständig auf seine Vertretungsagentur verlassen können.
Man ________________, daß sich ________________ der Absprache gemäß verhält.
9 Die Mitarbeiterin ist froh über seinen Optimismus.
Sie ________________, daß er ________________ ist.
10 Sie hat sich noch nicht lange mit internationalen Geschäften befaßt.
Sie hat sich ______________, wie ______________ gemacht werden.
11 Er erinnert sich an den Vertragsabschluß vor drei Jahren.
Er ________________, ________________ abgeschlossen zu haben.
12 Sie interessierte sich nicht für die Übernahme der Zweigstelle.
Sie ________________, ________________ zu übernehmen.

Handel im Wandel

Stuttgarts Innenstadt, beispielsweise Fußgängerzone und Einkaufszentrum, verliert nach Feststellung der Einzelhändler immer mehr an Glanz. Die Einzelhändler sehen sich mit der übermächtigen Konkurrenz von Filialisten und Grossisten mit der Folge konfrontiert, daß „die Kleinen gehen und die Großen kommen". Richtig ist, daß der Handel seit langem von einem immer dynamischeren Strukturwandel betroffen ist. Am Beginn stand die Selbstbedienung. Seither haben sich laufend neue Vertriebsformen mit neuen Betreiberkonzepten am Markt durchgesetzt. Den „normalen" Nachbarschaftsgeschäften, SB-Läden und Waren- und Kaufhäusern haben sich die SB-Märkte, die Supermärkte, die Discountmärkte, das SB-Warenhaus und neuerdings die Fachmärkte hinzugesellt. Längst geht es nicht mehr nur um das Sterben der „Tante-Emma-Läden". Das Stichwort heißt Konzentration.

Deutscher Sparkassenverlag

Glossar

die Fußgängerzone (n)	pedestrian precinct
der Glanz (*no pl.*)	glamour, shine
nach der Feststellung	according to
der Einzelhändler (–)	retailer
übermächtig	overpowering
der Filialist (en)	chain owner
der Grossist (en)	wholesaler
mit der Folge konfrontiert	be confronted with the consequences that

seit langem	for a long time
betroffen sein	be affected by
seither	since then
laufend	continuously
das Betreiberkonzept (e)	management concept
sich hinzugesellen	*here:* have been added
längst	for a long time

Exercise 19.5

Kreuzen Sie an!

	richtig	falsch
1 Stuttgarts Innenstadt wird immer attraktiver.	☐	☐
2 Die Konkurrenz der Filialisten verdrängt die Einzelhändler.	☐	☐
3 Neue Vertriebsformen haben keine Chance.	☐	☐
4 Die neuen Betreiberkonzepte sind im Kommen.	☐	☐
5 Auch die Fachmärkte sterben langsam aus.	☐	☐
6 Der Tante-Emma-Laden hat wieder Zukunft.	☐	☐

Exercise 19.6

Überblick über die verschiedenen Handelsformen

das Filialgeschäft der Supermarkt das Kaufhaus/das Warenhaus
der Tante-Emma-Laden der Discountmarkt der Lebensmittel-SB-Laden
das Fachgeschäft das SB-Center/der Verbrauchermarkt
der Lebensmittel-SB-Markt das SB-Warenhaus

Setzen Sie die Handelsformen als Überschriften ein!

1 ______________________________

kleines Lebensmittelgeschäft mit Bedienung

2 **der Lebensmittel-SB-Laden**

Einzelhandelsgeschäft, das eine – meist eingeschränkte – Auswahl an Lebensmitteln mit Selbstbedienung verkauft

3 ______________________________

Einzelhandel, der Waren einer bestimmten Branche führt und den entsprechenden Service anbietet

4 ________________________________

Einzelhandelsgroßbetrieb mit einem Warenangebot aus vielen verschiedenen Branchen, Mischung von Selbstbedienung und Bedienung

5 ________________________________

Einzelhandelsgeschäft, das zu einer Handelskette gehört

6 ________________________________

größer als der Lebensmittel-SB-Laden mit einer Frischwarentheke

7 **der Supermarkt**

Lebensmittel-SB-Markt mit einer Abteilung Gebrauchsgüter und einer Verkaufsfläche von mindestens 400 qm

8 ________________________________

mit mindestens 1500 qm Verkaufsfläche größer als der Supermarkt, die Lebensmittelabteilung ist aber nicht dominierend wie beim Supermarkt

9 **der Discountmarkt**

SB-Einzelhandel, der eine eingeschränkte Auswahl an Waren zu günstigen Preisen anbietet

10 ________________________________

größer als das Warenhaus mit Selbstbedienung, die Verkaufsfläche liegt bei mindestens 5000 qm

Exercise 19.7

Hören Sie sich bitte die Führung durch ein Kaufhaus auf der Kassette an und beantworten Sie die folgenden Fragen.

Decken Sie den untenstehenden Text ab, während Sie die Fragen beantworten. (Sie können diese Übung auch als Lese- und Schreibübung machen.)

Um Ihnen das Verständnis etwas zu erleichtern, lesen Sie sich bitte die nachstehenden Wörter und Redewendungen durch, bevor Sie an die Arbeit gehen.

Glossar – Das Kaufhaus

die Öffentlichkeitsarbeit (en)	public relations
die Niederlassung (en)	branch
das Vollsortimentwarenhaus (-häuser)	department store which caters for everything
hauptsächlich	mainly
die Lagerhaltungskosten (*pl.*)	cost of storage
die Eigenständigkeit (en)	independence
genaugenommen	strictly speaking
einbüßen	suffer a loss
die Wartung (en)	maintenance
die Fahrtreppe (n)	escalator
der Aufzug (¨e)	lift
die Sprinklerdüse (n)	sprinkler
überlebensnotwendig	necessary to survive
die Flaute (n)	recession
renommiert	reputed
aufwendig	extravagant, large-scale, costly
die Wühltheke (n)	bargain counter

Redemittel: Unterbrechen

Darf ...	ich Sie bitte unterbrechen?
Dürfte ...	ich Sie vielleicht unterbrechen?
Kann ...	ich hier einmal einhaken?
Könnte ...	ich kurz eine Frage dazwischenschieben?
	ich dazu etwas beitragen?
	ich dazu eine Frage stellen?
	ich dazu etwas fragen?
May ...	I interrupt, please?
Can ...	I come in here?
Could ...	I briefly come in with a question?
	I contribute something here?
	I put forward a question?
	I ask something?

Dazu würde ich mich gerne äußern.	I would like to comment on this.
Verzeihen Sie die Frage.	Excuse me for asking.
Entschuldigen Sie, wenn ich kurz unterbreche?	Excuse me for interrupting you.

Fragen zur Kassette:

1 In welcher Gegend liegt das Warenhaus?
2 Wie groß ist die Filiale? Nennen Sie alle genannten Größenordnungen!
3 Was ist der Vorteil des Distriktlagers?
  a) ___________
  b) ___________
  c) ___________
4 Was ist die Aufgabe der Abteilungsleitung?
5 Wieviel Beschäftigte gibt es im Kaufhaus insgesamt? Listen Sie sie einzeln auf und zählen Sie sie zusammen.
6 Was gehört zur technischen Ausstattung des Hauses?
7 Wie hoch sind die Besucherzahlen?
8 Wann ist der Umsatz des Kaufhauses hoch, wann niedrig?
9 Welche „Trading-up"-Maßnahme hat das Kaufhaus durchgeführt?
10 In welchen Geschäftsphasen werden vor allem Wühltheken eingesetzt?

Das Kaufhaus

Leiterin der Öffentlichkeitsarbeit: Guten Tag! Ich heiße Frau Dahlem und werde Sie jetzt durch unser Kaufhaus führen. Sollten Sie irgendwelche Fragen haben, können Sie mich gerne unterbrechen. Zunächst ein paar generelle Informationen zu unserem Kaufhaus. Wir sind hier eine Niederlassung der Hager AG und liegen im Einkaufszentrum Köln-Mitte, genau an einer Fußgängerzone. Unsere Hauptniederlassung liegt in München, und wir sind eine der größten Filialen. Mit einer Verkaufsfläche von 23 000 qm gehören wir zu den großen Vollsortimentwarenhäusern. Wir haben fünf Etagen mit 28 verschiedenen Abteilungen, in denen rund 360 000 Artikel geführt werden.

Fragender: Dürfte ich Sie vielleicht einmal unterbrechen? Haben Sie die Lagerfläche für Ihre Waren auch in diesem Haus?

Leiterin: Wir haben hier im Haus nur begrenzten Lagerraum. Filialen wie wir werden hauptsächlich von einem Distriktlager, an dem mehrere Filialen angeschlossen sind, bedient. Das hat den Vorteil, daß wir nur wenig Lagerfläche benötigen und nur geringe Lagerhaltungskosten haben. Andererseits haben wir an

Eigenständigkeit eingebüßt, als die Verwaltung und Lagerhaltung vor einigen Jahren zentralisiert wurden. Natürlich konnten wir dann zusätzliche Flächen für den Verkauf mobilisieren. Genaugenommen haben wir sogar die Verkaufsfläche um 3 000 qm erweitern können. Kommen wir nun zur Organisation unseres Hauses. Jeder der 28 Abteilungen steht ein Abteilungsleiter oder eine Abteilungsleiterin vor. Diese sind für den Einkauf und den Verkauf verantwortlich und haben wiederum einen Mitarbeiter unter sich, der sich in erster Linie um den Verkauf kümmert. Insgesamt sind in den Verkaufsabteilungen 650 Frauen und Männer beschäftigt. Im Restaurant noch einmal 35 und in den anderen Abteilungen wie Hausverwaltung, Dekoration und Hausinspektion noch einmal 90.

Fragende: Entschuldigen Sie, kann ich dazu eine Frage stellen, was meinen Sie mit Hausinspektion?

Leiterin: Die Hausinspektion ist zum Beispiel zuständig für die Wartung der 18 Fahrtreppen, der 6 Personenaufzüge und der Lastenaufzüge sowie der 2 600 Sprinklerdüsen, der technischen Ausstattung des Hauses also.

Zu unserem Warenhaus gehört auch ein Parkhaus mit 620 Stellplätzen, was bei der Innenstadtlage, wie Sie sich sicher vorstellen können, überlebensnotwendig ist. Im Schnitt besuchen täglich 30 000 Kunden das Warenhaus, und an Spitzentagen gehen sogar bis zu 100 000 Menschen hier ein und aus.

Fragende: Könnten Sie das mit den Spitzenzeiten bitte genauer erklären?

Leiterin: Nach der sommerlichen Urlaubszeit beginnt für die meisten Warenhäuser eine Periode der Flaute. Spitzenzeiten sind die Monate November und Dezember, also das Weihnachtsgeschäft, das ca. ein Fünftel des Jahresumsatzes ausmacht.

Verbunden mit der Erweiterung unserer Verkaufsfläche war auch ein sogenanntes „Trading up" in der Sortimentsstruktur. Einige unserer Abteilungen sind durch die Aufnahme renommierter Markenartikel erweitert worden. Wie Sie hier sehen, bedeutet das aufwendigeres Display. Zum anderen gibt es natürlich immer noch die traditionellen Wühltheken, besonders während der Winter- und Sommerschlußverkäufe im Januar und August.

So, damit wären wir am Ende unserer kleinen Tour. Darf ich Sie jetzt in unserem Restaurant zu Kaffee und Kuchen einladen? Dort bin ich dann gerne bereit, Ihnen noch Fragen zu beantworten.

Redemittel: Unverständnis ausdrücken, nachfragen

Das habe ich nicht ganz verstanden.
Moment bitte, wie war das?
Entschuldigen Sie, ...
Was meinen Sie mit ...?
Wie war das bitte?
Könnten Sie Ihre Angaben noch einmal wiederholen?
Könnten Sie mir das bitte erklären?
Könnten Sie mir das bitte genauer darlegen?
Können Sie den Namen bitte wiederholen?
Entschuldigung, darf ich Sie hier kurz unterbrechen? Ich habe den letzten Teil Ihres Satzes nicht mitbekommen.

Die Ladenöffnungszeiten in Deutschland

Über zwei Jahre lang herrschte der Kampf um die Ladenöffnungszeiten. Die Kleinen gegen die Großen. Gewerkschaften gegen Verbände. Verbraucher gegen Vertriebsorganisationen. Man einigte sich schließlich auf den sogenannten Dienstleistungsabend, einen langen Verkaufstag in der Woche. Die Kleinen können weiterhin auch an diesem Abend schließen und ihre Mittagspause von 13.00–14.30 Uhr einhalten, während die Großen rund um die Uhr aufhaben.

montags, dienstags, mittwochs und freitags	von 8.00–18.30 Uhr
donnerstags (freiwilliger Dienstleistungsabend)	von 8.00–21.00 Uhr
sonnabends	von 8.00–14.00 Uhr
sonntags	geschlossen

Wichtige Begriffe aus diesem Kapitel

1 Substantive (nouns)

deutsch	*englisch*

2 Verben + Kasus (verbs + case)

deutsch	*englisch*

3 Wichtige Redewendungen (idiomatic phrases)

deutsch	*englisch*

4 Notizen

Unit 20

Export und Transportwesen
Export and haulage

This chapter offers you an insight into German foreign trade and highlights the dependence of the German economy on export. On the practical side, the transport system, i.e. transport by rail, ship and road is discussed and essential terminology introduced. We continue to practise adjectives, this time ending in *-frei* and *-los*. And finally, you will learn useful phrases to ask for an explanation or a reason.

Glossar – Einstieg

erfolgreich	successful
der Einstieg (e)	entry
erzielen	*here:* make, secure
der Umsatz (¨e)	turn-over, sales
in Milliardenhöhe	in billions
das Netz (e)	network
die Produktionsstätte (n)	manufacturing plant
die Verkaufsniederlassung (en)	sales branch
umspannen	cover
außer acht lassen	neglect
vorrangig	of prime importance, priority
tatsächlich	in fact, indeed
gerüstet sein für	be prepared for
die Anforderung (en)	demand
die Verpackung (en)	packaging
verbunden mit	linked with
die Frachtkosten (*pl.*)	freight costs
sperrig	bulky
das Gut (¨er)	good
derartig	in such a way
zu Buche schlagen	show in the books
vor Ort	locally

Der erfolgreiche Einstieg in Auslandsmärkte

Siemens, Mannesmann, Hoechst, Nixdorf – alles Firmen, die nicht nur bei uns in der Bundesrepublik, sondern auch in fast allen Ländern Europas und in Übersee einen guten Namen haben. Diese Firmen erzielen auf ausländischen Märkten Umsätze in Milliardenhöhe, den ganzen Globus haben sie mit einem Netz von eigenen Produktionsstätten und Verkaufsniederlassungen umspannt. Doch bei allem Respekt vor dieser Leistung sollte man nicht außer acht lassen: Auch die großen Firmen auf dem Weltmarkt haben mal klein angefangen.

Die Firma auf den Einstieg in den Export vorbereiten

Drei vorrangige Fragen sind in dieser Phase zu klären:

1. Sind die Produkte des Unternehmens tatsächlich exportfähig?
2. Ist das Unternehmen für das Auslandsgeschäft gerüstet?
3. In welchem Land haben die Produkte Marktchancen?

• Stellt der Export besondere Anforderungen an die **Verpackung**, und welche Kosten sind damit verbunden?

• Wie hoch sind die **Frachtkosten**? Handelt es sich um sperrige oder schwere Güter, können die Frachtkosten derartig zu Buche schlagen, daß ein wettbewerbsfähiger Preis im Ausland nicht mehr kalkulierbar ist.

• Werden besondere Anforderungen an **Beratung und Kundendienst** vor Ort gestellt? Ist dies der Fall, müssen die innerbetrieblichen Voraussetzungen geschaffen werden, daß Fachkräfte des eigenen Unternehmens für den Auslandseinsatz vorbereitet sind. Das heißt, Monteure und Techniker müssen gegebenenfalls Fremdsprachen erlernen.

• Welche **Produktionskapazitäten** stehen überhaupt für (zusätzliche) Exportaufträge zur Verfügung?

Lassen sich die Produkte an die **Anforderungen des Auslandsmarktes** anpassen? Daß Produkte aus deutscher Serienfertigung unverändert auch im Ausland verkaufbar sind, ist eher die Ausnahme. In der Regel sind Variationen erforderlich. Die Flexibilität des eigenen Betriebs sollte daher kritisch durchleuchtet werden.

• Wie ist die neue **Abteilung** „Export“ in den bestehenden Betrieb zu integrieren? Ob sie als Unterabteilung des Vertriebsressorts oder als eigene Abteilung installiert wird, hängt von den individuellen Gegebenheiten jedes einzelnen Unternehmens ab. Wichtig ist aber in jedem Fall, daß der Chef diese Abteilng zumindest in der Aufbauphase „an der kurzen Leine“ führt.

Deutscher Sparkassenverlag

die Voraussetzung (en)	condition
der Auslandseinsatz (¨e)	foreign assignment
der Monteur (e)	fitter
gegebenenfalls	if necessary
zusätzlich	additional
die Serienfertigung (en)	batch production
unverändert	unchanged
die Ausnahme (n)	exception
in der Regel	usually
erforderlich	necessary
kritisch durchleuchten	scrutinize
bestehend	existing
die Unterabteilung (en)	subdivision
das Vertriebsressort (s)	sales department
die Gegebenheit (en)	circumstance
zumindest	at least
die Aufbauphase (n)	*here:* initial phasc
an der kurzen Lcinc führen	hold in check

Exercise 20.1

Ergänzen Sie die nachstehenden Sätze mit Wörtern aus dem Text!

1 Bevor eine Firma in die Auslandsmärkte einsteigt, sollte man überlegen, ob eigene ____________ und ____________ im Ausland eingerichtet werden sollten.

2 ________________ ist zu klären, ob das Unternehmen exportfähig und fürs Auslandsgeschäft ______________ ist.

3 Hohe Frachtkosten entstehen bei _________ und schweren Gütern.

4 Für den Kundendienst vor ______ müssen Monteure gegebenenfalls ______________ lernen.

5 Um im Ausland zu verkaufen, sind oft _________________ der Produkte notwendig.

6 Man kann die Abteilung als eine Unterabteilung des ____________ in den bestehenden Betrieb integrieren.

Redemittel: Frage nach der Begründung

Warum? Wieso? Weshalb?	Why?
Wie meinen Sie das? Was verstehen Sie darunter? Wie ist das zu verstehen?	What do you mean?
Was meinen Sie mit ...?	What do you mean by ...?
Wie kommt es, daß ...?	How is it that ...?
Können Sie das genauer erklären?	Could you be more precise?
Können Sie das beweisen?	Have you got any proof?

Begründung

... weil ich ... *gehe*.
... da ich ... *gehe*.

... denn ich *gehe* ...
... deshalb *gehe* ich ...
... darum *gehe* ich ...
... deswegen *gehe* ich ...
... daher *gehe* ich ...

Der Grund ist, daß ...
Die Begründung ist, daß ...

... nämlich ...

Wortfelder mit *Einfuhr, -einfuhr, Ausfuhr, -ausfuhr*

ausfuhr- export- einfuhr- import-	abhängig bedingt orientiert intensiv

Ausfuhr Export Einfuhr Import	-land -handel -erlaubnis -genehmigung -bewilligung -finanzierung -verbot -beschränkung -stopp -erklärung -kontingent -überschuß -abteilung -erleichterung -zoll -abgaben -abfertigung

Waren Gesamt Brutto Handels Dienstleistungs	-ausfuhr -export -einfuhr -import

Die deutsche Exportabhängigkeit

Exercise 20.2

Lesen Sie den nachfolgenden Dialog und beantworten Sie danach die Fragen.

1 Worüber sind sich die Experten nicht einig?
2 Womit sind 6,1 Millionen Erwerbstätige beschäftigt?
3 Wieviele Arbeitsplätze sind (absolut und prozentual) vom Exportgeschäft abhängig?
4 Wieviel Arbeitsplätze sind direkt und indirekt bei der eisenschaffenden Industrie für den Auslandsmarkt tätig?
5 Wie kommt es, daß deutsche Firmen stark im Außenhandel vertreten sind?
6 Wieviel Prozent liefern die Japaner und Amerikaner ins Ausland?
7 Welche Zahl in der Zeitspanne seit 1980 hat sich erhöht, welche verringert?
8 Welche sind die vier größten Exportbranchen?
9 Welche Tendenz kann kein Dauerzustand sein?
10 Womit wird der Absatz verhindert?

oo Radiointerview

Radiointerview mit zwei Wirtschaftsexperten, Herrn Nüssler und Frau Storz, Interviewerin Frau Dölle.

Frau Dölle: Guten Morgen, meine Damen und Herren! Heutiges Thema des Wirtschaftsmagazins ist die Exportabhängigkeit der deutschen Wirtschaft. Im Studio haben wir zwei Wirtschaftsexperten, die Leiterin des privaten Instituts für Wirtschaftsfragen, Frau Dr. Storz, und Herrn Prof. Dr. Nüssler von der TU Berlin. Guten Morgen! Mit Ihnen möchte ich, Beate Dölle, den Problemen etwas auf die Spur kommen. Frau Storz, die Experten sind sich nicht einig, ob es bald eine Rezession geben wird. Eine entscheidende Rolle spielt dabei, welche Exportchancen der deutschen Industrie gegeben werden.

Frau Storz: Ja, das ist sehr richtig. Die deutsche Industrie ist sehr ausfuhrabhängig. Man muß sich vorstellen, daß 6,1 Millionen Erwerbstätige damit beschäftigt sind, Waren und Dienstleistungen für das Ausland zu erbringen. Das bedeutet, daß jeder vierte der insgesamt rund 26 Millionen Arbeitsplätze vom Exportgeschäft abhängig ist.

Herr Nüssler: Der Begriff „abhängig" erstreckt sich auf alle, die direkt oder indirekt für die Ausfuhr tätig sind; also auch auf jene, die mit Zubehör, Material, Versicherungs- oder Transportleistungen zum Export beitragen.

Frau Storz: Ein Beispiel wäre die eisenschaffende Industrie, wo nur 40 von je 100 Erwerbstätigen mit dem direkten Export befaßt sind, jedoch weitere 40 liefern aber Eisen und Stahl, die in den Exportprodukten anderer Industriezweige stecken.

Frau Dölle: Eine Umfrage hat uns in letzter Zeit sehr überrascht. Danach sind die Aussichten für deutsche Unternehmen trotz ungünstigem Dollarkurs immer noch sehr gut. Woran liegt das?

Herr Nüssler: Das liegt daran, daß deutsche Unternehmen Qualität, moderne Technik, prompten Service und stabile Preise bieten können. Und dieses Verkaufsargument der deutschen Wertarbeit und Präzision ist unbedingt notwendig. Deutsche Firmen sind weit abhängiger vom Export als zum Beispiel die Japaner. Ein Drittel aller hierzulande produzierten Waren wird im Ausland verkauft, bei den Japanern sind es nur 16 Prozent, bei den Amerikanern nicht einmal zehn. Und mit dem Aufschwung in den letzten Jahren hat die Abhängigkeit noch zugenommen.

Frau Storz: Eine Untersuchung hat gezeigt, daß 1980 noch jeder fünfte Arbeitsplatz in der Bundesrepublik von der Ausfuhr abhängig war, jetzt bereits jeder vierte. In dieser Zeitspanne hatte sich nämlich die Zahl der Erwerbstätigen insgesamt um eine Million verringert, die Zahl derjenigen, die für den Export arbeiten, aber um eine halbe Million erhöht.

Frau Dölle: Kann man diese Tendenz denn in allen Sektoren der Wirtschaft feststellen?

Herr Nüssler: 1980 waren gerade sechs Branchen zu mehr als der Hälfte von ausländischen Bestellungen abhängig, inzwischen sind es dreimal soviel, darunter die vier größten: die Automobilindustrie, die chemische Industrie, der Maschinenbau und die Elektrotechnik.

Frau Storz: Diese Tendenz kann natürlich nicht so weitergehen. Immer mehr Staaten drohen, mit Handelsschranken den Absatz zu behindern. Hohe Handelsüberschüsse können kein Dauerzustand sein, da sind sich alle Experten einig.

Frau Dölle: Vielen Dank, Frau Storz! Vielen Dank, Herr Nüssler für dieses Gespräch!

Glossar – Radiointerview

auf die Spur kommen	get on the track of s.th., find out about s.th.
der/die Erwerbstätige (n)	employee
erbringen	produce
sich erstrecken auf	extend over, refer, include
die Versicherung (en)	insurance
die eisenschaffende Industrie	iron industry
befaßt sein mit	be occupied with
der Stahl (e)	steel
stecken	*here:* be included
die Umfrage (n)	survey
die Aussicht (en)	prospect, outlook
ungünstig	unfavourable
das Verkaufsargument (e)	reason for sale
die Wertarbeit (*no pl.*)	quality work, high class craftsmanship
unbedingt	absolutely
hierzulande	in this country
der Aufschwung (¨e)	boom
bereits	already
die Zeitspanne (n)	period
verringern	reduce, decrease
feststellen	*here:* identify
der Maschinenbau (*no pl.*)	mechanical engineering industry
die Elektrotechnik (*no pl.*)	electrotechnical industry
drohen	threaten
die Handelsschranke (n)	trade barrier
der Absatz (¨e)	sales
behindern	obstruct
der Dauerzustand (¨e)	permanent condition

Exercise 20.3

Rekonstruieren Sie den Text!

Exportabhängigkeit der deutschen Wirtschaft

diedeutschewirtschaftistinhohemmaßeausfuhrorientiertunddamitvomein
flußderauslandsnachfrageabhängig.dasgiltnichtnurfürdenunmittelbarene
xportvonwarenoderdienstleistungen,sondernbeziehtsichauchaufdievorlei

stungen,dieinderbundesrepublikfürdenexporterbrachtwerden.umdieexp ortabhängigkeitinihremgesamtenumfangzuermitteln,müssendeshalbauc hdiejenigenbranchenoderproduktionstufenberücksichtigtwerden,dieselb stkeinenennenswertendirektenexporteverzeichnen,aberüberzulieferunge nanexportintensivewirtschaftszweigeindirektebenfallszueinembeträchtli chengradvonderentwicklungderauslandsnachfragebetroffensind.

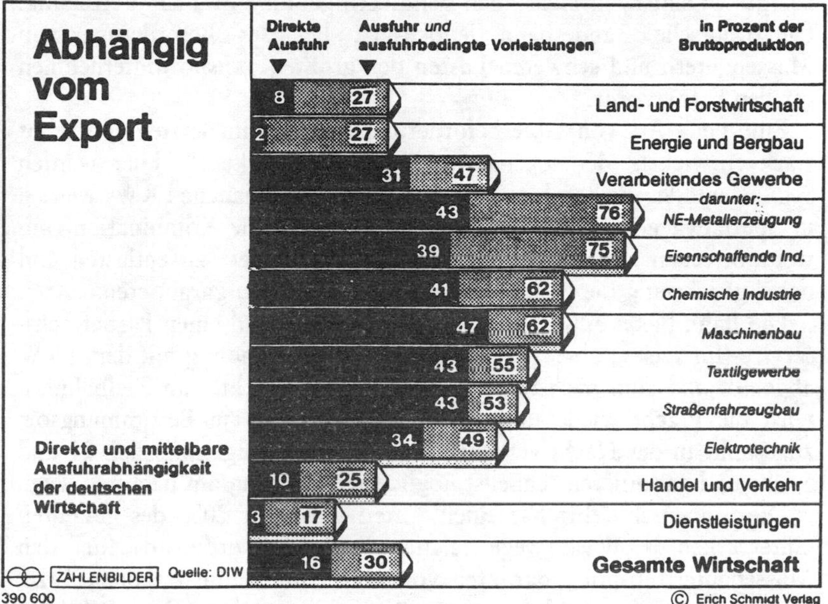

Exercise 20.4

Finden Sie die zum Diagramm passenden englischen Entsprechungen!

agriculture and forestry

____

____

____

____

____

____

____

____

____

____

____

____

Transportwesen

Ein hochentwickeltes, gut funktionierendes Verkehrsnetz ist für ein Land, das so stark vom Export abhängt, unentbehrlich. Beim Güterfern- und Güternahverkehr ist der LKW der weitaus größte Lastenträger für die deutsche Wirtschaft. Das gut ausgebaute Netz von Bundes-, Landes- und Gemeindestraßen ermöglicht einen Transport von Gütern ohne lästiges Umladen. Es steht allen Benutzern gebührenfrei zur Verfügung. Die Deutsche Bundesbahn jedoch ist bei der Beförderung von Massengütern und schweren Lasten das größte Transportunternehmen für den Fernverkehr.

Eine neue Art von Güterbeförderung hat sich im letzten Jahrzehnt stark entwickelt, der sogenannte „Huckepackverkehr". Hier werden Schiene und Straße kombiniert. Beladene und unbeladene LKWs werden in Spezialwaggons der Bahn befördert. Eine ideale Kombination, um weite Strecken zurückzulegen und das Verkehrsnetz zu entlasten und dabei gleichzeitig die Lieferung von Tür zur Tür zu garantieren.

Die Bahn bietet außerdem einen Stückfracht- und einen Partiefracht-service (für Lasten ab 1 Tonne). Dabei wird die Ladung mit dem LKW abgeholt und zum nächsten Frachtbahnhof gebracht. Am Zielbahnhof wird die Fracht wieder auf LKWs geladen und am Bestimmungsort zugestellt. In der Nacht verkehren die Intercargozüge zwischen 21 und 5 Uhr und garantieren schnellstmöglichste Lieferung am nächsten Tag.

Die Binnenschiffahrt hat einen Anteil von über 20% des gesamten Güterverkehrs. Wasserwege eignen sich hervorragend für den Massengütertransport, darunter vor allem für Baumaterialien, Erze, Kohle, chemische Produkte und Mineralölprodukte. Die wichtigste Wasserstraße ist der Rhein, der über eine 620km lange Strecke die Schweiz mit den Niederlanden verbindet. Rund 82% aller Binnenschiffsgütertransporte werden hier abgewickelt. Er verbindet die belgisch-holländischen Seehäfen mit den deutschen Binnenhäfen. Der Elbe-Seitenkanal verbindet den Welthafen Hamburg mit dem mitteleuropäischen Kanalstraßennetz. Die wichtigsten See- und Binnenhäfen sind Hamburg, Bremerhaven, Wilhelmshaven, Lübeck, Emden, Duisburg, Mannheim, Ludwigshafen und Rostock. In den neuesten Container-Spezialhäfen werden jährlich 150 Millionen Tonnen Außenhandelsgüter umgeschlagen. Mit modernsten Förder- und Hebeeinrichtungen werden Schiffe in kürzester Zeit beladen und gelöscht.

Glossar – Transportwesen

das Transportwesen (*no pl.*)	haulage
unentbehrlich	indispensable
weitaus	by far
die Bundesstraße (n)	federal road
die Landesstraße (n)	state road
die Gemeindestraße (n)	local road
lästig	wearisome
umladen	reload, transfer
gebührenfrei	free of charge
die Beförderung (en)	transport
die Last (en)	load
der Fernverkehr (*no pl.*)	long distance transport
das Jahrzehnt (e)	decade
der Hucke-Pack-Verkehr (*no pl.*)	„piggy-back" traffic
die Schiene (n)	rail
der Spezialwaggon (s)	special goods waggon
zurücklegen	cover
entlasten	relieve
gleichzeitig	simultaneous
außerdem	in addition
die Stückfracht (*no pl.*)	part-load freight, mixed cargo
der Partiefrachtservice (*no pl.*)	mixed transport service from factory to destination
der Bestimmungsort (e)	destination
zustellen	deliver
verkehren	*here:* run
die Binnenschiffahrt (*no pl.*)	inland water transport
der Anteil (e)	share
sich eignen	be suitable for
hervorragend	excellent
das Erz	ore
der Container-Spezialhafen	container port
das Außenhandelsgut (¨er)	export article
umschlagen	reload, *here:* turn over
die Fördereinrichtung (en)	conveyor equipment
die Hebeeinrichtung (en)	lifting equipment
löschen	*here:* unload

Exercise 20.5

Beantworten Sie die folgenden Fragen!

1 Warum ist für die Bundesrepublik ein gut ausgebautes Verkehrsnetz so wichtig?
2 Was für eine Bedeutung hat der LKW für die deutsche Wirtschaft?
3 Wer befördert die meisten Massengüter und schweren Lasten?
4 Was ist der Vorteil des Huckepackverkehrs?
5 Welche zwei Transportmittel werden beim Partiefrachtservice benutzt?
6 Welche Art von Gütern werden per Binnenschiffahrt transportiert?
7 Durch welche Länder fließt der Rhein?
8 Womit sind die Container-Spezialhäfen ausgerüstet?

Glossar – Warum sind Sie nicht

die Gewinnspanne (n)	profit margin
es liegt an . . .	the reason is
mangelhaft	insufficient
der Anstoß (-stösse)	impetus, initiative
das Distributionsnetz (e)	distribution network
der Vertrieb (e)	sales, distribution
erheblich	considerable
Ersparnisse erzielen	produce savings
durchdacht	well thought-out
die Frachtabfertigung (en)	cargo clearance
in den Griff bekommen	get under control
bestausgestattet	best equipped
der Hafen (¨)	port, harbour
die Schiffsverbindung (en)	ship connection
die Ausgangsbasis (en)	starting point
die Belieferung (en)	supply
der Eingangshafen (¨)	port of entry
der Schiffahrtsplan (¨e)	shipping timetable
der Hauptverladehafen (¨)	main loading port
der Endverbraucher(-)	end consumer
das Umfeld (er)	environment
an Ort und Stelle	on the premises, *in situ*

Exercise 20.6

Suchen Sie alle Wörter (Substantive und Verben), die etwas mit Finanzen zu tun haben!

die Gewinnspanne
____
____
____
____
____
____
____

Exercise 20.7

Welches ist das entsprechende Verb?

1 Verbesserung verbessern
2 Vertrieb _______________
3 Abwicklung _______________
4 Ersparnis _______________
5 Frachtabfertigung _______________
6 Belieferung _______________
7 Lagerung _______________

Exercise 20.8

Welche Vorteile hat der Hafen in Rotterdam zu bieten? Lesen Sie den Text und ordnen sie zu!

Transportkosten	Frachtabfertigung	Verkehrslage

Exercise 20.9

Setzen Sie die folgenden Adjektive aus dem Text wieder richtig zusammen!

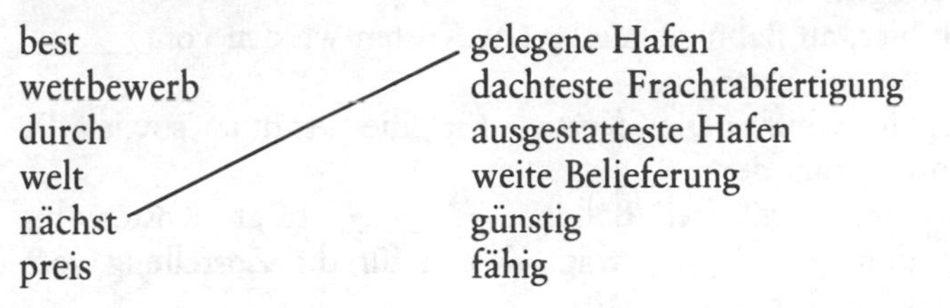

Exercise 20.10

Setzen Sie die folgenden Substantive aus dem Text wieder richtig zusammen!

Kosten	abfertigung
Distributions	dienste
Fracht	auktion
Schiffs	hafen
Ausgangs	spezialist
Eingangs	dienst
Haupt	basis
Distri	verbraucher
Groupage	markt
End	effizienz
Distributions	handel
Spot	börse
Termin	hafen
Getreide	verbindungen
Obst	verladehafen
Dienstleistungs	netz
Kunden	parks

Exercise 20.11

Wer trägt die Kosten?

An Versandkosten entstehen Rollgeld für die Anfuhr und Zufuhr, Fracht, Wiegegebühren, Verladekosten und Entladungskosten. Die vereinbarten Lieferbedingungen legen fest, wer die Kosten zu tragen hat.

Käufer oder Verkäufer?

1 Ab Werk Fabrik = Der ______ trägt sämtliche Beförderungskosten.
2 Frei Haus Lager Werk = Sämtliche Beförderungskosten werden vom ______ getragen.
3 Unfrei, ab hier, ab Bahnhof hier = Die Kosten werden vom ______ ab Versandstation getragen.
4 per Waggon Schiff = Die Kosten für die Anfuhr sowie die Verladekosten trägt der ______.
5 frachtfrei, frei dort, frei Bahnhof = ______ trägt Kosten bis Versandstation, und ______ trägt Kosten für die Zustellung vom Bahnhof bis zur Firma.

Adjectives ending in *-frei* and *-los*

The meaning of these endings is 'without'.

Exercise 20.12

Finden Sie die englischen Entsprechungen!

kostenlos ______________________
geschmacklos ______________________
sinnlos ______________________
arbeitslos ______________________
zweifellos ______________________
fristlos ______________________
zinslos ______________________
grundlos ______________________
zeitlos ______________________
ausnahmslos ______________________
mittellos ______________________
staatenlos ______________________
wirkungslos ______________________
bargeldlos ______________________
konkurrenzlos ______________________
wettbewerbslos ______________________
problemlos ______________________

zuschlagsfrei ______________________
rostfrei ______________________
zollfrei ______________________

abgabenfrei ______________________
kostenfrei ______________________
gebührenfrei ______________________
alkoholfrei ______________________
kalorienfrei ______________________
einwandfrei ______________________
bleifrei ______________________
steuerfrei ______________________
frachtfrei ______________________
störungsfrei ______________________

Wichtige Begriffe aus diesem Kapitel

1 Substantive (nouns)

deutsch	*englisch*

2 Verben + Kasus (verbs + case)

deutsch	*englisch*

3 Wichtige Redewendungen (idiomatic phrases)

deutsch	*englisch*

4 Notizen

Unit 21

Wirtschaftsgeographie
Economic geography

The focus here is on the geographical position of Germany within Europe. We also look at German investment in technology and compare German industrial strength with Japan and the USA. Within Germany the distribution of industries and the economic strength of the individual Federal States is illustrated. We continue with a revision of prepositions, this time those taking the genitive, and present you with a variety of phrases to express full, limited or conditional agreement.

Exercise 21.1

Studieren Sie die Karte auf Seite 440 und schreiben Sie die Länderbezeichnungen auf Deutsch in die entsprechenden Felder! Benutzen Sie gegebenenfalls ein Wörterbuch!

Exercise 21.2

Setzen Sie das entsprechende Adjektiv ein!

1 die ____________ (ital.) Bekleidung
2 die ____________ (brit.) Marmelade
3 der ____________ (frz.) Wein
4 das spanische (sp.) Olivenöl
5 der ____________ (port.) Portwein
6 die ____________ (ndl.) Tulpen (pl.)
7 die ____________ (ir.) Wolle
8 der ____________ (griech.) Schafskäse
9 die ____________ (belg.) Schokolade
10 der ____________ (lux.) Dienstleistungssektor
11 der ____________ (dän.) Heringssalat
12 das ____________ (dt.) Schwarzbrot

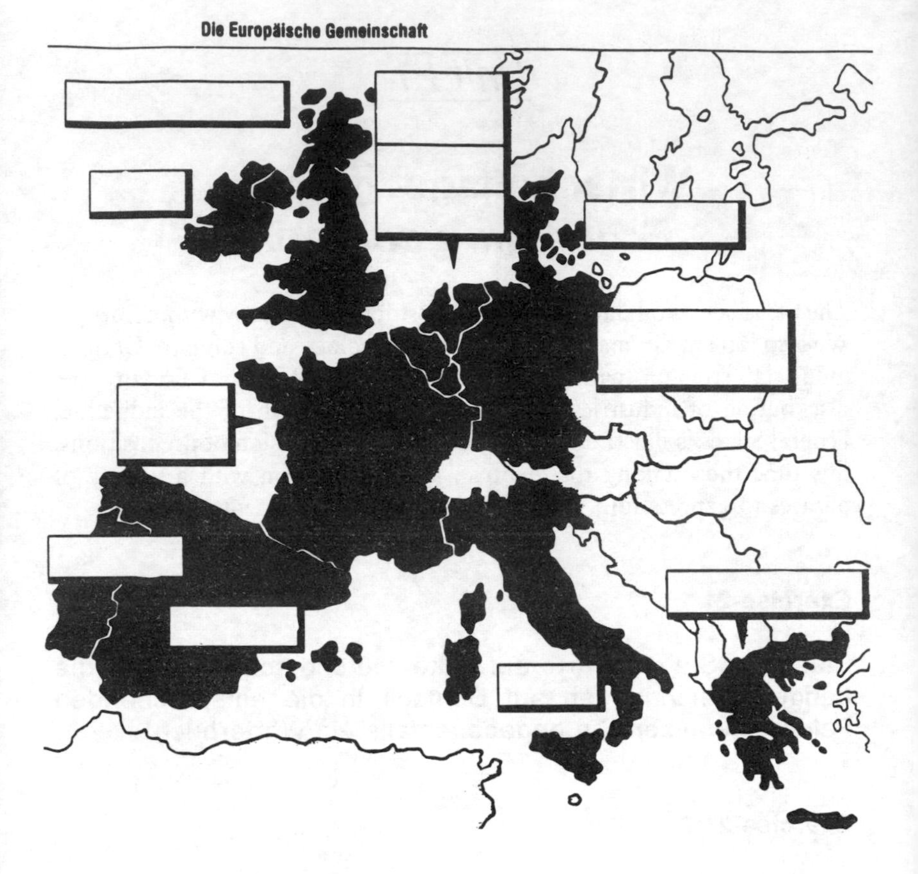

Exercise 21.3

Mitglieder der Europäischen Gemeinschaft:

Die Spanier haben eine gemeinsame Grenze mit den ______ und den ____.	E der die	Spanier ______________
Die Franzosen haben eine gemeinsame Grenze mit den _______, _______, _______, _______ und _______.	F der die	______________ Französin

Die ______ haben keine gemeinsame Grenze mit einem Mitgliedsland.	GR der ______ die ______
Die ______ haben eine gemeinsame Grenze mit den Deutschen.	DK der ______ die ______
Die Niederländer haben eine gemeinsame Grenze mit den ______ und ______.	NL der ______ die ______
Die Iren haben eine gemeinsame Grenze mit den ______.	IRL der ______ die ______
	B der ______ die ______
	P der ______ die ______
	I der ______ die ______
	D der ______ die ______
	L der ______ die ______
	GB der ______ die ______

Exercise 21.4

Die neun Anliegerstaaten Deutschlands

Ergänzen Sie den Namen des entsprechenden Landes mit Hilfe der internationalen Autokennzeichen! Die Länder sind im Uhrzeigersinn geordnet.

DK ______________________	F ______________________
PL ______________________	L ______________________
CZ ______________________	B ______________________
A ______________________	NL die ______________________
CH die ______________________	

Investitionen

Gefahr für den Investitionsstandort Bundesrepublik?

Nahrung erhält die Diskussion durch die Tatsache, daß in den vergangenen Jahren die Investitionstätigkeit in der bundesrepublikanischen Wirtschaft trotz vergleichsweise günstiger Konjunktur auf niedrigem Niveau verharrte, daß immer mehr deutsche Arbeitsplätze ins Ausland exportiert wurden und daß ausländische Investoren der Bundesrepublik fern bleiben. Tatsächlich haben sich die Vermögenswerte deutscher Firmen im Ausland von 1976 bis 1987 fast vervierfacht. Allein in den Jahren 1985 bis 1987 beliefen sich die Direktinvestitionen deutscher Firmen im Ausland auf über 30 Mrd DM. In der gleichen Zeit investierten ausländische Firmen in der Bundesrepublik Deutschland nur 1,3 Mrd DM. Frank Paetzold, Präsident des Verbandes Deutscher Maschinen- und Anlagenbau (VDMA), nannte vor der Presse in Frankfurt den möglichen Grund: "In- und ausländische Investoren erscheint das benachbarte Ausland, noch dazu in Erwartung des freien Marktzugangs für die ganze EG, attraktiver. Die Bundesrepublik Deutschland ist inzwischen das Land mit den höchsten Personalkosten, der kürzesten Arbeitszeit, der höchsten Unternehmensbesteuerung, einer abschreckenden Genehmigungspraxis und hohen Umweltschutzkosten."

Obwohl die Bundesrepublik Deutschland für Japan der größte Handelspartner in Europa ist und die japanische Wirtschaft in Europa kräftig investiert, gehen nur 1,6 Prozent der japanischen Auslandsinvestitionen in die Bundesrepublik Deutschland.

Gleichwohl teilt man im Bundeswirtschaftsministerium die ungünstige Einschätzung der Zukunft nicht. In dem kürzlich veröffentlichten "Bericht zur Fortentwicklung der außenwirtschaftlichen Rahmenbedingungen" heißt es, der Investitionsstandort Bundesrepublik Deutschland werde auch in der Zukunft attraktiv bleiben: "Die von Zeit zu Zeit gepflegten Selbstzweifel an der eigenen Leistungsfähigkeit im internationalen Vergleich finden keine Bestätigung in der Entwicklung unserer realen Lebensbedingungen."

Die Forscher stützten sich bei ihren Erkenntnissen auf folgende Fakten:

Die Exportzuwächse der deutschen Wirtschaft lagen vor allem in der ersten Hälfte der 80er Jahre teilweise deutlich über den Exportsteigerungen anderer Industrieländer.

In Forschung und Entwicklung nimmt die deutsche Wirtschaft auf allen technischen Sachgebieten eine Spitzenposition ein. Bei den Erfindungen mit Patentanmeldung rangiert die Bundesrepublik Deutschland mit einem Anteil von 19,8 Prozent nach den USA (27,1 Prozent) und Japan (20,3 Prozent) auf Platz drei.

Besonders stark ist die Position der Bundesrepublik Deutschland bei Hochtechnologien, wie der Fabrikautomation, der Medizintechnik, der Bio- und Gentechnik, der Pharmaforschung und in zunehmendem Maße auch bei der Informations- und Kommunikationstechnik.

Deutscher Sparkassenverlag

Glossar – Anliegerstaaten

der Anliegerstaat (en)	border state
das internationale Autokennzeichen (-)	international car sticker codes
im Uhrzeigersinn	clockwise

Glossar – Investitionen

die Gefahr (en)	danger
der Investitionsstandort (e)	investment location
die Meinung (en)	opinion
auf etwas verweisen	refer to s.th.
der Arbeitsplatz (¨e)	*here:* job
der Investor (en)	investor
fernbleiben	stay away
gefährdet	at risk, threatened
die Nahrung (en)	nourishment
die Tatsache (n)	fact
die Investitionstätigkeit (en)	investment activity, capital spending
die Konjunktur (en)	economic climate
das Niveau (s)	level
verharren	remain
der Vermögenswert (e)	assets
vervierfachen	quadruple
allein in den Jahren . . .	in the years . . . alone
sich belaufen auf	amount to, add up to
der Verband (¨e)	association
der Maschinenbau (*no pl.*)	mechanical engineering
der Anlagenbau (*no pl.*)	plant engineering and construction
die Erwartung (en)	expectation
der Marktzugang (*no pl.*)	entry into a market
die Besteuerung (en)	taxation
abschreckend	deterrent
die Genehmigungspraxis (*no pl.*)	licensing procedure
die Umweltschutzkosten (pl.)	environmental expenses
der Handelspartner (–)	trading partner
gleichwohl	nevertheless
eine Einschätzung teilen	share a judgement, an assessment

das Bundeswirtschaftsministerium	Federal Ministry of Trade and Commerce
veröffentlichen	publish
die Fortentwicklung (en)	development
außenwirtschaftlich	regarding foreign trade
die Rahmenbedingung (en)	general framework, general economic setting
Selbstzweifel pflegen	nourish self-doubt
die Leistungsfähigkeit (en)	competitiveness, efficiency, productivity
die Bestätigung (en)	confirmation
die Lebensbedingung (en)	living condition
die Erkenntnis (se)	knowledge, *here:* finding
der Zuwachs (¨e)	increase, gain, growth
die Steigerung (en)	increase
die Forschung (en)	research
die Entwicklung (en)	development
das Sachgebiet (e)	subject area, field
die Spitzenposition (en)	top position, leading position
die Erfindung (en)	invention
die Patentanmeldung (en)	patent registration
rangieren	rank, be classed
der Anteil (e)	share
die Hochtechnologie (n)	high technology
die Fabrikautomation (*no pl.*)	factory automation
die Medizintechnik (*no pl.*)	medical engineering
die Biotechnik (*no pl.*)	biological engineering
die Gentechnik (*no pl.*)	genetical engineering
die Pharmaforschung (en)	pharmaceutical research
die Informationstechnik (*no pl.*)	information technology
die Kommunikationstechnik (*no pl.*)	communication technology

Exercise 21.5

Ergänzen Sie die folgenden Aussagen mit entsprechenden Begriffen aus dem Text! Die Reihenfolge der Aussagen entspricht nicht der Reihenfolge im Text.

1 Obwohl die wirtschaftlichen Rahmenbedingungen gut waren, sind ____________ ____________ der Bundesrepublik ferngeblieben.
2 Weitere im Vergleich zu anderen europäischen Ländern hohe Unkosten, die auf die Unternehmen zukommen, sind die hohe ____________, eine abschreckende ____________ sowie hohe Umweltschutzkosten.
3 Die Anzahl der deutschen ____________, die ins Ausland verlegt wurden, stieg beträchtlich.
4 Umgekehrt betrugen die ____________ deutscher Firmen auf dem ausländischen Markt über 30 Mill. DM.
5 Die ____________ in der bundesdeutschen Wirtschaft stieg trotz günstiger Konjunkturlage nicht.
6 In Hinsicht auf den ____________ ____________ für alle Länder in der EG ist das benachbarte Ausland attraktiver für Investitionen.
7 Ifo-Forscher machen darauf aufmerksam, daß die ____________ im Vergleich mit anderen Industrieländern höher sind.
8 Nur 1,6% der japanischen ____________ werden in der Bundesrepublik angelegt.
9 Vor allem bei ____________, wie bei der Medizin-, Bio- und Gentechnik behauptet die Bundesrepublik ihre führende Rolle.
10 Das Bundeswirtschaftsministerium bestätigt diese negative ____________ der Investitionslage nicht.
11 Bei den Patentanmeldungen nimmt die Bundesrepublik nach den USA und Japan in Europa eine ____________ ein.
12 Im Hinblick auf die Arbeitskosten müssen Unternehmer in der Bundesrepublik mit den höchsten ____________ und der kürzesten ________________________ rechnen.

Exercise 21.6

Ordnen Sie die entsprechenden Verben aus dem Text *Investitionen* zu!

finden	veröffentlichen	einnehmen	verharren
bleiben	stützen auf	teilen	pflegen

1 auf niedrigem Niveau ____________
2 die Einschätzung ____________
3 den Bericht ____________
4 attraktiv ____________

5 Selbstzweifel ______________________
6 Bestätigung ______________________
7 Erkenntnisse ______________________
8 eine Spitzenposition ________________

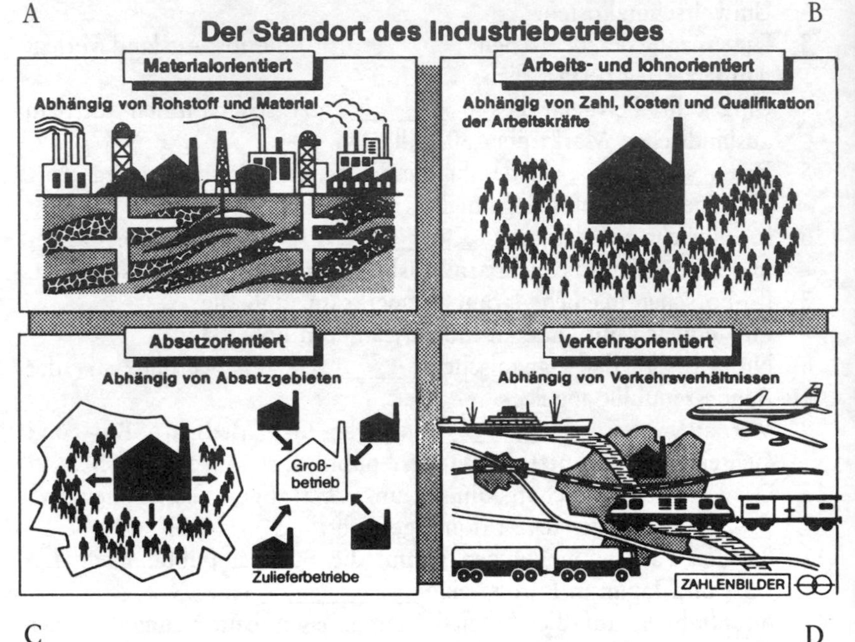

Exercise 21.7

Standort des Industriebetriebs

Welche Punkte müssen Sie bei der Suche nach einem geeigneten Standort besonders beachten? Orden Sie die folgenden Fragen den Bildern A–D zu!

1 Liegt die Betriebsanlage an einem Verkehrsknotenpunkt, in Flughafennähe? (____)
2 Ist die Energieversorgung gesichert, einfach, preisgünstig? (____)
3 Preisgünstige oder qualifizierte Arbeitskräfte? (____)
4 Sind Strom- und Gasanschlüsse vorhanden? (____)
5 Befindet sich der Standort in der Nähe Ihrer Rohstoffquellen? (__)

6 Können Transportkosten niedrig gehalten werden? (____)
7 Sind Absatzmärkte leicht erreichbar? (____)
8 Ist ein Arbeitskräftereservoir, z.B. Frauen vorhanden? (____)
9 Haben Sie Anschluß an ein Autobahnnetz, Bahnverbindung, Wasserwege? (____)
10 Sind bei dem Unternehmen entsprechende Ausbildungsstätten vorhanden, Berufs-, Fachschulen, Technische Hochschulen und Universitäten? (____)
11 Welche Wohn- und Freizeitmöglichkeiten bieten sich Ihrem Mitarbeiterstab? (____)
12 Sind Einkaufszentren in unmittelbarer Nähe? (____)
13 Wie groß ist der Einzugsbereich für Arbeitskräfte? (____)
14 Ist ein Kundenkreis vorhanden? (____)

Exercise 21.8

Lesen Sie das nachfolgende Gespräch und beantworten Sie folgende Fragen!

Frau Graf (Geschäftsführerin), Herr Siegmund (Produktionsleiter) und Frau Breuer (Unternehmensberaterin) diskutieren den Standort einer neuen Produktionsstätte.

1 Was möchte Frau Graf nach Thüringen verlegen?
2 Was für Produkte stellt ihre Firma her?
3 Was steht in der Wirtschaftsregion, die sie schon kennen, zur Verfügung?
4 Was hat die Firma bereits untersucht?
5 Welche wichtigen Fragen mit Bezug auf die Wirtschaftsregion müssen noch geklärt werden?
6 Was für Vorschriften sind in dieser Gegend zu erwarten?
7 Warum ist es wichtig, den Bebauungsplan des Industriegebiets zu kennen?
8 Welche Faktoren müssen dem Betrieb angemessen sein?
9 Was könnte Staat, Land oder Stadt anbieten?
10 Was ist Frau Graf schon bekannt?

Frau Graf: Vielen Dank, Frau Breuer, daß Sie uns beide heute sprechen können. Wie schon am Telefon gesagt, handelt es sich um eine neue Produktionsstätte in Thüringen. Wir haben vor, einen Teil unserer Keramikproduktion in den Norden zu verlegen.

Herr Siegmund: Wir kennen natürlich schon eine Wirtschaftsregion, in der qualifizierte Arbeitskräfte zur Verfügung stehen.

Frau Breuer: Traditionsgemäß sind viele Frauen in der Keramikproduktion beschäftigt. Haben Sie eine Untersuchung gemacht, ob Ihnen diese Arbeitskräfte dort auch zur Verfügung stehen?

Frau Graf: Genau, das haben wir bereits gemacht. Das ist nicht unsere größte Sorge. Wir wollen jedoch von Ihnen erfahren, welche anderen Probleme auf uns zukommen könnten.

Frau Breuer: Eine wichtige Frage, die wir klären müssen, ist, wie die Zukunft dieser Wirtschaftsregion aussieht. Des weiteren, wie sich der allgemeine wirtschaftliche Trend der Region auf Ihren Betrieb auswirkt. Ich kann Ihnen dazu eine detaillierte Analyse erstellen.

Herr Siegmund: Das klingt vielversprechend. Ich habe mir auch überlegt, ob es dort Vorschriften für die Betriebsansiedlung gibt, die unsere Entscheidung beeinflussen könnten.

Frau Breuer: Ganz richtig, in dieser Gegend sind Umweltschutzauflagen, in den Bereichen Lärmbelästigung und Reinhaltung von Luft und Wasser, zu erwarten. Aber kommt das für Ihren Betrieb überhaupt in Frage?

Frau Graf: Wir hoffen nicht, aber das können wir ja nachprüfen.

Frau Breuer: Haben Sie auch bedacht, ob die Grundstückspreise angemessen sind, wie der Bebauungsplan für dieses Industriegebiet in der Zukunft aussieht, z.B. in bezug auf eine eventuelle Erweiterung. Bei all diesen Fragen kann ich Ihnen als Unternehmens–beraterin behilflich sein.

Herr Siegmund: Wir haben schon gewisse Vorstellungen über die Größe und Lage der Anlage. Wir hätten Ihnen gerne diese Pläne mal vorgelegt und Ihre Meinung dazu gehört.

Frau Breuer: Einverstanden. Ich werde Ihnen ausarbeiten, ob Lage, Größe und Gestaltung der Anlage Ihrem Betrieb angemessen sind und es Raum gibt für mögliche Expansion.

Frau Graf: Bietet der Staat, das Land oder vielleicht die Stadt Steuervorteile, Investitionshilfen oder Industrieförderungsmaßnahmen irgendwelcher Art?

Frau Breuer: Sicherlich, da werde ich mich genau informieren. Das gehört alles zu unserem Beratungspaket. Die Einzelheiten sind Ihnen ja bekannt.

Frau Graf: Dann sind wir uns ja einig. Vielen Dank, daß Sie sich Zeit genommen haben.

Glossar

die Unternehmensberaterin (nen)	business consultant
die Produktionsstätte (n)	manufacturing, production plant
etwas vorhaben	plan, intend, contemplate
verlegen	move, relocate
traditionsgemäß	traditionally
beschäftigen	employ
die Untersuchung (en)	research
die Sorge (n)	worry
etwas erfahren	learn, find out
zukommen auf	be ahead of, be in store for
klären	clarify
auswirken	have an effect
klingen	sound
vielversprechend	promising
sich etwas überlegen	think about s.th.
die Vorschrift (en)	regulation
die Betriebsansiedlung (en)	*here:* setting up of a plant
beeinflussen	influence
die Gegend (en)	area
die Umweltschutzauflage (n)	environmental requirement
der Bereich (e)	field, area
die Lärmbelästigung (en)	noise pollution
die Reinhaltung (en)	prevention of pollution
erwarten	expect
in Frage kommen	*here:* apply
nachprüfen	check up, verify
bedenken	consider, deliberate on
der Grundstückspreis (e)	real estate price
angemessen	appropriate
der Bebauungsplan (¨e)	building plan, development plan
das Industriegebiet	industrial estate, site
aussehen	look like
behilflich sein	be of help, service

gewiß (*here:* adj.)	certain
die Vorstellung (en)	idea
die Lage (n)	location
die Anlage (n)	plant
vorlegen	*here:* present, show
ausarbeiten	draw up, work out in detail
die Gestaltung (en)	design, lay-out
der Steuervorteil (e)	tax advantage
die Investitionshilfe (n)	investment aid
die Industrieförderung (en)	promotion of industry
irgendwelcher Art	of some kind
das Beratungspaket (e)	consultancy package
die Einzelheit (en)	detail
sich einig sein	agree, be in agreement
sich Zeit nehmen	take time

Exercise 21.9

Ordnen Sie die Verben und Substantive wie im obigen Gespräch zu!

beeinflussen	auswirken	gehören	kommen	machen
geben	klären	bieten	erstellen	vorlegen
verlegen	erwarten	beschäftigen	haben	stehen

1 eine Untersuchung ____________
2 die Produktion ____________
3 eine Frage ____________
4 zum Beratungspaket ____________
5 Pläne ____________
6 zur Verfügung ____________
7 sich auf den Betrieb ____________
8 Auflagen ____________
9 Vorstellungen ____________
10 Steuervorteile ____________
11 Arbeitskräfte ____________
12 Analyse ____________

13 eine Entscheidung ______________________
14 in Frage ______________________

Redemittel: Zustimmung

Ja, das sehe ich auch so.	I agree.
Ganz recht. Das stimmt.	Quite right.
Gut. Genau.	Alright. Precisely. Exactly.
Natürlich. Sicherlich.	Of course. Certainly.
Einverstanden. (Damit bin ich einverstanden.)	Okay. Agreed.
Ja, geht in Ordnung.	Yes, agreed.
Dann sind wir uns einig. (nachdem wir das jetzt geklärt haben)	So we are agreed.
Da sind wir uns einig. (= in diesem Punkt)	On this point we are agreed.
Das leuchtet mir ein. Das ist einleuchtend.	That makes sense to me.
Das klingt gut.	That sounds good to me.
Das klingt vielversprechend.	That sounds promising.
Das klingt sehr überzeugend.	That sounds very convincing.
Wie Sie ganz richtig sagten ...	As you said quite rightly ...
So können wir verfahren.	That is the way to proceed.
Da gibt es keinen Zweifel.	No doubt about it.
Das ist zweifellos richtig.	No doubt, that is correct.

Einschränkung der Zustimmung oder Bedingung an die Zustimmung

Dennoch ... Trotzdem ...	Still, yet, all the same, nevertheless

Eigentlich schon, aber ... Im Prinzip ja, aber ... Genaugenommen ... aber ...	Strictly speaking yes, but ...
Ja, ganz recht, aber ... Zugestanden, aber ...	Quite right, but ... Agreed, but ...
Ganz richtig, aber haben Sie auch bedacht, daß ...	Quite right, but have you also considered ...
Das habe ich auch erst gedacht, aber jetzt ...	I thought the same at first, but now ...
Das sehe ich ähnlich, aber man sollte auch bedenken, daß ...	I think along similar lines, but one should also take into consideration that ...

Exercise 21.10

Formen Sie die Namen der Bundesländer in deutsche Adjektive um!

1	from North Rhine-Westphalia	______
2	from Bavaria	bayerisch
3	from Baden-Württemberg	______
4	from Lower Saxony	______
5	from Hesse	______
6	from Saxony	______
7	from Rhineland-Palatinate	______
8	from Berlin	______
9	from Saxony-Anhalt	______
10	from Thuringia	______
11	from Schleswig-Holstein	______
12	from Brandenburg	______
13	from Mecklenburg-West Pomerania	______
14	from Hamburg	______
15	from Saarland	______
16	from Bremen	______

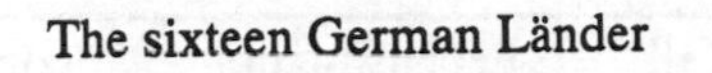
The sixteen German Länder

Schleswig-
Holstein
Mecklenburg-
West Pomerania
Hamburg
Bremen
Brandenburg
Lower Saxony
Berlin
Saxony-
Anhalt
North Rhine-
Westphalia
Saxony
Thuringia
Hesse
Rhineland-
Palatinate
Saarland
Bavaria
Baden-
Württemberg

Exercise 21.11

Setzen Sie sinngemäß in den folgenden Text ein!

einseitigen	Verfall	Lebensqualität	vor Ort
Handelskammer	verseuchte	Rang	Wissenschaftsbetrieben
Regionalpolitik	Ingenieurbüros	örtlicher	
kommunale	Forschungszentrum	Forschungsleistungen	

Die besten Standorte für die Wirtschaft

Sie haben technische Hochschulen, sind mittelgroß und hätscheln ihre Jungunternehmer – Deutschlands wirtschaftsfreundlichste Städte 1990.

Zur Ermittlung der Sieger hat die Dortmunder Forsa Gesellschaft für Sozialforschung und statistische Analysen mbH im Westen 1650 Unternehmer befragt und in beiden Teilen Deutschland Daten über Standortqualitäten erhoben. Das reichte vom Arbeitsmarkt ____________ über Verkehrslage und Lebensqualität bis zur Ausstattung mit Forschungs- und Wissenschaftsbetrieben.

Andere Faktoren mit zunehmender Bedeutung sind ________________ Arbeitsmarkt und Lebensqualität. Für nicht ganz so wichtig wie vor einem Jahr erachteten die Unternehmer das Wirtschaftsklima vor Ort, die Bedingungen für eine Neuansiedlung sowie die ____________ Politik. Verkehrslage, Energiepreise und Lebensqualität bewerteten sie etwa so wie im Jahr zuvor.

Aachen liegt im Trend. Es hat nicht nur die älteste technische Hochschule im Land, die in der kleineren Bundesrepublik jedem vierten Dr.-Ing. den Doktorhut auf den Aachener Kopf setzte. In Deutschlands westlichster Großstadt gibt es außerdem um die tausend ____________, davon die Hälfte jünger als fünf Jahre, gibt es eine Fachhochschule, diverse Forschungslabors sowie nicht weit vor den Stadttoren das ____________ Jülich GmbH, die frühere Kernforschungsanlage.

Auch beim Faktor "Lebensqualität" steht die Ingenieurshochburg im westrheinischen Hügelland in der *Wirtschaftswoche*-Statistik hoch oben.

Über die verschwindenden europäischen Grenzen hinweg betreibt Aachen ____________. Jetzt ist nahe dem Dreiländereck das erste internationale Gewerbegebiet geplant.

Ostdeutschland: Lob für Leipzig

Eine Unternehmensumfrage wie im Westen war allerdings so kurz nach dem Dahinscheiden des Sozialismus noch nicht möglich.

Leipzigs Sieg überrascht auf den ersten Blick - schließlich ist die Stadt landläufig eher für den ________ ihrer Häuser und für ihre ________ Luft bekannt. Dem kann sie allerdings die besten ________________ in wissenschaftlichen Instituten gegenüberstellen, eine ausgezeichnete Verkehrslage und ein besonders gutes Wirtschaftsklima.

Was Leipzig noch fehlt, hat Jena den zweiten __________ als Unternehmensstandort eingebracht: Lebensqualität, die Wohnungssituation mit einem nur geringen Anteil verfallener Altbauten und eine relativ gesunde Umwelt sind die Pluspunkte im Thüringischen. Dazu kommt ein gutes Angebot an Arbeitskräften.

Das allerdings ist Folge einer Krise: Die Stadt kämpft mit ihrer ____________ Wirtschaftsstruktur, die durch das Unternehmen Zeiss geprägt ist.

"Ein Viertel der Erwerbstätigen sind Akademiker", resümiert der Leiter der Geschäftsstelle Jena der Industrie- und ________________ Ostthüringen, Günther Raasch.

Wirtschaftswoche

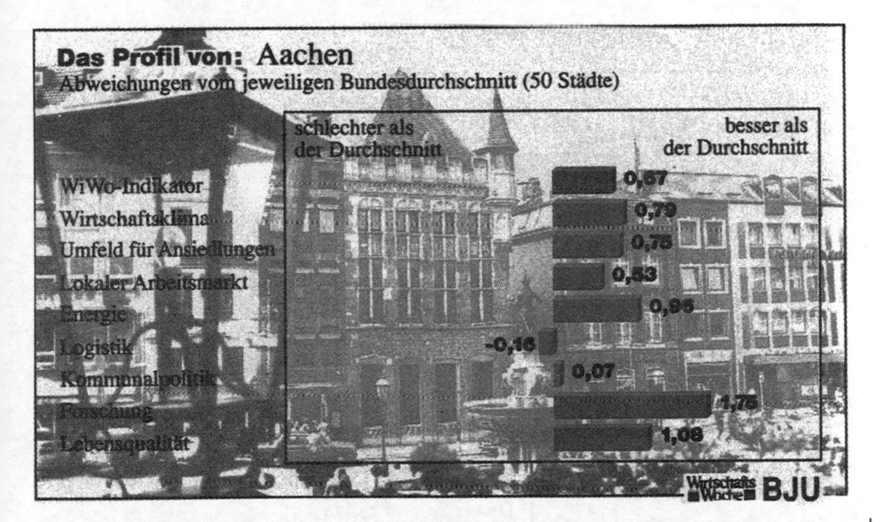

Die zehn wirtschaftsfreundlichsten Städte 1990

Rang	Stadt	WiWo-Indikator	Wirtschafts-klima	Umfeld für Ansiedlungen	Lokaler Arbeitsmarkt	Energie	Logistik	Kommunal-politik	Forschung	Lebens-qualität
Gewicht (in Prozent)		**100**	**13,5**	**12,3**	**14,1**	**9,8**	**13,6**	**13,2**	**9,9**	**13,6**
1	Aachen	6,622	7,220	6,000	5,430	7,265	6,441	5,288	7,083	8,507
2	Braunschweig	6,580	6,960	7,575	5,558	6,244	5,733	5,735	7,167	7,843
3	Heidelberg	6,555	7,000	4,927	4,939	5,254	7,154	7,453	7,167	8,283
4	Oldenburg	6,548	7,740	6,045	5,901	8,479	5,621	5,204	4,250	9,000
5	Würzburg	6,447	6,960	4,966	4,880	7,487	6,756	6,280	5,917	8,395
6	Karlsruhe	6,343	6,480	5,313	4,175	6,185	6,973	6,648	7,083	8,036
7	Freiburg	6,334	5,520	5,745	5,175	6,185	6,526	6,569	5,750	8,991
8	Leverkusen	6,311	7,480	4,920	4,548	6,712	7,142	5,860	6,250	7,597
9	Münster	6,276	6,220	4,765	5,393	5,696	6,513	6,920	5,500	8,731
10	Darmstadt	6,271	6,960	3,395	4,471	7,190	7,342	5,733	7,833	7,709
Durchschnitt (50 Städte)		**5,948**	**6,432**	**5,255**	**4,904**	**6,305**	**6,600**	**5,216**	**5,330**	**7,427**

WirtschaftsWoche

FOTO: PARSYTEC

Neue Länder: Süden vorn		
Rang	Stadt	WiWo-Gesamt-indikator
1	Leipzig	5427
2	Jena	5226
3	Dresden	5141
4	Potsdam	4893
5	Magdeburg	4845
6	Erfurt	4780
7	Chemnitz	4684
8	Halle/Saale	4653
9	Gera	4478
10	Zwickau	4374
11	Cottbus	4260
12	Schwerin	4083
13	Rostock	3963
14	Dessau	3873

WirtschaftsWoche

Glossar – Die besten Standorte

hätscheln	pamper
der Jungunternehmer (-)	young entrepreneur
die Ermittlung (en)	*here:* establishment
der Sieger (-)	winner
die Sozialforschung (en)	social research
Daten erheben	ascertain data
reichen von ... bis	reach from ... to
vor Ort	locally
die Verkehrslage (n)	traffic situation
die Ausstattung (en)	*here:* provision
örtlich	local
erachten	deem, consider
die Neuansiedlung (en)	*here:* setting up (of a firm)
bewerten	assess
zuvor	before
im Trend liegen	be in fashion
die Fachhochschule (n)	technical college of higher education
das Stadttor (e)	city gate
die Kernforschungsanlage (n)	nuclear research plant
die Hochburg (en)	stronghold

das Hügelland (¨er)	hilly country
verschwindend	disappearing
Politik betreiben	be involved in politics
überraschen	surprise
auf den ersten Blick	at first sight
landläufig	common, current, customary
eher	rather
der Verfall (*no pl.*)	decay, dilapidation
verseucht	polluted
gegenüberstellen	contrast
ausgezeichnet	excellent
fehlen	lack
einbringen	*here:* win
verfallen	fall into disrepair, become dilapidated
der Altbau (ten)	old building
der Pluspunkt (e)	asset, advantage
die Folge (n)	consequence
kämpfen mit	fight against
einseitig	one-sided
prägen	characterize
resümieren	summarize, sum up

Exercise 21.12

Setzen Sie die dem Text entsprechenden Adjektive ein! Beachten Sie Adjektivendungen für Substantive ohne Artikel!

ausgezeichnete gutes verseuchte kommunale zunehmende beste gesunde wissenschaftliche örtlicher verfallene westrheinisches internationales einseitiger geringer technische europäische

1 ______________________ Bedeutung
2 ______________________ Arbeitsmarkt
3 ______________________ Politik
4 ______________________ Hochschule
5 ______________________ Hügelland
6 ______________________ Grenzen
7 ______________________ Gewerbegebiet

8 ______________________ Luft
9 ______________________ Forschungsleistungen
10 ______________________ Institute
11 ______________________ Verkehrslage
12 ______________________ Wirtschaftsklima
13 ______________________ Anteil
14 ______________________ Altbauten
15 ______________________ Umwelt
16 ______________________ Wirtschaftsstruktur

Exercise 21.13

Bilden Sie Sätze!

1 Kriterium / von / Neuansiedlung / Verkehrslage / für / ein / Die wichtiges / Betrieben. / ist / die
2 nimmt / Lebensqualität / an / Faktor / zu. / Der / Bedeutung
3 Grenzstädten / kann / gutes / geben. / in / Ein / Wirtschaftsklima / es / auch
4 Angebot / der / verseuchten / Ostdeutschland / In / gegenüber. / steht / von / Umwelt / gute / das / Arbeitskräften
5 internationale / geplant. / den / werden / In / Gewerbegebiete / Grenzstädten
6 wichtig. / erachten / und / wissenschaftliche / Jungunternehmer / für / Lebensqualität / Expertise
7 Eine / bei / Arbeitnehmerschaft / für / einseitige / einer / bringt / Wirtschaftsstruktur / Gefahren / Wirtschaftskrise. / die
8 für / Indikator / sind / Hochschulen / Innovationsfreudigkeit. / ein / Technische / guter

Technologie

Nach den USA und Japan auf Rang 3

Die internationale Wettbewerbsfähigkeit der Bundesrepublik Deutschland ist nach wie vor gut. Im direkten Vergleich mit den USA und Japan ist die deutsche Exportquote mit 32 Prozent mehr als doppelt so hoch wie die japanische (13,8 Prozent) und mehr als viermal so hoch wie die amerikanische (7,1 Prozent). Doch auf den zukunftsträchtigen Exportmärkten für Hochtechnologie verliert die Bundesrepublik seit Jahren Marktanteile.

Der Export der Bundesrepublik ist zudem überwiegend auf den europäischen Markt konzentriert, der 70 Prozent der Ausfuhren absorbiert. Dies hat zwar den Vorteil, daß die Exportwirtschaft weniger vom Dollar abhängig ist, als es vielfach befürchtet wurde, doch dem stehen auch Risiken gegenüber. So ist die Bundesrepublik auf den seit Jahren dynamischen Märkten, vor allem im westpazifischen Raum, nur unzureichend vertreten.

Das Bundesforschungsministerium sieht bei einer weiterhin unzureichenden Präsenz auf den gerade für neue Technologien sehr innovativen Märkten in Asien die Gefahr, daß die zunehmend auch von dort ausgehenden Weltmarktentwicklungen „verschlafen" werden könnten.

Dabei hat die Bundesrepublik in Europa noch die führende Position inne. Sie ist zudem das einzige EG-Land, das in allen High-Tech-Industrien laut OECD einen Exportüberschuß oder eine ausgeglichene Handelsbilanz verzeichnet.

Nach Feststellung des Forschungsministeriums hat die Bundersrepublik zwar kaum besondere Stärken bei ausgesprochenen Spitzentechnologien, aber eine Breite ihrer Technologiepalette, die von kaum einem anderen Land erreicht werde. Ein Indiz dafür sei die Führungsposition bei anspruchsvollen Technologie-Kombinationen (z. B. Mechanik plus Elektronik bei Werkzeugmaschinen). Andererseits erreicht die Bundesrepublik Deutschland bei forschungsintensiven Produkten nur einen Teil des möglichen Wachstums und verliert auf den Exportmärkten für Hochtechnologie seit Jahren Marktanteile: von 16,3 Prozent der Weltausfuhr an Hochtechnologien im Jahre 1980 auf 14,8 Prozent im Jahre 1985. Japan hat dagegen in den 80er Jahren gerade bei forschungsintensiven Gütern gewonnen, die EG-Länder inzwischen überholt und etwa das Volumen der USA erreicht. Dieser Erfolg wurde vor allem bei Elektronik, Büromaschinen und Computern erzielt.

Zwar bewegt sich die Bundesrepublik Deutschland beim relativen Aufwand für Forschung und Entwicklung gemeinsam mit den USA und Japan in der Spitzengruppe (jeweils knapp 3 Prozent des Bruttoinlandsprodukts), aber auch hier ist die Dynamik Japans beträchtlich größer. Zwischen 1971 und 1985 haben die Japaner ihre Aufwendungen für Forschung und Entwicklung etwa versechsfacht, die Bundesrepublik und die USA dagegen nur etwa vervierfacht. Das japanische Budget ist inzwischen etwa doppelt so groß wie das der Bundesrepublik.

Heute verfügen die USA über 53 Prozent, Japan über 19 Prozent und die Bundesrepublik über knapp 10 Prozent der Mittel für Forschung und Entwicklung unter den sechs starksten OECD-Ländern. Auch wenn von einem dramatischen Positionsverlust, wie zu Beginn der 80er Jahre z. B. von Bruce Nussbaum prognostiziert, keine Rede sein kann, so ist die Bundesrepublik Deutschland inzwischen doch nur noch die dritte führende Technologienation hinter Japan.

Deutscher Sparkassenverlag

Glossar – Technologie

der Rang (¨e)	position, rank
die Wettbewerbsfähigkeit (en)	competitiveness, competitive strength
zukunftsträchtig	promising
der Marktanteil (e)	market share
zudem	besides
überwiegend	predominantly
abhängig	dependent
befürchten	be afraid
gegenüberstehen	be faced with, be confronted with
unzureichend	insufficient
vertreten	represented
das Bundesforschungsministerium (rien)	Federal Ministry of Research and Development
zunehmend	increasingly
verschlafen	oversleep
führend	leading
der Exportüberschuß (üsse)	export surplus
ausgeglichen	balanced
verzeichnen	*here:* show
die Feststellung (en)	finding, statement
zwar . . . aber	in fact . . . but, it is true . . . but
kaum	hardly
ausgesprochen	pronounced, distinct
das Indiz (ien)	sign, indication
anspruchsvoll	demanding
die Werkzeugmaschine (n)	machine tool
andererseits	on the other hand
erreichen	achieve
gerade	*here:* especially
das Gut (¨er)	good
sich bewegen	*here:* can be found
der Aufwand (¨e)	*here:* expenditure
beträchtlich	considerable
die Aufwendung (en)	*here:* expenditure
versechsfachen	multiply by six
verfügen	have at one's disposal
knapp	almost

die Mittel (*pl.*)	means
der Positionsverlust (e)	loss of position
prognostizieren	forecast
(es) kann keine Rede sein	*here:* be not the case

Exercise 21.14

Beantworten Sie die Fragen!

1 Wie sieht die deutsche Exportquote im Vergleich zu Japan und den USA aus?
2 Welche Tendenz gibt es für Deutschland bei der Hochtechnologie?
3 Welcher Markt absorbiert 70% der deutschen Exporte?
4 Welcher Nachteil ergibt sich daraus?
5 Was ist die Stärke der deutschen Technologieproduktion?
6 Bei welchen Gütern hat Japan die EG inzwischen überholt?
7 Wie hoch ist der Aufwand für Forschung und Entwicklung in der Bundesrepublik?
8 Wie hoch ist der Anteil der USA, Japans und der Bundesrepublik an der Gesamtaufwendung für Forschung und Entwicklung der OECD-Länder?

Glossar – Die fünf neuen Bundesländer

die Verbrauchsgüter	non-durable consumer goods
das Walzwerk (e)	rolling mill
das Handwerk (*no pl.*)	craft, trade
die Kommunalwirtschaft (*no pl.*)	municipal services
das Vermittlungsbüro (s)	agency
das Sozialwesen (*no pl.*)	social services
die Verwaltung (en)	administration

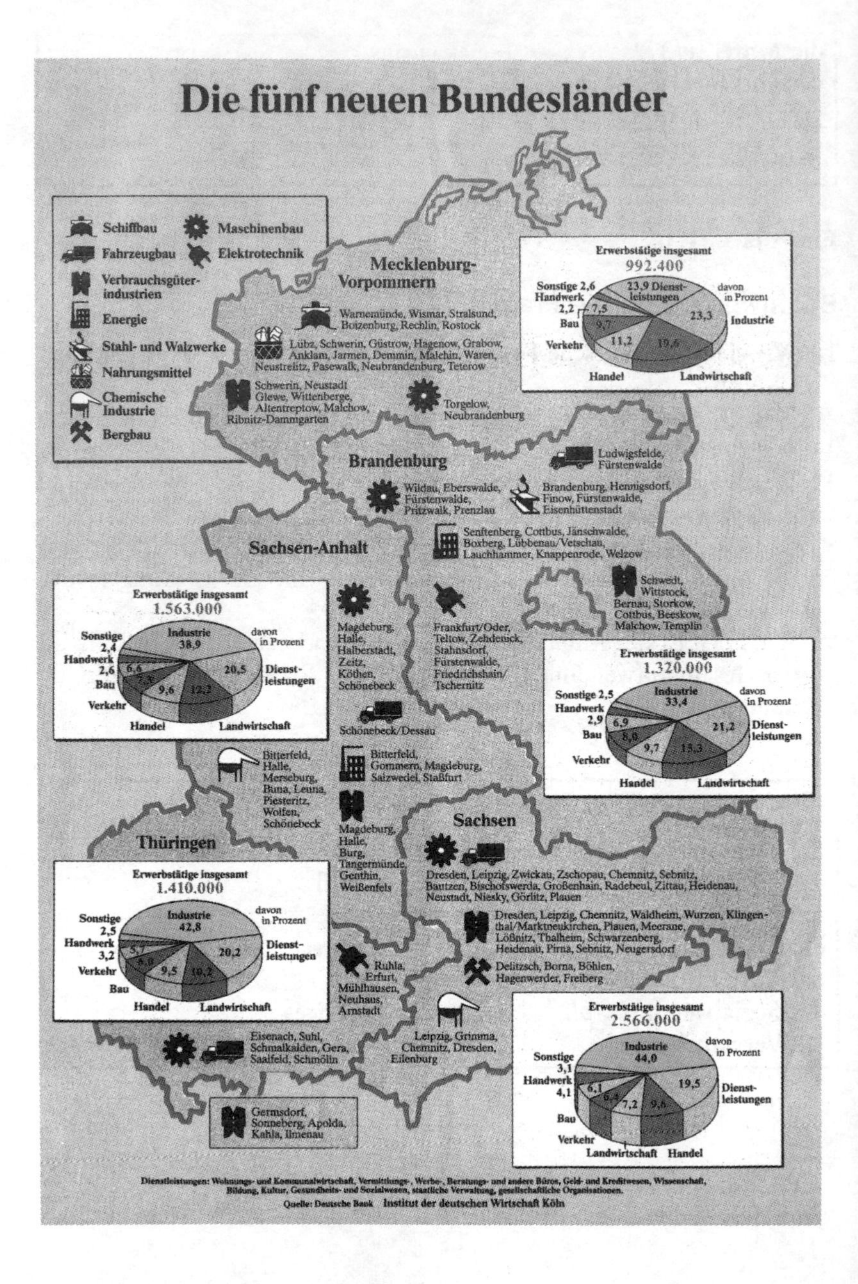

Die fünf neuen Bundesländer
Schiffbau
Maschinenbau
Fahrzeugbau
Elektrotechnik
Verbrauchsgüter-industrien
Energie
Stahl- und Walzwerke
Nahrungsmittel
Chemische Industrie
Bergbau
Mecklenburg-Vorpommern
Warnemünde, Wismar, Stralsund, Boizenburg, Rechlin, Rostock
Lübz, Schwerin, Güstrow, Hagenow, Grabow, Anklam, Jarmen, Demmin, Malchin, Waren, Neustrelitz, Pasewalk, Neubrandenburg, Teterow
Schwerin, Neustadt Glewe, Wittenberge, Altentreptow, Malchow, Ribnitz-Dammgarten
Torgelow, Neubrandenburg
Erwerbstätige insgesamt
992.400
Sonstige 2,6
Handwerk 2,2
Bau
Verkehr
23,9 Dienst-leistungen
davon in Prozent
7,5
9,7
11,2
19,6
23,3
Industrie
Handel
Landwirtschaft
Brandenburg
Ludwigsfelde, Fürstenwalde
Wildau, Eberswalde, Fürstenwalde, Pritzwalk, Prenzlau
Brandenburg, Hennigsdorf, Finow, Fürstenwalde, Eisenhüttenstadt
Senftenberg, Cottbus, Jänschwalde, Boxberg, Lübbenau/Vetschau, Lauchhammer, Knappenrode, Welzow
Schwedt, Wittstock, Bernau, Storkow, Cottbus, Beeskow, Malchow, Templin
Frankfurt/Oder, Teltow, Zehdenick, Stahnsdorf, Fürstenwalde, Friedrichshain/Tschernitz
Erwerbstätige insgesamt
1.320.000
Sonstige 2,5
Handwerk 2,9
Bau
Verkehr
Industrie 33,4
davon in Prozent
6,9
8,0
9,7
15,3
21,2
Dienst-leistungen
Handel
Landwirtschaft
Sachsen-Anhalt
Erwerbstätige insgesamt
1.563.000
Sonstige 2,4
Handwerk 2,6
Bau
Verkehr
Industrie 38,9
davon in Prozent
6,6
7,5
9,6
12,2
20,5
Dienst-leistungen
Handel
Landwirtschaft
Magdeburg, Halle, Halberstadt, Zeitz, Köthen, Schönebeck
Schönebeck/Dessau
Bitterfeld, Halle, Merseburg, Buna, Leuna, Piesteritz, Wolfen, Schönebeck
Bitterfeld, Gommern, Magdeburg, Salzwedel, Staßfurt
Magdeburg, Halle, Burg, Tangermünde, Genthin, Weißenfels
Thüringen
Erwerbstätige insgesamt
1.410.000
Sonstige 2,5
Handwerk 3,2
Verkehr
Bau
Industrie 42,8
davon in Prozent
5,7
6,0
9,5
10,2
20,2
Dienst-leistungen
Handel
Landwirtschaft
Ruhla, Erfurt, Mühlhausen, Neuhaus, Arnstadt
Eisenach, Suhl, Schmalkalden, Gera, Saalfeld, Schmölln
Gernsdorf, Sonneberg, Apolda, Kahla, Ilmenau
Sachsen
Dresden, Leipzig, Zwickau, Zschopau, Chemnitz, Sebnitz, Bautzen, Bischofswerda, Großenhain, Radebeul, Zittau, Heidenau, Neustadt, Niesky, Görlitz, Plauen
Dresden, Leipzig, Chemnitz, Waldheim, Wurzen, Klingenthal/Markneukirchen, Plauen, Meerane, Lößnitz, Thalheim, Schwarzenberg, Heidenau, Pirna, Sebnitz, Neugersdorf
Delitzsch, Borna, Böhlen, Hagenwerder, Freiberg
Leipzig, Grimma, Chemnitz, Dresden, Eilenburg
Erwerbstätige insgesamt
2.566.000
Sonstige 3,1
Handwerk 4,1
Bau
Verkehr
Industrie 44,0
davon in Prozent
6,1
6,4
7,2
9,6
19,5
Dienst-leistungen
Landwirtschaft
Handel
Dienstleistungen: Wohnungs- und Kommunalwirtschaft, Vermittlungs-, Werbe-, Beratungs- und andere Büros, Geld- und Kreditwesen, Wissenschaft, Bildung, Kultur, Gesundheits- und Sozialwesen, staatliche Verwaltung, gesellschaftliche Organisationen.
Quelle: Deutsche Bank Institut der deutschen Wirtschaft Köln

Further prepositions taking the genitive

infolge	in consequence of
trotz	in spite of
laut	according to
wegen	because of
dank	thanks to
hinsichtlich	with regard to
kraft	by virtue of
mangels	for want of
innerhalb	inside
außerhalb	outside
oberhalb	above
unterhalb	below
anhand	with the aid of
bezüglich	with regard to
statt, anstatt	instead of

Exercise 21.15

Setzen Sie die Präpositionen sinngemäß ein!

1 ____________ d______ Marktchancen wird Thüringen __________ seine______ Präzisionsgeräte-Industrie oft an erster Stelle genannt.
2 ____________ Umweltbelastungsgesetzen wurde der Grund und Boden verseucht.
3 ____________ d______ Wirtschaftssexperten wird die Wirtschaft Brandenburgs durch die Nähe von Berlin begünstigt.
4 Aufgrund seiner günstigen Lage besitzt Sachsen-Anhalt gute Entwicklungschancen.
5 ____________ d______ Trabbis werden nun VW-Polos in Sachsen gebaut.
6 ____________ d______ Tourismus ergeben sich in Thüringen und Mecklenburg-Vorpommern hervorragende Möglichkeiten.
7 ____________ d______ „Ländereinführungsgesetz" wurden die ehemaligen Länder wiederhergestellt.
8 ____________ d______ Wiedervereinigung wurde die Zentralwirtschaft auf freie Marktwirtschaft umgestellt.
9 ____________ d______ reichen Bodenschätze leidet aber die Umwelt in Sachsen-Anhalt.
10 ____________ d______ hohen Qualifikationen der Arbeitnehmer ist die Arbeitslosigkeit hoch.

Wichtige Begriffe aus diesem Kapitel

1 Substantive (nouns)

deutsch	*englisch*

2 Verben + Kasus (verbs + case)

deutsch	*englisch*

3 Wichtige Redewendungen (idiomatic phrases)

deutsch	*englisch*

4 Notizen

Unit 22

Banken
Banking

In this chapter on banking, we begin with practical matters like opening an account, filling in forms and changing money. Then the different types of banks and the famous German *Bundesbank* (the Federal Bank) and its various options of monetary policy, are introduced. In the grammar section, we review concessive and conditional clauses.

Eröffnung eines Kontos

Hören Sie den Dialog auf der Kassette und beantworten Sie danach folgende Fragen!

Lesen Sie zuerst die Fragen und machen Sie sich während des Hörens schon Notizen. Decken Sie aber den Dialogtext während der Übung mit einem Blatt ab! (Sie können diese Übung auch als Lese- und Schreibübung machen.)

Bevor Sie mit der Übung beginnen, lesen Sie sich folgendes Kurzglossar durch!

Kurzglossar	
das Sparkonto (en)	savings account
das laufende Konto = das Girokonto	current account
überweisen	transfer
abheben	draw
die Magnetkarte (n)	service card
der Geldausgabeautomat (en)	cash dispenser
der Kontoauszug (¨e)	bank statement
der Dauerauftrag (¨e)	standing order
der Überweisungsauftrag (¨e)	bank transfer order
die Einzugsermächtigung (en)	direct debit
der Überziehungskredit (e)	overdraft facility
der Bankverkehr (*no pl.*)	banking operation

Exercise 22.1

Beantworten Sie folgende Fragen!

1 Weshalb geht Herr Tomlinson zur Bank?
2 Warum braucht er ein laufendes Konto?
3 Welche anderen Dienstleistungen kann er bei einem laufenden Konto in Anspruch nehmen?
4 Wofür braucht man einen Dauerauftrag?
5 Wie läßt man variable Rechnungen wie Strom-, Wasser- und Telefonrechnungen abbuchen?
6 Was passiert, wenn man sein Konto mit nur einem geringen Betrag überzieht?
7 Welche günstigere Möglichkeit gibt es, sein Konto zu überziehen?
8 Welche Information muß er außer der Unterschriftsprobe auf dem Formular angeben?
9 Was kann er übermorgen abholen?
10 Wie erfährt er, daß die Automatenkarte fertig ist?
11 Auf welchem Konto bekommt man Zinsen?
12 Wofür ist Frau Schubert zuständig?

Auf der Bank

Frau Schubert (Bankangestellte) und Herr Tomlinson (neueingestellter Kfz-Mechaniker bei Ford in Düren).

Frau Schubert: Guten Tag! Was kann ich für Sie tun?
Herr Tomlinson: Guten Tag! Ich möchte ein Konto bei Ihnen eröffnen.
Frau Schubert: Handelt es sich um ein Sparkonto oder um ein laufendes Konto?
Herr Tomlinson: Ich habe eine neue Stelle bei Ford angetreten und möchte meinen Lohn auf ein Konto monatlich überweisen lassen.
Frau Schubert: Dafür brauchen Sie ein laufendes Konto, ein Girokonto.
Herr Tomlinson: Kann ich von diesem Konto Geld abheben und Geld überweisen lassen?
Frau Schubert: Ja, richtig. Außerdem können Sie bei uns Schecks, eine Magnetkarte, um Geld am Geldausgabeautomat ziehen zu können, und auch eurocheques mit eurocheque-Karte erhalten. Sie bekommen

monatlich einen Kontoauszug, auf dem alle Buchungen verzeichnet sind.

Herr Tomlinson: Wie kann ich eigentlich am besten meine Strom- und Wasserrechnung bezahlen?

Frau Schubert: Regelmäßige Rechnungen mit festem Betrag wie z.B. ihre Mietzahlungen tätigen Sie am besten per Dauerauftrag. Das heißt Sie bestimmen die Höhe des Überweisungsbetrags. Variable Rechnungen wie z.B. Strom, Wasser, Telefon lassen Sie einfach per Einzugsermächtigung abbuchen. Das ist die bequemste Zahlungsweise bzw. auch die üblichste hier in Deutschland.

Herr Tomlinson: Was passiert, wenn mein Konto einmal in die roten Zahlen rutscht?

Frau Schubert: Das kann teuer werden. Schon bei geringen Beträgen zahlen Sie uns dann Zinsen. Besser ist es, mit uns vorher über einen Überziehungskredit zu reden. Das kommt Sie wesentlich günstiger, z.B. könnten wir Ihnen einen Überziehungskredit in der Höhe eines Monatslohns einräumen.

Herr Tomlinson: Gut, kann ich dann bitte bei Ihnen ein Girokonto eröffnen?

Frau Schubert: Schön, dazu brauche ich Ihren Paß. Und bitte füllen Sie dieses Formular aus mit Ihrer hiesigen Adresse. Unten am Ende des Formulars geben Sie uns bitte Ihre Unterschrift als Unterschriftsprobe. Wieviel wollen Sie auf Ihr neueröffnetes Konto einzahlen?

Herr Tomlinson: Reichen 10,– DM?

Frau Schubert: Ja, natürlich. Zahlen Sie es bitte an der Kasse ein. Ihre mit Ihrem Namen gedruckten Schecks können Sie übermorgen abholen. Wir geben Ihnen Bescheid, wenn Ihre Automatenkarte fertig ist.

Herr Tomlinson: Gibt es Zinsen auf diesem Konto?

Frau Schubert: Nein, Zinsen gibt es keine auf dem Girokonto. Dazu brauchen Sie ein Sparkonto mit einem Sparbuch. Im Moment geben wir 4% Zinsen.

Herr Tomlinson: Ja, das überlege ich mir noch einmal. – Vielen Dank für Ihre Beratung. Ich komme in den nächsten Tagen vorbei, um meine Schecks abzuholen.

Frau Schubert: Wenden Sie sich dann bitte an mich, mein Name ist Schubert. Ich bin von nun an für Ihren Bankverkehr zuständig.

Herr Tomlinson: Ah gut, dann auf Wiedersehen!

Frau Schubert: Auf Wiedersehen!

Glossar – Auf der Bank

neueingestellt	newly appointed
das Kfz = Kraftfahrzeug (e)	vehicle
das Konto (Konten)	account
eine Stelle antreten	take up a position
abheben	draw
der Scheck (s)	cheque
die Buchung (en)	booking, entry
verzeichnen	*here:* list, register
der Strom (¨e)	electricity
regelmäßig	regularly
der Betrag (¨e)	amount
Zahlungen tätigen	transact, effect payments
der Dauerauftrag (¨e)	standing order
bestimmen	decide
die Höhe (n)	amount
der Überweisungsauftrag (¨e)	bank transfer order
die Einzugsermächtigung (en)	direct debit
abbuchen	debit
bequem	comfortable, convenient
die Zahlungsweise (n)	mode of payment
üblich	customary
rutschen	slide down
der Zins (en)	interest
der Überziehungskredit (e)	overdraft facility
wesentlich	*here:* considerable
einräumen	concede, allow, grant
das Formular (e)	form
hiesig	local
die Unterschriftsprobe (e)	specimen signature
reichen	be sufficient
einzahlen	pay in, deposit
gedruckt	printed
übermorgen	day after tomorrow
Bescheid geben	inform
die Automatenkarte (n)	cash dispenser card
das Sparbuch (¨er)	savings account book
gesetzlich	legal
die Kündigungsfrist (en)	term of notice

überlegen	think over, consider, deliberate
sich wenden an	address, contact
der Bankverkehr (*no pl.*)	banking operation
zuständig	responsible, in charge of

Exercise 22.2

Was können Sie mit Ihrem Geld auf der Bank machen?

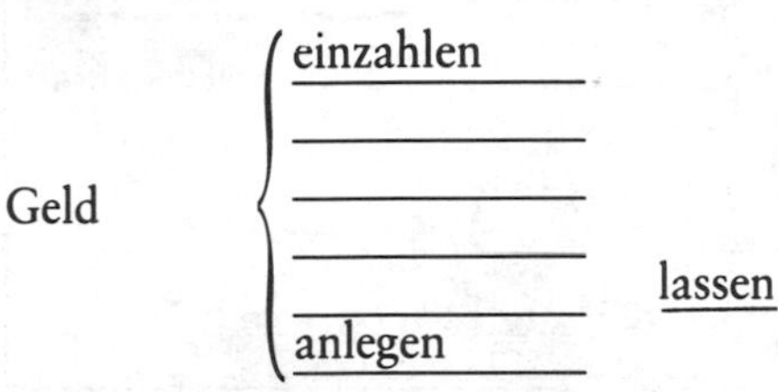

Exercise 22.3

Wie können Sie Ihr Geld nach den Schalterstunden abheben? Bringen Sie in die richtige Reihenfolge!

____ Zahlungsbeleg entgegennehmen
____ Geldmenge eintippen
1 ____ zum Geldautomaten gehen
____ Gehcimzahl eintippen
____ Karte einführen
____ Karte entgegennehmen
____ auf Geld warten

SPARKASSE BURGHAUSEN

Zahlen Sie gegen diesen Scheck

dreihundertfünfundvierzig

Betrag in Buchstaben

an Firma Siegmund Küster

oder Überbringer

Währung: DM Betrag: 345,—

Bochum

Ort

23.2.1994

Datum

Muster!

Unterschrift

Der vorgedruckte Schecktext darf nicht geändert oder gestrichen werden. Die Angabe einer Zahlungsfrist auf dem Scheck gilt als nicht geschrieben.

Scheck-Nr. x Konto-Nr. x Betrag x Bankleitzahl x Text

0000000333798⑆ 0069430562⑈ 12354678⑆ 11⑈

Bitte dieses Feld nicht beschriften und nicht bestempeln

Nur zur Verrechnung!

Bankleitzahl
12354678

Muster!

SPARKASSE BURGHAUSEN

Zahlen Sie gegen diesen Scheck aus meinem / unserem Guthaben

zweihundertachtzehn —

Deutsche Mark in Buchstaben

DM 218,45

Pf wie nebenstehend

an Glaserei Wortmann oder Überbringer

Stuttgart 2.9.1996

Ausstellungsort, Datum

M. Specimen

Unterschrift des Ausstellers

121 600 I/79

Verwendungszweck Rechnung vom 12.8.1996 - Fensterreparatur

(Mitteilung für den Zahlungsempfänger)

Der vorgedruckte Schecktext darf nicht geändert oder gestrichen werden. Die Angabe einer Zahlungsfrist auf dem Scheck gilt als nicht geschrieben.

Scheck-Nr.	Konto-Nr.	Betrag	Bankleitzahl	Text
0000003460412	0069430562		12354678	01

Bitte dieses Feld nicht beschreiben und nicht bestempeln

Glossar – eurocheque

die Sparkasse (n)	savings bank
die Währung (en)	currency
Betrag in Buchstaben	amount in words
der Überbringer (–)	bearer (payable to bearer)
die Bankleitzahl (en)	bank code

Glossar – Verrechnungscheck

Nur zur Verrechnung	crossed cheque (for depositing)
das Guthaben (–)	account
wie nebenstehend	as opposite
der Ausstellungsort (e)	place of issue
der Aussteller (–)	drawer
der Verwendungszweck (e)	purpose
die Mitteilung (en)	message
der Zahlungsempfänger (–)	receiver

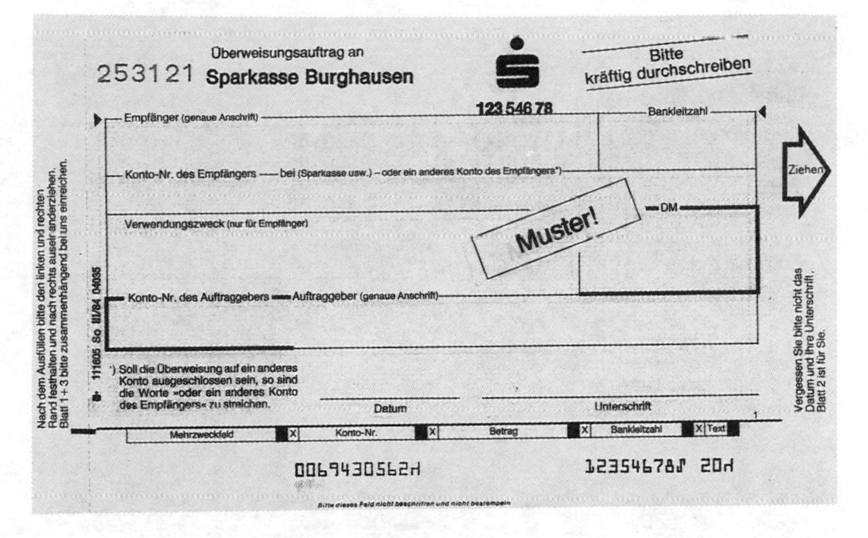
253121 Überweisungsauftrag an
Sparkasse Burghausen

123 546 78

Bitte kräftig durchschreiben

Empfänger (genaue Anschrift) — Bankleitzahl

Konto-Nr. des Empfängers — bei (Sparkasse usw.) – oder ein anderes Konto des Empfängers*)

DM

Verwendungszweck (nur für Empfänger)

Muster!

Konto-Nr. des Auftraggebers — Auftraggeber (genaue Anschrift)

*) Soll die Überweisung auf ein anderes Konto ausgeschlossen sein, so sind die Worte »oder ein anderes Konto des Empfängers« zu streichen.

Datum — Unterschrift

Ziehen

Nach dem Ausfüllen bitte den linken und rechten Rand festhalten und nach rechts auseinanderziehen. Blatt 1 + 3 bitte zusammenhängend bei uns einreichen.

Vergessen Sie bitte nicht das Datum und Ihre Unterschrift. Blatt 2 ist für Sie.

Mehrzweckfeld | X | Konto-Nr. | X | Betrag | X | Bankleitzahl | X | Text

0069430562 12354678 20

Bitte dieses Feld nicht beschriften und nicht bestempeln

Glossar – Überweisungsauftrag	
kräftig	*here:* firm
durchschreiben	*here:* press
der Auftraggeber (–)	drawer
genau	precise
die Anschrift (en)	address
ausgeschlossen	excluded
streichen	delete

Glossar – Kontoauszug	
das Kindergeld (er)	child benefit
das Soll	debit
der Umsatz (¨e)	*here:* transactions
das Haben	credit
der Saldo (Saldi/Salden)	balance
das Guthaben (–)	credit
die Schuld (en)	debit

Konto-Nr.	Wert		Text	Soll	Umsätze	Haben
694 305 62	31	12	GEHALT			1 946,00
	31	12	DAUERAUFTRAG	450,00		
	31	12	SCHECK 412	250,00		
	05	01	SCHECK 413	100,00		
	02	01	KINDERGELD			240,00
	07	01	EC-SCHECK 796	180,00		

Kontoauszug

Sparkasse Burghausen

Herrn
Jochen Berner
Amselweg 4

9980 Burghausen

Alter Saldo: S 328,56

Neuer Saldo: H 877,44

Buch.-Datum	Anlagen	Auszug	Blatt
07.09.	2	1	1

H = Guthaben
S = Schuld

Die Gutschrift von Einzugspapieren erfolgt unter Vorbehalt des Einganges. Unstimmigkeiten bitten wir umgehend zu melden.

Exercise 22.4

Finden Sie den entsprechenden Ausdruck auf deutsch!

1 by bank transfer ____per Banküberweisung____
2 crossed cheque ____________
3 by direct debit ____________
4 message to receiver ____________
5 purpose ____________
6 current account ____________
7 cash dispenser ____________
8 by standing order ____________
9 overdraft facility ____________
10 precise address ____________

Exercise 22.5

Geben Sie an, welche Art der Bezahlung in Deutschland üblich ist!

1	Miete zahlen.	(a) Bargeld (b) Einzugsermächtigung (c) Dauerauftrag
2	Gasrechnung	(a) eurocheque (b) Einzugsermächtigung (c) Scheck
3	Kauf eines Neuwagens	(a) Einzugsermächtigung (b) Verrechnungsscheck (c) Bargeld
4	Sommerkleid	(a) eurocheque (b) Überweisungsauftrag (c) Verrechnungsscheck
5	Nahrungsmittel	(a) Kreditkarte (b) Überweisungsauftrag (c) Bargeld
6	Bestellung per Post	(a) Bargeld (b) Verrechnungsscheck (c) Dauerauftrag
7	Einkauf beim Juwelier	(a) Kreditkarte (b) Einzugsermächtigung (c) Bargeld
8	Tennisclub-Jahresbeitrag	(a) Kreditkarte (b) Bargeld (c) Überweisungsauftrag

Exercise 22.6

1 Füllen Sie bitte den unausgefüllten eurocheque mit den Informationen aus dem folgenden Text aus!

Sie haben für DM 345,– ein Radiogerät bei der Firma Siegmund Küster in Bochum gekauft. Es ist der 23.2.1994.

1

SPARKASSE BURGHAUSEN

Zahlen Sie gegen diesen Scheck

Währung | Betrag

Betrag in Buchstaben

an
oder Überbringer

Ort

Datum

Muster!

Unterschrift

Der vorgedruckte Schecktext darf nicht geändert oder gestrichen werden. Die Angabe einer Zahlungsfrist auf dem Scheck gilt als nicht geschrieben.

Scheck-Nr. | x | Konto-Nr. | x | Betrag | x | Bankleitzahl | x | Text

0000000333796⑆ 0069430562⑈ 12354678⑆ 11⑈

Bitte dieses Feld nicht beschriften und nicht bestempeln

2 Füllen Sie bitte den unausgefüllten Scheck mit den Informationen aus dem folgenden Text aus und machen Sie daraus einen Verrechnungsscheck!

Sie wollen die Rechnung vom 12.8.1996 der Glaserei Wortmann in Stuttgart über DM 218,45 bezahlen. Das heutige Datum ist der 2.9. Sie hat Ihnen ein kaputtes Fenster repariert.

3 Füllen Sie bitte den unausgefüllten Überweisungsauftrag mit den Informationen aus dem folgenden Text aus!

Sie wohnen in der Bismarckstraße 45 in Fulda. Heute ist der 15.4.1997. Ihre Kontonummer ist 359 872 892. Sie wollen eine Rechnung Nummer 37 vom 10.4.1997 über DM 142,30 bezahlen, die sie von der Firma Neunkirchen in Fulda bekommen haben. Deren Kontonummer ist 871 246 298 mit der Bankleitzahl 500 222 45.

2

Bankleitzahl
12354678

SPARKASSE BURGHAUSEN

Muster!

Zahlen Sie gegen diesen Scheck aus meinem / unserem Guthaben

DM

Deutsche Mark in Buchstaben

Pf wie nebenstehend

an ______ oder Überbringer

Ausstellungsort, Datum

Unterschrift des Ausstellers

121 600 I.79

Verwendungszweck (Mitteilung für den Zahlungsempfänger)

Der vorgedruckte Schecktext darf nicht geändert oder gestrichen werden. Die Angabe einer Zahlungsfrist auf dem Scheck gilt als nicht geschrieben.

Scheck-Nr.	X	Konto-Nr.	X	Betrag	X	Bankleitzahl	X	Text

0000003460414⑆ 0069430562⑈ 12354678⑆ 01⑈

Bitte dieses Feld nicht beschreiben und nicht bestempeln

3

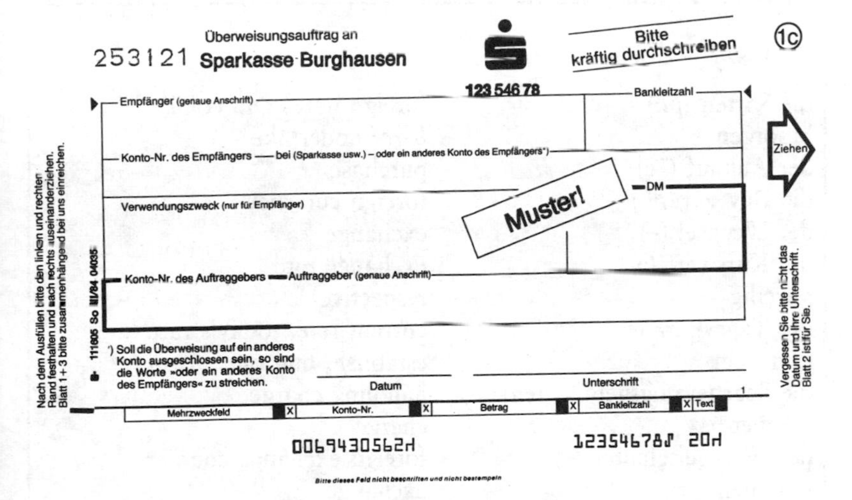

253121

Überweisungsauftrag an
Sparkasse Burghausen

Bitte kräftig durchschreiben

1c

123 546 78

Empfänger (genaue Anschrift)

Bankleitzahl

Konto-Nr. des Empfängers — bei (Sparkasse usw.) – oder ein anderes Konto des Empfängers*)

Ziehen

DM

Verwendungszweck (nur für Empfänger)

Muster!

Konto-Nr. des Auftraggebers — Auftraggeber (genaue Anschrift)

Nach dem Ausfüllen bitte den linken und rechten Rand festhalten und nach rechts auseinanderziehen. Blatt 1 + 3 bitte zusammenhängend bei uns einreichen.

111605 So III/84 04035

*) Soll die Überweisung auf ein anderes Konto ausgeschlossen sein, so sind die Worte »oder ein anderes Konto des Empfängers« zu streichen.

Datum

Unterschrift

Vergessen Sie bitte nicht das Datum und Ihre Unterschrift. Blatt 2 ist für Sie.

Mehrzweckfeld	X	Konto-Nr.	X	Betrag	X	Bankleitzahl	X	Text

0069430562⑈ 12354678⑆ 20⑈

Bitte dieses Feld nicht beschriften und nicht bestempeln

Exercise 22.7

Setzen Sie die folgenden Begriffe in den Text sinngemäß ein!

Scheck	Postgiroüberweisung		Dauerauftrag
Bargeld	Kreditkarte	Überweisungsauftrag	*eurocheque*

Die Zahlungsgewohnheiten der Deutschen

Im Gegensatz zu vielen Industrienationen wird in Deutschland die __________ weniger benutzt. Häufig werden sogar hohe Rechnungen noch mit __________ bezahlt. Deshalb sind auch so viele große Banknoten im Umlauf. Mit __________ wird relativ selten in Geschäften bezahlt, wobei sich der __________ sehr stark durchgesetzt hat, weil er wie Bargeld behandelt wird und auch besonders im europäischen Ausland überall akzeptiert wird. Einmalige Rechnungsbeträge werden in der Regel per __________ beglichen, während regelmäßige gleichbleibende Rechnungen vorzugweise mit __________ bezahlt werden. Bei privaten Auslandsüberweisungen bietet sich aufgrund des kostenlosen Service die ____________ an, wenn der Empfänger auch solch ein Konto hat.

Glossar – Sortenverkauf

die Sorten (*pl.*)	foreign notes and coins
besorgen	*here:* undertake
der Ankauf (¨e)	purchase
die Devisen (*pl.*)	foreign currency
der Wechsel (–)	exchange
der Kurswert (e)	exchange rate
jeweilig	respective
der Tageskurs (e)	current rate, today's rate
ermitteln	establish, find out
die Bearbeitungsgebühr (en)	handling charge
erheben	charge
der Wechselschalter (–)	foreign exchange counter
tauschen	exchange
der Schalterbeamte (n)	cashier
wie hoch ist . . .?	*here:* what is . . .?

der Kurs steht bei	the exchange rate is at
verlangen	*here:* charge, ask for
der Abrechnungsbeleg (e)	receipt

Sortenverkauf

Banken und Sparkassen besorgen den An- und Verkauf von Sorten. Sorten sind bare Zahlungsmittel in fremder Währung wie Banknoten und Münzen. Devisen sind bargeldlose Zahlungsmittel in fremder Währung wie z.B. Reiseschecks und Wechsel. Der Kurswert der Sorten wird nach dem jeweiligen Tageskurs ermittelt. Es wird eine Bearbeitungsgebühr erhoben.

An dem Wechselschalter in einer deutschen Bank.

Kunde: Guten Morgen! Kann man hier Geld tauschen?
Schalterbeamte: Guten Morgen! Ja, was darf es denn sein?
Kunde: Ich hätte gerne 100 Pfund Sterling in D-Mark gewechselt. Wie hoch ist der Wechselkurs?
Schalterbeamte: Der Wechselkurs steht heute bei 2,44 DM.
Kunde: Und wieviel Gebühr verlangen Sie?
Schalterbeamte: Die Gebühr beträgt 2,50 DM.
Kunde: Gut, wechseln Sie mir bitte die 100 Pfund. Hier.
Schalterbeamte: Danke! 100 Pfund Sterling. Einen Moment bitte. – Das macht 241,50 DM. 100, 200, ... 41 und 50 Pfennig.
Kunde: Vielen Dank!
Schalterbeamte: Und hier ist Ihr Abrechnungsbeleg.
Kunde: Vielen Dank! Auf Wiederschauen!
Schalterbeamte: Wiederschauen!

Exercise 22.8

Richtig oder falsch? Kreuzen Sie an!

		richtig	falsch
1	Der Kurswert wird einmal in der Woche ermittelt.	☐	☐
2	Das Wechseln fremder Währungen ist kostenlos.	☐	☐
3	Am Wechselschalter kann man Geld tauschen.	☐	☐
4	Der Kunde gibt einen Abrechnungsbeleg ab.	☐	☐

Exercise 22.9

Fügen Sie die Worte aus dem Schüttelkasten ein!

bare	Sorten	Banken
Sparkassen	bargeldlose	Devisen

Banken und Sparkassen

Traditionell unterscheiden sich Banken und Sparkassen aufgrund ihres Kundenkreises voneinander. Während die ___________ eher von Privatleuten zum privaten Sparen genutzt wurden, wurden die ___________ von Geschäftsleuten für deren Geschäftsverkehr benutzt. Beide haben diese Grenzen heutzutage überschritten und versuchen, sich gegenseitig Privat- und Geschäftskunden abzuwerben. Beim Auslandsgeschäft jedoch spielen die Banken immer noch die größere Rolle.

Ausländische Münzen und Banknoten sind ___________ Zahlungsmittel und werden ___________ genannt; Reiseschecks sind ___________ Zahlungsmittel und heißen ___________.

Weitere Transaktionen

Lesen Sie laut!

Ich hätte gerne für 100 Pfund D-Mark.
Könnten Sie mir bitte 50 Dollar in DM wechseln?
Ich hätte gerne 40 österreichische Schilling.
Folgende Währungen hätte ich gerne. 200.000 Lire, 700 französische Franc und 300 Schweizer Franken.
Ich möchte bitte diesen Reisescheck in D-Mark einlösen.
200 Schweizer Franken hätte ich gerne. Wieviel macht das in Pfund Sterling?
Nehmen Sie Reisechecks an?
Kann ich diesen *eurocheque* in Schilling ausfüllen?
Kann ich hier mit *eurocheque* bezahlen?
Ist der Höchstbetrag für einen *eurocheque* 400,–DM?
Kann ich diese Rechnung mit Kreditkarte begleichen?
Ich hätte gerne Bargeld über meine Kreditkarte abgehoben. Ist das bei Ihnen möglich?

Glossar – Immobilienfinanzierung

erfahren	experience
zuverlässig	reliable
leistungsstark	*here:* strong
gewerblich	commercial
der Immobilienmarkt (¨e)	real estate market
mittelfristig	medium-term
vielseitig	versatile, flexible
Grund genug für	reason enough for
auf Ihre Bedürfnisse zuschneiden	fit to your needs
gemeinsam etwas erarbeiten	work together towards
die Laufzeit (en)	term, period
der Kredit (e)	loan
die Zinsfestschreibung (en)	fixed interest rate
die Tilgung (en)	repayment
die Kreditsicherung (en)	security of loan
steuerlich	tax- . . .
die Gesamtfinanzierung (en)	overall financing
erstrangig	*here:* initial
nachrangig	*here:* subsequent
der Finanzplatz (¨e)	financial centre
die Universalbank (en)	general-purpose bank
umfassend	comprehensive
das Spektrum (Spektren/Spektra)	range
die Sparte (en)	line of business, line of work
die Verpflichtung (en)	responsibility

Immobilienfinanzierung. Aus einer Hand. Aus einem Haus. Helaba Frankfurt.

Im Zentrum des internationalen Wettbewerbs: Helaba Frankfurt.

Vielseitig

Zur Realisierung Ihrer Pläne brauchen Sie einen erfahrenen und zuverlässigen Partner. Unser Standort, die Finanzmetropole Frankfurt, ist das Zentrum eines leistungsstarken Immobilienmarktes. Von hier aus finanzieren wir Wohnobjekte und gewerbliche Immobilien in der gesamten Bundesrepublik: Mit langfristigen Krediten zu festen Zinssätzen. Auch im mittel- und kurzfristigen Bereich ist unser Finanzierungsangebot vielseitig. Grund genug für Sie, über Ihre Finanzierungswünsche mit uns zu sprechen.

Individuell

Unsere Immobilienkredite sind immer komplette Problemlösungen. Sie werden speziell auf Ihre Bedürfnisse zugeschnitten. Gemeinsam mit Ihnen erarbeiten unsere fachkundigen Berater Ihre individuelle Immobilienfinanzierung:

Die Laufzeit des Kredites.
Die Dauer der Zinsfestschreibung.
Die Art der Tilgung.
Die Kreditsicherung.
Die steuerlichen Aspekte.

Als Landesbank stellen wir Ihnen Gesamtfinanzierungen zur Verfügung: Die erstrangige und nachrangige Beleihung aus einem Hause.

Wir entscheiden schnell und unkompliziert.

Zu Hause am Finanzplatz Frankfurt

Die Hessische Landesbank nutzt ihr Domizil an einem der bedeutenden Bankplätze der Welt zum Vorteil ihrer Kunden.

Als Universalbank bietet sie ein umfassendes Spektrum an Produkten und Dienstleistungen in allen Sparten des Bankgeschäfts. Der Standort Frankfurt ist eine besondere Verpflichtung:

Hessische Landesbank -Girozentrale-

Hessische Landesbank -Girozentrale-, Junghofstraße 18–26, 6000 Frankfurt 1
Telefon 069/132-01, Telefax 069/291517

Niederlassungen in Darmstadt und Kassel
Auslandsstützpunkte in London, Luxemburg und New York

Zentralbank und Verbundpartner der hessischen Sparkassen

Exercise 22.10

Mit welchen Adjektiven und Adverben wird die Leistungsfähigkeit der Bank beschrieben?

1 vielseitig
2 ____________________
3 ____________________
4 ____________________
5 ____________________
6 ____________________
7 ____________________

Exercise 22.11

Sammeln Sie alle Begriffe, die etwas mit Kredit zu tun haben, aus dem Text!

1 Immobilienfinanzierung
2 ____________________
3 ____________________
4 ____________________
5 ____________________
6 ____________________
7 ____________________
8 ____________________
9 ____________________
10 ____________________
11 ____________________
12 ____________________
13 ____________________
14 ____________________

SCHUFA

(SCHUFA = Schutzgemeinschaft für allgemeine Kreditsicherung)

Die SCHUFA ist eine Organisation, die von kreditgebenden Institutionen eingerichtet wurde. Sie erteilt Auskünfte über die Kreditwürdigkeit von Personen und Firmen. Alle deutschen Kreditinstitute sowie Unternehmen des Einzel- und des Versandhandels sind ihr angeschlossen. Bei der Schufa können alle gespeicherten Informationen über alle Kreditnehmer, deren Sicherheiten und finanzielle Situation, jederzeit vom Kreditgeber abgefragt werden.

Glossar

die Schutzgemeinschaft (en)	protection association
kreditgebend	loan granting
einrichten	establish
Auskunft (¨e) erteilen	give information
die Kreditwürdigkeit (*no pl.*)	credit standing
das Kreditinstitut (e)	credit bank
der Einzelhandel (*no pl.*)	retail trade
der Versandhandel (*no pl.*)	mail-order trade
anschließen	connect, link
speichern	store
der Kreditnehmer (–)	borrower
der Kreditgeber (–)	lender
abfragen	call up

Exercise 22.12

Suchen Sie das passende Substantiv aus dem Text!

1 einen Kredit________ geben
2 __________________ speichern
3 __________________ abfragen
4 __________________ einrichten
5 __________________ erteilen

Exercise 22.13

Sind folgende Aussagen richtig oder falsch?

	richtig	falsch
1 Die SCHUFA ist eine kreditgebende Institution.	☐	☐
2 Die SCHUFA darf kcine Auskünfte über Personen und Firmen geben.	☐	☐
3 Alle deutschen Kreditinstitute und Unternehmen des Einzel- und Versandhandels sind der SCHUFA angeschlossen.	☐	☐
4 Die SCHUFA gibt Informationen über die Sicherheiten und die finanzielle Situation von Kreditnehmern.	☐	☐

Exercise 22.14

Adjektive mit *-los* (= ohne)

Substantive werden mit der Endung *-los* zu Adjektiven.

Beispiel:
ohne Arbeit – arbeitslos

Setzen Sie die Adjektive aus dem Schüttelkasten sinngemäß ein!

zinslos	fristlos	ergebnislos	reibungslos	bargeldlos
arbeitslos	konkurrenzlos	problemlos	kostenlos	wirkungslos

1 Sie wurde innerhalb von 6 Monaten wieder arbeitslos.
2 Mit der Scheckkarte können Sie ___________ einkaufen.
3 Kredite werden selten ___________ vergeben.
4 Er wurde ___________ entlassen.
5 Das einmalige Produkt ist auf dem Markt ___________.
6 Ein Kredit läßt sich bei Ihrer guten Geschäftslage ___________ einrichten.

7 Werbekataloge werden ___________ zugesandt.
8 Das Gespräch mit der Geschäftsleitung war leider ___________.
9 Die Werbekampagne blieb zu unserer Überraschung leider völlig ___________.
10 Die Verhandlungen beim Take-over verliefen glücklicherweise ___________.

Exercise 22.15

Setzen Sie die Begriffe aus dem Schüttelkasten sinngemäß ein!

Bankrott	Managementberater	Aufsichtsrat	privaten
Aktienanteile	Sicherheit		Markt
Diversifikation	Aktionär		wirtschaftlichen

Die großen Banken

Die Deutsche Bank, die Dresdner Bank, die Bayrische Vereinsbank und *die Commerzbank* sind die größten ___________ Banken in Deutschland. Sie besitzen ___________ in der Industrie und können großen Einfluß auf die ___________ Entscheidungen in diesen Unternehmen ausüben.
Zum Beispiel die Deutsche Bank: sie besitzt Aktienanteile bei *Daimler Benz, Hapag Lloyd, Karstadt* (Kaufhaus) und bei *der Allianz* (Versicherungen).
Bei ca. 400 großen Unternehmen sitzen Banken im ___________. Sie bringen geldwirtschaftliche Expertise und ___________ und haben schon manchen Betrieb vor dem ___________ oder einem feindlichen Take-over gerettet.
Der letzte Trend im Bankwesen ist die ___________ – zu Hause und im Ausland. Die Banken offerieren ihren Kunden Allfinanz, d.h. sie fungieren als Bausparkassen, Versicherungen oder ___________. Anfang 1989 eröffnete *die DB* ihre eigene Versicherungsgesellschaft und machte somit *der Allianz*, bei der sie gleichzeitig ___________ ist, Konkurrenz. In Italien kaufte sie *die Banca d'America e d'Italia*. So wird sich auf den europäischen ___________ vorbereitet, indem man einerseits den Markt zu Hause sichert und andererseits auf ausländische Märkte expandiert.

Die Deutsche Bundesbank

In der Bundesrepublik sind mehrere Instanzen für die Wirtschaft zuständig. Das Finanzministerium ist für Steuern und Staatsausgaben, das Wirtschaftministerium u.a. für die Wettbewerbspolitik und die Deutsche Bundesbank für die Geldpolitik verantwortlich. Die Bundesbank kontrolliert die Geldmenge und die Zinsen am Geldmarkt und hat somit einen wesentlichen Einfluß auf die deutsche Konjunktur- und Preisentwicklung.

Ihre wichtigste Aufgabe ist die Stabilität der D-Mark, d.h. die Inflationsrate möglichst niedrig zu halten (innere Stabilität) und für die Stabilität der D-Mark auf den internationalen Devisenmärkten zu sorgen (äußere Stabilität). Im Dezember legt die Bundesbank stets das Geldmengenziel für das kommende Jahr fest. Bei dieser Schätzung orientiert sie sich an den Produktionsmöglichkeiten der Wirtschaft.

Ihre geldpolitischen Instrumente sind die Kreditpolitik und der An- und Verkauf von Schuldverschreibungen. Bei all diesen Geschäften ist die Bundesbank unabhängig. Man nennt die deutsche Bundesbank die Bank der Banken, weil sie die Geschäftsbanken mit Geld versorgt, und man nennt sie die Bank des Staates; denn sie ist gleichzeitig auch für den gesamten Zahlungsverkehr des Staates verantwortlich.

Im Gegensatz zur britischen und französischen Notenbank ist die Autonomie der deutschen Notenbank garantiert. Sie ist keine Unterabteilung des Finanzministeriums und kann nicht gezwungen werden, entsprechend der Regierungspolitik zu handeln. Sie soll jedoch im allgemeinen die Politik der Regierung unterstützen.

Glossar

die Bundesbank	Federal Bank
die Instanz (en)	authority
das Finanzministerium (-ministerien)	ministry of finance, treasury
die Staatsausgaben (*pl.*)	government expenditure, spending
das Wirtschaftsministerium (-ministerien)	ministry of economics, department of trade and industry
die Wettbewerbspolitik (*no pl.*)	competition policy
die Geldpolitik (*no pl.*)	monetary policy
die Geldmenge (n)	money supply
die Konjunktur (en)	*here:* economic climate, economic development

möglichst	as well as possible
das Geldmengenziel (e)	money supply target
die Schätzung (en)	estimate
die Produktionsmöglichkeit (en)	production capacity
die Schuldverschreibung (en)	bond of obligation
gleichzeitig	at the same time
die Notenbank (en)	central bank
zwingen	force
die Regierungspolitik (*no pl.*)	government policy

Exercise 22.16

Beantworten Sie die folgenden Fragen zum Text!

1 Welche Instanzen sind für die Wirtschaftspolitik zuständig?
2 Wodurch hat die DBB Einfluß auf die Konjunktur- und Preisentwicklung?
3 Was bedeutet hier „innere Stabilität"?
4 Was bedeutet hier „äußere Stabilität"?
5 Wie wird das Geldmengenziel festgelegt?
6 Weshalb heißt die DBB die Bank der Banken?
7 Welche Beziehung hat sie zum Staat?
8 Welche Beziehung hat sie zur Regierungspolitik?

The Conditional (if-clauses)

Whereas the indicative expresses a fact or implies a probability, the subjunctive is used to express a supposition, conjecture or desire rather than a fact. The conditional sentence consists of an if-clause (wenn) and a conclusion. Unlike in English, the same tense is used both in parts of the sentence.

There are two types of conditions, simple and contrary-to-fact.

(a) *Simple:* the indicative is used if the condition is factual or fulfillable:
Wenn ich in Frankfurt bin, spreche ich mit ihm. (indicative)
If I am in Frankfurt, I shall speak to him.
(The speaker is not yet in Frankfurt but is probably going to Frankfurt in the future.)

(b) *Contrary-to-fact:* the subjunctive or the auxiliary *würde* + infinitive is used if the conditional is contrary to fact, unfulfillable or merely a possibility. But in modern spoken German *würde* + infinitive in the present tense has prevailed over the more difficult subjunctive forms. So, if you are not a perfectionist, we suggest you forget about the stylistically proper subjunctive in the present tense. The only subjunctive forms which have not been replaced by *würde* are *sein* and *haben* and the modal verbs. **Unlike in English the subjunctive is used in both clauses.**

Present tense
Wenn ich in Frankfurt wäre, *spräche* ich mit ihm. (subjunctive) or:
Wenn ich in Frankfurt wäre, *würde* ich mit ihm *sprechen*.
If I were in Frankfurt, I would speak to him.
(The speaker is not in Frankfurt, nor will he be in the future.)

Past tense
Past tense is formed with either *wäre* or *hätte* + past participle.
(For modal verbs see also page 135.)

Wenn ich in Frankfurt *gewesen wäre, hätte* ich mit ihm *gesprochen*.
If I had been in Frankfurt, I would have talked to him.

	sein	**haben**	**müssen**	**dürfen**	**können**	**wollen**	**sollen**
ich	wäre	hätte	müßte	dürfte	könnte	wollte	sollte
du	wärest	hättest	müßtest	dürftest	könntest	wolltest	solltest
er sie es	wäre	hätte	müßte	dürfte	könnte	wollte	sollte
wir	wären	hätten	müßten	dürften	könnten	wollten	sollten
ihr	wäret	hättet	müßtet	dürftet	könntet	wolltet	solltet
sie	wären	hätten	müßten	dürften	könnten	wollten	sollten

Exercise 22.17

Ergänzen Sie die Sätze mit der richtigen Form! Benutzen Sie *contrary to the fact conditionals*, es sei denn *simple conditionals* sind angegeben!

1 Wenn er Zeit ____________, ____________ er sofort zu Ihnen. (haben / kommen) *simple conditional*
2 Wenn er jetzt die Firma ____________ ____________, ____________ er sofort mehr Geld ____________. (wechseln / verdienen) *present*
3 Wenn die Angestellte Italienisch ____________ ____________, ____________ wir sie in einem halben Jahr nach Mailand ________. (lernen / schicken können) *present*

4 Wenn er schlau ___________, ___________ er sich an dem neuen Projekt ___________. (sein / beteiligen) *present*
5 Wenn Ihr etwas Geld ___________, ___________ Ihr diese Aktien ___________. (haben / kaufen müssen) *present*
6 Wenn ich nach Deutschland ___________, ___________ ich auch zur Hannover-Messe. (fahren / gehen) *simple conditional*
7 Wenn das Unternehmen ___________ ___________, ___________ wir noch mehr Aufträge von ihnen ___________. (expandieren / bekommen müssen) *present*
8 Wenn ich den Vertrag ___________, ___________ ich mich. (lesen können / entscheiden) *simple conditional*
9 Wenn Sie 1000 Stück ___________ ___________, ___________ ich Ihnen einen Rabatt von 5% ___________. (abnehmen / einräumen können) *present*
10 Wenn der Werbeassistent aus dem Urlaub zurück ___________, ___________ wir mit der Vorbereitung ___________. (sein / beginnen können) *present*
11 Wenn Sie das früher ___________ ___________, dann ___________ ich Ihnen den Messekatalog ___________ ___________. (sagen / mitbringen können) *past*
12 Wenn sie sich letztes Jahr um die Stelle ___________ ___________, ___________ sie sie ___________. (bewerben / bekommen) *past*
13 Wenn der Verkaufsleiter die neue Werbekampagne ___________, ___________ er sicherlich zufrieden. (sehen / sein) *simple conditonal*
14 Wenn sie gestern zur Besprechung ___________ ___________, ___________ sie ihre Meinung ___________ ___________. (kommen / sagen können) *past*
15 Wenn das Flugzeug pünktlich ___________ ___________, ___________ ich den Zug noch ___________. (ankommen / erreichen) *past*
16 Seine Firma ___________ noch auf dem ausländischen Markt, wenn er letztes Jahr den Kredit von der Bank ___________ ___________. (sein / bekommen) *past*
17 Ich ___________ Sie ___________, wenn ich nicht in der Sitzung ___________. (abholen / sein) *present*

Exercise 22.18

Ergänzen Sie die Sätze wie im Beispiel!

Beispiel:
Es wäre günstiger, ______________________________.
Wir schicken die Ware per Bahn.

Es wäre günstiger, wenn wir die Ware per Bahn schicken würden.

1 Es wäre angenehmer, ______________________________.
Sie fliegen mit dem Flugzeug nach Köln.
2 Es wäre preisgünstiger, ______________________________.
Sie können eine große Menge abnehmen.
3 Es wäre für uns finanziell interessanter, ______________________________.
Der Vertreter produziert das Werbematerial.
4 Es wäre einfacher, ______________________________.
Das Materiallager liegt nicht so weit weg.
5 Es wäre viel besser gewesen, ______________________________.
Man hat den Vertrag sofort unterschrieben.

Exercise 22.19

Schreiben Sie Sätze mit *sonst* oder *anderenfalls* (otherwise / or else)! Benutzen Sie dabei *immer* die Imperfekt-Form (past tense subjunctive).

Beispiel:
Ich habe den Brief mit Kurier abgeschickt, (er / zu spät / ankommen)

Ich habe den Brief mit Kurier abgeschickt, sonst *wäre* er zu spät *angekommen.*

1 Schön, daß ich Sie sehe, (ich / Sie / anrufen).
______________________________.
2 Die Bank räumte mir den Kredit ein, (ich / der Transporter / nicht / kaufen können).
____
______________________________.
3 Ich habe die Sparkasse angerufen, (ich / der Zinssatz / nicht / wissen).
____
______________________________.

4 Die Bundesbank hat die Mindestreserve gesenkt, (die Geschäftsbanken / in diesem Jahr / keine Kredite mehr / geben können).

____

____.

5 Das Unternehmen hatte zum Schluß große Gewinne gemacht, (der Geschäftsführer / entlassen werden).

____

____.

Wichtige Begriffe aus diesem Kapitel

1 Substantive (nouns)

deutsch	*englisch*

2 Verben + Kasus (verbs + case)

deutsch	*englisch*

3 Wichtige Redewendungen (idiomatic phrases)

deutsch	*englisch*

4 Notizen

Unit 23

Der Betrieb
The company

You will learn how companies are categorized according to their line of business and what different branches of industry they belong to. An organigram explains the different functions within a company and its hierarchy. The different legal forms of companies are discussed and the importance of the *Prokurist* in a German company is explained. The phrases you will learn in this chapter deal with expressing interest. We show you how to transform verbs into adjectives and explain participial phrases, which are sentence structures particular to the German language.

Betriebsbesichtigung

Herr Reuster von der Firma Reuster GmbH trifft Frau Nicholson, Vertreterin der Firma McIntyre in Schottland. Die Firma McIntyre ist an einer Zusammenarbeit mit der Reuster GmbH interessiert, möchte sich jedoch zuerst den Betrieb gründlich ansehen. Eine Betriebsbesichtigung ist für den Nachmittag geplant.

Bevor Sie die Betriebsbesichtigung auf der Kassette anhören, arbeiten Sie die Definitionen und Beschreibungen der Aktivitäten in einem Betrieb durch.

Definition 1

In Betrieben werden zwei verschiedene Arten von Gütern zur Verfügung gestellt, Sachgüter und Dienstleistungen. Hauptsächlich unterscheidet man zwei Arten von Unternehmungen:

die Sachleistungsbetriebe und die Dienstleistungsbetriebe.

Betriebe	
Sachleistungsbetriebe	Dienstleistungsbetriebe
Rohstoffgewinnungsbetrieb	Handelsbetrieb
Produktionsmittelbetrieb	Bankbetrieb
Verbrauchsgüterbetrieb	Versicherungsbetrieb
	Verkehrsbetrieb

Glossar

der Sachleistungsbetrieb (e)	production industry
der Dienstleistungsbetrieb (e)	service industry
der Rohstoffgewinnungsbetrieb (e)	production of raw materials industry
der Handelsbetrieb (e)	commercial enterprise, trading business
der Produktionsmittelbetrieb (e)	capital goods industry
der Versicherungsbetrieb (e)	insurance
der Verbrauchsgüterbetrieb (e)	consumer goods industry
der Verkehrsbetrieb (e)	transport services

Exercise 23.1

In welchem Betrieb werden folgende Leistungen erbracht? Ordnen Sie zu!

1 Versicherungen abschließen ________
2 Rohstoffe weiterverarbeiten ________
3 Endprodukte vertreiben ________
4 Finanzgeschäfte abwickeln Bankbetrieb
5 Produktionsmittel herstellen ________
6 Rohstoffe gewinnen ________
7 Personen und Güter befördern ________

Exercise 23.2

Ergänzen Sie das passende Verb!

1 der Abschluß (üsse) ____________________
2 die Weiterentwicklung (en) ____________________
3 der Vertrieb (*no pl.*) ____________________
4 die Abwicklung (en) ____________________
5 die Herstellung (en) ____________________
6 der Gewinn (e) gewinnen
7 die Beförderung (en) ____________________

Definition 2

Unternehmungen können auch nach Wirtschaftszweigen (-branchen) definiert werden.

Exercise 23.3

Finden Sie die englischen Entsprechungen:

Die wichtigsten Industriezweige sind:

1 der Maschinenbau ____________________
2 die elektrotechnische Industrie ____________________
3 die eisenschaffende Industrie: die Stahlindustrie und der Kohlebergbau ____________________
4 die chemische Industrie ____________________
5 der Straßenfahrzeugbau ____________________
6 die Luft- und Raumfahrtindustrie ____________________
7 der Schiffsbau ____________________
8 die feinmechanische und optische Industrie sowie die Uhrenindustrie ____________________
9 die Nahrungs- und Genußmittelindustrie ____________________

Definition 3

Betriebsgroßen, d.h. Klein-, Mittel- und Großbetriebe.

Betriebe lassen sich auch nach der Größe unterscheiden. Merkmale für diese Unterteilung sind z.B. die Anzahl der Beschäftigten und der Umsatz.

Unter-nehmens-größe	Zahl der Beschäftigten	Umsatz DM/Jahr
klein	bis 49	bis 1 Mio.
mittel	50 bis 499	1 bis 100 Mio.
groß	500 und mehr	100 Mio und mehr

Sie eröffnen einen neuen Betrieb. Übersetzen Sie zuerst die folgenden Begriffe und stellen dann eine logische Reihenfolge der untengenannten Tätigkeiten her!

Exercise 23.4

Übersetzen Sie!

Löhne und Gehälter bezahlen ____________
Waren ausfahren ____________
Maschinen stets überwachen ____________
Bestellungen aufnehmen ____________
Rechnungen schreiben ____________
Maschinen bedienen ____________
Güter produzieren ____________
Waren verpacken und lagern ____________
Steuererklärung abgeben ____________
Arbeitskräfte einstellen ____________
Marktforschung betreiben ____________
Rohstoffe bezahlen ____________
Rohstoffe bestellen ____________
Statistiken auswerten ____________

Benutzen Sie die Verben im Passiv (siehe S. 137)!

Zunächst wird Marktforschung betrieben, ____________
und dann ____________

Als nächstes ____________

Dann erst ____________
und sofort ____________

Gleichzeitig werden Bestellungen aufgenommen. ____________

Nun ______________________________
und Güter produziert. ______________________________

Am Ende des Monats ______________________________

Stets ______________________________
Danach ______________________________

Schließlich ______________________________
sowie ______________________________

Zum Schluß ______________________________

Zur Übung setzen Sie diese passivischen Sätze bitte in die beiden Vergangenheitszeiten Imperfekt und Perfekt! Lesen Sie bitte laut!

Welche Funktionen gibt es in einem Unternehmen?

Produktion	Führung
Beschaffung	Planung
Lagerung	Organisation
Absatz	Verwaltung
Finanzierung	Kontrolle
Transport	

Glossar

die Beschaffung (en)	procurement, supply
die Lagerung (en)	warehousing, storage
der Absatz (¨ e)	sales, marketing, distribution
die Führung (en)	management
die Verwaltung (en)	administration

Grundfunktionen eines Betriebes

Beschaffungsmärkte →Beschaffung Produktion Absatz →Absatzmärkte

Grundfunktionen Dienstleistungen

Beschaffung	Produktion	Absatz Vertrieb	Verwaltung Geschäftsleitung
Material-wirtschaft	Forschung und Entwicklung	Marketing	Finanzwesen
		Verkauf	Personalwesen
-Dispositions-wesen	Fertigungs-planung/ steuerung		
-Einkaufswesen			Organisationswesen
-Lagerwesen			Rechnungswesen
-Transport-wesen	Qualitäts-kontrolle		

Exercise 23.5

Füllen Sie das Diagramm für die einzelnen Bereiche – soweit es geht – auf Englisch aus! (Siehe S.497!)

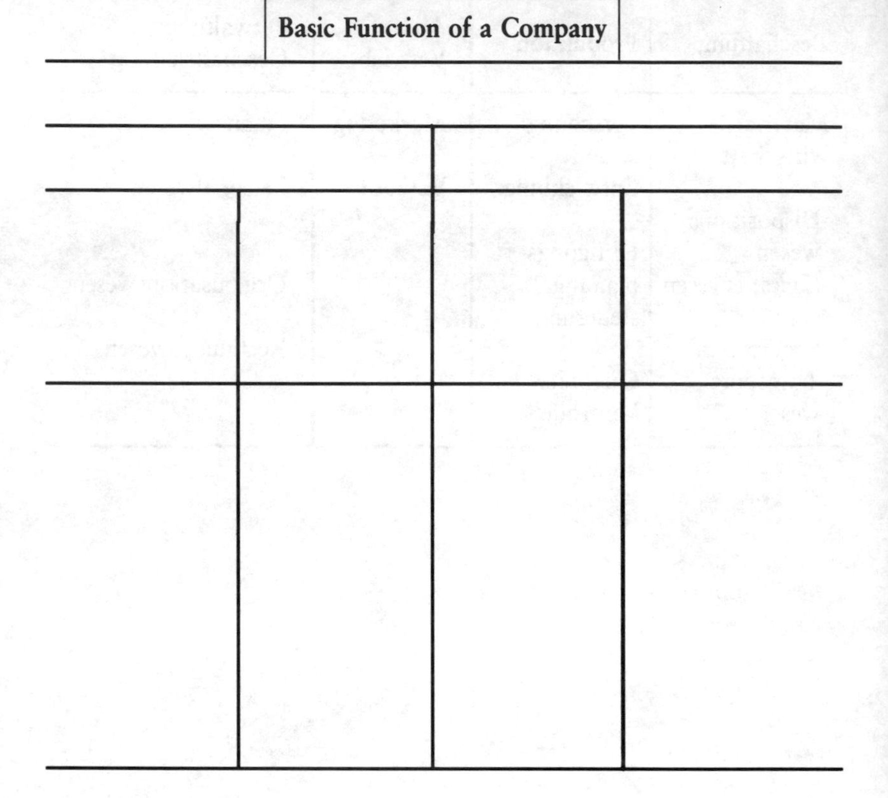

Exercise 23.6

Ordnen Sie die folgenden Tätigkeiten den einzelnen Bereichen zu! (Siehe Glossar S.500!)

Unternehmensleitung	*Verwaltung*	*Verkauf*
Einkauf	*Lager*	*techn. Bereich*

angelieferte Ware kontrollieren
Rechnungen schreiben
Kunden beraten
Fuhrpark warten
Lohnbuchhaltung führen
Unternehmensziele festlegen
Angebote einholen und prüfen
Bilanz erstellen für die Geschäftsleitung
Markt beobachten
Gewinn- und Verlustrechnung aufstellen
Lagerkartei erstellen
Personalstruktur planen
Bestelltermine festlegen
Bezugsquellen ermitteln
Preisänderungen vornehmen
Rabatte und Nachlässe gewähren
Verkaufsstatistik führen

Glossar – Exercise 23.6

angeliefert	delivered
der Fuhrpark (s)	transport park
warten	service
die Lohnbuchhaltung (en)	payroll record
führen	*here:* keep
das Unternehmensziel (e)	company objective
festlegen	lay down, set up
einholen	seek, obtain
die Bilanz (en)	balance
erstellen	produce
die Bestellung (en)	order
die Bezugsquelle (n)	source of supply
ermitteln	find
die Gewinn- und Verlustrechnung (en)	profit and loss calculation
die Lagerkartei (en)	stock inventory
erstellen	put together
der Bestelltermin (e)	purchase order date
festlegen	fix
vornehmen	make, conduct, carry out
der Rabatt (e)	discount
der Nachlaß (¨sse)	rebate

Verbs as adjectives

Verbs can be used as adjectives by forming the participle.

(a) present participle
form: the present participle is formed by adding the ending *-d* to the infinitive plus the appropriate ending.
produzieren + d = produzierend (producing)
usage: used as an adjective to describe an action which is momentarily taking place.
das Öl produzierende Land (the oil-producing country)

(b) past participle
form: the past participle
arbeiten = gearbeitet (worked)
unterschreiben = unterschrieben (signed)
usage: used as an adjective describing an action which has been concluded
der in Deutschland produzierte Wagen (the car produced in Germany) (see also page 514)

Exercise 23.7

Setzen Sie jeweils die entsprechende adjektivierte Verbform ein!

	Present Part.	Past Part.
verringern	______	______
enstehen	______	______
steigen	______	______
vergrößern	______	______
schreiben	______	______
überwachen	______	______
steuern	______	______
ausführen	______	______
transportieren	______	______
beauftragen	______	______

Die Aufgaben der Unternehmensleitung, des Top-Managements:

Planen, Organisieren, Kontrollieren, Führen

Diese Tätigkeiten werden auch Managementaufgaben genannt. Hier werden die Grundfunktionen des betrieblichen Fertigungsprozesses koordiniert, gesteuert und überwacht, so daß Konflikte, wie z.B. Materialengpässe oder Maschinenverschleiß vermieden werden können.

Glossar

die Tätigkeit (en)	task
der Engpaß ("sse)	bottleneck
der Verschleiß (*no pl.*)	wear and tear

Wer hat Entscheidungsbefugnisse in einem Betrieb?

Dies ist nur ein Beispiel, wie ein Betriebsaufbau aussehen kann!

	Generaldirektor/en	
	Technischer Direktor	Kaufmännischer Direktor
obere Führungsebene	Werkdirektor	Hauptabteilungsleiter
mittlere Führungsebene	Werkstattleiter	Abteilungsleiter
untere Führungsebene	Meister	Bürochef
	Vorarbeiter	Angestellter
	Arbeiter	

Glossar

die Befugnis (se)	authority
die Entscheidungsbefugnis (se)	decision making power
der Betriebsaufbau (*no pl.*)	company structure

Exercise 23.8

Finden Sie die Entsprechungen in englischen Betrieben!

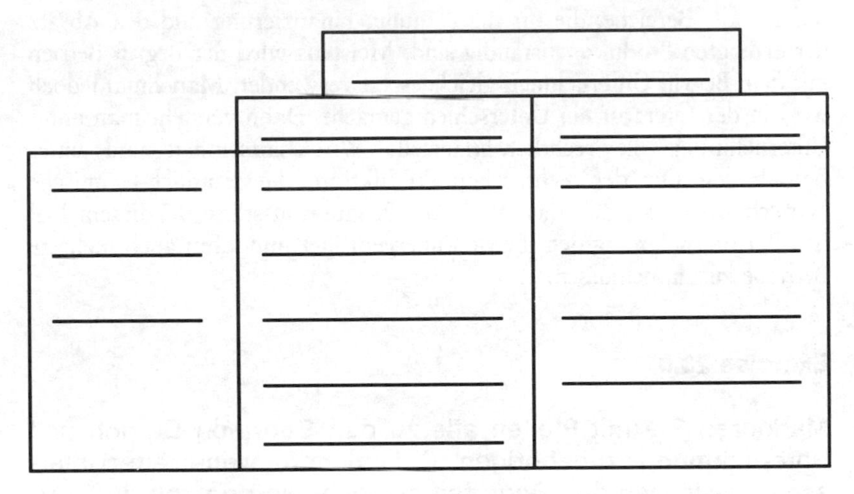

Organigramm der Firma Burgschmidt GmbH & Co

Geschäftsleitung Herr Fels Techn. Direktor Frau Burgschmidt Kaufmänn. Direktorin			
Produkttechnik Herr Burgweider	**Fertigung** Herr Fels	**Verkauf** Frau Schneider	**Verwaltung** Frau Burgschmidt
Produktentwicklung Frau Klein Herr Uhrig	**Materialwirtschaft** N.N.	**Verkauf Toaster** Herr Hofmann	**Finanzwesen** Herr Schreyer
Anwendungsberatung Frau Selters	**Produktion** Herr Wimmers	**Export** Frau Roth	**Einkauf** Frau Meinz

Glossar

N.N. = *nomen nominandum (lat.)* to be named
die Produkttechnik (*no pl.*) product engineering

Definition: Betrieb oder Unternehmen/Unternehmung?

Der Betrieb ist eine wirtschaftlich-technisch-organisatorische Einheit. Er umfaßt alle Bereiche, die für die Planung, Finanzierung und den Absatz der erzeugten Produkte zuständig sind. Meistens wird der Begriff Betrieb mit dem Begriff Unternehmen gleichgesetzt verwendet. Manchmal jedoch wird in der Literatur ein Unterschied gemacht. Dann versteht man unter Unternehmung die rechtlich-finanzielle Wirtschaftseinheit und unter Betrieb den Ort der technischen Produktion, die räumlich-technische Wirtschaftseinheit, d.h. das Werk, die Produktionsstätte. In diesem Fall ist die Unternehmung dem Betrieb übergeordnet und kann auch mehrere Betriebe zusammenfassen.

Exercise 23.9

Markieren Sie mit Pfeilen alle zu den Begriffen Betrieb und Unternehmung zugehörigen Definitionen – wenn ein Unterschied zwischen den Begriffen gemacht werden soll!

kann mehrere Betriebe zusammenfassen

rechtlich-finanzielle Einheit — Betrieb

wirtschaftlich-technisch-organisatorische Einheit — Unternehmen

Ort der technischen Produktion

Glossar

die Einheit (en)	unit
umfassen	cover
zuständig sein	be responsible
gleichgesetzt	on the same level, equal in status
verwenden	use
überordnen	have precedence
zusammenfassen	summarize

Exercise 23.10

Hören Sie das Gespräch auf der Kassette und beantworten Sie die folgenden Fragen!

Sie müßten, nachdem Sie dieses Definitionskapitel durchgearbeitet haben, den Text auf der Kassette ohne Probleme verstehen! Decken Sie bei der Beantwortung der Fragen den Text zu!

1 Um was hat sich Herr Hagenstolz stets bemüht?
2 Wer ist Herr Treidel?
3 Was möchte Herr Treidel mit Frau Nicholson besprechen?
4 Warum muß Herr Treidel bald bestellen?
5 Worüber möchte Frau Nicholson mit ihm sprechen?
6 Wie läuft der Absatz der neuen Kleiderserie?
7 Wodurch wurde die Verwaltungsarbeit beschleunigt?
8 Welche persönliche Information möchte Frau Nicholson von Herrn Hagenstolz haben?

Besichtigung eines Betriebs

Frau Nicholson von der Firma McIntyre in Schottland wird von Herrn Hagenstolz, Prokurist der Firma Reuster GmbH, durch den Betrieb geführt.

Frau Nicholson: Herzlichen Dank für Ihre Einladung, mich durch Ihren Betrieb zu führen.

Herr Hagenstolz: Mir bedeutet persönlicher Kontakt zu unseren ausländischen Geschäftsfreunden sehr viel, Frau Nicholson. Ich habe mich immer darum bemüht, mir selbst ein Bild von der Arbeitsweise von unseren Partnerfirmen zu machen. Ich schlage vor, wir machen einen kurzen Rundgang durch den Betrieb.

Frau Nicholson: Gern. Das interessiert mich sehr.

Herr Hagenstolz: Darf ich Ihnen als erstes Herrn Treidel vorstellen, er wird für Sie wohl die wichtigste Person sein. Er ist der Leiter des Einkaufs.

Herr Treidel: Freut mich, Sie persönlich kennenzulernen. Wir haben ja schon telefoniert. Ich hoffe, wir können uns heute nachmittag etwas länger unterhalten. Ich habe da einige Fragen zu Ihrer neuen Kollektion von schottischen Qualitätsstoffen.

Frau Nicholson: Selbstverständlich, ich habe Ihnen Kataloge und Stoffmuster mitgebracht, die kann ich Ihnen ja dann zeigen.

Herr Treidel: O ja! Das würde ich mir gerne genauer ansehen. Sie wissen ja, daß mein Bestelltermin für dieses Halbjahr schon festgelegt ist. Wenn ich nicht bald bestelle, kommen wir noch in einen Engpaß.

Frau Nicholson: Wir könnten auch darüber reden, wieviel Rabatt wir Ihnen gewähren können.

Herr Hagenstolz: Kann ich Ihnen jetzt unsere Verkaufsleiterin Frau Detmold vorstellen.

Frau Detmold: Guten Tag, Frau Nicholson! Hier sehen Sie eine Kleiderserie mit Ihren Stoffen. Der Absatz läuft sehr gut an, und außerdem haben wir schon eine ganze Menge Vorbestellungen. Wir haben ein Marktforschungsinstitut beauftragt, für uns die Marktsituation zu prüfen, und der Bericht war sehr positiv.

Frau Nicholson: Das klingt ja vielversprechend. Dann wird sich bald das Einkaufsvolumen vergrößern.

Frau Detmold: Das glaube ich bestimmt.

Herr Hagenstolz: Ich kann Ihnen jetzt noch unser Rechnungswesen zeigen, das jetzt ganz neu mit Computern ausgestattet ist und die die Verwaltungsarbeit enorm beschleunigen. Anschließend werden wir die Werkstätten besichtigen.

Frau Nicholson: Herr Hagenstolz, eine persönliche Frage. Sie sind hier Prokurist, welche Funktion hat ein Prokurist in einem Betrieb? Mir ist dieser Begriff nicht bekannt.

Herr Hagenstolz (lachend): Tja, das erkläre ich Ihnen später während des Mittagessens.

Redemittel: Interesse

Das interessiert mich sehr.	I am very interested.
Wie interessant!	How interesting!
Höchst interessant.	Extremely interesting!
Ach ja?	Oh, really?
Das ist ja interessant.	That is very interesting.
Das klingt vielversprechend.	That sounds promising.
Das hört sich aber interessant an.	That sounds very interesting.
Ach wirklich, das müssen Sie mir genauer erklären.	Oh, really, could you give me further details.

Das ist interessant. Das sollte man genauer verfolgen.	That is interesting. One should pursue this matter further.
Darüber würde ich aber gerne mehr wissen.	I would love to know more about it.
Wie kann ich darüber mehr in Erfahrung bringen?	How can I get more information about this?
Das würde ich mir gerne genauer ansehen.	I would like to have a closer look at it.
Das stößt bestimmt allseitig auf Interesse.	You will get interest from all sides.

Unternehmensformen im Vergleich

Man unterscheidet Betriebe:

des öffentlichen Rechts — unselbständige Betriebe mit keiner eigenen Rechtsform; sie unterstehen oft der allgemeinen Verwaltung, z.B. Städt. Verkehrsbetriebe, Wasser-, Elektrizitätswerke. Träger sind der Staat, das Land, die Gemeinde, der Kreis, die Stadt etc.

des privaten Rechts
- Einzelunternehmen
- Gesellschaften
  - Personen: OHG, KG
  - Kapital: AG, KGaA, GmbH
- Genossenschaften eG

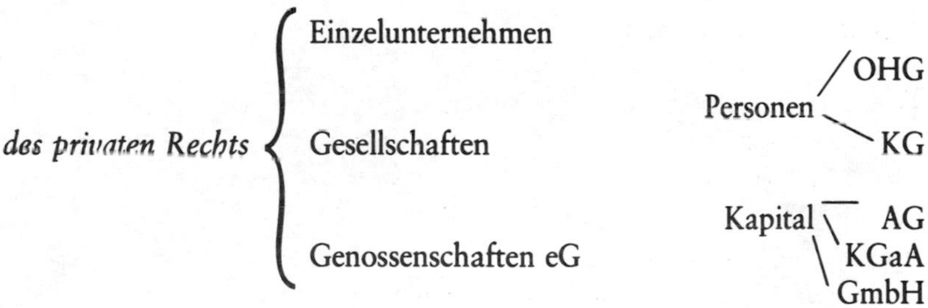

Glossar – Unternehmensformen

das öffentliche Recht (*no pl.*)	public law
das private Recht (*no pl.*)	private law
unselbständig	dependent
das Einzelunternehmen (–) = die Einzelunternehmung (en)	sole trader, single enterprise
die Genossenschaft (en)	co-operative society
die Rechtsform (en)	legal form
die Personengesellschaft (en)	close company
die Kapitalgesellschaft (en)	corporation
der Träger (–)	subject, bearer, holder
die OHG = offene Handelsgesellschaft (en)	general partnership
die KG = Kommanditgesellschaft (en)	limited partnership
die AG = Aktiengesellschaft (en)	joint stock company
die KGaA = Kommanditgesellschaft auf Aktien	partnership limited by shares
die GmbH = Gesellschaft mit beschränkter Haftung	private limited company
die eG = eingetragene Genossenschaft	registered co-operative

Exercise 23.11

Ergänzen Sie die fehlenden Begriffe aus dem Schüttelkasten!

haftet	Risiko	gesamte	Konkurs	finanzkräftigen
beanspruchen		Kapitalkraft		Rechtsform

Die Einzelunternehmung

Für Klein- und Mittelbetriebe ist die Einzelunternehmung die am weitesten verbreitete ___________. In der heutigen Zeit verliert sie allerdings an Bedeutung; denn das ___________ ist groß. Oft ist die ___________ zu gering, um gegenüber ___________ Konkurrenten zu bestehen.

Die Geschäftsführung liegt allein beim Einzelunternehmer. Da er das ___________ Geschäftsvermögen in den Betrieb eingebracht hat, kann er alle Gewinne für sich allein ___________. Allerdings ___________ er bei ___________ nicht nur mit seinem Betriebs-, sondern auch mit seinem gesamten Privatvermögen.

Vorteile	Nachteile
freie und alleinige Entscheidungsbefugnis	alleiniger Träger des Risikos
unternehmerische Freiheit	Gefahr der Fehleinschätzung der Marktlage
alleiniger Gewinnanspruch	fehlende Spezialkenntnisse
schnelle Reaktionsfähigkeit auf Marktsituation	Haftung mit gesamtem Geschäfts- und Privatvermögen
	eingeschränkte Kapitalbeschaffung
	große Arbeitsbelastung

Glossar – Die Einzelunternehmung

verlieren	lose
allerdings	however
die Kapitalkraft (*no pl.*)	financial power
gering	small, little
finanzkräftig	well-funded
bestehen	survive
beanspruchen	claim
haften	be liable
der Konkurs (e)	bankruptcy
alleinig (*adj.*)	only
die Fehleinschätzung (en)	misjudgement
der Gewinnanspruch (¨e)	right to profit
fehlend	missing
die Reaktionsfähigkeit (en)	ability to respond
die Haftung (en)	liability
eingeschränkt	limited, restricted
Arbeitsbelastung (en)	work load

Exercise 23.12

Ergänzen Sie die fehlenden Begriffe aus dem Schüttelkasten!

Gläubiger	Schulden	Personen	abschließt	bindend	Gewinn
Schwierigkeiten	unmittelbar	Geschäftsführung	Gesellschafter		

Die offene Handelsgesellschaft (OHG)

Die OHG ist eine sogenannte Personengesellschaft, d.h. mehrere __________ sind an der Geschäftsführung, dem ____________ und dem Risiko und der Haftung beteiligt. Diese Form ist typisch für kleine oder mittelgroße Familienbetriebe. Durch einen besonderen Vertrag kann die ____________ auf nur einen Geschäftsführer übertragen werden. Die Vertretungsmacht liegt aber bei jedem einzelnen ___________. Alle Verträge, die ein Gesellschafter mit oder ohne Wissen der anderen ____________, sind rechtlich ____________.

Jeder Gesellschafter haftet unbeschränkt, d.h. auch mit seinem Privatvermögen ____________. ____________ wenden sich an die

Gesellschafter persönlich und solidarisch, d.h. für die gesamten ____________ haftet jeder Gesellschafter allein, hat aber das Recht auf Ausgleich mit den anderen Gesellschaftern. Damit ein Gesellschafter bei ____________ die OHG nicht einfach verläßt, ist er noch 5 Jahre nach dem Ausscheiden haftpflichtig.

Glossar

sogenannt	so called
beteiligen	share, participate in
übertragen	transfer
die Vertretungsmacht (*no pl.*)	right of representation
der Gesellschafter (–)	associate
bindend	binding
unmittelbar	direct
der Gläubiger (–)	creditor
sich wenden	turn to
der Ausgleich (*no pl.*)	compensation
verlassen	leave
das Ausscheiden (*no pl.*)	leaving
haftpflichtig	liable

Die Prokura

Ein/e Prokurist/in vertritt die rechtliche Seite in einer AG und einer GmbH in allen geschäftlichen Angelegenheiten. Ohne seine/ihre Unterschrift ist keine Transaktion rechtskräftig. Die Unterschrift ist gekennzeichnet durch den Zusatz ppa (per procura).

Die Prokura ist eine sehr weitgehende Handlungsvollmacht, die ein sehr gutes Vertrauensverhältnis zwischen Unternehmer und Bevollmächtigten voraussetzt. Sie wird vom Unternehmer persönlich erteilt und widerrufen und ins Handelsregister eingetragen. Sie befähigt zum Kauf von Waren und Grundstücken, zur Einstellung und Entlassung von Mitarbeitern. Die Handlungsvollmachten der Prokura sind gesetzlich festgelegt im Handelsgesetzbuch (HGB § 49).

Sie können allerdings von der Unternehmensleitung eingeschränkt werden. Das Verhältnis zwischen Unternehmer und Prokurist wird Innenverhältnis genannt. Da die Prokura gesetzlich festgelegt ist, ist sie im Außenverhältnis, d.h. im Verhältnis zu Geschäftspartnern, jedoch nicht veränderbar. Verstößt ein Prokurist gegen eine

Vollmachtsbeschränkung des Unternehmers, so ist dies zwar eine Dienstverletzung, im Außenverhältnis ist seine Unterschrift jedoch rechtsgültig. Die Geschäfte, die vom Prokurist gegenüber Dritten geführt werden, sind immer rechtskräftig. Damit schützt das Gesetz die Geschäftspartner eines Unternehmens, die sich auf die Handlungsvollmacht eines Prokuristen verlassen müssen (HGB § 50).

Es gibt drei Arten der Prokura:

die Einzelprokura	Ein Prokurist schließt alle rechtsgültigen Geschäfte der Firma allein ab.
die Gesamtprokura	Es gibt mehrere Personen mit Prokura, die gemeinsam Unterschrift leisten.
die Filialprokura	Die Prokura bezieht sich nur auf eine Filiale oder Zweigniederlassung.

Exercise 23.13

Kreuzen Sie an!

Fall 1

Ein Prokurist kauft Waren ohne Absprache mit der Unternehmensleitung. Die Kaufaktion wird vom Unternehmer abgelehnt. Kann der Unternehmer den Kaufvertrag widerrufen? Ja ☐ Nein ☐

Fall 2

Der Unternehmer hat die Vollmacht des Prokuristen bei der Einstellung neuer Mitarbeiter beschränkt. Dennoch stellt der Prokurist eine neue Mitarbeiterin ein. Ist die Einstellung rechtskräftig und damit bindend? Ja ☐ Nein ☐

Glossar

die Prokura (Prokuren)	procuration, proxy; power to act and sign on behalf of the firm
der Prokurist (en)	officer authorized to act and sign on behalf of the firm
vertreten	represent
die Angelegenheit (en)	matter

rechtskräftig	legally binding
gekennzeichnet	marked
der Zusatz (¨e)	*here:* addendum, addition
per procura	per procuration
weitgehend	far-reaching
die Handlungsvollmacht (en)	authority to act
das Vertrauensverhältnis (se)	relation of personal trust
der/die Bevollmächtigte (n)	authorized person
voraussetzen	presuppose
erteilen	confer, bestow
widerrufen	withdrawn, cancel
das Handelsregister (–)	company register, commercial register
eintragen	register, put on (the register)
befähigen	enable, qualify
das Grundstück (e)	real estate
die Einstellung (en)	employment
die Entlassung (en)	dismissal
das Handelsgesetzbuch (¨er)	commercial code
das Innenverhältnis (se)	internal relationship
das Außenverhältnis (se)	external relationship
veränderbar	changeable
verstoßen gegen	offend against
die Vollmachtsbeschränkung (en)	restriction of power
die Dienstverletzung (en)	breach of duty
der/die Dritte	third party
schützen	protect
sich verlassen auf	rely on
rechtsgültig	legally binding, valid
die Unterschrift leisten	sign
sich beziehen auf	refer to
die Zweigniederlassung (en)	branch
die Absprache (n)	verbal arrangement, agreement
ablehnen	reject

Exercise 23.14

Beantworten Sie die folgenden Fragen!

1 Wann ist eine Transaktion einer AG und einer GmbH rechtsgültig?
2 Wer erteilt die Prokura?
3 Wozu gibt die Prokura das Recht?
4 Warum ist die Unterschrift eines Prokuristen nach außen rechtsgültig?
5 Welche verschiedenen Formen der Prokura gibt es?

Exercise 23.15

Suchen Sie die passenden Wendungen aus dem Text!

______________________	verstoßen
______________________	erteilen
______________________	eintragen
______________________	vertreten
______________________	widerrufen
______________________	abschließen
______________________	befähigen
Unterschrift	leisten

The participial construction

The participial structure cannot be found in English and is best translated with a relative clause:

article	**included information**	**participle**	**noun**
die	*in London*	*gekauften*	Waren

= die Waren, die in London gekauft wurden (or) worden sind
(the goods which were bought in London)

Exercise 23.16

Schreiben Sie die folgenden Wendungen in Relativsätze um!

1 die vom Prokuristen getroffene Entscheidung
die Entscheidung, die vom Prokuristen getroffen worden ist

2 die im Handelsregister eingetragene Prokura

3 das im Ausland eröffnete Unternehmen

4 die ohne Absprache mit der Unternehmensleitung gekaufte Ware

5 das über ganz Europa verteilte Distributionsnetz

6 das in den Betrieb gesteckte Stammkapital

Exercise 23.17

Schreiben Sie die folgenden Wendungen in Partizipialkonstruktionen um!

1 der Kurier, der mit der Sonderbestellung beauftragt wurde

2 der Abstand, der gegenüber der Konkurrenz zugenommen hat

3 die Güter, die zur Produktion bestellt wurden

4 die Reorganisation, die von der Verwaltung durchgesetzt wurde

5 der Liefertermin, der von der Firma nicht eingehalten wurde

6 die Menge, die zur Verfügung gestellt war

Wichtige Begriffe aus diesem Kapitel

1 Substantive (nouns)

deutsch	*englisch*

2 Verben + Kasus (verbs + case)

deutsch	*englisch*

3 Wichtige Redewendungen (idiomatic phrases)

deutsch	*englisch*

4 Notizen

Unit 24

Handelsrecht
Commercial legislation

This is an introduction into some aspects of German commercial legislation, looking at terms of payment and delivery in particular. We show you how to register a complaint about unsatisfactory goods or delivery and present different terms of contract.

Rechtliches Handeln im Betrieb – der Abschluß eines Kaufvertrages

Die Anfrage:
Der Käufer bekundet sein Interesse an einer Ware oder Dienstleistung durch eine Anfrage. Dies ist eine unverbindliche Erkundigung, die rechtlich zu keinem Kauf verpflichtet.

Das Angebot:
Der Verkäufer bietet seine Waren und Dienste einem Kunden an. Die Waren oder die Dienste müssen genau beschrieben sein und die Bedingungen für den Kauf genau angegeben sein.

Bestellung:
Nimmt ein Käufer das Angebot an, spricht man von einer Bestellung.

Auftragsbestätigung:
Der Verkäufer bestätigt, daß die Bestellung bei ihm eingegangen ist, und er sie annimmt. (Bestellungsannahme)

Einzelheiten des Kaufvertrags:

Art, Güte und Beschaffenheit der Ware
Mengenangabe
Preisangabe
Lieferbedingungen
Zahlungskonditionen
zusätzliche Kosten für Verpackung, Versand etc.
Lieferfrist
Erfüllungsort, Gerichtsstand

Glossar – Rechtliches Handeln

der Abschluß (¨sse)	completion, settlement
die Anfrage (n)	inquiry
Interesse bekunden	show interest
unverbindlich	without obligation
die Erkundigung (en)	inquiry
verpflichten	oblige
das Angebot (e)	offer
die Bestellung (en)	order
die Auftragsbestätigung (en)	confirmation of order
bestätigen	confirm
eingehen	*here:* arrive
die Bestellungsannahme (n)	acceptance of order
rechtsgültig	legally binding, valid
der Kaufvertrag (¨e)	contract of sale/purchase
zustande kommen	be achieved, accomplished
die Einzelheit (en)	detail
die Art (en)	kind
die Güte (*no pl.*)	quality
die Beschaffenheit (en)	property, shape
die Angabe (n)	information
die Lieferbedingung (en)	terms of delivery
die Zahlungskondition (en)	terms of payment
zusätzlich	additional
der Versand (*no pl.*)	shipment, transport
die Lieferfrist (en)	term (time) of delivery
der Erfüllungsort (e)	place of delivery
der Gerichtsstand (¨e)	place of jurisdiction

Exercise 24.1

Setzen Sie die fehlenden Worte ein!

1 Es fallen ____________ Kosten für Verpackung und ____________ an.
2 Im Angebot sollten genaue ____________ stehen über Lieferbedingungen und Zahlungskonditionen.
3 Eine Anfrage ist nur eine ____________ Erkundigung.
4 Die Bestellungen sind endlich beim Verkäufer ____________.
5 Erfüllungsort und ____________ sind beim Käufer.

Zahlungs- und Lieferungsvereinbarungen

Zahlungsformen	*Preisverhandlungen Mengenangaben*	*Verpackungskosten*	*Lieferbedingungen*
• Vorauszahlung vor Lieferung • Anzahlung Teil vor Lieferung • bei Lieferung • bei jeder Teillieferung • nach Lieferung bei Erhalt der Ware	Skonto bei Vorauszahlung Preisnachlaß • Mengenrabatt • Sonderrabatt • Wiederverkäuferrabatt	Verpackung • frei • zum Selbstkostenpreis • brutto für netto (Verpackung mitgewogen und im Preis enthalten) • leihweise	Lieferzeit • auf Abruf • binnen/innerhalb 10/14 etc Tagen/ Monaten • zum Fixdatum z.B. 14.6.1993 • Lieferung sofort
Zahlung • per Scheck • per Überweisung Barzahlung Teilzahlung Ratenzahlung	*Mengenangaben* gesetzliche Maßeinheiten • m, m², kg handelsübliche Bezeichnungen • Stück, Dutzend Gros, Sack, Pack Kiste, Ballen Waggon		*Lieferungskosten* • ab Werk, Fabrik • frei Haus, Lager • frachtfrei • unfrei • per Waggon, Schiff
Sonderformen Kauf • zur Probe • auf Probe • nach Probe • auf Abruf • nach Besicht Spezifikationskauf Kommissionskauf Ratenkauf Fixkauf Ramschkauf Faq-Kauf			

Glossar – Zahlungs- und Lieferungsvereinbarungen

die Vereinbarung (en)	agreement
die Vorauszahlung (en)	advance payment
die Anzahlung (en)	down payment, deposit
bei Erhalt	after receipt
die Überweisung (en)	money transfer
die Barzahlung (en)	cash payment
die Teilzahlung (en)	part payment
die Ratenzahlung (en)	payment by instalments
zur Probe	on trial
auf Probe	on approval (to be returned)
nach Probe	on sample
auf Abruf	on call
nach Besicht	on inspection
der Spezifikationskauf (¨e)	sale by description, subject to a buyer's specifications
der Kommissionskauf (¨e)	commission dealing, sale on commission
der Ratenkauf (¨e)	instalment sale
der Fixkauf (¨e)	fixed-date purchase
der Ramschkauf (¨e)	job goods purchase
der Faq-Kauf (¨e)	fair average quality purchase
die Verhandlung (en)	negotiation
die Angabe (n)	specification, description
das Skonto (s)	(cash) discount
der Preisnachlaß (-ässe)	price reduction, discount
der Sonderrabatt (e)	special discount
der Wiederkäuferrabatt (e)	trade discount
die Maßeinheit (en)	unit of measurement
handelsüblich	customary in trade and commerce
die Bezeichnung (en)	description
das Stück (e)	piece, unit
das Gros (se)	gross, twelve dozen
der Sack (¨e)	bag
der Pack (e)	pack
die Kiste (n)	box, case
der Ballen (–)	bale
der Waggon (s)	truck, waggon/rail
zum Selbstkostenpreis	cost price

brutto für netto	gross for net
mitgewogen	included in the weight
enthalten	included
leihweise	on loan
binnen	within
zum Fixdatum	by fixed date
Lieferung sofort	prompt delivery
ab Werk	ex works
ab Fabrik	ex factory
frei Haus	delivery free
frei Lager	free delivery to warehouse
frachtfrei	carriage paid
unfrei	carriage forward
per Waggon	per (railway) carriage

Exercise 24.2

Finden Sie die passenden Begriffe zu folgenden Definitionen!

Faq-Kauf	Ratenkauf	auf Probe	auf Abruf
Ramschkauf	Fixkauf	nach Probe	Kommissionskauf
nach Besicht	Spezifikationskauf		zur Probe

1 Kunde kauft eine kleine Menge der Ware, um später eine größere Menge zu kaufen, wenn ihm die Ware gefällt. zur Probe

2 Kauf einer bestimmten Menge von Waren, ohne daß für die Güte der einzelnen Stücke eine Zusicherung gegeben werden kann. ____________

3 Liefertermin und Lieferfrist wurden vorher fest vereinbart. ____________

4 Der Verkäufer garantiert die Ware entsprechend einem Muster oder einer vorgelegten Probe. ____________

5 Die Waren sind von durchschnittlicher Qualität. ____________

6 Innerhalb einer bestimmten Frist hat der Käufer das Recht, die Ware noch genauer nach Form, Maß und Farbe zu bestimmen. Für die Gesamtmenge ist ein

Grundpreis vereinbart worden mit eventuellen Zuschlägen für bestimmte Anfertigungen. ______

7 Bedingung ist, daß der Käufer bei Nichtgefallen die Ware binnen einer vereinbarten Frist zurückgeben kann. ______

8 Die Bezahlung der Ware erfolgt bei oder nach der Lieferung zu festgesetzten Teilbeträgen. ______

9 Zeitpunkt der Lieferung wird vom Käufer selbst bestimmt, er ruft die Ware ab. ______

10 Ein Verkäufer (Kommissionär) verkauft eine Ware für einen Auftraggeber. Der Verkäufer behält sich das Recht, die nicht verkaufbare Ware an seinen Auftraggeber zurückzugeben. Abgerechnet wird stets nach Verkauf. ______

11 Der Käufer hat die Ware vor Abschließen des Verkaufsvertrages besichtigt. ______

Störungen beim Kaufvertrag

Annahmeverzug	*Lieferverzug*	*Zahlungsverzug*
Wird eine Ware vom Käufer nicht abgenommen, kann der Verkäufer:	Wird eine Ware fällig und die Lieferung erfolgt nicht, kann der Käufer:	Wird eine Ware nicht termingerecht bezahlt kann der Verkäufer:
• aus Kulanz die Ware in Verwahrung nehmen und anderweitig verkaufen • auf Abnahme klagen • die Ware öffentlich versteigern und auf Klage verzichten	• die Lieferung anmahnen mit/ohne Nachfrist zu setzen • auf sofortiger Lieferung mit/ohne Schadenersatz bestehen • bei angemessener Nachfrist vom Vertrag zurücktreten mit/ohne Forderung auf Schadenersatz	• Nachfrist setzen • die Zahlung fordern und Verspätungsschaden geltend machen z.B. 5% Verzugszinsen • nach Ablauf einer Nachfrist vom Vertrag zurücktreten oder Schadenersatz verlangen • Einzug der Schulden per Nachnahme, (Postnachnahmekarte) • Inkassoinstitut zur Eintreibung der Schulden beauftragen • bei Gericht auf Zahlung verklagen

Glossar

die Störung (en)	disruption, failure
der Annahmeverzug (*no pl.*)	default in acceptance, default in accepting the delivery of goods
abnehmen	accept
die Kulanz (*no pl.*)	goodwill
die Verwahrung (en)	safe storage
anderweitig	elsewhere
die Abnahme (n)	acceptance
klagen	sue in court
versteigern	auction
die Klage (n)	lawsuit

verzichten	waive, renounce
der Lieferverzug (*no pl.*)	default of delivery
fällig	due
erfolgen	take place
anmahnen	send a reminder, dun
die Nachfrist (en)	extension of time, term of grace
der Schadenersatz (no pl.)	damages
bestehen	insist
angemessen	appropriate
zurücktreten	withdraw, terminate
die Forderung (en)	claim
der Zahlungsverzug (¨e)	default of payment
termingerecht	in due time, on schedule
der Verspätungsschaden (¨)	damage due to delay
geltend machen	lodge (a claim)
der Verzugszins (en)	interest on default, interest on arrears
der Ablauf (¨e)	expiry, end
verlangen	demand
der Einzug (¨e)	collection, recovery
die Schuld (en)	debt
per Nachnahme	cash on delivery (c.o.d.)
die Postnachnahmekarte (n)	postal c.o.d. card
Inkassoinstitut (e)	debt collecting agent
die Eintreibung (en)	collection, recovery
beauftragen	authorize, instruct, entrust
bei Gericht	in court
verklagen	sue

Exercise 24.3

Bilden Sie Sätze!

1 in Verwahrung / können / die Ware / Wir / nehmen
2 versteigern / Danach / man / können / die Ware
3 keine / Nachfrist / Leider / setzen / Ihnen / können / ich
4 sehen / gezwungen / uns / Wir /,/ zu machen./ geltend / Schadenersatz
5 Firma / in Zahlungsverzug / Die / geraten

6 sein / Es / notwendig / leider /,/ der Verspätungsschaden / zu verlangen./ 6% Verzugszinsen / für
7 per Nachnahme / man / einziehen / können / Die Schulden
8 nicht / Wenn / liefern / der Verkäufer /,/ vom Vertrag / wir / zurücktreten

Exercise 24.4

Setzen Sie die entsprechenden Begriffe aus der Aufstellung „Störungen beim Kaufvertrag" ein!

1 Nach einer ____________ Nachfrist ist er vom Vertrag zurückgetreten.
2 Dic Waren wurden leider nicht ____________ bezahlt.
3 Der Verkäufer hat die Ware ____________ in Verwahrung genommen.
4 Sie hat das Recht, die Ware ____________ zu lassen.
5 Haben Sie die Lieferung schon ____________ und ihr eine ____________ gesetzt?
6 Ein ____________ wurde mit der Eintreibung der Schulden beauftragt.
7 Die Lieferung ist seit drei Wochen ____________.
8 Wenn Sie ____________ einer Woche liefern, werde ich auf eine ____________ verzichten.

Mangelhafte Lieferung

Arten der Mängel			
Beschaffenheit der Ware	Qualität/Güte	Quantität	Art
Ware -beschädigt -verdorben	Fehlen einer zugesicherten Eigenschaft (farbecht, abwaschbar)	Abweichung von der vertraglich vereinbarten Menge (zu viel, zu wenig)	Lieferung von im Kaufvertrag nicht genannter Ware

Recht des Käufers	
auf • Wandlung • Minderung • Ersatzlieferung	• Verlangen von Schadenersatz • Bestehen auf Erfüllung des Vertrages • Zurücktreten vom Vertrag

Definition der Rechtsbegriffe

Wandlung	=	Der Vertrag kann rückgängig gemacht werden. Die Ware und der bezahlte Kaufpreis werden zurückgegeben.
Minderung	=	Der Käufer kann einen angemessenen Preisnachlaß fordern.
Ersatzlieferung	=	Die Ware wird umgetauscht.
Schadenersatz	=	Beim Fehlen einer zugesicherten Eigenschaft oder bei einem arglistig verschwiegenen Mangel kann für die Folgeschäden Schadenersatz verlangt werden. (Eine farbechte Bluse verliert die Farbe und verfärbt andere Wäschestücke.)

Glossar

mangelhaft	defective, faulty
der Mangel (¨)	*here:* defect, fault
beschädigt	damaged
verdorben	spoilt, bad
das Fehlen (*no pl.*)	lack
zugesichert	assured, guaranteed
die Eigenschaft (en)	quality
farbecht	colourfast
abwaschbar	washable
die Abweichung (en)	deviation
vertraglich	contractual
vereinbaren	agree
genannt	named, listed
die Wandlung (en)	cancellation of sale
die Minderung (en)	reduction of purchase price
die Ersatzlieferung (en)	substitute delivery

der Rechtsbegriff (e)	legal concept
rückgängig machen	cancel, withdraw, annul
umtauschen	exchange
zugesichert	guaranteed
arglistig	malicious, fraudulent
verschweigen	conceal
der Folgeschaden (¨)	consequential damage
verfärben	discolour

Exercise 24.5

Setzen Sie die passenden Worte aus dem Schüttelkasten ein!

mit Mängeln behaftet	mängelfrei	Mängel	mangelhaften
arglistig verschwiegene Mängel		offene	Mängelrüge

1 Leider wiesen einige der von Ihnen gelieferten Produkte erhebliche ____________ auf.
2 Beim Entdecken der ____________ Lieferung ist unverzüglich eine ____________ zu erteilen.
3 Die Waren sind ____________ zu liefern.
4 Die versteckten Mängel sind sofort bei Entdecken, aber innerhalb von sechs Monaten zu rügen, ____________ Mängel allerdings sofort.
5 Ich muß Sie leider darauf aufmerksam machen, daß die mir gelieferte Ware ________________ ist.
6 ________________ sind Mängel, die der Verkäufer absichtlich verheimlicht.

Exercise 24.6

Bilden Sie Sätze! Achten Sie auf die Kasusendungen!

1 vom Vertrag / Lieferung / ich / zurücktreten. / Bei / möchte / mangelhaft
2 vom Transport / stark / Bei / Ihre / Ankunft / sein *(Imperfekt)* / Ware / beschädigt.
3 binnen / bestehen. / Leider / Erfüllung / eine Woche / der Vertrag / müssen / ich / auf
4 versteckt / Man / melden / nach / Mängel / Entdecken./ sofort / die

5 von / Menge / abweichen / vereinbart / Die / der / Menge / der / Lieferung
6 können / gewähren. / wir / Einen / Ware / Umtausch / der / nicht
7 schicken / eine / Entweder / Ersatzlieferung / Sie /,/ zurücktreten / vom / wir / Vertrag / oder
8 Wandlung / Ich / auf / der Kaufvertrag./ bestehen /

Durchführung eines Mahnverfahrens

1 **Die Erinnerung:**
Sie haben offenbar übersehen, den inzwischen fälligen Betrag zu begleichen. Ich bitte um Ausgleich Ihres Kontos.

2 **Mahnbrief mit Hinweis auf Fälligkeit der Schuld und Aufforderung zur Zahlung:**
Meine Rechnung vom 3.12 ... ist noch nicht beglichen. Ich bitte um sofortige Zahlung.

3 **Ankündigung des Einzugs durch Nachnahme oder durch Abtretung an ein Inkassoinstitut:**
Falls Ihre Rechnung nicht bis 12.6 ... beglichen wird, sehe ich mich leider gezwungen, meine Forderungen durch ein Inkassoinstitut vertreten zu lassen.

4 **Letzte Mahnung unter Androhung gerichtlicher Maßnahmen:**
Da Sie trotz mehrfacher Erinnerung meine Rechnung ... noch nicht beglichen haben, erlaube ich mir /sehe ich mich gezwungen/, den Rechtsweg einzuschlagen /gerichtlich gegen Sie vorzugehen.

Glossar

die Durchführung (en)	implementation, carrying out
das Mahnverfahren (–)	warning procedure, procedure of demanding the payment of a debt
die Erinnerung (en)	*here:* reminder
offenbar	obviously
übersehen	overlook
inzwischen	in the meantime
fällig	due
begleichen	pay, settle (a bill)

der Ausgleich (e)	*here:* payment, settlement, compensation
der Mahnbrief (e)	reminder letter, admonitory letter
der Hinweis (e)	reference
die Fälligkeit (en)	due date, maturity
die Aufforderung (en)	request
die Ankündigung (en)	announcement
die Abtretung (en)	assignment
unter Androhung	under penalty of
die Maßnahme (n)	step, action, measure
den Rechtsweg einschlagen	take legal action, initiate proceedings
gerichtlich vorgehen	take legal action, sue

Wichtige Begriffe aus diesem Kapitel

1 Substantive (nouns)

deutsch ***englisch***

2 Verben + Kasus (verbs + case)

deutsch ***englisch***

3 Wichtige Redewendungen (idiomatic phrases)

deutsch ***englisch***

4 Notizen

Unit 25

Tarifpartner
Industrial relations

In this chapter we focus on industrial relations, German unions and co-determination in German companies. You learn how to participate in a discussion and you will find a lot of useful expressions to state your opinion or reject an opinion. Finally, we remind you of useful verbal expressions which take the pronoun 'es' as their subject.

Die Sozialpartner

Tarifvertrag
Laut Verfassung haben Arbeitnehmer und Arbeitgeber das Recht, Vereinigungen zu bilden, die ihre Interessen vertreten. Die Interessenvertretungen der Arbeitnehmer, die Gewerkschaften, und der Arbeitgeber, die Arbeitgeberverbände, werden als Sozialpartner bezeichnet. Sie besitzen Tarifautonomie, d.h. sie können ohne staatliche Einmischung Tarifverträge und -löhne aushandeln. Im sogenannten Manteltarifvertrag werden die Arbeitsbedingungen auf längere Zeit ausgehandelt, während die Lohn- und Gehaltstarifverhandlungen eine Mindestnorm für eine Laufzeit von meist einem Jahr festlegen. In der Regel gelten die ausgehandelten Bestimmungen für alle an den Verhandlungen beteiligten Arbeitgeber und Gewerkschaften.

Der Begriff Tarifpartner signalisiert die beidseitige Bereitschaft, zu friedfertigen Lösungen zu kommen. Ein Tarifvertragsgesetz gibt den Verhandlungen einen Rahmen vor. Bevor es zu einer Streikaktion kommen kann, müssen verschiedene Schlichtungsmöglichkeiten ausgeschöpft werden. Während der Laufzeit eines Vertrages sind beide Parteien verpflichtet, den „Frieden zu wahren". Erst nach Ablauf der sogenannten Friedenspflicht können Gewerkschaften nach einer Urabstimmung, bei der in der Regel mindestens 75% der betroffenen Gewerkschaftsmitglieder für einen Streik stimmen müssen, ihre Mitglieder zur Arbeitsniederlegung aufrufen. Als Gegenmaßnahme können die Arbeitgeber in einem gewissen Umfang das Recht zur

Aussperrung der streikenden Belegschaft beanspruchen. Warnstreiks während der Tarifverhandlungen sind ebenfalls nur in einem gewissen Umfang zulässig.

Was wird verhandelt?

Manteltarifvertrag	*Lohn-Gehaltstarifvertrag*
Überstundenregelung	Lohn- und Gehaltsvereinbarungen
Sonn- und Feiertagsregelung	Sozialzulagen
Wochenendarbeitszeit	Vergütungssätze für Auszubildende
Urlaubsanspruch	
Kündigung	
Arbeitsplatzbedingungen	

Glossar

die Sozialpartner	employers and employees (in industrial relations)
der Tarifvertrag (¨e)	collective wage agreement
laut Verfassung	according to the constitution
der Arbeitnehmer (–)	employee
der Arbeitgeber (–)	employer
die Vereinigung (en)	association, union, alliance
bilden	form
vertreten	represent
die Gewerkschaft (en)	trade union
der Arbeitgeberverband (¨e)	employers' association
die Tarifautonomie (*no pl.*)	autonomy in negotiating wage rates
staatlich	governmental
die Einmischung (en)	intervention
aushandeln	bargain, negotiate
der Manteltarifvertrag (¨e)	industry-wide agreement on working conditions
die Laufzeit (en)	term, validity
festlegen	fix
die Bestimmung (en)	*here:* condition
beteiligen	participate
beidseitig	mutual
die Bereitschaft (en)	readiness
friedfertig	peaceful

die Lösung (en)	solution
der Rahmen (–)	frame
die Schlichtung (en)	conciliation, mediation
ausschöpfen	exhaust
verpflichten	oblige
wahren	keep
der Ablauf (¨e)	expiry, end
die Friedenspflicht (en)	obligation to keep peace
die Urabstimmung (en)	strike ballot
stimmen für	vote for
die Arbeitsniederlegung (en)	strike, walkout
aufrufen	appeal, call out
die Gegenmaßnahme (n)	counter action
in einem gewissen Umfang	*here:* to a certain extent
die Aussperrung (en)	lockout
die Belegschaft (en)	staff, work force, employees
beanspruchen	claim
der Warnstreik (s)	token strike, lightning strike
zulässig	admissible, permissible, allowable
die Überstundenregelung (en)	overtime agreement
die Wochenendarbeitszeit (en)	weekend working time
der Urlaubsanspruch (¨e)	holiday entitlement
die Kündigung (en)	dismissal
die Sozialzulage (n)	family allowance
der Vergütungssatz (¨e)	basic allowance, payment
der Auszubildende (n)	trainee

Exercise 25.1

Kreuzen Sie an!

		richtig	falsch
1	Die Gewerkschaften sind die Interessenvertretungen der Arbeitgeber.	☐	☐
2	Der Staat nimmt keinen Einfluß auf die Tarifverhandlungen.	☐	☐
3	Der Manteltarif legt die Löhne der Arbeitnehmer für drei Jahre fest.	☐	☐
4	Die Mindestnorm für einen Gehaltstarif beträgt 6 Monate.	☐	☐

		richtig	falsch
5	Die Bestimmungen gelten für alle, die an den Verhandlungen beteiligt waren.	☐	☐
6	Das Tarifvertragsgesetz bestimmt den Ablauf der Verhandlungen.	☐	☐
7	Ein Streik kann sofort ausgerufen werden.	☐	☐
8	Während der Tarifvertrag läuft, kann man einen Streik ausrufen.	☐	☐
9	Für einen Streik braucht man eine Mehrheit der Arbeitnehmer von 75%.	☐	☐
10	Die Arbeitgeber haben das Recht, streikende Arbeitnehmer auszusperren.	☐	☐

Wer verhandelt?

Die Gewerkschaften	*Die Arbeitgeberverbände*
	verschiedene Fachverbände
	andere wichtige Unternehmerverbände BDI DIHT

Der Deutsche Gewerkschaftsbund fungiert als Dachorganisation für alle Einzelgewerkschaften. Diese gliedern sich nach Wirtschaftszweigen der Industrie oder nach Verwaltungszweigen (ÖTV: öffentliche Dienste, Transport und Verkehr, Banken, Versicherungen etc.). Sie sind politisch unabhängig und nach Betrieben, nicht nach Berufen geordnet. Es gibt keine Einzelberufsorganisationen; für einen Betrieb ist jeweils nur eine Gewerkschaft zuständig. So kann es auch keine konkurrierenden Gewerkschaften geben, da jede Einzelgewerkschaft jeweils die einzige Vertretung der wirtschaftlichen Interessen der Arbeitnehmer darstellt. Dies verhindert Zersplitterung und stärkt die Macht der Gewerkschaften.

In den Betrieben sitzen die Vertrauensleute der einzelnen Gewerkschaften, die direkt von den Arbeitnehmern gewählt werden. Ihre Rolle ist die eines Vermittlers zwischen Betrieb und Gewerkschaft. Sie werden offiziell als legitime Instrumente der Gewerkschaftspolitik anerkannt, und ihre Rolle ist in den Tarifverträgen festgelegt. Sie genießen einen besonderen Kündigungsschutz.

Die Gewerkschaften der Bundesrepublik Deutschland

Deutscher Gewerkschaftsbund (DGB) davon

- IG Metall
- Gewerkschaft Öffentliche Dienste, Transport und Verkehr
- IG Chemie, Papier, Keramik
- IG Bau, Steine, Erden
- Deutsche Postgewerkschaft
- Gewerkschaft Handel, Banken und Versicherungen
- IG Bergbau und Energie
- Gewerkschaft der Eisenbahner Deutschlands
- Gewerkschaft Nahrung, Genuß, Gaststätten
- Gewerkschaft Textil-Bekleidung
- Gewerkschaft Erziehung und Wissenschaft
- Gewerkschaft der Polizei
- Gewerkschaft Holz und Kunststoff
- IG Druck und Papier
- Gewerkschaft Leder
- Gewerkschaft Gartenbau, Land- und Forstwirtschaft
- Gewerkschaft Kunst

Deutscher Beamtenbund

Deutsche Angestelltengewerkschaft

Christlicher Gewerkschaftsbund

Arbeitskämpfe in der Bundesrepublik in den 80er Jahren richteten sich zumeist auf Arbeitsbedingungen. Die Einführung der 35-Stundenwoche, Wochenendarbeit, Überstundenregelung, Bonusgelder wie 13. Monatsgehalt oder Ferienzuschüsse. Gewerkschaftler warnen vor einem Sozialabbau; sie befürchten negative Auswirkungen des europäischen Binnenmarktes auf die bislang erkämpften Rechte ihrer Arbeitnehmer. In Europa haben sie am meisten durch die Konkurrenz der Billiglohnländer, Spanien oder Portugal zu verlieren. Die Arbeitgeber fürchten durch Nicht-Auslastung ihrer Betriebsanlagen an Wochenenden einen Wettbewerbsverlust. Thema Nr 1 bei Arbeitskämpfen in den nächsten Jahren bleibt wohl die 35-Stundenwoche und die Wochenendarbeit.

Glossar

fungieren	function, operate
die Dachorganisation (en)	umbrella organisation
die Einzelgewerkschaft (en)	single union
der Wirtschaftszweig (e)	branch, sector of industry
der Verwaltungszweig (e)	branch, sector of civil service
öffentliche Dienste	public sector
zuständig	responsible, in charge
konkurrierend	competing
darstellen	present
verhindern	prevent
die Zersplitterung (en)	fragmentation
die Vertrauensleute (*pl.*)	shop stewards
die Hauptorganisation (en)	head organisation
die Befugnis (-nisse)	authority
der Vermittler (–)	mediator
anerkennen	acknowledge
der Kündigungsschutz (*no pl.*)	protection against unlawful dismissal
sich richten auf	aim at
zumeist	often
die Einführung (en)	introduction
die Überstundenregelung (en)	overtime regulation
das Bonusgeld (er)	bonus money
das 13. Monatsgehalt (¨er)	13th monthly salary (paid in December)
der Ferienzuschuß (-schüsse)	holiday allowance
der Gewerkschafter (–)	trade unionist

Spielregeln für den Arbeitskampf: Der lange Weg zum Streik

Es gibt drei Möglichkeiten:

1	2	3
Tarifverhandlung zwischen Gewerkschaft und Arbeitgeberverband ↓ Neuer Tarifvertrag	Erklärung des Scheiterns der Verhandlungen durch eine Partei ↓ Schlichtungsverfahren ↓ Neuer Tarifvertrag	Ablehnung des Schlichtungsverfahrens ↓ Erklärung des Scheiterns ↓ Vorbereitung auf den Arbeitskampf, Urabstimmung ↓ Arbeitsniederlegung, mögliche Gegenmaßnahme, Aussperrung ↓ Neue Verhandlungen ↓ Urabstimmung über Ergebnis Ende des Streiks bei Zustimmung Neuer Tarifvertrag

der Sozialabbau (*no pl.*)	decline in social welfare
die Auswirkung (en)	effect
bislang	so far
das Billiglohnland (¨er)	country where low wages are being paid
die Nicht-Auslastung (en)	not being utilized to full capacity
die Betriebsanlage (n)	plant, works
der Wettbewerbsverlust (e)	loss due to competition
die Spielregel (n)	rule (of a game)
das Scheitern (*no pl.*)	break down
das Schlichtungsverfahren (–)	conciliation, arbitration proceedings
die Ablehnung (en)	rejection

Exercise 25.2

Beantworten Sie die folgenden Fragen!

1 Wonach gliedern sich die Gewerkschaften?
2 Wie sind sie geordnet?
3 Wieviele Gewerkschaften können für einen Betrieb zuständig sein?
4 Wie werden die Vertrauensleute gewählt?
5 Welche Rolle spielen sie?
6 Was ist in den Tarifverträgen für sie festgelegt?
7 Welche Themen hatten die Arbeitskämpfe in den 80er Jahren?
8 Warum fürchten die Gewerkschafter einen Sozialabbau?
9 Was fürchten die Arbeitgeber?

Die Mitbestimmung

Durch die Mitbestimmungs- und Mitwirkungsrechte haben die Arbeiter Einfluß auf ihren Betrieb. Nach 1949 sind unter Druck der Gewerkschaften verschiedene Modelle der Mitbestimmung verwirklicht worden. Ziel war, die paritätische Mitbestimmung für alle Betriebe durchzusetzen, was den Gewerkschaften nicht geglückt ist. Je nach Betriebsform wurden Mitbestimmungsrechte von unterschiedlicher Reichweite durchgesetzt.

paritätisch: gleichwertige Besetzung von Arbeitgebern und Arbeitnehmervertretern im Aufsichtsrat größerer Unternehmen

Mitbestimmung: Teilnahme der Arbeiter an Entscheidungsprozessen

Mitbestimmung im engeren Sinne: paritätische Besetzung des Aufsichtsrats: Arbeitnehmer sind an allen Entscheidungen beteiligt

Mitbestimmung im weiteren Sinne = Mitwirkung: unparitätische Besetzung im Aufsichtsrat; im Betriebsrat nur Informationsrecht, Beratungsrecht und Vetorecht

Die Mitbestimmung hat sich sehr unterschiedlich durchgesetzt. Die weitestgehende Mitbestimmung ist 1951 nur für die Montanindustrie, Bergbau, Eisen, Stahl, verwirklicht worden.

Der Aufsichtsrat ist paritätisch besetzt, eine neutrale Person verhindert die Stimmengleichheit, ein Arbeitsdirektor als gleichberechtigtes Mitglied ist im Vorstand.

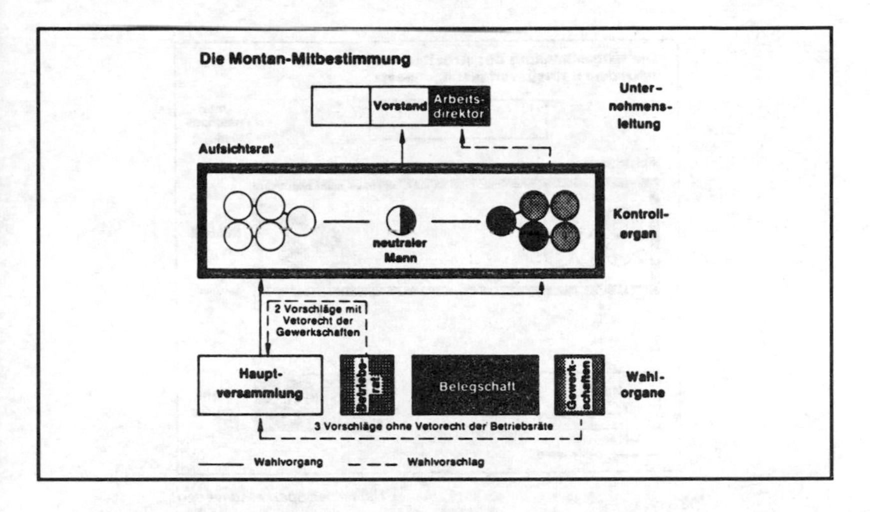

Das Mitbestimmungsgesetz von 1976 gilt für Unternehmen mit mehr als 2 000 Arbeitnehmern, die u.a. in der Rechtsform einer Aktiengesellschaft, GmbH oder Genossenschaft betrieben werden.

Der Aufsichtsrat ist paritätisch besetzt, es ist jedoch keine volle Parität, da die Anteilseigner den Vorsitzenden stellen, der bei Stimmengleichheit doppelt zählt. Außerdem sitzt auf der Arbeitnehmerseite ein von den Angestellten gewählter Leitender Angestellter, der vielleicht eher der Unternehmensleitung zuzurechnen ist.

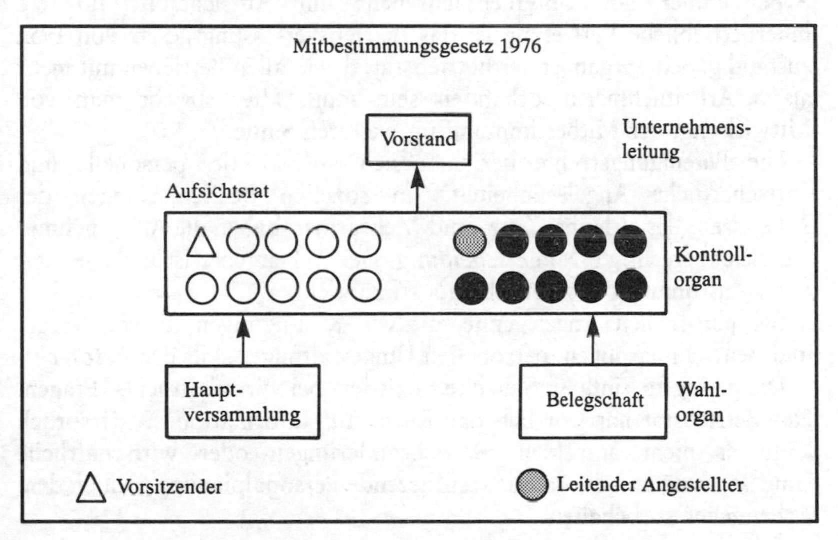

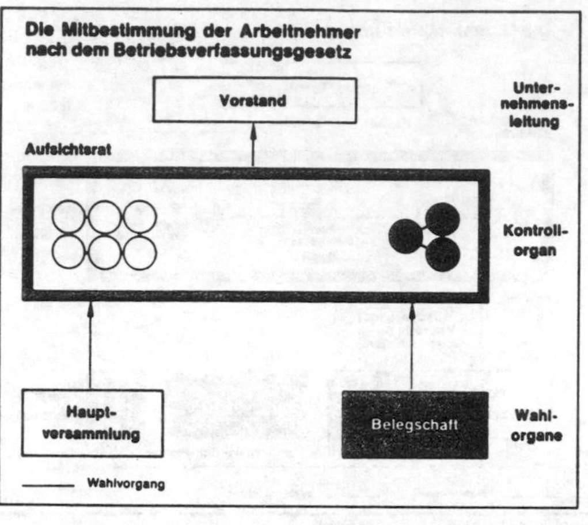

Deutscher Sparkassenverlag

Das Betriebsverfassungsgesetz von 1972 regelt die Mitbestimmung für Betriebe mit 500–2 000 Arbeitnehmern. Hier existiert nur eine Drittelparität, kein Arbeitsdirektor.

Das Betriebsverfassungsgesetz – Der Betriebsrat

Die Mitbestimmungsgesetze beziehen sich auf die Vertretung der Arbeitnehmer auf Unternehmensebene im Aufsichtsrat, für die innerbetriebliche Vertretung ist das Betriebsverfassungsgesetz von 1952 zuständig. Sein Organ ist der Betriebsrat, der in allen Betrieben mit mehr als 5 Arbeitnehmern vorhanden sein muß. Hier spricht man von Mitwirkung, der Mitbestimmung im weiteren Sinne.

Die Beteiligungsrechte beziehen sich auf soziale, personelle und wirtschaftliche Angelegenheiten. Im sozialen Bereich, Fragen der Arbeitszeit, des Urlaubs, Kurz- und Mehrarbeit, haben die Arbeitnehmer die gleichberechtigte *Mitentscheidung*. Der Arbeitgeber ist nicht befugt, ohne Zustimmung des Betriebsrats zu handeln.

Bei personellen Angelegenheiten, wie Kündigungen, Personalfrage- und Beurteilungsbögen, personellen Umgestaltungen, gilt das *Vetorecht*.

Die geringste Einflußmöglichkeit existiert bei wirtschaftlichen Fragen. Der Betriebsrat hat lediglich das Recht auf Information. Widerspruch kann er nicht anmelden. Betriebsänderungen oder wirtschaftliche Umgestaltung und die daraus resultierende Personalplanung bleiben dem Arbeitgeber vorbehalten.

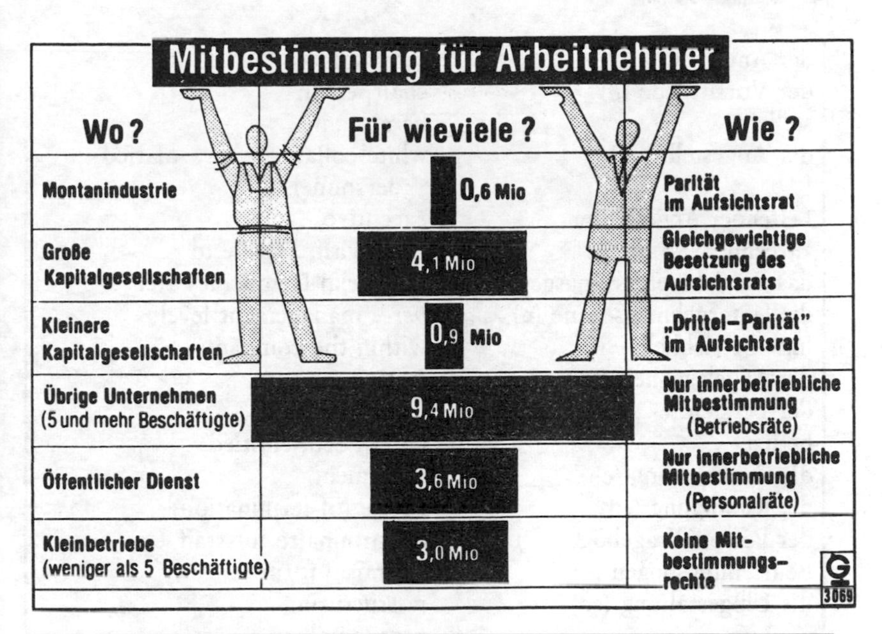

Glossar – Die Mitbestimmung

die Mitbestimmung (*no pl.*)	co-determination
unter Druck	under the pressure
verwirklichen	put into effect
paritätisch	with equal representation
durchsetzen	push through, enforce
glücken	be successful
die Reichweite (n)	scope, range
gleichwertig	of equal value
die Besetzung (en)	*here:* composition
der Aufsichtsrat (¨e)	supervisory board
der Entscheidungsprozeß (prozesse)	decision process
weitestgehend	considerable, a high degree of
die Montanindustrie (n)	coal and steel industry
der Bergbau (*no pl.*)	mining
das Eisen	iron
der Stahl	steel
die Stimmengleichheit (en)	parity of votes
gleichberechtigt	having equal rights
der Vorstand (¨e)	board of directors

der Anteilseigner (–)	shareholder
der Vorsitzende (n)	chairperson
stellen	*here:* name
der Angestellte (n)	white-collar worker, salaried personnel
Leitender Angestellter	executive
zurechnen	class with, ascribe to
das Betriebsverfassungsgesetz (e)	Industrial Democracy Act
die Unternehmensebene (n)	*here:* management level
innerbetrieblich	within the company
die Angelegenheit (en)	matter
der Bereich (e)	area
befugt	authorized, entitled
die Zustimmung (en)	agreement
die Kündigung (en)	notice (of termination)
der Personalfragebogen (¨)	questionnaire for staff
Beurteilungsbogen (¨)	appraisal form
die Umgestaltung (en)	restructuring
gering	*here:* small
lediglich	only
Widerspruch anmelden	raise protest
vorbehalten bleiben	reserved, remain with

Exercise 25.3

Beantworten Sie die folgenden Fragen!

1. Was ist der Unterschied zwischen Mitbestimmung und Mitwirkung?
2. Wo ist die Mitbestimmung am weitesten durchgesetzt?
3. Wie wird die Stimmengleichheit in der Montanindustrie verhindert?
4. Welches Gesetz gilt für Betriebe mit mehr als 2000 Arbeitnehmern?
5. Warum gibt es in diesem Gesetz keine volle Parität?
6. Nach welchem Gesetz gibt es nur eine Drittelparität?
7. Für welche Betriebe ist das Betriebsverfassungsgesetz zuständig?
8. Wo haben die Arbeitnehmer gleichberechtigte Mitentscheidung?
9. Wo haben sie nur Vetorecht?
10. Welche Rechte haben sie bei wirtschaftlichen Fragen?

Exercise 25.4

Lesen Sie das Kurzglossar und die Fragen und beantworten Sie danach die Fragen des nachfolgenden Dialogs!

Kurzglossar

frühindustriell	during early industrial times
der Preisdruck (*no pl.*)	pressure on prices
die Rentabilität (*no pl.*)	profitability
etwas anders sehen	be of a different opinion
verschleißen	wear out, become worn
in Abrede stellen	deny
etwas Grundsätzliches sagen	make a fundamental statement
es geht uns an den freien Sonntag	our free Sunday is in danger
das geht beim besten Willen nicht	that's not on (with the best will in the world)
sich etwas vormachen	fool oneself
wenn es hart auf hart kommt	when the worst comes to the worst

Fragen zum Text

1 Wozu hat Herr Hallers Gewerkschaft eine eindeutige Position?
2 Wohin möchte Herr Haller nicht mehr zurückgehen?
3 Warum wäre die Auswirkung der Wochenendarbeit für die Familic katastrophal?
4 Wodurch könnten Arbeitsplätze verlorengehen?
5 Wodurch versprechen sich die Arbeitgeber größere Rentabilität?
6 Warum verschleißen die Maschinen schneller?
7 Welche Rolle spielen die Billiglohnländer gemäß den Arbeitgebern?
8 Warum sieht Herr Haller in den Billiglohnländern kein Problem?
9 Was geschieht mit der Produktion bekannter Markenprodukte?
10 Wie soll laut Haller das Verhältnis zwischen Maschine und Mensch nicht aussehen?
11 Was hat seiner Meinung nach die Rationalisierung für den Arbeitnehmer gebracht?
12 Wodurch kann die Arbeit an Sonntagen kompensiert werden?
13 Welche Aktivitäten der Arbeitnehmer werden unter der Wochenendarbeit leiden?
14 Wo werden die Forderungen der Arbeitgeber diskutiert?

Der Gewerkschafter

Gespräch zwischen dem Gewerkschafter Franz Haller und der Journalistin Elke Schäfer.

Frau Schäfer: Herr Haller, hat Ihre Gewerkschaft in der Diskussion um die Einführung der Wochenendarbeit eine eindeutige Position?

Herr Haller: Ja, wir sind der Meinung, daß der Sonntag ein arbeitsfreier Tag bleiben muß. Es macht keinen Sinn in einer hochzivilisierten Gesellschaft zu alten frühindustriellen Zuständen zurückzugehen. Die Auswirkung für die Familien wäre katastrophal: der Sonntag ist der einzige Tag, den die Arbeitnehmer für die Familie, d.h. vor allem für die Kinder, haben.

Frau Schäfer: Aber ist die Gefahr für die Familie nicht größer, wenn aufgrund des Preisdrucks viele Arbeitsplätze in Ihrem Bereich verlorengehen?

Herr Haller: Ich habe da so meine Zweifel, ob das der wahre Grund der Arbeitgeber ist. Die Arbeitgeber wollen lediglich die Maschinen weiter auslasten und versprechen sich dadurch größere Rentabilität. Aber auch das sehe ich anders. Wenn man Maschinen nicht nur fünf oder sechs Tage laufen läßt, sondern durchgehend die ganze Woche, werden sie auch schneller verschleißen. Ich halte das für kurzsichtig von den Arbeitgebern.

Frau Schäfer: Die Arbeitgeber behaupten, daß die Konkurrenz der Billiglohnländer mehr und mehr zunimmt.

Herr Haller: Ich bin der Meinung, daß wir vor den Produkten der Billiglohnländer keine Angst zu haben brauchen, weil wir im Gegensatz zu diesen Ländern Qualitätsprodukte herstellen, die auch weiterhin gefragt sind. Das beweisen doch die Verkaufszahlen in den letzten Jahren.

Frau Schäfer: Niemand wird aber in Abrede stellen können, daß die Produktion bekannter Markenprodukte ins Ausland verlegt worden ist.

Herr Haller: Ich möchte dazu etwas Grundsätzliches sagen: Die Unternehmer müssen doch einsehen, daß nicht die Maschinen das Leben der Menschen bestimmen sollten, sondern umgekehrt. All die Jahre haben sie uns erzählt, daß mit modernen Maschinen die Arbeit erleichtert wird und davon die Arbeitnehmer profitieren. Dagegen ist aber nun zu halten, daß uns die Rationalisierung in den Betrieben bislang mehr Arbeitslosigkeit und kaum Erleichterung verschafft hat. Wenn es uns jetzt auch noch an den gemeinsamen freien Sonntag gehen soll, dann geht das beim besten Willen nicht.

Frau Schäfer: Die Sonntage werden doch durch freie Tage in der Woche ausgeglichen. Werden das nicht viele Gewerkschaftsmitglieder attraktiv finden? Sie hätten dann auch Zeit zum Einkaufen und für Hobbys in der Woche.

Herr Haller: Machen wir uns doch nichts vor. Der Sonntag ist traditionell der Tag, an dem die Sportveranstaltungen stattfinden. Gerade hier im Ruhrgebiet ist der Fußball am Sonntag wichtiger Bestandteil des kulturellen Lebens. Und wir dürfen auch nicht vergessen, daß viele Ehefrauen in der Woche arbeiten und nur am Sonntag für Freizeitaktivitäten, Ausflüge und Verwandtenbesuche Zeit haben.

Frau Schäfer: Welche Maßnahmen stellt sich Ihre Gewerkschaft denn vor, um die Einführung der Wochenendarbeit zu bekämpfen?

Herr Haller: In der nächsten Manteltarifrunde in diesem Frühjahr werden wir diese Forderung klar ablehnen. Streiks wollen wir natürlich erst einmal vermeiden, aber sollte es hart auf hart kommen, könnten wir auch zu Arbeitsniederlegungen gezwungen werden.

Frau Schäfer: Ich danke Ihnen für dieses Gespräch, Herr Haller.

Herr Haller: Ich hab' Ihnen zu danken.

Glossar

eindeutig	clear, unambiguous
der Sinn (e)	sense
der Zustand (¨e)	circumstance, condition
die Auswirkung (en)	effect
aufgrund	on the strength of, because of
verlorengehen	lose, get lost
Zweifel haben	have doubts
lediglich	only
auslasten	use s.th. to capacity, utilize s.th. fully
versprechen	promise
durchgehend	continuous, uninterrupted
kurzsichtig	shortsighted
behaupten	maintain, claim
im Gegensatz zu	unlike, in contrast with
gefragt sein	be in demand
beweisen	prove
das Markenprodukt (e)	branded product
verlegen	relocate, move

einsehen	understand, realize
bestimmen	determine
erleichtern	relieve, ease, alleviate
die Rationalisierung (en)	rationalization measures
verschaffen	provide, give
gemeinsam	common, mutual
ausgleichen	make up, compensate
das Mitglied (er)	member
das Hobby (s)	
in der Woche	during the week
die Sportveranstaltung (en)	sports event
das Ruhrgebiet	industrial area in North-Rhine Westfalia
der Bestandteil (e)	part
die Freizeitaktivität (en)	leisure-time activity
der Ausflug (¨e)	excursion, trip
der Verwandtenbesuch (e)	visit to relatives
die Forderung (en)	demand
ablehnen	reject
vermeiden	avoid
zwingen	force

Redemittel: Meinungsäußerung

Ich denke, daß ...
Ich meine, daß ...
Ich glaube, daß ...

Meiner Meinung nach ... To my mind .../in my opinion ...
Meines Erachtens ...

Ich bin der Meinung, daß ...
Ich bin eher der Meinung, daß ...
Meiner Ansicht nach ...
Ich bin der Ansicht, daß ...
Ich denke eher, daß man ... tun sollte.
Ich denke eher, man sollte ... tun.
Ich finde, daß ...
Ich bin sicher, daß ...
Mir scheint, daß ...
Aus meiner Erfahrung kann ich Ihnen sagen, daß ...

Wie man weiß, ...	
Man kann doch nicht bezweifeln, daß ...	
Niemand wird in Abrede stellen können, daß ...	You can't deny that .../There is no getting away from ...
Denken Sie nicht auch, daß ...	
Sie müssen doch einsehen, daß ...	You have to realize ...
Sie müssen doch zugeben, daß ...	You have to admit ...
Es läßt sich doch nicht bestreiten, daß ...	It can't be denied that ...
Das ist wider unsere Abmachung.	That is contrary to our agreement.

Ablehnung einer Aussage/einer Handlung.

Das stimmt so nicht.	That is not correct.
Leider kann ich dem nicht zustimmen.	I am sorry to say I cannot agree.
Das kann ich so nicht akzeptieren.	I am afraid I can't accept that.
Ich habe da so meine Zweifel.	I have got my doubts.
Das ist nicht haltbar.	That is not tenable.
Das ist nicht praktikabel.	This is not practicable/feasible.
Das ist nicht machbar.	That is not feasible.
Das sehe ich anders.	I am of a different opinion.
Das stimmt nicht.	That is wrong. That is not true.
Das führt zu nichts.	Nothing will come of it.
Das führt in eine Sackgasse.	That is a dead end.
Dem möchte ich widersprechen.	I would like to contradict this.
Das kann doch nicht stimmen.	That can't possibly be right.
Davon bin ich nicht ganz überzeugt.	I am not quite convinced.
Ich glaube, daß das nicht ganz zutrifft.	I don't think that this is true.
Dagegen ist aber zu halten, daß ...	On the other hand ...
Da bin ich mir nicht so sicher.	I am not sure about that.
Darüber kann man geteilter Meinung sein.	That is a matter of opinion.
Das geht beim besten Willen nicht.	That is not possible at all.
Dem möchte ich aber aufs schärfste widersprechen.	I can't agree at all.

Ich befürchte, daß das nicht gut ankommt.	I fear that will not be very successful.
Da kann man auch anderer Meinung sein.	I am of a different opinion about that.
Das ist so nicht durchführbar.	That is not workable.
Das geht so nicht.	It won't work.
Auf keinen Fall. Unter gar keinen Umständen.	Under no circumstances.
Da teile ich nicht ganz Ihre Meinung. Da bin ich nicht ganz Ihrer Meinung.	On this point I do not quite share your opinion.

The use of *es* with impersonal verbs

There are verbial expressions which have *es* as the subject.

es erstaunt mich	I am surprised
es fällt mir auf	it strikes me as
es fällt mir leicht/schwer	it is easy/difficult
es fehlt mir an	I lack
es fragt sich, ob	the question is whether
es freut mich	I am glad
es gefällt mir	I like
es gelingt mir	I succeed
es gilt ... zu tun	now the thing is to ...
es handelt sich um	it is about
es hängt davon ab, ob	it depends on whether
es hat keinen Zweck	there is no point in
es ist mir recht	I agree to
es kommt darauf an	it depends on
es liegt an	it is due to
es liegt mir fern	the last thing I want
es liegt nahe	it is obvious
es lohnt sich	it is worthwhile
es macht nichts aus	it does not matter
es mißlingt mir	I fail
es spricht sich herum	the word is going round
es versteht sich von selbst	it goes without saying

Exercise 25.5

Übersetzen Sie!

1 Es fehlt mir an Erfahrung für das neue Projekt.

____

2 Es hat keinen Zweck, das Produkt zu exportieren, wenn es keinen Markt dafür gibt.

____

____

3 Es spricht sich herum, daß der Vorstand die Schließung unseres Betriebs diskutiert.

____

4 Es lohnt sich nicht, beim Aufsichtsrat Widerspruch anzumelden.

____

5 Es liegt mir fern, die Kündigung einzureichen.

____

6 Es versteht sich von selbst, daß wir Ihnen unsere neue Preisliste sofort zusenden.

____

7 Es muß an der Post liegen, daß die Bestellung noch nicht eingegangen ist.

____

8 Es ist mir recht, daß Sie sich die verschiedenen Angebote erst noch genau ansehen wollen, bevor Sie eine Entscheidung treffen.

____

____

The use of the anticipatory *es*

The use of *es* to anticipate either a *daß*-clause or *zu* + infinitive (with some of these verbs the use of *es* is optional):

(es) ablehnen, daß/zu	decline to
(es) durchsetzen, daß/zu	succeed, push through
es eilig haben zu	be in a hurry to
(es) erreichen, daß/zu	manage to do s.th.
es leicht/schwer haben zu	it is easy/difficult for s.o.
es leid sein, daß/zu	be tired of
(es) sich leisten können zu	be able to afford to
(es) jdm. (nicht) zumuten können, daß/zu	(not) expect s.o. to do s.th.

Exercise 25.6

Übersetzen Sie, indem Sie das antizipatorische *es* benutzen!

Beispiel:
The employers declined to raise wages and salaries more than 2.6%.

Die Arbeitgeber lehnten es ab, Löhne und Gehälter um mehr als 2,6% zu erhöhen.
Die Arbeitgeber lehnten es ab, daß die Löhne und Gehälter um mehr als 2,6% erhöht werden.

1 I would like to ensure that the new selling strategies can be used for other products as well.

____

____

2 He is not in a hurry to fly to Frankfurt.

____

3 We can expect her to travel to fairs and exhibitions regularly.

____

4 It is difficult for the workers to have influence on economic decisions.

____

____

5 Our union representative managed to convince the director that the new machine is a good investment.

____

____

6 We can afford to pay more for overtime.

____

7 The workers are tired of working under dangerous conditions.

____

Wichtige Begriffe aus diesem Kapitel

1 Substantive (nouns)

deutsch	*englisch*

2 Verben + Kasus (verbs + case)

deutsch	*englisch*

3 Wichtige Redewendungen (idiomatic phrases)

deutsch	*englisch*

4 Notizen

Appendix 1: Unregelmäßige Verben
Irregular verbs

Infinitiv (Infinitive)	*Präsens 1./2./3. Pers. Sg.* (Present 1st, 2nd, 3rd pers. sing.)	*Präteritum* (Past)	*Partizip Perfekt* (Past participle)	*Imperativ* (Imperative)
befehlen	befehle/befiehlst/befiehlt	befahl	befohlen	befiehl!
beginnen	beginne/beginnst/beginnt	begann	begonnen	beginn(e)!
bewegen	bewege/bewegst/bewegt	bewog	bewogen	beweg(e)!
biegen	biege/biegst/biegt	bog	gebogen	bieg(e)!
bieten	biete/bietest/bietet	bot	geboten	biet(e)!
binden	binde/bindest/bindet	band	gebunden	bind(e)!
bitten	bitte/bittest/bittet	bat	gebeten	bitt(e)!
bleiben	bleibe/bleibst/bleibt	blieb	geblieben	bleib(e)!
brechen	breche/brichst/bricht	brach	gebrochen	brich!
brennen	brenne/brennst/brennt	brannte	gebrannt	brenn(e)!
bringen	bringe/bringst/bringt	brachte	gebracht	bring(e)!
denken	denke/denkst/denkt	dachte	gedacht	denk(e)!
dringen	dringe/dringst/dringt	drang	gedrungen	dring(e)!
dürfen	darf/darfst/darf	durfte	dürfen, gedurft	–
empfehlen	empfehle/empfiehlst/empfiehlt	empfahl	empfohlen	empfiehl!
essen	esse/ißt/ißt	aß	gegessen	iß!
fahren	fahre/fährst/fährt	fuhr	gefahren	fahr(e)!
fallen	falle/fällst/fällt	fiel	gefallen	fall(e)!
fangen	fange/fängst/fängt	fing	gefangen	fang(e)!
finden	finde/findest/findet	fand	gefunden	find(e)!
fliegen	fliege/fliegst/fliegt	flog	geflogen	flieg(e)!
fließen	fließe/fließt/fließt	floß	geflossen	fließ(e)!
fragen	frage/fragst/fragt	fragte	gefragt	frag(e)!
frieren	friere/frierst/friert	fror	gefroren	frier(e)!
gebären	gebäre/gebärst (gebierst)/gebärt (gebiert)	gebar	geboren	gebär(e)! gebier!
geben	gebe/gibst/gibt	gab	gegeben	gib!
gedeihen	gedeihe/gedeihst/gedeiht	gedieh	gediehen	gedeih(e)!
gehen	gehe/gehst/geht	ging	gegangen	geh(e)!
gelingen	–/–/gelingt	gelang	gelungen	(gelinge!)
gelten	gelte/giltst/gilt	galt	gegolten	(gilt!)
genießen	genieße/genießt/genießt	genoß	genossen	genieß(e)!
geschehen	–/–/geschieht	geschah	geschehen	–
gewinnen	gewinne/gewinnst/gewinnt	gewann	gewonnen	gewinn(e)!
gießen	gieße/gießt/gießt	goß	gegossen	gieß(e)!
gleichen	gleiche/gleichst/gleicht	glich	geglichen	gleich(e)!
graben	grabe/gräbst/gräbt	grub	gegraben	grab(e)!
greifen	greife/greifst/greift	griff	gegriffen	greif(e)!

haben	habe/hast/hat	hatte	gehabt	hab(e)!
hängen	hänge/hängst/hängt	hing (hängte)	gehangen (gehängt)	häng(e)!
heben	hebe/hebst/hebt	hob (hub)	gehoben	heb(e)!
helfen	helfe/hilfst/hilft	half	geholfen	hilf!
kennen	kenne/kennst/kennt	kannte	gekannt	kenn(e)!
klingen	klinge/klingst/klingt	klang	geklungen	kling(e)!
kommen	komme/kommst/kommt	kam	gekommen	komm(e)!
können	kann/kannst/kann	konnte	können, gekonnt	–
laden	lade/lädst (ladest)/lädt (ladet)	lud	geladen	lad(e)!
lassen	lasse/läßt/läßt	ließ	lassen, gelassen	lasse! laß!
laufen	laufe/läufst/läuft	lief	gelaufen	lauf(e)!
leiden	leide/leidest/leidet	litt	gelitten	leid(e)!
leihen	leihe/leihst/leiht	lieh	geliehen	leihe!
lesen	lese/liest/liest	las	gelesen	lies!
liegen	liege/liegst/liegt	lag	gelegen	lieg(e)!
lügen	lüge/lügst/lügt	log	gelogen	lüg(e)!
meiden	meide/meidest/meidet	mied	gemieden	meid(e)!
messen	messe/mißt/mißt	maß	gemessen	miß!
mißlingen	–/–/mißlingt	mißlang	mißlungen	–
mögen	mag/magst/mag	mochte	mögen, gemocht	–
müssen	muß/mußt/muß	mußte	müssen, gemußt	–
nehmen	nehme/nimmst/nimmt	nahm	genommen	nimm!
nennen	nenne/nennst/nennt	nannte	genannt	nenn(e)!
reißen	reiße/reißt/reißt	riß	gerissen	reiß(e)!
rennen	renne/rennst/rennt	rannte	gerannt	renn(e)!
rufen	rufe/rufst/ruft	rief	gerufen	ruf(e)!
schaffen	schaffe/schaffst/schafft	schuf	geschaffen	schaff(e)!
scheiden	scheide/scheidest/scheidet	schied	geschieden	scheid(e)!
scheinen	scheine/scheinst/scheint	schien	geschienen	schein(e)!
schieben	schiebe/schiebst/schiebt	schob	geschoben	schieb(e)!
schlafen	schlafe/schläfst/schläft	schlief	geschlafen	schlaf(e)!
schlagen	schlage/schlägst/schlagt	schlug	geschlagen	schlag(e)!
schleifen	schleife/schleifst/schleift	schliff	geschliffen	schleif(e)!
schließen	schließe/schließt/schließt	schloß	geschlossen	schließ(e)!
schmelzen	schmelze/schmilzt/schmilzt	schmolz	geschmolzen	schmilz!
schneiden	schneide/schneidest/schneidet	schnitt	geschnitten	schneid(e)!
schreiben	schreibe/schreibst/schreibt	schrieb	geschrieben	schreib(e)!
schreien	schreie/schreist/schreit	schrie	geschrie(e)n	schrei(e)!
schweigen	schweige/schweigst/schweigt	schwieg	geschwiegen	schweig(e)!
schwimmen	schwimme/schwimmst/schwimmt	schwamm	geschwommen	schwimm(e)!
schwinden	schwinde/schwindest/schwindet	schwand	geschwunden	schwind(e)!
schwören	schwöre/schwörst/schwört	schwor (schwur)	geschworen	schwör(e)!
sehen	sehe/siehst/sieht	sah	gesehen	sieh(e)!
sein	bin/bist/ist/sind/seid/sind	war	gewesen	sei!
senden	sende/sendest/sendet	sandte (sendete)	gesandt (gesendet)	send(e)!
singen	singe/singst/singt	sang	gesungen	sing(e)!
sinken	sinke/sinkst/sinkt	sank	gesunken	sink(e)!
sitzen	sitze/sitzt/sitzt	saß	gesessen	sitz(e)!
sollen	soll/sollst/soll	sollte	sollen, gesollt	–
spalten	spalte/spaltest/spaltet	spaltete	gespaltet, gespalten	spalt(e)!
sprechen	spreche/sprichst/spricht	sprach	gesprochen	sprich!
springen	springe/springst/springt	sprang	gesprungen	spring(e)!
stecken	stecke/steckst/steckt	steckte (stak)	gesteckt	steck(e)!

stehen	stehe/stehst/steht	stand	gestanden	steh(e)!
stehlen	stehle/stiehlst/stiehlt	stahl	gestohlen	stiehl!
steigen	steige/steigst/steigt	stieg	gestiegen	steig(e)!
sterben	sterbe/stirbst/stirbt	starb	gestorben	stirb!
stoßen	stoße/stößt/stößt	stieß	gestoßen	stoß(e)!
streichen	streiche/streichst/streicht	strich	gestrichen	streich(e)!
streiten	streite/streitest/streitet	stritt	gestritten	streit(e)!
tragen	trage/trägst/trägt	trug	getragen	trag(e)!
treffen	treffe/triffst/trifft	traf	getroffen	triff!
treiben	treibe/treibst/treibt	trieb	getrieben	treib(e)!
treten	trete/trittst/tritt	trat	getreten	tritt!
trinken	trinke/trinkst/trinkt	trank	getrunken	trink(e)!
tun	tue/tust/tut	tat	getan	tu(e)!
verderben	verderbe/verdirbst/verdirbt	verdarb	verdorben	verdirb!
vergessen	vergesse/vergißt/vergißt	vergaß	vergessen	vergiß!
verlieren	verliere/verlierst/verliert	verlor	verloren	verlier(e)!
wachsen	wachse/wächst/wächst	wuchs	gewachsen	wachs(e)!
wägen	wäge/wägst/wägt	wog (wägte)	gewogen	wäg(e)!
waschen	wasche/wäschst/wäscht	wusch	gewaschen	wasch(e)!
weisen	weise/weist/weist	wies	gewiesen	weis(e)!
wenden	wende/wendest/wendet	wendete, wandte	gewendet, gewandt	wend(e)!
werben	werbe/wirbst/wirbt	warb	geworben	wirb!
werden	werde/wirst/wird	wurde (ward)	worden, geworden [sein]	werd(e)!
werfen	werfe/wirfst/wirft	warf	geworfen	wirf!
wiegen	wiege/wiegst/wiegt	wog	gewogen	wieg(e)!
winken	winke/winkst/winkt	winkte	gewinkt (gewunken)	wink(e)!
wissen	weiß/weißt/weiß	wußte	gewußt	wisse!
wollen	will/willst/will	wollte	wollen, gewollt	(wolle!)
ziehen	ziehe/ziehst/zieht	zog	gezogen	zieh(e)!
zwingen	zwinge/zwingst/zwingt	zwang	gezwungen	zwing(e)!

Appendix 2: Schlüssel
Key

Key 1.1

1 Sie lernt ihn am Fließband für die Gepäckausgabe kennen.
2 Der Name ist Bellevue Hotel und die Adresse ist „An der Alster".
3 Das Hotel liegt im Zentrum.
4 Sie entscheidet sich für das Taxi.
5 Weil sie viel Gepäck hat.
6 Er macht den Vorschlag, sich das Taxi zu teilen.
7 Sie nimmt seinen Vorschlag an.
8 Der Fahrpreis wird ungefähr 22,–DM betragen.
9 Sie muß dann weiter zur Frankfurter Buchmesse.
10 Sie gibt ihm zehn Mark.

Key 1.2

	Bus	Express U-/S-Bahn	Taxi
Fahrpreis	8,–DM	3,10 DM	22,–DM
Fahrzeit	25 Min.	17 + 9 Min.	20–25 Min.
Häufigkeit	alle 20 Min.	alle 10 Min.	nach Wunsch
Bequemlichkeit	direkt zum Hbf.	umsteigen	direkt zum Ziel

Key 1.3

umsteigen, beträgt, verkehrt, befindet sich, hält

Key 1.4

Beim Empfang

1 Frau Hanrahan hat das Zimmer für zwei Tage reserviert.
2 Ihr Zimmer ist auf der ersten Etage.
3 Es gibt Frühstück im Hotel von 6.30 bis 10.00 Uhr.
4 Sie möchte gleich einmal das Schwimmbad ausprobieren.

Telefongespräch mit der Rezeption

5 Frau Hanrahan fragt nach einem Zugverzeichnis mit Zügen nach Frankfurt.
6 Sie empfiehlt, bei der Information der Deutschen Bundesbahn anzufragen.
7 Die Telefonnummer lautet: 1 94 19.
8 Sie hat keinen Adapter für die deutschen Steckdosen.
9 Das Hotel leiht ihr einen Haarfön.

Telefongespräch mit der Auskunft der Deutschen Bundesbahn

10 Frau Hanrahan möchte nach Frankfurt am Main fahren.
11 Sie möchte am frühen Nachmittag ankommen.
12 Die Züge nach Frankfurt am Main fahren im Einstundentakt.
13 Sie entscheidet sich für eine Fahrkarte für eine einfache Fahrt.
14 Bei einer Intercity-Fahrkarte ist die Reservierung eines Sitzplatzes kostenfrei.

Key 1.5

1 Geben Sie mir ein Zugverzeichnis!
2 Verzeiht meine Verspätung!
3 Bringen Sie mir eine Tageszeitung!
4 Wecken Sie mich um 7.15 Uhr!
5 Gib mir etwas Wechselgeld zum Telefonieren!
6 Bestellt mir schon mal ein Glas Bier!
7 Arbeite nicht so viel am Wochenende!
8 Stellen Sie eine Rückfahrkarte aus!
9 Erschrecken Sie sich nicht über den Preis!
10 Fahr(e) in England auf der linken Seite!
11 Versprecht mir, pünktlich am Flughafen zu sein!
12 Benutzen Sie den Parkplatz hinter dem Hotel!
13 Werdet nicht ungeduldig, wenn Ihr warten müßt!
14 Erlauben Sie mir, daß ich Sie einlade!
15 Vergiß nicht, vor der Reise Geld umzutauschen!

Key 1.6

1. über, 2. über, 3. von, 4. bei, 5. zu, 6. für, 7. bei, 8. auf, 9. zur, 10. von

Key 1.7

1 Nein, er möchte ab heute für drei Nächte bleiben.
2 Nein, es ist noch ein Zimmer mit Dusche frei.
3 Nein, alle Zimmer mit WC oder Bad sind belegt.
4 Doch, es ist im Preis inbegriffen.
5 Nein, er fährt mit dem Taxi zum Hotel.
6 Doch, es kann ihm das Zimmer übers Telefon reservieren.
7 Nein, er braucht mit dem Taxi zehn Minuten zum Hotel.

Key 1.8

1 Er möchte einen Wagen mieten.
2 Er hätte ihn gerne ab morgen früh für zwei Tage.
3 Die Bezahlung lohnt sich getrennt nach Tagen und Kilometern.
4 Er kann eine Vollkaskoversicherung und einen Insassenunfallschutz abschließen.

Key 1.9

1. richtig, 2. falsch, 3. falsch, 4. richtig, 5. richtig

Key 1.10

Am Telefon
Telefonat 1
Taxi Franzen: Taxi Franzen. Guten Tag!
Herr Dawson: Guten Tag! Ich hätte gerne ein Taxi.
Taxi Franzen: Geben Sie mir bitte Ihre Adresse.
Herr Dawson: Elisabethstraße 15. Bei Niemann.
Taxi Franzen: Gut, ein Taxi wird in ungefähr zehn Minuten bei Ihnen sein.
Herr Dawson: Vielen Dank! Auf Wiederhören!
Taxi Franzen: Auf Wiederhören!

1 Er erkundigt sich nach einem Taxi.
2 Er wird nach seiner Adresse gefragt.
3 Das Taxi wird in ungefähr zehn Minuten bei ihm sein.

Telefonat 2

Taxi Horch: Taxi Horch. Guten Abend!

Frau Sieger: Guten Abend! Könnte ich bitte ein Taxi vorbestellen?

Taxi Horch: Selbstverständlich. Für wann hätten Sie es denn gerne?

Frau Sieger: Für morgen früh um 6.30 Uhr.

Taxi Horch: Wohin soll die Fahrt gehen, bitte?

Frau Sieger: Zum Hauptbahnhof.

Taxi Horch: Wann geht Ihr Zug?

Frau Sieger: Um 7.10 Uhr.

Taxi Horch: Ja gut, das werden wir schaffen. Geben Sie mir bitte jetzt Ihren Namen und Ihre Adresse!

Frau Sieger: Der Name ist Sieger. S–I–E–G–E–R. Kohlhofstraße 47. Auf der Klingel steht Sieger.

Taxi Horch: Vielen Dank! Nun noch die Telefonnummer, bitte.

Frau Sieger: 2 34 71

Taxi Horch: Bis morgen dann. Auf Wiederhören!

Frau Sieger: Auf Wiederhören!

1 Sie möchte ein Taxi vorbestellen.
2 Sie möchte ein Taxi für 6.30 Uhr.
3 Sie möchte zum Bahnhof fahren.
4 Sie muß um 7.10 Uhr am Zug sein.
5 Sie wohnt in der Kohlhofstraße 47.
6 Ihre Telefonnummer lautet 2 34 71.

Telefonat 3

Frankfurter Droschken: Frankfurter Droschken.

Frau Bremer: Guten Abend! Firma Dolldinger hier. Ich hätte gerne für eine Gruppe von fünf Personen ein Großraumtaxi. Haben Sie eins?

Frankfurter Droschken: Ja, aber wann brauchen Sie es denn?

Frau Bremer: In einer halben Stunde für eine Fahrt vom Industriegebiet „Am Katzenstein" zum Frankfurter Flughafen.

Frankfurter Droschken: Es tut mir leid, aber zu der Zeit ist unser Großraumtaxi noch unterwegs. Geht es auch eine halbe Stunde später? Wegen der Messe sind unsere Taxen ständig unterwegs.

Frau Bremer: Ja, ich weiß, es war gestern schon so schwierig, ein Großraumtaxi zu bekommen. Wir brauchen das Taxi recht bald.

Frankfurter Droschken: Ist es Ihnen recht, wenn ich zwei Taxen schicke und ich berechne Ihnen nur eins? Es geht doch über Ihr Firmenkonto bei uns?

Frau Bremer: Ja, das ist mir recht, und setzen Sie den Betrag auf unsere Rechnung.
Frankfurter Droschken: Die Taxen werden um 18.30 Uhr bei Ihnen sein.
Frau Bremer: Vielen Dank. Auf Wiederhören!

1 Sie braucht das Taxi für eine Gruppe von fünf Personen.
2 Es wird für eine Fahrt vom Industriegebiet „Am Katzenstein" bis zum Frankfurter Flughafen benötigt.
3 Wegen der Messe sind alle Taxen unterwegs.
4 Es will zwei Taxen zum Preis von einem schicken.
5 Es setzt den Betrag auf die Rechnung der Firma Dolldinger.
6 Sie kommen um 6.30 Uhr an.

Key 2.1

1 Sie benötigt eine Fahrkarte für eine Fahrt in die Innenstadt.
2 Man empfiehlt ihr eine Tageskarte, weil sie mehrere Fahrten machen will.
3 Sie muß die Taste „T" drücken und die Fahrkarte kostet 6,– DM.
4 Man kann auch Zehn-Mark-Scheine benutzen.

Key 2.2

1. richtig, 2. richtig, 3. richtig, 4. falsch

Key 2.3

1 Taste /2/ links
☒ bis 60 Min. fahren
☒ Preis 2,20 DM
☐ 1. Klasse
☐ zwei Stunden
☒ keine Rückfahrkarte
☒ keine Rundfahrkarte

2 Taste /4/ rechts
☐ Preis 5,20 DM
☒ Fahrtunterbrechung gestattet
☒ Gesamtbereich Hamburg
☒ keine Rundfahrkarte
☐ Kinderkarte
☒ 1. Klasse

3 Taste /F/ links
- ☐ keine Rückfahrkarte
- ☐ ist übertragbar
- ☒ 10,50 DM
- ☐ 10,– DM
- ☒ Großbereich Hamburg
- ☐ sonntags nicht gültig

4 Taste /T/ links
- ☐ 1. Klasse
- ☒ 6,00 DM
- ☒ gültig ab 9 Uhr
- ☒ für einen Erwachsenen und drei Kinder
- ☒ samstags ganztägig
- ☐ maximal drei Stunden

Key 2.4

1. Es ist ihr zu anstrengend, dreimal umzusteigen.
2. Der Nachteil ist, D-Züge brauchen länger für die Strecke. Der Vorteil ist, sie haben Schlaf- und Liegewagen.
3. Ein Liegewagenplatz in einem 4-Platz-Abteil kostet 30,– DM und in einem 6-Platz-Abteil 23,– DM.
4. Sie muß einen Liegewagenplatz reservieren.

Key 2.5

1. Sie nimmt den Nachtzug um 23.19 Uhr mit einer Liegeplatzreservierung.
2. Er sagt, daß alle 4-Platz-Abteile belegt sind und es nur noch einen Platz in einem 6-Platz-Abteil gibt.
3. Der Zug verkehrt nur samstags an bestimmten Tagen.
4. Sie möchte sich wecken lassen.

Key 2.6

Im Hauptbahnhof Bremen am Fahrkartenschalter
Schalterbeamter: Bitte schön?
Herr Martens: Wie teuer ist eine einfache Fahrkarte nach Heidelberg?
Schalterbeamter: Das sind 565 km und macht 116,– DM, dazu kommt noch der Intercity-Zuschlag von 6,– DM.
Herr Martens: Ist das für erste oder zweite Klasse?
Schalterbeamter: Für die zweite.
Herr Martens: Und wieviel macht es für die erste Klasse?
Schalterbeamter: 174,– DM.

Herr Martens: Gut. Ja, ich hätte gerne eine Fahrkarte erster Klasse und auch eine Platzreservierung.
Schalterbeamter: Eine Platzreservierung geht aber nur ab morgen.
Herr Martens: Ja, ich möchte erst morgen nachmittag den Zug nehmen.
Schalterbeamter: Hier sehen Sie den Fahrplan. Welchen wollen Sie nehmen?
Herr Martens: Ich nehme den IC um 6.47 Uhr.
Schalterbeamter: Nehmen Sie doch den um 7.11 Uhr. Der ist zur gleichen Zeit in Heidelberg, aber der Vorteil ist, daß Sie nur einmal umsteigen müssen.
Herr Martens: Vielen Dank! Da haben Sie natürlich recht.
Schalterbeamter: Einen Moment. Hier ist Ihr Fahrschein und hier sind Ihre Reservierungen für die beiden Züge.
Herr Martens: Vielen Dank! Ach so, auf welchem Bahnsteig fährt der Zug ab?
Schalterbeamter: Auf Bahnsteig 12.
Herr Martens: Danke! Auf Wiedersehen!
Schalterbeamter: Auf Wiedersehen!

1 Eine Fahrtkarte nach Heidelberg erster Klasse kostet 174,–DM, zweiter Klasse kostet 116,–DM und der Intercity-Zuschlag kostet 6,–DM.
2 Er entscheidet sich für die erste Klasse.
3 Der Vorteil ist, daß man nur einmal umsteigen braucht.
4 Der Zug fährt auf Bahnsteig zwölf ab.

Key 2.7

Auf dem Bahnsteig

Herr Denton: Entschuldigen Sie, ist das hier der richtige Bahnsteig für den Zug nach Mannheim?
Bahnbeamter: Ja, da sind Sie richtig, der Zug hat aber etwas Verspätung. Dic fahrplanmäßigc Ankunftszeit war 14.38 Uhr. Er wird wahrscheinlich 15 Minuten Verspätung haben.
Herr Denton: Werde ich in Mannheim dann den Anschlußzug nach München bekommen?
Bahnbeamter: 'ne Viertelstunde wird man dort auf diesen Zug schon warten, aber nicht viel länger.
Herr Denton: Vielen Dank!
Bahnbeamter: Bitt'schön!

Glossar	
die Verspätung (en)	delay
fahrplanmäßig	scheduled
die Ankunftszeit	arrival time
wahrscheinlich	probably
der Anschlußzug (¨e)	connection

1 ob das der richtige Bahnsteig für den Zug nach Mannheim ist.
2 ob er in Mannheim seinen Anschlußzug nach München bekommt.

Key 2.8

Im Zug

Schaffner: Die Fahrausweise, bitte!
Herr Morris: Hier, bitte.
Schaffner: Der IC ist zuschlagpflichtig, wo ist Ihr Zuschlagfahrausweis?
Herr Morris: Das habe ich nicht gewußt.
Schaffner: Dann müssen Sie bei mir nachlösen. 7,–DM.
Herr Morris: Hier, bitte schön! Ich habe da noch eine Frage. Muß ich nach Amsterdam umsteigen, oder fährt dieser Zug durch?
Schaffner: Da sitzen Sie aber im falschen Wagen. Gehen sie zum Wagen 112, das ist der Kurswagen nach Amsterdam. Der wird in Köln an den Zug nach Amsterdam angehängt. Da können Sie dann sitzenbleiben.
Herr Morris: Oh, vielen Dank! Da habe ich ja noch mal Glück gehabt. Hat man dann länger in Köln Aufenthalt, um sich etwas zum Essen zu holen?
Schaffner: Das sind nur fünf Minuten Aufenthalt. Dazu haben Sie keine Zeit, aber der Zug von Köln nach Amsterdam hat einen Speisewagen.
Herr Morris: Danke für die Auskunft.

1 Er hat nicht gewußt, daß der IC zuschlagpflichtig ist.
2 Er bietet ihm an nachzulösen.
(Herr Morris kann bei ihm nachlösen.)
3 Er sitzt im falschen Wagen, weil er nach Amsterdam durchfahren möchte.
4 Der Kurswagen wird in Köln an den Zug nach Amsterdam angehängt.
5 Er möchte wissen, ob er in Köln Aufenthalt hat, weil er sich etwas zum Essen holen möchte.

Key 2.9

1 Der Intercity 572 aus Basel mit Weiterfahrt nach Frankfurt und Hannover, fahrplanmäßige Ankunftszeit 16.48 Uhr, hat voraussichtlich 20 Minuten Verspätung.

Ich wiederhole. Der Intercity 572 aus Basel mit Weiterfahrt nach Frankfurt und Hannover, fahrplanmäßige Ankunftszeit 16.48 Uhr, hat voraussichtlich 20 Minuten Verspätung.

2 Der Eurocity 24 von Würzburg nach Hannover, fahrplanmäßige Ankunft 14.56 Uhr, hat voraussichtlich 15 Minuten Verspätung.

Ich wiederhole. Der Eurocity 24 von Würzburg nach Hannover, fahrplanmäßige Ankunft 14.56 Uhr, hat voraussichtlich 15 Minuten Verspätung.

3 Der verspätete Schnellzug 243 aus Dortmund läuft auf Gleis 12 ein.

Ich wiederhole. Der verspätete Schnellzug 243 aus Dortmund läuft auf Gleis 12 ein. Bitte Vorsicht an der Bahnsteigkante!

4 München Hauptbahnhof. München Hauptbahnhof. Auf Gleis 7 ist eingelaufen der verspätete EuroCity 67 aus Wien. Sie haben Anschluß nach Ingolstadt auf Gleis 5, fahrplanmäßige Abfahrt 17.23 Uhr. Sie haben Anschluß nach Ansbach auf Gleis 11, fahrplanmäßige Abfahrt 17.26 und Anschluß nach Regensburg auf Gleis 14, fahrplanmäßige Abfahrt 17.27 Uhr.

5 Auf Gleis 6 fährt ab der Intercity 146 nach Nürnberg. Türen schließen und Vorsicht an der Bahnsteigkante.

6 Achtung, Achtung! Auf Gleis 9 ist eingelaufen der Intercity 570 aus Basel. Kurswagen 112, 114 und 116 mit Ziel Amsterdam werden hier abgehängt. Ich wiederhole. Auf Gleis 9 ist eingelaufen der Intercity 570 aus Basel. Kurswagen 112, 114 und 116 mit Ziel Amsterdam werden hier abgehängt.

7 Achtung. Der verspätete Schnellzug 204 nach Freiburg, fahrplanmäßige Ankunft 11.29, wird nicht wie angekündigt auf Gleis 3 einfahren, sondern auf Gleis 6.

Achtung! Ich wiederhole. Der verspätete Schnellzug 204 nach Freiburg, fahrplanmäßige Ankunft 11.29, wird nicht wie angekündigt auf Gleis 3 einfahren, sondern auf Gleis 6.

8 Achtung! Bei dem auf Gleis 4 einlaufenden Intercity nach Saarbrücken sind die ersten vier Wagen vollständig reserviert! Bitte steigen Sie nur auf die hinteren Wagen zu.

Ich wiederhole. Bei dem auf Gleis 4 einlaufenden Intercity nach Saarbrücken sind die ersten vier Wagen vollständig reserviert. Bitte steigen Sie nur auf die hinteren Wagen zu.

9 Herr Lambert aus Berlin, könnte Herr Lambert aus Berlin bitte zur Information auf Gleis 3 kommen? Herr Lambert aus Berlin, könnte Herr Lambert aus Berlin bitte zur Information auf Gleis 3 kommen?

10 Hauptbahnhof Köln. Hauptbahnhof Köln. Auf Gleis 7 ist eingelaufen der Eilzug 68 aus Hagen. Der Zug endet hier. Alle Reisenden bitte aussteigen!

Ich wiederhole. Auf Gleis 7 ist eingelaufen der Eilzug 68 aus Hagen. Der Zug endet hier. Alle Reisenden bitte aussteigen!

Zugansagen

1
Zugname: Intercity 572
woher: Basel
wohin: Frankfurt und Hannover
Ankunftszeit: 16.48 Uhr
Bemerkung: 20 Minuten Verspätung

2
Zugname: EuroCity 24
woher: Würzburg
wohin: Hannover
Ankunftszeit: 14.56 Uhr
Bemerkung: 15 Minuten Verspätung

3
Zugname: Schnellzug 243
woher: Dortmund
Gleis: 12
Bemerkung: läuft ein

4
Zugname: EuroCity 67
woher: Wien
wo: München Hauptbahnhof
wohin: Ingolstadt Gleis: 5
wohin: Ansbach Gleis: 11
wohin: Regensburg Gleis: 14

5
Zugname: Intercity 146
wo: Gleis 6
wohin: Nürnberg
Bemerkung: fährt ab

6
Zugname: Intercity 570
woher: Basel
wohin: Amsterdam
Bemerkung: Kurswagen werden abgehängt

7
Zugname: Schnellzug 204
wohin: Freiburg
Ankunftszeit: 11.29 Uhr
Bemerkung: nicht Gleis 3 sondern 6

8
Zugname: Intercity
wo: Gleis 4
wohin: Saarbrücken
Bemerkung: in die hinteren Wagen zusteigen

9
Information: Herr Lambert aus Berlin
zur Information auf Gleis 3!

10
Zugname: Eilzug 68
woher: Hagen
wo: Köln Gleis 7
Bemerkung: Zug endet hier

Key 2.10

Gewohnheit (s)	gewohnheitsmäßig	habitual
Ordnung (s)	ordnungsmäßig	in due order
Kosten	kostenmäßig	costwise
Lieferung (s)	lieferungsmäßig	deliverywise
Zahlung (s)	zahlungsmäßig	paymentwise
Geschäft (s)	geschäftsmäßig	businesswise
Einkommen (s)	einkommensmäßig	incomewise
Verkehr (s)	verkehrsmäßig	trafficwise
Beruf (s)	berufsmäßig	jobwise
Vorschrift (s)	vorschriftsmäßig	correct, proper

Key 2.11

1 Frau Welter vereinbart Termine.
2 Sie nimmt Telefonate entgegen.
3 Peter Kleinschmidt nimmt Aufträge an.
4 Er leitet die Post weiter.
5 Der Angestellte füllt Formulare aus.
6 Die Sekretärin schreibt bei Besprechungen mit.
7 Die Aushilfskraft heftet Unterlagen ab.
8 Die Verkaufsleiterin ruft Kunden zurück.
9 Der Abteilungsleiter empfängt Geschäftspartner.
10 Die Mitarbeiterin bearbeitet eine Bestellung.

Key 2.12

1 Sie übersetzt den Vertrag.
2 Er untergräbt ständig meine Autorität.
3 Herr Brettschneider setzte von Dover nach Ostende über.
4 Der starke Bauarbeiter lief den Auszubildenden um.
5 Sie untersuchen die Marktlage.
6 Sie durchfuhr das neue Industriegebiet.
7 Jeden Morgen umläuft die Managerin fünfmal den Park.
8 Ich unterbrach Ihre Präsentation.

Key 2.13

1 Die Direktorin fährt mit dem Bericht fort.
2 Herr Denton steigt in Köln um.
3 Die Sekretärin wiederholt die Faxnummer.
4 Herr Schneider empfängt Frau Ferney am Bahnhof.
5 Die deutsche Firma nimmt den Auftrag aus England entgegen.
6 Herr Alexander mißversteht den Schaffner.
7 Der Zug läuft gerade im (in den) Hauptbahnhof ein.
8 Das Auto gehört der Leasingfirma.
9 Man unterhält sich mit dem Besuch aus Liverpool.
10 Der LKW fährt heute vom Auslieferungslager ab.

1 Die Direktorin hat (ist) mit dem Bericht fortgefahren.
2 Herr Denton ist in Köln umgestiegen.
3 Die Sekretärin hat die Faxnummer wiederholt.
4 Herr Schneider hat Frau Ferney am Bahnhof empfangen.
5 Die deutsche Firma hat den Auftrag aus England entgegengenommen.

6 Herr Alexander hat den Schaffner mißverstanden.
7 Der Zug ist gerade im Bahnhof eingelaufen.
8 Das Auto hat der Leasingfirma gehört.
9 Man hat sich mit dem Besuch aus Liverpool unterhalten.
10 Der LKW ist heute vom Auslieferungslager abgefahren.

Key 2.14

1 Wir schreiben Ihnen den Betrag gut.
2 Sie lernen ihre ausländischen Geschäftspartner kennen.
3 Sie nimmt an der Verhandlung teil.
4 Er macht sie mit ihm bekannt.
5 Sie gehen im Park zusammen spazieren.

1 Wir haben Ihnen den Betrag gutgeschrieben.
2 Sie haben ihre ausländischen Geschäftspartner kennengelernt.
3 Sie hat an der Verhandlung teilgenommen.
4 Er hat sie mit ihm bekanntgemacht.
5 Sie sind im Park zusammen spazierengegangen.

Key 2.15

zu der (zur), in dem (im), nach dem, zu den, gegenüber dem, zwischen den, bei dem (beim), mit dem, außer dem, neben dem

Key 2.16

auf, auf, zur, vor/hinter, in, ins/zum, ohne, nach, für, durch, zum/ins

Key 3.1

1 zwölf, 2 fünfunddreißig, 3 drei, 4 einunddreißigsten, 5 siebten, 6 achte, 7 fünfzehn, 8 vierundzwanzig, 9 siebzig

Key 3.2

1 The European Single Market was completed in the nineties.
2 The manager of the company is definitely in his forties.
3 The company was founded in 1974.
4 The project costs about three thousand million (*Brit.*)/three billion (*Am.*) marks.
5 The appointment is fixed for the 13th May.
6 The secretary made a few telephone calls.

Key 3.3

1 a, 2 c, 3 d, 4 b, 5 c

Key 3.4

1 The two of them arrived together.
2 The three of them left the meeting.
3 If she arrives with all her colleagues, there will be five of them.

Key 3.5

1 in one and three-quarter hours, 2 in one and a half hours, 3. in two and a half hours

Key 3.6

1 eins Komma zwei fünf Gramm, 2 elf Komma drei sieben zwei Tonnen, 3 eins Komma null fünf Prozent

Key 3.7

(a) achtens, (b) sechzehntens, (c) elftens

Key 3.8

1 Viermal haben wir Ihnen jetzt geschrieben, aber noch keine Antwort erhalten.
2 Ich habe ihre Nummer jetzt zum dritten Mal gewählt.
3 Das ist ungefähr das fünfte Mal, daß ich nach München kommen mußte.

Key 3.9

1 triple, 2 four fold, 3 the sixfold profit, 4 in two copies, in duplicate, 5 in five copies, 6 a fifteenfold increase

Key 3.10

1 null
2 zehn
3 sechzehn
4 einundsechzig
5 siebzig

6 siebenundsiebzig
7 dreiundachtzig
8 sechsundneunzig
9 (ein)hundert
10 vierhundertvierunddreißig
11 siebenhundertneunundzwanzig
12 achthundertachtunddreißig
13 eintausendvierhundertsechsundfünfzig
14 neunzehnhundertachtundneunzig
15 sechsundzwanzigtausendsiebenhundertachtundsechzig
16 zweihundertdreiundneunzigtausendvierhunderteinundsiebzig
17 neunhundertzweiunddreißigtausendvierhundertfünfzehn
18 drei Millionen
19 sieben Millionen fünfhundertfünfundvierzigtausend zweihundertdreizehn
20 vierzehn Millionen fünfhunderttausenddreiundvierzig
21 zwei Komma fünf Gramm
22 drei Komma sieben fünf Liter
23 eins Komma acht neun fünf Tonnen
24 vierzehn Komma sieben fünf Meter
25 null Komma vier neun Zentimeter
26 fünfzig Pfennig
27 zwanzig Pfennig
28 vierzehn Mark achtzig
29 fünfzehn Prozent
30 neunundzwangig Komma eins fünf Prozent
31 zwei dreiviertel
32 sieben Neuntel
33 einhalb
34 siebzehn einhalb

Key 3.11

Exercise: Datum

1 Heute, am 06.04. ist unser Geschäft nur bis 16 Uhr geöffnet.
2 Berlin, den 01.10.1998.
3 Bei dem Termin handelt es sich um den 14.07.
4 In drei Tagen ist der 24.
5 Auf den letzten Arbeitstag, den 31.06. freut sie sich schon lange.

6 Um den 14.04. werde ich nach Manchester fliegen.
7 Ich bin vom 12.06. bis einschließlich 04.07. in Urlaub.
8 Zwischen dem 12. und 14. hat unsere Außenstelle Revision.

Key 3.12

1 Der Eilzug nach Hannover fährt auf Bahnsteig 3 um sechzehn Uhr fünfunddreißig ab.
2 *A:* Wie spät ist es bitte? *B:* Es ist jetzt genau halb drei.
3 Um fünf vor halb eins habe ich ihn gesehen.
4 Wir treffen uns also um viertel vor acht.
5 Es ist acht Minuten vor sieben.
6 Die Besprechung beginnt um viertel nach zehn.
7 Mein Flug ist um dreiundzwanzig Uhr zweiundfünfzig.
8 Der Anruf kam genau um drei Minuten nach halb sechs durch.
9 Ihre Uhr steht auf viertel vor zwölf. Sie geht aber fünf Minuten vor.
10 Ich weiß, daß diese Uhr zehn Minuten nachgeht. Auf ihr ist es halb drei.

1(b), 2(a), 3(d), 4(b), 5(c), 6(d), 7(b), 8(b), 9(a), 10(d)

Key 3.13

1 Siebzehn minus sieben gleich ...
2 Drei mal vier macht ...
3 Zehn geteilt durch zwei Komma fünf ist ...
4 Sechzehn und drei ist ...
5 Vierundzwanzig dividiert durch sechs gleich ...
6 Drei dreiviertel weniger fünf viertel macht ...
7 Neun multipiziert mit drei gleich ...
8 Sieben achtel plus fünf achtel macht ...

1(a), 2(c), 3(c), 4(b), 5(b), 6(d), 7(a), 8(d)

Key 3.14

1 Auf diese (4322) viertausenddreihundertzweiundzwanzig gebe ich Ihnen (100) einhundert Mark Rabatt.
2 Das macht zweihundert (200) D-Mark netto. Dazu kommen natürlich fünfzehn (15) Prozent Mehrwertsteuer.
3 Bei Barbezahlung bekommen Sie einen Skonto von drei Prozent, d.h. Sie können drei Prozent vom Kaufpreis von 2000,– DM abziehen.

4 Sie bestellen also 20 000 Stück à 35 Pfennig, 10 000 Stück à 55 Pfennig und 15 000 à 1,– DM. Der Gesamtpreis beträgt also:
5 *A:* Kosten die Batterien Alpha noch immer vier Mark zwanzig pro Stück? *B:* Nein, der Preis ist um zehn Prozent gestiegen.
6 Die Inflationsrate ist von 7,3% um 0,8 Prozentpunkte gefallen.

1(d), 2(c), 3(c), 4(a), 5(b), 6(a)

Key 3.15

1 falsch, 2 richtig, 3 richtig, 4 falsch, 5 richtig, 6 richtig

Key 4.1

1 Frau Burgmeister möchte Herrn Ballard heute abend zum Essen einladen.
2 Heute abend hat Herr Ballard nichts vor.
3 Er hat bislang die internationale Küche probiert.
4 Sie will schnell einen Tisch reservieren.
5 Frau Burgmeister reserviert einen Tisch für acht Uhr.
6 Frau Burgmeister holt Herrn Ballard mit dem Taxi ab.

Key 4.2

poultry	Geflügel	das (*no pl.*)
fish	Fisch	der (e)
game	Wild	das (*no pl.*)
dessert	Nachspeise	die (n)
soups	Suppen	die Suppe (n)
veal	Kalbfleisch	das (*no pl.*)
beef	Rindfleisch	das (*no pl.*)
starters	Vorspeisen	die (n)
escalope of pork	Schnitzel	das (-)
French fries	Pommes frites	die
mushrooms	Champignons	der Champignon (s)
sweet and sour	süß-sauer	
onions	Zwiebeln	die Zwiebel (n)
green salad	Salat	der (e)
vegetables	Gemüse	das (*no pl.*)
whipped cream	Sahne	die (*no pl.*)
trout	Forelle	die (n)

ice cream	Eis	das (zwei Eis)
pepper sauce	Pfefferrahmsoße	die (n)
ginger	Ingwer	der (*no pl.*)
salmon	Lachs	der (e)
apple sauce	Apfelmus	das (*no pl.*)
boiled potatoes	Salzkartoffeln	die Kartoffel (n)
smoked	geräuchert	
red cabbage	Rotkraut/Rotkohl	das Kraut (*no pl.*), der Kohl (*no pl.*)
fruit	Früchte	die Frucht (¨e)
hot, spicy	scharf	
hot	heiß	
asparagus	Spargel	der (*no pl.*)
saddle of hare	Hasenrücken	der (-)
larded	gespickt	
peach	Pfirsich	der (e)
bouillon	Fleischsuppe	die (n)
piquant, spicy	pikant	
cranberry	Preiselbeeren	die Beere (n)
chicken	Hähnchen	das (-)
sausage	Würstchen	das (-)
cherries	Kirschen	die Kirsche (n)
young chicken	Poularde	die (n)
genuine	echt	
chicken soup	Hühnersuppe	die (n)
sole	Seezunge	die (n)
saddle of veal	Kalbsrücken	der (-)
venison stew	Hirschgulasch	der/das Gulasch (*no pl.*)
fruit sauce for game	Wildkompott	das (e)

Key 4.3

1 Sie fährt mit dem Taxi, um ihn vom Hotel abzuholen.
2 Sie kommen zum Restaurant, ohne mit seinem Auto zu fahren.
3 Sie bestellen schon etwas zu trinken, ohne die Speisekarte gesehen zu haben.
4 Frau Burgmeister ruft den Kellner, um die Speisekarte zu sehen.
5 Sie begleichen die Rechnung, anstatt einen Kaffee zu bestellen.
6 Der Kellner geht weg, um eine Quittung zu schreiben.

Key 4.4

ausgezeichnet	1
miserabel	10
lecker	3
hervorragend	1
mies	9
unter aller Kritik	10
köstlich	2
ordentlich	4
ungenießbar	10
mittelmäßig	5
delikat	2
abscheulich	10
exquisit	2
mäßig	7
durchschnittlich	5
superb	1
exzellent	1

Key 4.5

1 teurer, am teuersten
2 zarter, am zartesten
3 schärfer, am schärfsten
4 lieber, am liebsten
5 köstlicher, am köstlichsten
6 preiswerter, am preiswertesten

Key 4.6

1. sorgfältiger, 2. detaillierter, 3. höflicher, 4. deutlicher, 5. vorsichtiger, 6. günstiger, 7. früher, 8. besser

Key 4.7

1 Da kann ich Ihnen das Hors d'œuvre „Laurweg" empfehlen.
2 Wie wäre es denn mit dem Zanderfilet in Hummersauce?
3 Da kann ich Ihnen die glasierte Jungschweinshaxe empfehlen.
4 Wie wäre es denn mit dem Schwarzwälder Kirschbecher?

Key 4.9

Parkrestaurant: Parkrestaurant, guten Morgen!

Frau Häusler: Guten Morgen! Mein Name ist Häusler, von der Firma Nagel. Ich habe von Ihnen heute Ihre Speisekarte zugeschickt bekommen. Wir möchten ja am 30.04. in Ihrem Restaurant mit einer Gesellschaft von 12 Personen zu Abend essen.

Parkrestaurant: Ja, ich habe Sie schon für den Abend vorgemerkt.

Frau Häusler: Was ist denn die Vorspeise „Hors d'œuvre Laurweg"?

Parkrestaurant: Es handelt sich um Riesenchampignons gefüllt mit Kalbfleisch und mit Käse überbacken auf einer Salatplatte. Sehr zu empfehlen!

Frau Häusler: Gut, wir nehmen das. Was können Sie mir denn als Hauptgericht vorschlagen?

Parkrestaurant: Wie wäre es mit der Filetplatte „Laurweg" mit verschiedenen Saucen, verschiedenen Gemüsen und zwei Beilagen.

Frau Häusler: Das klingt sehr verlockend. Sehr schön, nehmen wir das. Könnte sich nicht jeder den Nachtisch selber aussuchen? Das wäre mir lieber.

Parkrestaurant: Natürlich, das geht.

Frau Häusler: Vielen Dank, dann sehe ich Sie am 30. Auf Wiederhören!

Parkrestaurant: Vielen Dank! Auf Wiederhören!

1 Das Restaurant hat ihr die Speisekarte geschickt.
2 Sie möchte mit einer Gesellschaft von 12 Personen zu Abend essen.
3 Die Champignons sind mit Kalbfleisch gefüllt und mit Käse überbacken.
4 Als Hauptgericht gibt es Filetplatte „Laurweg" mit verschiedenen Saucen und Gemüsen.
5 Den Nachtisch kann sich jeder selbst aussuchen.

Key 4.10

die romantische Gaststätte, dazu (mit) Nudeln, Salatschüssel, Hähnchenbrust mit Reiseinlage, telefonische Bestellung, Rinderroulade mit Rotkohl, knackige Salate, bis fünf Uhr früh, eine außergewöhnliche Delikatesse

Key 4.11

Mittags in einer Gaststätte

Frau Hülsdorf: Bevor wir den nächsten Kunden treffen, lassen Sie uns doch noch schnell zu Mittag essen. Mit vollem Bauch läßt sich besser verhandeln.

Frau Turbey: Haben Sie denn eine Idee, wo wir hier mitten in der Stadt schnell etwas zu essen bekommen?

Frau Hülsdorf: Da um die Ecke gibt es eine preiswerte Gaststätte, lassen Sie es uns einmal da versuchen.

(Am Tisch)

Frau Hülsdorf: Das sieht doch ganz anständig aus. Hier schauen Sie sich die Karte an! Ich habe Heißhunger auf eine Kohlroulade und Sie?

Frau Turbey: Ich möcht' gern den Rinderbraten.

(Etwas später)

Frau Hülsdorf: Bitte schön! Können wir bitte zahlen?

Kellner: Getrennt oder zusammen?

Frau Hülsdorf: Getrennt bitte. Ich hatte eine Kohlroulade, ein Mineralwasser und ein kleines Bier.

Kellner: Das macht 9,50.

Frau Hülsdorf: Hier sind elf. Vielen Dank!

Kellner: Danke schön! Und bei Ihnen, Rinderbraten und zwei Mineralwasser. 12 Mark 70.

Frau Turbey: 14 Mark, stimmt so.

Kellner: Vielen Dank! Auf Wiedersehn!

Glossar

der Bauch (¨e)	stomach
verhandeln	negotiate
mitten	in the middle of
die Ecke (n)	corner
preiswert	reasonable, inexpensive
versuchen	try
anständig	*here:* all right
der Heißhunger (*no pl.*)	craving for
getrennt	separate
zusammen	together
das macht ...	that makes
stimmt so	keep the change

1 Sie treffen den nächsten Kunden.
2 Sie befinden sich mitten in der Stadt.
3 Sie suchen eine preiswerte Gaststätte.
4 Frau Hülsdorf entscheidet sich für eine Kohlroulade und Frau Turbey für den Rinderbraten.
5 Sie bezahlen getrennt.
6 Ihr Essen kostet 9,50 DM.
7 Sie gibt 1,30 DM Trinkgeld.

Key 4.12

1 herüber, 2 hinunter, abwärts, 3 hinauf, aufwärts, 4 dort drüben, da drüben, 5 hinten links, 6 herüber, 7 vorne rechts, 8 nach draußen

Key 4.13

Portier: Guten Abend! Kann ich Ihnen helfen?
Herr Lane: Guten Abend! Können Sie mir ein gutes und nicht zu teures Restaurant empfehlen?
Portier: Hier haben Sie eine Restaurantliste. Hier auf der rechten Seite sehen Sie die gutbürgerlichen Restaurants, d.h. hier werden hauptsächlich deutsche Gerichte serviert.
Herr Lane: Ja, das ist interessant. Internationale Küche kann ich auch zu Hause haben. Hier in Hamburg würde ich lieber Fisch essen.
Portier: Da kann ich Ihnen das „Schiffchen" empfehlen.
Herr Lane: Vielen Dank! Können Sie mir bitte ein Taxi rufen?

Key 4.14

Im Café
Zwei Geschäftskolleginnen nachmittags

Frau Riemer: Was halten Sie davon, in eine Konditorei zu gehen und ein Stück Kuchen zu essen?
Frau McCormack: Das ist eine gute Idee. Was ist eigentlich der Unterschied zwischen einer Bäckerei, einer Konditorei und einem Café?
Frau Riemer: In einer Bäckerei werden Brot, Brötchen und auch Gebäck verkauft, in einer Konditorei werden Kuchen gebacken und verkauft und in einem Café kann man an Tischen sitzen und Kaffee trinken und Kuchen essen. Aber die meisten Konditoreien haben jetzt auch ein Café.

Frau McCormack: Also nichts wie rein.

(Im Café)

Frau Riemer: So, jetzt haben wir einen Tisch ausgesucht. Und nun suchen wir uns an der Theke den Kuchen aus.
Frau McCormack: Wie? Macht man das immer so?
Frau Riemer: Man kann natürlich auch einfach am Tisch bestellen. Aber man will doch sehen, was es für eine Auswahl gibt.

(An der Theke)

Bedienung: Was möchten die Damen?
Frau Riemer: Ein Stück Mocca-Sahne-Torte, bitte.
Frau McCormack: Das sieht aber lecker aus. Wie heißt denn diese Torte?
Bedienung: Das ist Herren-Torte.
Frau McCormack: Das hätte ich gerne.
Bedienung: Das sind Ihre Bons. Geben Sie sie bitte der Bedienung am Tisch!

(Am Tisch)

Bedienung: Was darf es sein?
Frau Riemer: Kaffee, bitte! Und hier sind unsere Bons.
Bedienung: Wir servieren nur Kännchen Kaffee, ist das recht?
Frau Riemer: Ja, gut.
Frau McCormack: Für mich bitte eine Schokolade mit Sahne.
Bedienung: Vielen Dank!

1 Sie macht den Vorschlag, in eine Konditorei zu gehen und ein Stück Kuchen zu essen.
2 In einer Bäckerei wird Brot, Brötchen und Gebäck verkauft und in einer Konditorei Kuchen.
3 Sie suchen den Kuchen an der Theke aus.
4 Sie geben die Bons der Bedienung am Tisch.
5 Sie kann keine Tasse Kaffee bekommen, weil die Konditorei nur Kännchen Kaffee serviert.

Key 4.15

1 kalt, 2 trocken, 3 verdorben, 4 sauer, 5 versalzen, 6 ranzig, 7 schimmelig, 8 zu weich, 9 zäh, 10 verkohlt, 11 lauwarm, 12 verbrannt, 13 sauer, 14 hart, 15 fettig

Key 4.16

1 Der Rinderbraten ist teurer als die Kohlroulade.
2 Die Salatschüssel ist verlockender als die Tomatensuppe.
3 Die Bedienung im Steigenberger Hotel ist höflicher als im Restaurant Europa.
4 Ich habe morgens eine Käseplatte lieber als eine Wurstplatte.
5 Die Mittagspause in einem Café zu verbringen ist viel angenehmer als in eine Kneipe zu gehen.

Key 4.17

1 Das T-Bone Steak ist so zart wie das Filet Mignon.
2 Die Gaststätte „Zur Post“ ist so gemütlich wie der Gasthof „Sonnenblick“.
3 Die Geschäftsräume der Firma Korff sind so groß wie erwartet.
4 Das Essen ist so reichlich wie Frau Burgmeister vorhergesagt hat.
5 Die Taxifahrt dauerte so lange wie die Busfahrt.

Key 4.18

1(b), 2(e), 3(d), 4(c), 5(f), 6(a)

Key 5.1

1 Krause am Apparat.
2 Einen Moment bitte, ich verbinde.
3 Frau Gebhardt ist in einer Besprechung.
4 Möchten Sie mit irgend jemand anders sprechen?
5 Können Sie später wieder anrufen?
6 Wann wird sie erreichbar sein?
7 Auf Wiederhören!

Key 5.2

1 Ich hatte eben schon mal angerufen.
2 Es tut mir sehr leid, aber sie kann augenblicklich Ihr Gespräch nicht annehmen.
3 Sie wird Sie dann zurückrufen.
4 Lassen Sie sich von der Vermittlung verbinden!

Key 5.3

1 Könnten Sie etwas lauter sprechen?
2 Die Leitung ist sehr schlecht.
3 Mit wem möchten Sie denn sprechen?
4 Bleiben Sie am Apparat.
5 Ich stelle Sie sofort durch.
6 Entschuldigen Sie bitte die Umstände.
7 Um was geht es denn?

Key 5.4

1 Ich möchte bitte mit ... sprechen.
2 Könnten Sie Ihren Nachnamen bitte buchstabieren.
3 Er ist gegenwärtig nicht in seinem Büro.
4 Kann seine Sekretärin Ihnen helfen?
5 Es ist sehr dringend.
6 Ich habe keine Ahnung ...

Key 5.5

1 Dann rufe ich Sie demnächst noch einmal an.
2 Vielen Dank für Ihre Zeit.
3 Ich habe mich gefreut, von Ihnen zu hören.

Key 5.6

1 Das wäre aber sehr freundlich von Ihnen.
2 Könnten Sie mir ... faxen.
3 Auf baldiges Wiedersehen!

Key 5.7

1 Nur wenn es nicht länger als eine Stunde dauert.
2 Ich denke schon, aber ich muß erst in meinem Terminkalender nachsehen.
3 Im Prinzip ja, aber Sie müssen sich vorher offiziell bewerben.
4 Sicherlich, wenn Sie im Nichtraucherabteil Platz nehmen.
5 Das läßt sich einrichten, wenn Sie mir rechtzeitig Bescheid geben.

Key 5.8

1 Dies ist der Anrufbeantworter von *Matthias Frisch*. Ich bin zur Zeit nicht im *Hause*. Wenn Sie eine *Nachricht* übermitteln wollen, sprechen Sie bitte nach *dem Ton* und hinterlassen *Ihren Namen* und Ihre *Telefonnummer*. (*Tüüt*)

2 Hier ist die Im- und Export*agentur* Hellbig. Wir können leider im Moment Ihren *Anruf* nicht entgegennehmen. Sprechen Sie bitte Ihren Namen und Ihre *Telefonnummer* auf den Anrufbeantworter und hinterlassen eventuell eine Nachricht. Wir werden Sie dann *zurückrufen*. Vielen Dank! – Sprechen Sie bitte *nach dem Ton*. (*Tüüt*)

Key 5.9

1 Mein Name ist *Uwe Klausberg*. Ich bin von der *Firma* Kloppenburg *GmbH* in *Bremen*. Ich bestätige, daß ich am *Montag*, den *17.04.* bei Ihnen in Glasgow ankommen werde. Meine *Flugnummer* ist BA 237, die *Ankunftszeit* 10.45 Uhr. Ich *erwarte* Sie am Flughafen. Ich bleibe drei *Nächte*. Könnten Sie mir noch schnell den *Namen* des für mich gebuchten Hotels durchgeben, per *Fax*, *Telex* oder *Telefon*? Für den Notfall meine *private* Telefonnummer: Bremen 49 53 27 1. Bitte *informieren* Sie Herrn Clifford von meinen *Plänen*. Vielen Dank! Auf Wiederhören!

2 Hier spricht Frau Potgorski von der Firma Neumann, Stuttgart. Ich buchstabiere meinen Namen: P–O–T–G–O–R–S–K–I. Ich habe soeben Ihre Sendung erhalten. Einige der Keramikwaren sind jedoch während des Transports zu Bruch gegangen. Können Sie bitte sofort Ersatz liefern. Es handelt sich um die folgenden Teile: 25 Tassen Nr 48, 12 Untertassen Nr 71 und 15 Eierbecher weißblau. Ich werde Ihnen den Schadensbericht für die Versicherung zuschicken. Ich erwarte Ihre baldige Lieferung. Auf Wiederhören!

Name des Anrufers: *Frau Potgorski*
Name der Firma: *Firma Neumann*
Informationen:
(a) Sendung *erhalten*
(b) Keramikwaren sind *während des Transports zu Bruch gegangen.*
(c) Liefern Sie bitte *Ersatz*
(d) Folgende Teile: *25* Tassen Nr *48*
12 Untertassen Nr *71*
15 Eierbecher *weißblau*

(e) Schadensbericht für die *Versicherung* wird zugeschickt.
(f) *Baldige* Lieferung wird erwartet

3 Hier spricht der Fahrer des *Transportunternehmens* Grashoff. Ich bin mit meinem *LKW* auf dem Weg zu Ihnen nach Birmingham. Mein Wagen hat einen *Motorschaden*, und ich stehe auf der M20 hinter Canterbury. Der Wagen wird *später* von hier abgeschleppt zur *nächsten* Werkstatt. Ich werde Sie *morgen* mittag anrufen und Bescheid geben, wann ich mit *der Ladung* bei Ihnen sein kann. Könnten Sie bitte auch *meine Firma* in Friedrichstadt anrufen und informieren? Die Nummer ist *83 92 55*. Vielen Dank!

4 Häusler am Apparat. Leider können wir Ihre Bestellung nicht entgegennehmen, da wir die von Ihnen bestellten Maschinen nicht mehr herstellen. Wir können Sie aber an ein befreundetes Unternehmen weiterleiten, die ähnliche Maschinen herstellen. Ich gebe Ihnen jetzt den Namen und die Adresse: Schwerdtmüller GmbH, Großdorfstr. 36, 5000 Köln. Ich buchstabiere Schwerdtmüller: S–C–H–W–E–R–D–T–M–U–Umlaut–L–L–E–R, Großdorfstr. G–R–O–ß–D–O–R–F Straße 36, 5000 Köln, K–O–Umlaut–L–N, 41. Ich werde Ihnen diese Angaben auch schriftlich zukommen lassen. Auf Wiederhören!

Name der Firma:	*Firma Häusler*
Bestellung:	*können Bestellung nicht entgegennehmen*
Maschinen:	*stellen Maschinen nicht mehr her*
Name des Unternehmens:	*Schwerdtmüller GmbH*
Adresse:	*Großdorfstraße 36* *5000 Köln 41*

5 Frau Sykes, hier spricht Iris Dratt. D–R–A–T–T. Ich habe für Sie hier in Frankfurt ein Zimmer mit Bad im Hotel Vierjahreszeiten reserviert für den 7. bis 12.09, das heißt für fünf Übernachtungen. Frühstück ist eingeschlossen. Ich erwarte Sie dann am 08.09. um 09:30 Uhr in meinem Büro. Für den Fall, daß Sie irgendwelche Probleme haben, gebe ich Ihnen meine Privatnummer: 45 32 92 3. Ich werde inzwischen die Verträge vorbereiten. Bis nächste Woche dann. Auf Wiederhören!

Name des Sprechers:	*Iris Dratt*
Name des Empfängers:	*Frau Sykes*
Details der Reservierung:	*1 Zimmer mit Bad, Hotel Vierjahreszeiten, Frankfurt*

	7. – 12.09 für 5 Übernachtungen
Terminvereinbarung:	*08.09. um 09:30 Uhr in Frau Dratts Büro*
Privatnummer:	*45 32 92 3*

6 Herr Walton. Hier Dr. Hirsch von Papier Fosche. Die Zahlen, die Sie für Ihre morgige Präsentation brauchen, sind überholt. Ich gebe Ihnen jetzt die aktuellsten Daten durch: Verkauf Inland 23,1 Millionen im ersten Halbjahr, Verkauf Ausland 17,3 Millionen. Mitarbeiter im Hauptwerk 328, in der Zweigstelle Nord 52 und Zweigstelle Süd 73. Die Preisveränderung Einkauf betrug in den letzten drei Monaten des Vorjahres 3,8 Prozent. Die produzierten Stückzahlen sehen momentan folgendermaßen aus: Modell HO 298: 52 000 Stück, Modell HO 325: 34 000 und Modell HO 412: 11 000.

Name des Sprechers:	*Dr. Hirsch*
Name der Firma:	*Papier Fosche*
Name des Empfängers:	*Herr Walton*
Information:	*Zahlen für Präsentation überholt* *aktuellste Daten:* *Verkauf Inland 23,1 Mill. im 1. Halbjahr,* *Verkauf Ausland 17,3 Mill.* *Mitarbeiter im Hauptwerk 328,* *Zweigstelle Nord 52, Süd 73,* *Preisveränderung Einkauf 3,8%* *in den letzten drei Monaten des Vorjahres,* *Stückzahlen: Modell HO 298: 52 000,* *Modell HO 325: 34 000,* *Modell HO 412: 11 000.*

Key 5.10

Frau Karpuste	: Guten Tag! Karpuste am Apparat.
Sie	: Guten Tag! Mein Name ist Brian Frost.
Frau Karpuste	: Wie kann ich Ihnen helfen?
Sie	: Kann ich bitte Herrn Franzen sprechen?
Frau Karpuste	: Welche Abteilung ist das bitte?
Sie	: Er arbeitet in der Verkaufsabteilung.
Frau Karpuste	: Könnten Sie bitte Ihren Namen buchstabieren?
Sie	: F–R–O–S–T
Frau Karpuste	: Vielen Dank! Bleiben Sie bitte am Hörer.
Sie	: Gut, ich bleibe am Hörer.

Frau Karpuste : Ich höre gerade, daß Herr Franzen nicht im Hause ist.
Sie : Könnte ich dann bitte mit einem anderen Mitarbeiter aus der Verkaufsabteilung sprechen?
Frau Karpuste : Sie können mit Frau Huber sprechen, sie arbeitet mit Herrn Franzen zusammen.
Sie : Gut, ich möchte dann bitte mit Frau Huber sprechen.
Frau Huber : Guten Tag! Huber, Verkaufsabteilung.
Sie : Guten Tag! Brian Frost von der Firma Browns Ltd.
Frau Huber : Wie kann ich Ihnen helfen?
Sie : Wir hatten vor einem Jahr Geschäftsbeziehungen mit Ihnen.
Frau Huber : In welcher Branche sind Sie denn tätig?
Sie : Wir sind in der Lebensmittelbranche tätig.
Frau Huber : Und was für Produkte hatten Sie bei uns eingekauft?
Sie : Das waren vor allem Schokoladenprodukte.
Sie : Ich wollte Sie fragen, ob Sie noch Schokoletten und Pralinen herstellen.
Frau Huber : Ja, wir haben aber auch neue Sorten dazu im Angebot. Soll ich Ihnen einen Prospekt schicken?
Sie : Ja, bitte, und schicken Sie uns auch eine Preisliste!
Frau Huber : Geben Sie mir bitte Ihre Adresse!
Sie : 55 Argyle Road, Birmingham B12 5PT.
Frau Huber : Können Sie bitte die Straße und den Ort buchstabieren?
Sie : Argyle: A–R–G–Y–L–E, Birmingham: B–I–R–M–I–N–G–H–A–M.
Frau Huber : Vielen Dank! Ich schicke Ihnen alles zu. Auf Wiederhören, Herr Frost!
Sie : Vielen Dank! Auf Wiederhören, Frau Huber!

Key 5.11

tomorrow	morgen
hitherto	bisher
later	später
	nachher
always	immer
	stets
at any time	jederzeit
recently	neulich
	kürzlich

never	nie
	niemals
at once	sofort
	sogleich
soon	bald
	demnächst
now	jetzt
	nun
afterwards	danach
just (present)	gerade
just (past)	soeben
	eben
since	seither
first of all	zunächst
in the first place, at first	zuerst
	erst
yesterday	gestern
the day after tomorrow	übermorgen
at the moment	momentan
	augenblicklich
	gegenwärtig
	derzeit
for the time being	vorerst
once again	nochmals
often	oft
	häufig
finally	zuletzt
	schließlich
meanwhile	inzwischen
again	wieder
already	bereits
	schon
before	vorher
today	heute
then, in those days	damals
the day before yesterday	vorgestern
several times	mehrmals
earlier on	vorhin
in the past	früher

Key 5.12

1 Bisher, 2 momentan, augenblicklich, gegenwärtig, derzeit, 3 erst, zuerst, 4 Vorerst, 5 soeben, eben, gerade 6 jederzeit, 7 Seither, 8 bald, demnächst, 9 inzwischen, 10 nochmals

Key 5.13

1 the yearly check-up
2 an interview lasting half an hour
3 the journal appearing five times a week
4 the ten-hour flight
5 the three-day-long conference

Key 5.14

1 dreistündige, 2 sechsmonatige, 3 jährlich, 4 täglich, 5 zwanzigjähriges

Key 5.15

im Hotel
sehr bequem
aber ziemlich teuer

mit dem Münzfernsprecher
Kleingeld parat haben

mit dem Kartentelefon
bei der Post kaufen
entweder 12,– oder 24,– DM

in der Post
mehrere Telefonzellen
eine Leitung herstellen lassen
am Schalter bezahlen
braucht kein Kleingeld

Key 5.16

1	2	3
nach Italien	in den Niederlanden	nach Italien
in die Schweiz	in der Türkei	nach Paris
nach Norwegen	in Kanada	in die USA
in die USA	in Irland	nach Griechenland
nach Jugoslawien	im Jemen	in den Irak
in den Kongo	in Moskau	nach Dänemark
in die GUS	in der GUS	nach Prag
in die Bundesrepublik	in den USA	nach Ungarn
in den Iran	in Manchester	nach Schottland
nach Frankreich	im Tschad	in die Schweiz

Key 5.17

(a) 0 41 41/ 1 11 75
(b) 0 53 61/ 45 02 82
(c) 07 51/ 4 44 39
(d) 0 69/ 92 70 07 Durchwahl 235
(e) 06 21/ 88 52 06
(f) 0 51 05/ 2 48 90 Durchwahl 101
(g) 07 91/ 75 29 55
(h) 0 22 41/ 99 93 33

Key 5.18

1 telephone, 2 receiver, 3 push button, 4 coin-box phone, 5 charge display, 6 cordless telephone, 7 dial

Key 5.19

1 durchstellen	put through
2 die Leitung halten	hold the line
3 anwählen	dial
4 ein Gespräch annehmen	accept/take a call
5 „kein Anschluß unter dieser Nummer"	wrong number
6 besetzt	engaged/busy
7 anrufen	to phone, ring
8 die Durchwahlnummer	extension
9 der Nebenstellenanschluß	extension
10 das Telefonbuch	telephone book
11 keine gute Verbindung haben	have a bad line
12 die Teilnehmernummer	telephone number
13 der Anschluß	telephone connection
14 die Telefonauskunft	directory enquiries
15 die Gebühren	charges
16 das Fernmeldeamt	telecommunications office
17 die Vorwahlnummer	area code
18 der Ansagedienst	recorded messages
19 die Gelben Seiten	'Yellow Pages'
20 wählen	dial
21 das Telefonat	telephone call
22 fernmündlich	over the telephone

Key 5.20

1 Telefonbuch, die Telefonauskunft
2 den Gelben Seiten
3 wählt/anwählt, Kein Anschluß unter dieser Nummer
4 den Ansagedienst
5 Telefonat
6 nehme . . . an
7 Vorwahl/Vorwahlnummer
8 eine schlechte Leitung

Key 5.21

1(e), 2(c), 3(f), 4(b), 5(a), 6(d)

Key 5.22

1 komme . . . durch, 2 zurückrufen, 3 durchstellen, 4 nimmt . . . ab, 5 heraussuchen, 6 aufgegeben, 7 aufgelegt, 8 unterbrochen, 9 umleiten, 10 am Apparat bleiben

Key 5.23

A: Manchmal mache ich mir Notizen. Besonders, wenn es um Zahlen und Termine geht. Wenn ich einen Kunden anrufe, habe ich meistens unsere Prospekte, die Preisliste und einen Taschenrechner parat.
B: Ich mache besonders viele Anrufe ins Ausland. Da bereite ich den Anruf vorher vor. Ich schreibe mir einige Vokabel auch auf ein Blatt Papier, bzw. ich liste alle Punkte auf (in der Fremdsprache) und in der richtigen Reihenfolge. D.h. ich habe ein kleines Skript vor mir, und ja, die meisten Begriffe sind in Englisch oder Französisch.
C: Als ich jünger und unerfahren war, hab' ich mir zum Teil alle Punkte aufgeschrieben und zwischen meinen Fragen oder Stichworten Platz gelassen für mögliche Antworten oder Informationen. Wenn man älter wird, wird man dann auch routinierter in solchen Dingen. Wenn das Gespräch aber sehr wichtig ist, mach' ich mir vorher noch ein paar Stichworte.

1. C, 2. B, 3. C, 4. A, 5. B, C 6. A

Key 5.24

length of communication, off-peak charge, short distance call, unit, local call, standard charge, long-distance call, tariff bands

Key 5.25

1 Ortsgesprächen und Nahgesprächen, Ferngespräche, 2 Tarifentfernungen, 3 Gebühreneinheit, 4 Normaltarif, Billigtarif, 5 Sprechdauer

Key 6.1

Übertragung, Schriftzeichen, Umlaute, niedrigen, erreichen, einholen, aufgeben, bestätigen, Fristen

Key 6.2

weltweit möglich, die Produktabbildung, einfach in der Bedienung, die Vorlage, dezidiert, der Bote, unabhängig, universell einsetzbar, der Dienst, bloße Notizen

Key 6.3

Zeichnungen und Pläne, Anzeigen, Urkunden, Grundrisse, Diagramme, erste Entwürfe, Angebote und Bestellungen

Key 6.4

1 Mit Teletex kann man Geschäftsbriefe, Formulare, Tabellen, wissenschaftliche Formeln oder fremdsprachliche Texte übertragen.
2 Es hat den Vorteil, daß man die Schrift- und Sonderzeichen fast aller Länder empfangen kann.
3 Man kann die vorhandene Telefonanlage benutzen.
4 Der Geschäftspartner braucht nicht anwesend zu sein, weil das Teletexgerät speichern kann.
5 Bilder und Graphiken können nicht übertragen werden.

Key 6.5

einen Dialog, Informationen, Rechner, Farbe, Verfügung, Sekundenschnelle

Key 6.6

	Tx	Tfx	Ttx	Btx
Übertragungszeit	A4 in 5 Min	A4 in 1 bis 3 Min	A4 in 10 Sek.	in Sekundenschnelle
Zeichenbegrenzung	keine Umlaute	keine	309 Zeichen, fast alle Länder	unbegrenzt (Farbe und Veränderungsmöglichkeiten)
Vorteil	große Reichweite	Authentizität/ unabhängig von Boten	unabhängig von der Anwesenheit des Geschäftspartners, weltweit	allen Teilnehmern zugänglich
Handhabung	leicht	einfach, per Telefon und Fernkopierer	nicht ganz leicht: über Computerspeicher	Fernsehgerät, Telefon plus Decoder
Benutzer	Geschäftsleute	Konstruktionsbüros, Verlage, Anwälte, Makler, Architekten, Wissenschaftler, Techniker, Designer, Einkaufs- und Verkaufsabteilungen	jedes Büro, jede Abteilung, jede Branche	Bahn, Bank, Teleshopping, Theater
Internationaler Trend	anhaltend bis abnehmend	zunehmend	steigend	stark zunehmend

Key 6.7

Teletranslating	elektronisch	Nutzung	sauber	Übersetzungsbüro
computergestützter	überlastet	Nachrichtenübermittlungsdienste		
Abteilung	Adressaten	kooperierenden	Übersetzer	

Teleprinting	Telefonleitung	Anlage	diktiert	außer Haus
Preisliste	Druckerei	kostengünstiger	gesetzt	

Kurzbericht
Hiermit möchte ich Ihnen noch ein paar Beispiele für die *Nutzung* der elektronischen *Nachrichtenübermittlungsdienste* geben: Teletranslating. Gerade kleine Firmen können sich keinen eigenen *Übersetzer* leisten, und bei größeren Firmen ist diese *Abteilung* oft *überlastet*. Wenn dann schnell ein Brief übersetzt werden muß, kann man diesen *elektronisch* an das *Übersetzungsbüro* senden. Diese mit uns *kooperierenden* Übersetzer arbeiten bereits mit *computergestützter* Übersetzung, so daß der Text oft schon nach einer Stunde *sauber* übersetzt zurückkommt oder gleich an den *Adressaten* per Telex versandt werden kann.

Oder Teleprinting: Nehmen Sie zum Beispiel diese *Preisliste* hier. Sie wurde *diktiert* und mit unserem Computer geschrieben. Sie kann dann sofort an eine angeschlossene *Druckerei* einfach per *Telefonleitung* gesandt und elektronisch *gesetzt* und gedruckt werden. Wenn Sie so wollen, kann man das Desktop Publishing *außer Haus* nennen, und das ist in den meisten Fällen *kostengünstiger* als eine eigene *Anlage*.

Key 6.8

die Kommunikation	kommunizieren
die Bedeutung	bedeuten
die Handhabung	handhaben
der Standard	standardisieren
die Zahl	zählen
die Benutzung	benutzen
die Übertragung	übertragen
die Nachricht	benachrichtigen

die Eingabe	eingeben
das Angebot	anbieten
die Bestellung	bestellen
die Bestätigung	bestätigen
die Übermittlung	übermitteln
der Kopierer	kopieren
der Empfänger	empfangen
die Zeichnung	zeichnen
die Abbildung	abbilden
die Beschreibung	beschreiben
die Durchsetzung	durchsetzen
der Einsatz	einsetzen
die Bedienung	bedienen
der Besitz	besitzen
der Zusteller	zustellen
die Konstruktion	konstruieren
der Plan	planen
der Verlag	verlegen
das Design	designen
der Entwurf	entwerfen
der Einkauf	einkaufen
der Betrag	betragen
der Speicher	speichern
die Unterbrechung	unterbrechen
die Ersparnis	ersparen
die Verzögerung	verzögern
die Nachfrage	nachfragen
der Anstieg	ansteigen
die Abwicklung	abwickeln
die Verteilung	verteilen
die Verbindung	verbinden
der Anschluß	anschließen
die Ausnutzung	ausnutzen

Key 6.9

Anforderungen stellen, auf der Post aufgeben, Dienstleistungen in Anspruch nehmen, Fristen einhalten, einen Dialog führen, Texte eingeben, Rechner anschließen, Buchungen vornehmen

Key 6.10

1 Teletex ist wirtschaftlich, weil es umfangreiche Korrespondenzen erspart.
2 Mitteilungen per Teletex sind sicher, da sie ohne Umwege zum Empfänger kommen.
3 Teletex bietet sich an, wo man viele Einzeldokumente verteilen muß.
4 Durch Bildschirmtext kann man allen Teilnehmern unzählige Dienstleistungen zugänglich machen.
5 Die Teilnehmerzahl nimmt stark zu, weil die Informationen in Sekundenschnelle zur Verfügung stehen.
6 Telex ist sehr wirtschaftlich, weil die Gebühren niedrig sind.
7 Telex wird benutzt, wo man aktuelle Nachrichten übermitteln muß.
8 Wenn ein Geschäftspartner kein Telefaxgerät besitzt, kann die Post das Fax zustellen.

Key 6.11

1 Sie können per Telefax Graphiken und Abbildungen problemlos übermitteln.
2 Der Mitarbeiter sollte den Text per Telefon an die angeschlossene Druckerei senden.
3 Der Kunde möchte eine saubere Übersetzung schon in drei Stunden erhalten.
4 Beim Teletranslating kann das Übersetzungsbüro in jedem anderen Land sitzen.
5 Der Geschäftspartner hatte die gesetzten Fristen nicht einhalten können.
6 Der Einkäufer wird von uns ein Angebot innerhalb von sieben Tagen haben wollen.
7 Dürfen Sie das Telefax wirklich nur von 9 bis 17 Uhr benutzen?
8 Er hat alle Angebote über Bildschirmtext analysieren müssen.
9 Viele Geschäftspartner hatte man nur über Teletex erreichen können.
10 Sie mußte sich die Position hart erkämpfen.

Key 6.12

A

1 Für das Telex wird das Telegraphenalphabet benutzt.
2 Angebote werden per Fax eingeholt (werden).
3 Bestellungen sind früher immer per Post aufgegeben worden.
4 Die Nachricht war ihm zu spät übermittelt worden.
5 Ab nächsten Monat wird nur noch Telefax eingesetzt (werden).

B

1 Man setzte schon viel früher in Behörden Telefaxgeräte ein.
2 Man benötigt Anschlußdosen für den Gebrauch eines Telefaxgerätes.
3 Man stellt dem Empfänger die Fernkopie morgen zu. *oder*
Man wird dem Empfänger die Fernkopie morgen zustellen.
4 Man hat an das Lay-out hohe Anforderungen gestellt.
5 Man hatte das meiste Textmaterial auf dem Computer gespeichert.

C

1 Man muß alle Geschäftskorrespondenz termingerecht abwickeln.
2 Man konnte Schrift- und Sonderzeichen aller Länder empfangen.
3 Man wird besonders bei neuen Geschäftspartnern die Fristen immer genau einhalten müssen.
4 Die Schreibarbeiten durften nicht unterbrochen werden.
5 Daten und Informationen werden in Sekundenschnelle abgerufen werden können.
6 Das Telefax kann neuerdings auch für Urkunden benutzt werden.

Key 7.1

1 flimmerfrei, 2 leise, 3 einfach, 4 schnell verfügbar, 5 riesig, 6 flexibel, 7 angenehm, 8 schnell

Key 7.2

1 Laserdrucker, 2 Arbeitsspeicher, Zeichen, 3 Festplatte, 4 Eingabebefehle, 5 gestochen scharf, flimmerfrei

Key 7.3

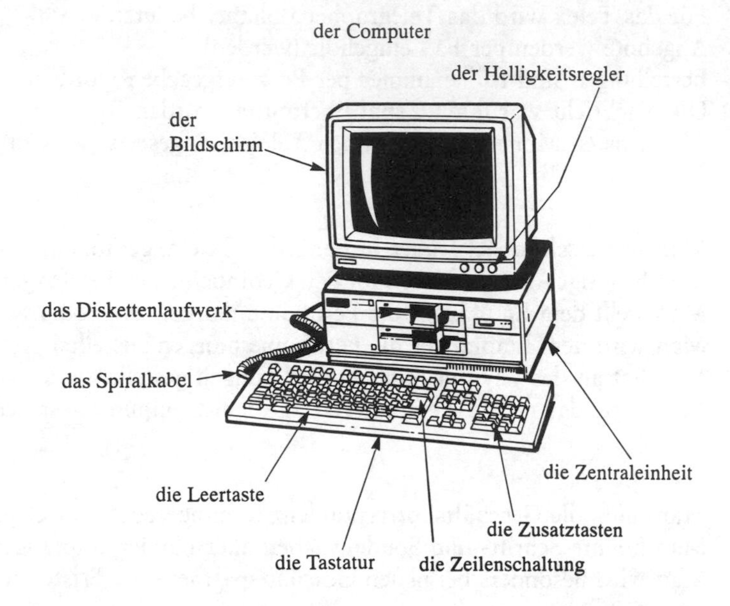

Key 7.4

1 Er hat das ganze Zahlenmaterial mitgebracht.
2 Er hat einen tragbaren Personalcomputer in seinem Köfferchen.
3 Man kann ihn auch mit einem Netzteil betreiben.
4 Er kann seine Daten dalassen, weil die Betriebssysteme kompatibel sind.
5 Er findet ihn für Reisen und für zwischendurch praktisch.
6 Sie haben fast die Schnelligkeit und die Kapazität der größeren Personalcomputer.

Key 7.5

1 beauftragen, 2 anschließen, 3 ausdrucken, 4 laden, 5 anbringen, 6 speichern, 7 betreiben, 8 anschauen

Key 7.6

1 a documentation of the clientele which has grown over the years
2 a printed customer profile of the institutions which are to be visited

Key 7.7

1 Er vertritt Spezialgeräte und Einrichtungen für Krankenhäuser und Pflegeheime.
2 In seiner Kundendokumentation hat er Informationen über die Struktur des Hauses, die Anforderungen des Betriebes und die zuständigen Mitarbeiter.
3 Er hat sein ganzes Gebiet vor Augen, schnellen Zugriff auf alle Informationen, und das Suchen in Ordnern, Karteikarten und Notizbüchern ist vorbei.
4 Alle wichtigen Ansprechpartner mit Namen, Titel, Abteilung und Geburtstag sind im System, und persönliche Werbebriefe druckt der Computer in einer Stunde.
5 Er stellt eine Tourenplanung zusammen und druckt einen Kundenspiegel der zu besuchenden Häuser aus.
6 Er druckt Auftragsbestätigungen, Lieferpapiere und Rechnungen.
7 Die Kundendaten können auf den Lap-top überspielt werden, so daß Herr Förster sich vor oder während des Kundenbesuchs über die aktuelle Kundensituation informieren kann.
8 Er sendet seine Aufträge entweder auf einer Diskette nach Hause oder übermittelt sie per Telefon.

Key 7.8

1 angehören, 2 einführen, 3 ausdrucken, 4 entgehen, 5 liegen, 6 zusammenstellen, 7 überwachen, 8 versenden, 9 eingeben, 10 erfordern, 11 vereinbaren, 12 behalten, 13 eingeben

Key 7.9

1 Man sollte sich vor einem Kundenbesuch die Struktur des Hauses ansehen.

2 Auf dem Schreibtisch werden nur noch Akten abgelegt.
3 Frau Förster hat auf ihrem PC alle Geschäftsverbindungen gespeichert.
4 Alle Produkte des Familienbetriebs sind erstklassig.
5 Bevor die Kundenhäuser besucht werden, wird der Kundenspiegel ausgedruckt.
6 Sämtliche Auftragsdaten werden in den Computer eingegeben.
7 Kundendaten können von einem Computer auf den anderen überspielt werden.
8 Ohne Computer können einem viele Chancen entgehen.

Key 7.10

1 Die britische Tastaturbesetzung ist QWERTY, die deutsche QWERTZ. Das heißt Z and Y sind ausgetauscht.
2 Für die Umlaute und das *ß* gibt es eigene Tasten.
3 Man kann sie mit Hilfe der ALT-Taste und einer Zahlenkombination erzeugen.
4 Die Länge eines Dokuments wird durch die Anzahl der Anschläge angegeben.
5 Die Schreibgeschwindigkeit wird in Zeichen pro Minute angegeben.
6 Exakte Ausmaße eines Textes kann man mit der Anschlagszahl berechnen.
7 Sie hat mehrsprachige Wörterbücher auf dem CD-ROM-Gerät.
8 Weitere Hilfsmittel sind Datenbanken von Standardsätzen für Geschäftsbriefe, Rechtschreibkontrolle in verschiedenen Sprachen und Synonymwörterbücher.

Key 7.11

1 sie, sie, mir
2 Sie, sie, er, sie, Er
3 ihr, sie
4 ihnen, Er
5 ihn
6 es, Ihnen
7 Sie, ihm, ihm, Sie, ihn, Sie, ihm, ihn, uns
8 es
9 du, mir, Ich
10 euch

Key 7.12

1 löschen, 2 laden, 3 einfügen, 4 unterbrechen, 5 eingestellt, 6 auslassen, 7 drücken, 8 auflisten, 9 speichern, 10 formatieren

Key 7.13

Exercise: Zustandspassiv

Übung

1 Speichern Sie bitte die Datei!
2 Schalten Sie bitte den Computer ein!
3 Schließen Sie bitte den Drucker an!
4 Schlagen Sie bitte das Handbuch auf!
5 Liefern Sie bitte die Fracht!
6 Schreiben Sie bitte das Telex!
7 Verteilen Sie bitte die Post!
8 Finden Sie bitte den Fehler!
9 Drucken Sie bitte die Kundenliste aus!
10 Überspielen Sie bitte die Daten!
11 Schicken Sie bitte die Bestätigung ab!
12 Korrigieren Sie bitte den Bericht!
13 Bezahlen Sie bitte die Rechnung!
14 Drucken Sie bitte die Auftragsbestätigung!
15 Vereinbaren Sie bitte den Termin!

1 Die Datei ist bereits gespeichert.
2 Der Computer ist bereits eingeschaltet.
3 Der Drucker ist bereits angeschlossen.
4 Das Handbuch ist bereits aufgeschlagen.
5 Die Fracht ist bereits geliefert.
6 Das Telex ist bereits geschrieben.
7 Die Post ist bereits verteilt.
8 Der Fehler ist bereits gefunden.
9 Die Kundenliste ist bereits ausgedruckt.
10 Die Daten sind bereits überspielt.
11 Die Bestätigung ist bereits abgeschickt.
12 Der Bericht ist bereits korrigiert.
13 Die Rechnung ist bereits bezahlt.
14 Die Auftragsbestätigung ist (bereits) gedruckt.
15 Der Termin ist bereits vereinbart.

Key 8.1

Halley & Co.

25 Leicester Street, Liverpool L12 5FG

Frank Gölz Lampen
Herrn Frank Gölz
Friedmann Straße 179

D-4630 Bochum

Germany

Liverpool, 22.02.98

Angebot

Sehr geehrter Herr Gölz,

vielen Dank für Ihre Anfrage vom 12.02.1998. Seit über 20 Jahren fertigen wir Lampenschirme für den britischen Markt. Wir haben jedoch zur Zeit noch keine Vertreter in anderen europäischen Ländern. Wir beliefern den europäischen Einzelhandel von unserem Distributionslager in Canterbury. Richten Sie aber bitte Ihre Bestellungen an unsere Adresse in Liverpool.

Anliegend finden Sie unser Angebot: Katalog und Preisliste.

Mit freundlichen Grüßen

Peter Tolley
Verkauf

Anlagen Katalog
Preisliste

Glossar

fertigen	produce, manufacture
zur Zeit	at the moment
der Vertreter (-)	agent
das Distributionslager (-)	warehouse
richten	address
anliegend	enclosed

Key 8.2

Reuter-Herrmanns
Wäsche und Mode
Freunder Landstr. 153
7100 Heilbronn

Firma
Friedhelm Ohligschläger & Co.
z.H. Herrn Jacobi
Ludwigsallee 10

6600 Saarbrücken 1

Heilbronn, 25.06...

Bestellung von Herrenbekleidung

Sehr geehrter Herr Jacobi,

wir danken Ihnen für Ihr Schreiben und Ihr Angebot vom 03.06. Wir möchten Ihnen die folgende Bestellung erteilen:

10 Herrenanzüge, sortiert
Größe 46-54 Nr. 424 à DM 944,- DM 9.440,-
16 Herrensakkos, sortiert
Größe 46-54 Nr. 478 à DM 574,- DM 9.184,-

Von diesen Preisen gehen noch die von Ihnen angebotenen 5% Rabatt ab. Mit den Lieferbedingungen sind wir einverstanden. Könnten Sie diese Bestellung so schnell wie möglich bestätigen?

Wir freuen uns auf weitere Zusammenarbeit!

Mit freundlichen Grüßen

Reuter-Herrmanns
Wäsche und Mode

Claudia Uebach

Key 8.3

Hotel Rheinischer Hof
Wilhelmsallee 78-82
5000 Köln 2

Martin Brab
Elektrogroßhandel
Bismarckplatz 120-122

5630 Remscheid

Köln, 10.04...

Ihr Zeichen	Ihr Schreiben vom	Unser Zeichen	Unser Schreiben vom
Br/oh	27.03...	VOB-tu	23.03...

Bitte um veränderten Montagetermin
Unsere Auftragsnummer 0943

Sehr geehrter Herr Brab,

vielen Dank für Ihr Schreiben und Ihre Auftragsbestätigung. Sie haben mir mitgeteilt, daß Ihr Mitarbeiter am 26.04 mit der Montage der Geräte in den Hotelzimmern beginnen wird. Leider muß ich Ihnen mitteilen, daß es uns zu diesem Zeitpunkt nicht möglich ist, da alle Zimmer belegt sind. Wir wären Ihnen dankbar, wenn Sie mit der Montage am 09.05 beginnen könnten. Die Unannehmlichkeiten, die wir Ihnen damit bereitet haben, bedauern wir sehr.

Wir hoffen auf baldige Antwort. Auf weitere erfolgreiche Zusammenarbeit.

Mit freundlichem Gruß
Hotel Rheinischer Hof

Vonderbank

Key 8.4

Anderson
Clifton House, Argyle Road
Crawley, West Sussex, RH9 3RS

Kleinschmitt GmbH
Brückstraße 44

4010 Hilden

Crawley, 18.03...

Mängelrüge

Sehr geehrte Damen und Herren,

gestern haben wir Ihre Sendung erhalten. Leider war sie nicht vollständig .

Statt 200 Pakete Filtertüten Nr. 3 waren es nur 50 und statt 300 Pakete Filtertüten Nr. 2 nur 100. Bitte liefern sie den Rest schnellstens nach!

Außerdem waren 8 der 35 Plastikfilter beschädigt. Wir bitten um sofortigen Ersatz.

Es war verabredet, daß Sie uns Werbematerial in englischer Sprache schicken. Wir mußten feststellen, daß das beigefügte Werbematerial in Deutsch war. Können Sie das bitte klären!

Mit freundlichen Grüßen

Anderson

Einkauf

Key 8.5

for your particular needs	für Ihren speziellen Bedarf
very soon	in Kürze
enclosed	als Anlage
branch	Geschäftsstelle
be happy to send	gerne zukommen lassen
in our catalogue	in unserem Verzeichnis
media-assisted training	mediengestützte Aus- und Weiterbildung
tailor-made	auf die Bedürfnisse unserer Kunden zugeschnitten
on favourable terms	zu günstigen Konditionen
tape-recorder	Tonband
meet your expectations	Ihren Erwartungen entspricht
information about the whole range of products	Gesamtangebot
services	Dienstleistungen
normally	in der Regel
complete and expand a programme	ein Programm abrunden und erweitern

Key 8.6

The new Personal Computer Olivetti M 290

Dear Mrs Fox

Thank you very much for your letter and your interest in the new Personal Computer M 290.

Enclosed you can find a leaflet showing the specification and characteristics of the M 290.

Of course, no brochure can compare with a live presentation.

We therefore sent your letter to our regional sales representative. He will get in touch with you to demonstrate the advantages and the performance of the M 290.

We hope to welcome you soon as one of our satisfied customers.

Yours sincerely,
Deutsche Olivetti
Office Equipment Ltd.
Sales Manager PC/PR

Encl

Key 8.7

Nr.	Nummer
lfd.	laufend
gez.	gezeichnet
Fa.	Firma
zzgl.	zuzüglich
Anl.	Anlage
ggf.	gegebenenfalls
desgl.	desgleichen
beil.	beiliegend
z.Z.	zur Zeit
Abt.	Abteilung
entspr.	entsprechend
Gebr.	Gebrüder
MwSt.	Mehrwertsteuer
lt.	laut
s.u.	siehe unten

Key 8.8

1 Your work is not satisfactory.
2 The order was not carried out to our satisfaction.
3 Your performance is unsatisfactory.
4 I am extremely dissatisfied with the result.
5 We had something different in mind.
6 The product does not answer the description.
7 This does not comply with our expectations.
8 The result on the whole falls short of our expectations.
9 You cannot do it that way. You should have ...
10 You made it too easy for yourself.

Key 8.9

1 bad, 2 unsatisfactory, 3 dissatisfied, 4 insufficient/unsatisfactory, 5 inaccurate, 6 defective/faulty, 7 useless, 8 poor, 9 unreasonable, 10 incorrect, 11 unreliable, 12 unlawful

Key 8.10

1 dürftiger, 2 unzumutbar, 3 mangelhafte, 4 unbrauchbar, 5 unzuverlässiger, 6 unzutreffend, 7 unzulässig, 8 unzureichend

Key 8.11

STEWART LTD

St Giles House, 50 Poland Street, London W1V 4AX

Fa. H. Jochum
Theresienallee 46

D-5400 Koblenz

London, 29.09...

Ihre 1. Mahnung vom 24.09...

Sehr geehrter Herr Wertz,

mit Bezug auf Ihr Schreiben vom 24.09. möchten wir Sie darauf hinweisen, daß wir Ihre Rechnung bereits am 05.08. bezahlt haben. Als Anlage finden Sie die Fotokopie der Überweisung. Für uns ist die Angelegenheit damit erledigt.

Mit freundlichen Grüßen
Stewart Ltd

____

Anlage

Fotokopie der Überweisung

Key 8.12

Fabian Klaßen KG
Goldammerweg 34
D-8034 Germering

Turner Ltd
89 Church Street
Dunstable
Bedfordshire
LU5 4HB

12.12...

Ihre Mahnung vom 04.12...

Sehr geehrter Herr Brown,

ich nehme Bezug auf Ihr Schreiben vom 04.12. Leider haben wir z.Z. einen finanziellen Engpaß, weil mehrere Kundenrechnungen noch offenstehen und wir strukturelle Veränderungen im Management durchführen. Ich möchte hiermit um Aufschub der Zahlung bitten. Wir können Ihnen aber die Zahlung garantieren. Ich schlage ein neues Ziel von 60 Tagen vor. Entschuldigen Sie bitte die Unannehmlichkeiten.

Mit freundlichen Grüßen
Fabian Klaßen KG

Horn

Key 8.13

be advantageous	von Vorteil sein
save an unpleasant experience	unangenehmen Weg ersparen
not to meet a deadline	eine Frist verstreichen lassen
in the meantime	mittlerweile
despite numerous reminders	trotz mehrfacher Erinnerung
pay a bill	Rechnung begleichen
set a time limit	eine Frist setzen
leave no other choice	keine andere Möglichkeit lassen
take legal action	gerichtlich vorgehen gegen
end business relations	Abbruch der Geschäftsbeziehungen
due, payable	fällig sein

Key 9.1

1 A, 2 B, 3 B, 4 C, 5 C, 6 A

Key 9.2

Herr Otten hat am 30.03 um 10 Uhr morgens für Herrn P. Hinzen angerufen. Er ist Mitarbeiter der Firma Seifert. Seine Telefonnummer ist 0812/85523. Er bittet um Rückruf. Der Anruf ist wichtig. Die Mitteilung ist, daß unsere Warensendung von Heizkörpern bei ihm unvollständig angekommen ist. Das bedeutet im Detail, daß nur 60 Stück der Größe drei und nur 40 Stück der Größe vier angekommen sind. Er droht mit der Stornierung des Gesamtauftrags, wenn die Nachlieferung nicht sofort abgeschickt wird. Er ist sehr verärgert. Jörg Grote

Key 9.3

(Hektisch gesprochen) Es ist Sonntag, 18 Uhr, 12.04.1997. Dies ist für Herrn Mende. Hier spricht Paul Bauer von der Firma Alltransport. Mein LKW mit Ihrer Ladung ist in der Nähe von Braunschweig zusammengebrochen. Ich kann meinen Chef nicht erreichen. Werde ihn Montag morgen wieder anrufen. Ich kann keine Telefonnummer hinterlassen. Nehmen Sie bitte mit meinem Chef Kontakt auf. Die Lieferung Ihrer Waren wird sich etwas verzögern. Auf Wiederhören!

IN IHRER ABWESENHEIT

Datum *12.04.1997 Sonntag*

Mitteilung an *Herrn Mende*

Aufgenommen von *Günter Heck*

11 12 1
10 2
9 Uhr 3
8 4
7 ⑥ 5

Herr/~~Frau~~ *Paul Bauer*

Firma *Alltransport*

Adresse *Jetzt: Nähe Braunschweig*

Telefon *keins*

<X> hat angerufen	< > hat aufgesucht
< > bittet um Besuch	< > wird zurückkommen um ____
< > bittet um Rückruf	< > wird zurückrufen um ____
<X> wichtig!	

Mitteilung

Sein LKW mit unserer Ladung

zusammengebrochen. Nähe Braunschweig.

Kann seinen Chef nicht erreichen.

Wird ihn Montag morgen anrufen.

Wir sollen seinen Chef anrufen.

Lieferung verzögert!

Key 9.4

1 *Transportkosten haben sich erhöht*

☒ wichtig ☐ unwichtig

2 *Konkurrenz wird Preise heraufsetzen*

☐ wichtig ☒ unwichtig

3 *Wir müssen Preise erhöhen, Kunde wird sich nicht freuen*

☐ wichtig ☒ unwichtig

4 *ab 1000 kg Mengenrabatt*

☒ wichtig ☐ unwichtig

Key 9.5

Herr Lang: Es geht um den Winterkatalog für die Herrenbekleidung. Ich möchte gerne einige Veränderungen vornehmen. Der Katalog soll etwas anspruchsvoller und moderner aussehen. Zum einen soll er etwas größer hergestellt werden, und ich möchte diesmal bessere Farbe im Katalog haben.

Frau Wittke: Sehen Sie mal hier! Was halten Sie davon, wenn er an den Seiten zweieinhalb Zentimeter breiter und zwei Zentimeter höher ist, so ungefähr wie dieser hier?

Herr Lang: Nein, das gefällt mir immer noch nicht. Es könnte ruhig fünf Zentimeter breiter und drei Zentimeter höher sein. Ja, so wie dieses Blatt zum Beispiel.

Frau Wittke: Ja, das können wir auch machen.

Herr Lang: Und wie sieht es mit der Farbe aus? Können Sie uns etwas Besseres anbieten?

Frau Wittke: Das ist natürlich eine Frage der Papierqualität. Sehen Sie sich doch bitte dieses Blatt einmal an! Darauf kann man besser Farbbilder reproduzieren als auf dem herkömmlichen Papier. Dieses Papier ist jedoch etwas teuer.

Herr Lang: Was würde das denn so insgesamt mit den Veränderungen kosten?

Frau Wittke: Aber, Herr Lang, ich kann Ihnen keinen Kostenvoranschlag hier auf der Stelle geben. Lassen Sie mich meine Kalkulation machen, dann schicke ich Ihnen morgen einen Kostenvoranschlag.

Herr Lang: Na, schätzen Sie doch mal, um wieviel Prozent sich die Kosten erhöhen würden! Wenn wir es nämlich gar nicht finanzieren können, dann muß ich Sie noch einmal aufsuchen.

Frau Wittke: Ganz grob sollten Sie mit einer Erhöhung von 30 Prozent rechnen. Paßt das in Ihren finanziellen Rahmen?

Herr Lang: Das müßte noch machbar sein. Aber diesmal muß der Katalog sehr professionell aussehen.

Frau Wittke: Darauf können Sie sich verlassen.

Herr Lang: Vielen Dank! Ich nehme mir diese Papierprobe mit. Wir hören dann von Ihnen.

Frau Wittke: Auf Wiedersehen!

Herr Lang: Auf Wiedersehen!

GESPRÄCHSNOTIZ

11 12 1
(10) 2
9 Uhr 3
8 4
7 6 5

Datum *15.12.19. .*

Betrifft *Druck: Winterkatalog Herrenbekleidung*
Herr Lang (Marketingleiter) mit

~~Herr~~/Frau *Wittke*
Firma *Schnell-Druckerei*
Adresse ______
Tel./FS/FAX ______
< > hat angerufen < > hat aufgesucht

Nachricht *Veränderungswunsch von Herrn Lang:*

Katalog soll anspruchsvoller u. moderner aussehen,

deshalb größer u. bessere Farbe,

5 cm breiter, 3 cm höher.

Farbe durch bessere Papierqualität.

Kostenvoranschlag morgen: ca. 30% Erhöhung

Anlagen *Papierprobe*
Aufgenommen von ______
Erledigt durch
< > Brief < > Telefon
< > Fax < > Besuch
< > ______

< > abgelegt unter *Schnell-Druckerei*
Datum *15.12.19..*

Key 9.6

1 falsch, 2 falsch, 3 richtig, 4 falsch, 5 richtig, 6 richtig, 7 falsch, 8 richtig

Key 9.7

1 Herr Scheins hat sich vorgestellt, das neue Produkt erst zu testen.
2 Sie hat sich gedacht, eine Urlaubsvertretung für ihn zu finden.
3 Wir haben uns entschlossen, das Produkt in Deutschland und Österreich zu verkaufen.
4 Die Firma hat sich vorgenommen, ihre Produktpalette zu erweitern.
5 Ihre Absicht ist, die Marktpreise zu vergleichen.

Key 9.8

AKTENNOTIZ

An *Frau Esser (Personalabteilung)*

Von *Herrn Lilley*

Betrifft: *Überstunden/Urlaub*

Ich werde im Sommer ungefähr
ab 12.7. 2 Wochen Urlaub nehmen. Dann
werde ich außerdem im Dez. für 10 Tage
wegfliegen. Können die restlichen Tage
fürs neue Jahr gutgeschrieben werden?
Können die Überstunden auch bezahlt werden?

Bitte um

☐ Stellungnahme	☐ Rücksprache bis ____
☐ Kenntnisnahme	☒ Erledigung bis *14.7*
☐ Genehmigung	☐ ____

Datum *4.7.1999*

Key 10.1

1 Marketing- und Vertriebsleiter Office Automation
2 Wirtschaftsprüfer
3 Vorsitzender der Geschäftsführung
4 Leiter Einkauf
5 Hauptabteilungsleiter
6 Geschäftsführer

Key 10.2

1 richtig, 2 richtig, 3 falsch, 4 richtig, 5 falsch, 6 richtig, 7 falsch, 8 richtig

Key 10.3

1 DB/A, 2 A, 3 DB, 4 DB/A, 5 DB, 6 A, 7 A, 8 DB, 9 A

Key 10.4

1 Angabe, Studienschwerpunkt, 2 Beratung, Verkauf, 3 Mitarbeiter für unser Lager, Führerschein der Klasse III, 4 Annahme, Überprüfung, Zusammenstellung, Versand, 5 Sekretärin, 6 Berufserfahrung, 7 Gesellschafter, 8 kollegial, aufgeschlossen, 9 selbständig, 10 Gespür

Key 10.5

1 bieten, 2 sich beteiligen, 3 sammeln, 4 benötigen, 5 suchen, 6 erwerben, 7 gehören, 8 vertraut sein, 9 arbeiten, 10 finanzieren, 11 angehen, 12 verstehen

Key 10.6

1 formale Qualifikationen, 2 tabellarischen Lebenslauf, Zeugnissen in Abschrift, 3 beglaubigte Abschrift, 4 Unterschrift, 5 Scheine, 6 Bewerbungsformulare, 7 inseriert, plazieren, Lokalzeitungen, 8 Annoncenteil, 9 durchdacht, 10 Bedarf, 11 Betriebspraktika, 12 Anschreiben, 13 Absage, 14 landesweit, 15 handschriftlich, 16 Gutachten, 17 ressortübergreifende, 18 Aufgabengebiet

Key 11.1

Ihre Anzeige für Praktikantenstellen in der *Times* vom 22.03.1992 ist mir *aufgefallen.* Ich *befinde mich* z.Z. in einem integrierten Studiengang an der Fachhochschule in Köln. Fester *Bestandteil* meines Studiums ist ein Auslands*praktikum.* Besonders interessiere ich mich *für* den *Bereich* Werbung. Meine *Deutschkenntnisse* sind ausreichend, aber ich hoffe, sie durch zusätzliche Sprachkurse für Wirtschaftsenglisch zu *erweitern.* Ich würde gerne mein Praktikum bei Ihnen absolvieren, um *Einblick* in die Praxis Ihres Unternehmens zu bekommen. Ähnliche Tätigkeiten habe ich bereits als Ferienarbeit *ausgeübt*, wie Sie meinem *Lebenslauf* entnehmen können. Falls Sie *an* meiner Person interessiert sind und ausführlichere *Unterlagen* wünschen, könnte ich diese umgehend nachliefern.

Key 11.2

1 Der *Times* vom 02.11.19.. konnte man entnehmen, daß eine Fremdsprachensekretärin gesucht wird.
2 Cheril Winter hat in Manchester in einem Reisebüro gearbeitet.
3 Sie konnte die deutsche Sprache nicht so oft, wie sie erhofft hatte, benutzen.
4 Sie hat ein Studium als Fremdsprachensekretärin absolviert.
5 Sie hat in Berlin einen dreiwöchigen Studienaufenthalt verbracht.
6 Sie hat in einem Hotel auf Sylt gearbeitet.
7 Die Kündigungsfrist dauert drei Monate.

Key 11.3

1 richtig, 2 falsch, 3 falsch, 4 richtig, 5 falsch, 6 falsch, 7 falsch, 8 richtig, 9 richtig, 10 falsch, 11 richtig, 12 falsch, 13 falsch, 14 richtig

Key 11.4

1 Näheres, 2 Einverständnis, 3 gelten, Bestimmungen über, 4 Ihrem, Wunsch, 5 den Bedingungen, gehört, 6 zur Klärung, 7 zur Verfügung

Key 11.5

Betr.: Praktikantenstelle zum 04.10.19. in der Abteilung Rechnungswesen

Sehr geehrte Frau Meinert,

vielen Dank für Ihren Brief vom 17.05.19. Ich nehme Ihr Angebot gerne an und erkläre mich mit den Bedingungen einverstanden. Ich werde einige Tage vor Tätigkeitsbeginn in Berlin ankommen und Sie am 01.10.19... vormittags aufsuchen. Eine genaue Zeit werde ich telefonisch mit Ihnen ausmachen. Ich freue mich sehr auf die Arbeit bei Ihnen und verbleibe

mit freundlichen Grüßen

Key 11.6

(e) Unter Umständen könnte man jemanden für ein Praktikum einstellen.
(g) Vielleicht ließe sich jemand für ein Praktikum einstellen.
(h) Eventuell bestünde die Möglichkeit, daß man jemanden für ein Praktikum einstellt.
(i) Eventuell bestünde die Möglichkeit, jemanden für ein Praktikum einzustellen.

Key 11.8

freundlicherweise	kindly (enough)
teilweise	partly, partially
beziehungsweise	respectively, as the case may be
vergleichsweise	comparatively, by way of comparison
tonnenweise	by the ton
liebenswürdigerweise	obligingly (enough)
stellenweise	in places
bedauerlicherweise	regrettably (enough)
glücklicherweise	fortunately
unnötigerweise	unnecessarily
stückweise	piece by piece
fälschlicherweise	wrongly
dutzendweise	by the dozen
schrittweise	step by step
merkwürdigerweise	strange to say
zufälligerweise	accidentally, coincidentally
stundenweise	by the hour
erstaunlicherweise	astonishingly (enough)
unvermuteterweise	unexpectedly
begreiflicherweise	understandably
normalerweise	normally, in the normal course of events
interessanterweise	interestingly (enough)
paarweise	in pairs
vorzugsweise	preferably
möglicherweise	possibly
pfundweise	by the pound
probeweise	on approval, on probation
ausnahmsweise	exceptionally, by way of an exception
versuchsweise	tentatively, by way of an experiment
stufenweise	step by step, gradually
gruppenweise	in groups
zeitweise	temporarily, intermittently

Key 11.9

1 stundenweise, 2 stellenweise, 3 pfundweise, 4 schrittweise, 5 probeweise, 6 Liebenswürdigerweise, 7 unnötigerweise, 8 fälschlicherweise, 9 gruppenweise, 10 beziehungsweise

Key 11.10

1. Bedauerlicherweise können wir Ihnen zur Zeit keine Praktikantenstelle anbieten.
2. Vergleichsweise sind seine Referenzen besser als ihre.
3. Freundlicherweise hat er meine Bewerbungsunterlagen an die entsprechende Stelle weitergeleitet.
4. Ihre Berufserfahrungen erfüllen nur teilweise unsere Stellenbeschreibung.
5. Zufälligerweise hatte ich die Personalleiterin sofort am Apparat.
6. Normalerweise erhält man am Anfang sehr viele ablehnende Bescheide.
7. Glücklicherweise hatten alle Kandidaten ausführliche Erfahrungen im Marketingbereich.
8. Sie wurde zunächst nur versuchsweise eingestellt.
9. Irrtümlicherweise wurde der Kandidat zum Vorstellungsgespräch eingeladen.
10. Möglicherweise ist die Kandidatin A besser geeignet als die Kandidatin B.
11. Der neue Mitarbeiter wird stufenweise in sein neues Arbeitsgebiet eingewiesen.
12. Ausnahmsweise wurde sie gleich am Telefon nach ihrer Berufserfahrung gefragt.

Key 11.11

1 die, 2 den, 3 das, 4 die, 5 dessen, 6 die, 7 denen, 8 die, 9 die, 10 das, 11 die, 12 der, 13 dem, 14 den

Key 11.12

1 in der, 2 an denen, 3 mit denen, 4 zu dem, 5 an denen, 6 ohne die, 7 für das, 8 mit dem, 9 in der, 10 in denen /für die /auf die

Key 12.1

1 Er möchte sich nach möglichen Stellen im Bereich Finanz- und Rechnungswesen erkundigen.
2 Er möchte den Personalleiter Herrn Frische sprechen.
3 Er arbeitet noch nicht, er beendet gerade sein Studium der Betriebswirtschaft.
4 Er ist nicht an einer Trainee-Ausbildung interessiert.
5 Er wohnt in Hannover.
6 Nein, im Moment ist nichts frei, vielleicht aber in der Zukunft.
7 Sie wollen sich kurz unterhalten.
8 Sie verabreden sich für nächsten Donnerstag um 10.30 Uhr.

Key 12.2

1(c), 2(e), 3(d), 4(b), 5(a)

Key 12.3

1 Sie sind für das Unternehmen Haller und Kleinschmidt tätig.
2 Sie ist Personalleiterin.
3 Er gehört der Geschäftsleitung an.
4 Er will dem Gespräch beisitzen.
5 Er ist Leiter des Bereichs Werbung und Ausstellung.
6 Er arbeitet zur Zeit an einem neuen Katalog und an einer Messevorbereitung.
7 Er möchte seine Stelle wechseln, weil er sich jetzt für größere Projekte und interessantere Aufgaben interessiert.
8 Er sieht sie nicht als Sprungbrett zu einer Karriere an anderer Stelle.
9 Er arbeitet hart, ist zuverlässig, ist intelligent und kreativ.
10 Er hat nicht genug Ausdauer bei monotoner Arbeit.
11 Er verhält sich ihnen gegenüber kooperativ.
12 Er war in Südamerika und in den USA.
13 Er spricht Englisch flüssig, und sein Spanisch reicht aus, um sich zurechtzufinden.
14 Die Menschen in den USA fand er sehr aufgeschlossen und freundlich.
15 Die Kündigungsfrist beträgt drei Monate.
16 Es gibt acht Personen: Drei Ressortleiter und -leiterinnen, drei Sachbearbeiter und zwei Sekretärinnen.
17 Die Abteilung besitzt sechs Apple Macintosh-Computer.
18 Er wird innerhalb der nächsten sieben Tage Bescheid bekommen.

19 Es sind zehn Kandidaten eingeladen worden.
20 Er kann seinen Spesenantrag im Sekretariat abholen.

Key 12.4

die Kreativität	creativity
der Enthusiasmus	enthusiasm
die Intelligenz	intelligence
die Initiative	initiative
die Mobilität	mobility
die Flexibilität	flexibility
das Organisationstalent	organizing ability
der kritische Verstand	critical mind
das Denkvermögen	intellect
das Urteilsvermögen	judgement
die Persönlichkeit	personality
das Durchsetzungsvermögen	assertiveness
der Leistungswillen	will to achieve
die Lernbereitschaft	will to learn
das Verhandlungsgeschick	negotiation skills
die Kontaktfreudigkeit	ability to mix
die Diskretion (= Verschwiegenheit)	secrecy, discretion
die Überzeugungskraft	persuasiveness
die Einsatzfreude	drive, enterprise
der Mut	courage
der Ehrgeiz	ambition
die Energie	energy
die Führungsqualität	management quality
das Selbstbewußtsein	self-confidence
die Zielstrebigkeit	determination
das Standvermögen	stamina
die rasche Auffassunggabe	quickness of mind/perceptiveness
die Analysefähigkeit	powers of analysis
die Kommunikationsfähigkeit	communication skills
die Anpassungsfähigkeit	adaptability
die Ausstrahlungskraft	charisma
die Toleranz	tolerance
der Humor	humour

Key 12.5

1 Er antwortet nicht mit ja und nicht mit nein. Dennoch wird man vermuten, daß er nein meint: er ist unzufrieden mit seiner Arbeit.
2 Auch hier antwortet er nicht präzise auf die Frage. Dennoch klingt sein Argument glaubwürdig.
3 Positiv ist, daß ihm etwas einfällt, negativ, daß es die normalen Klischees sind.
4 Was er eigentlich sagt, ist, daß er kein Durchhaltevermögen besitzt und daß er wichtige Arbeit lieber auf andere schiebt.
5 Er gibt eine dreifache Antwort: kooperativ/selbst Entscheidungen treffen/begründen. Etwas kurz, aber nicht ganz so schlecht.
6 Sehr schlecht, daß der „Lebenslauf" eine Lücke vorweist. Die mündliche Begründung war jedoch zufriedenstellend.
7 Besser wäre, statt nach der formalen Ausstattung etwas inhaltlich zum zukünftigen Unternehmen zu fragen, damit man zeigen kann, daß man sich auch fachlich auskennt.

Key 12.6

1 sich (i), 2 sich (a), 3 mich (j), 4 uns (b), 5 mich (d), 6 dich (f), 7 sich (h), 8 sich (e), 9 mich (c), 10 euch (g)

Key 12.7

1 sich/bei/wegen, 2 uns/bei/auf, 3 euch/nach, 4 sich, 5 sich/in, 6 mich, 7 mir, 8 euch/auf (über), 9 sich/an, 10 sich/beim/über, 11 sich, 12 sich/gegen, 13 euch, 14 sich, 15 dich, 16 sich/von

Key 12.8

1 voraussichtlich/wahrscheinlich, 2 offenbar, 3 notfalls, 4 angeblich, 5 scheinbar, 6 vermutlich, 7 unter Umständen, 8 eventuell/möglicherweise

Key 12.9

1 höchst/äußerst/überaus, 2 angeblich, 3 Zielstrebigkeit, Einsatzfreude, äußerst/überaus, 4 außergewöhnlich, Verhandlungsgeschick, 5 besonders, Überzeugungskraft, Kommunikationsfähigkeit, 6 sich, in, einarbeiten, 7 sich, zurechtzufinden, rasche Auffassungsgabe, 8 beachtlich, 9 möglicherweise, sich, bereit erklärt

Key 13.1

1 Sie möchte Schreinerin werden, weil sie handwerklich begabt ist.
2 Es gibt einen akuten Mangel an Bewerbern für handwerkliche Ausbildungsplätze, weil sich die meisten Bewerber für Berufe in der Verwaltung und im Büro interessieren.
3 Eine Schreincrausbildung dauert drei Jahre.
4 Der Berufsschulunterricht läuft parallel zur betrieblichen Ausbildung.
5 Man geht ein bis zwei Tage oder in mehrwöchigen Blöcken auf die Berufsschule.
6 Der Betrieb darf den Auszubildenden nicht beschäftigen, wenn er mindestens fünf Stunden am Tag Unterricht hat.
7 Ihm stehen 25 bis 30 Tage Urlaub zu.
8 Sie ist für die Verwaltung und die Prüfungen zuständig.
9 Er schließt einen Vertrag mit dem Ausbildungsbetrieb ab.
10 Die Probezeit dauert mindestens einen Monat.
11 Die Kündigungsfrist ist vier Wochen.

Key 13.2

1 Ich dachte eher an eine Bewerbung im Verwaltungs- oder Bürobereich.
2 Was halten Sie von der Idee, sechs Monate in einem Ausbildungsbetrieb in Wales zu arbeiten?
3 Könnte man nicht eine Probezeit von mindestens einem Monat festlegen, falls man sich für eine andere Berufsausbildung entscheidet?
4 Ich schlage vor, sich den Ausbildungsvertrag genau durchzulesen.
5 Wie wär's mit einer Führung durch den Ausbildungsbetrieb, bevor Sie sich entschließen?
6 Ich finde, Sie sollten bei Ihrer Vorbildung eine Verkürzung Ihrer Ausbildungszeit beantragen.

Key 13.3

1 (h), 2 (b), 3 (i), 4 (d), 5 (e), 6 (g), 7 (j), 8 (a), 9 (c), 10 (f)

Key 13.4

1 (b), 2 (a) + (c), 3 (c), 4 (a) + (c), 5 (c), 6 (a) + (c), 7 (a) + (b), 8 (b), 9 (c), 10 (b)

Key 13.5

1 Man muß sich an die Ausbildungsordnung halten.
2 Man kann die Ausbildung nur in einem der rund 450 staatlich-anerkannten Ausbildungsberufe machen.
3 Die Ausbildungsordnung legt für einen fest, ob man an zwei Tagen der Woche oder zu mehrwöchigen Unterrichtsblöcken in die Berufsschule gehen muß.
4 Seinen fachtheoretischen Unterricht erhält man in der Berufsschule.
5 Die Schulpflichtgesetze verlangen von einem, daß man bis zum Alter von 18 Jahren eine Schule besucht.
6 Wenn man sich für einen Ausbildungsberuf interessiert, sollte man sich frühzeitig bewerben.

Key 13.6

1 Man verkürzt die Ausbildungszeit.
2 Man stellte die Berufsbildungspläne zusammen.
3 Man erließ die Rahmenlehrpläne.
4 Man prüft die vermittelten Fertigkeiten.
5 Man führte das Berufsgrundbildungsjahr ein.

Key 13.7

ausbilden	Ausbildung	education
einrichten	Einrichtung	furnishing, equipment
ordnen	Ordnung	order
bezeichnen	Bezeichnung	name
gliedern	Gliederung	organization, subdivision
durchführen	Durchführung	implementation
beraten	Beratung	advising, deliberation
vorstellen	Vorstellung	imagination, idea, introduction
verpflichten	Verpflichtung	obligation, duty
kündigen	Kündigung	cancellation, notice, dismissal

Key 13.8

die Fabrik, en
die Etage, n
das Abonnement, s
das Stadium, Stadien
der Lehrling, e

die Rechnung, en
die Qualität, en
das Datum, Daten
die Möglichkeit, en
die Institution, en
die Kondition, en
das Ministerium, Ministerien
das Experiment, e
der Roboter, -
die Probe, n
das Lager, -
das Instrument, e
die Ware, n
der Irrtum, -tümer
der Käufer, -
die Industrie, n
der Mangel, Mängel
die Nachnahme, n
das Parlament, e
die Tabelle, n
das Zentrum, Zentren

Key 13.9

1 abschließen, 2 zusammenstellen, 3 bestehen aus, 4 einhalten, 5 erlassen, 6 erwerben, 7 aushandeln, 8 freistellen, 9 gehören,

Key 13.10

1 Vermittlungsgebühr, 2 Mangelware, 3 Schulpflicht, 4 Lagerbestand, 5 Lehrlingszeit, 6 Fabrikinhaber, 7 Beratungsgespräch, 8 Probezeit, 9 Nachnahmeauftrag, 10 Präzisionsarbeit

Key 14.1

1 Patricia Kline gehört zum Team, das sich um Franchisegeschäfte kümmert.
  Sie gehört zum Franchise-Team.
2 Sie spricht zu Leuten, die sich um ein Franchise bewerben.
3 Nach der Präsentation kann man Fragen stellen.

4 Der Geruch von Lavendel, Holunder und Ananas fällt auf. Nichts ist aufdringlich oder synthetisch.
5 Man kann hauptsächlich Naturprodukte kaufen.
6 Zusätzlich gibt es Bürsten und Kämme.
7 Sie bestehen darauf, daß jedes Produkt einen bestimmten Zweck erfüllt und die Bestandteile sich in einem naturnahen Zustand befinden.
8 Sie verwenden qualitativ hochwertige Bestandteile und verkaufen die Produkte in einfacher Verpackung.
9 Die Produkte sind preisgünstig, weil sie auf kostspielige Werbung verzichten und einen Nachfüllservice anbieten.
10 Sie vermeiden es bewußt, mit falschen Versprechungen zum Kauf von Kosmetikwaren zu verführen.
11 Der erste Laden wurde 1976 in Brighton in England eröffnet.
12 Weibliche Prinzipien herrschen vor, man ist rücksichtsvoller und intuitiver.
13 Die Muttergesellschaft verkauft die Ware und das Marketing, und der Franchisenehmer eröffnet den Laden auf eigenes finanzielles Risiko.
14 Es gibt 500 Filialen auf der ganzen Welt.
15 Der Jahresumsatz aller Unternehmen beträgt 55 Mill. Pfund.

Key 14.2

Das gehört alles zu unserer Produktpalette.
Unsere Kosmetik besteht nur aus Naturstoffen.
In Hamburg befinden sich drei Läden.
Die Idee stammt von der Gründerin.
Man kann sich um ein Franchise bewerben.
Kunden werden nicht zum Kauf verführt.
Ich verzichte auf teures Marketing.
Die Franchisenehmer kümmern sich selbst um ihren Laden.

Key 14.3

highly qualified, simple, growing, obtrusive, developed, of high quality, round/circular, expensive/costly, predominant/prevalent, financial

Key 14.4

en, en, en, en, er, er, es, en, e, en, es

Key 14.5

Unternehmen, Werbung, Konkurrenz, Muttergesellschaft, Logo, Gründerin, Verpackung, Preis, Bereich, Risiko

Key 14.6

pleite machen	go bankrupt
Risiko tragen	carry the risk
Gewinne erzielen	make profit
einen Zweck erfüllen	serve a purpose
falsche Ideale vorspiegeln	present false ideals
einen Kundenkreis eröffnen	set up a clientele

Key 14.7

1 richtig, 2 falsch, 3 falsch, 4 richtig, 5 richtig, 6 richtig, 7 richtig, 8 falsch, nur in Schwarz und Weiß, 9 richtig, 10 falsch, 11 richtig, 12 falsch, 13 richtig, 14 richtig, 15 richtig

Key 14.8

1 Sie schreiben mir, daß Sie Gerätehersteller vertreten.
2 Sie schlagen vor, daß wir weltweit einkaufen.
3 Der Direktor besteht darauf, daß wir die Geräte beim Endverbraucher vorstellen.
4 Bedingung ist, daß unsere Firma in London die Geräte herstellt.
5 Es wird vorausgesetzt, daß man die Geräte einfach bedienen kann.
6 Die Sicherheitsbestimmungen verbieten, daß wir Spielereien einbauen.
7 Der Katalog zeigt, was wir an Edelstahl-Toastern anbieten.

Key 14.9

be eager/anxious, available/obtainable, notice, market/commercialize, equip with, score/achieve success

Key 14.10

billig	*adäquat*	*teuer*
preiswert	erschwinglich	unbezahlbar
herabgesetzt	angemessen	horrend
günstig	vertretbar	kostspielig
vorteilhaft	zivil	unerschwinglich

preisgünstig	bezahlbar	happig
spottbillig	berechtigt	gepfeffert
halb umsonst	preisgerecht	

Key 14.11

1.
Vorstellen
Team Franchisegeschäfte
Body Shop – 5 Min.
Fragen am Ende

2.
anderes Geschäft
Geruch
Farbe
Logo
Naturprodukt
Produkte: Naturkosmetik, Bürsten, Kämme

3.
Kräuterspezialisten u. Chemiker
Produkt: Zweck erfüllen
Bestandteile: naturnaher Zustand
Tierversuche
Zulieferer

4.
Verkaufsmethode: hochwertige Bestandteile
Verpackung
Preise
Werbung
Nachfüllservice
Konkurrenz
Photomodellwerbung
Geschenkartikel – Produkte für Männer

5.
Konzeption
Gründerin

erster Laden Brighton 1976
weibliche Prinzipien
alternatives Management
ökolog. u. ethisch

6.
Franchisesystem
100 Filialen in GB
400 in anderen Ländern
Hamburg 3
Jahresumsatz – 55 Mill.

Key 15.1

1 Waren verbilligen, 2 stimulierend wirken, 3 Herstellungskosten verteilen, 4 Nachfrage fördern, 5 werben, 6 niedrigere Preise schaffen, 7 Werbeaufwendungen pendeln sich ein, 8 ein Monatseinkommen aufwenden, 9 der Verkauf verringert sich

Key 15.2

kräftigen, Spitzenreiter, Kinowerbung, Statistik, Umsatz, entfielen, Werbegelder, privaten TV-Sender

Key 15.3

2 television commercial,
3 promotional film,
4 illuminated letters,
5 catalogue,
6 poster,
7 advertising letter,
8 leaflet,
9 carrier bag,
10 window display,
11 sticker,
12 newspaper advertisement,
13 monochrome advertisement,
14 four-colour advertisement

Key 15.4

zweiseitig, ganzseitig, mehrseitig, viertelseitig, doppelseitig;
mehrspaltig, dreispaltig;
zwölfzeilig, mehrzeilig;
großformatig

Key 15.5

1 Die vorhandene Medienstruktur ist mit der Medienstruktur des Bundesgebiets vergleichbar.
2 Die Sonnabend-Ausgabe ist eine normale Werktagsausgabe und montags wird höchste Auflage erzielt.
3 Sie findet donnerstags und zum Wochenende hin statt.
4 Sie erscheinen im 14-Tage-Intervall.
5 Das Kinoprogramm in der Filmstadt Berlin wendet sich an die unterschiedlichsten Zielgruppen.
6 Er bringt sie zu jeder vollen Stunde zwischen 6.55 und 18.00 Uhr.
7 Streuverluste werden vermieden und die Selektierungsmöglichkeiten sind gut.
8 Die gesamte Palette mit Bus, U-Bahn und S-Bahn steht zur Verfügung.

Key 15.6

Werbeassistent, Creative Director, Grafiker, Texter, Art Buyer, Fotograf, Mediaplaner, Termin-Koordinator

Key 15.7

1 Die Großflächen für DM 17, – befinden sich in U-Bahnhöfen, die für DM 8,90 im gesamten Stadtgebiet.
2 Es gibt einen Preisunterschied, weil einige beleuchtet und andere unbeleuchtet sind.
3 Die Einschaltpreise des Werbefernsehens sind in den Monaten Juli/August am günstigsten.
4 Ein 45-Sek.-Spot im April kostet DM 10 320.
5 Der längste Werbeblock während der Woche dauert 9 Minuten.

Key 15.8

1 Abstriche, 2 verlegen, 3 Grafiker, 4 Entscheidung treffen, 5 freie Hand, 6 Plakatwerbung, 7 Sendezeit, 8 ins Auge, 9 Werbeblocks, 10 eingeräumt, 11 anlaufen, 12 Streuung

Key 15.9

1 Man kann unadressierte Wurfsendungen an ausgewählte Personen schicken.
2 Werbegeschenke lassen sich ebenfalls per Post versenden.
3 Durch Direktwerbung werden Streuverluste vermieden.
4 Der Vorteil ist, daß man auf jede Marktsituation reagieren kann.
5 Die individuelle Ansprache macht Ihre Werbung erfolgreicher.
6 Ausgewählte Personengruppen können unabhängig von Redaktionsschlußterminen erreicht werden.
7 Bei einer Untersuchung wurden 505 Einzelhändler befragt.
8 Je mehr Erfahrung die Einzelhändler mit Direktwerbung hatten, desto positiver waren sie eingestellt.
9 Eine gut geführte Kundenkartei vermeidet Fehlerquoten.
10 Der Vorteil der Direktwerbung ist, daß seltene Kunden ins Geschäft geholt werden können.
11 Wir sind uns einig, daß Stammkunden ein wertvolles Kapital sind.
12 Die persönliche Anrede eignet sich besonders gut für Stammkunden.

Key 15.10

1 falsch, 2 falsch, 3 falsch, 4 richtig, 5 richtig, 6 falsch, 7 richtig, 8 falsch

Key 15.11

1 35% sagen, daß das Angebot aufgehoben werden kann.
2 40% sagen, daß dadurch Neuigkeiten kennengelernt werden können.
3 25% sagen, daß das Angebot ausführlicher beschrieben werden kann.
4 63% sagen, daß das Angebot in Ruhe studiert werden kann.
5 33% sagen, daß auf das Angebot aktiv reagiert werden kann.

Key 15.12

1 kurzlebig, 2 an, Freude, 3 gepflegt, 4 unterliegt, 5 detailliert, 6 veranschaulicht, 7 entnehmen, 8 beraten

Key 15.13

1 *der*, with regard to, 2 *der*, during, 3 *des*, outside, 4 *der*, in view of, 5 *der*, deducting, 6 *der*, on the strength of, on the basis of, 7 *des*, on the occasion of, 8 *des*, with the aid of, 9 *des/der*, for the sake of, 10 *der*, below, 11 *der*, subject to, 12 *der*, plus, 13 *des/der*, for the benefit of, 14 *der*, notwithstanding, 15 *des*, in place of, 16 *der*, by means of, 17 *der*, notwithstanding

Key 15.14

1 einer, together with, in addition to, 2 *der*, apart from, 3 *der*, thanks to, 4 *der*, within (a period of time), 5 *allen*, together with, 6 *ihrer*, contrary to, 7 *dem*, in accordance with, 8 *einem*, together with, 9 *dem*, in accordance with, 10 *seinem*, contrary to

Key 15.15

1 Abgesehen von den, 2 Vorbehaltlich der, 3 Binnen der, 4 Nebst der, 5 Meiner zufolge, 6 Gemäß den, 7 Anläßlich des, 8 Unterhalb der, 9 zuzüglich der, 10 Anstelle der

Key 15.16

1 testbar, 2 vergleichbar, 3 vertretbar, 4 simulierbar, 5 differenzierbar, 6 erzielbar, 7 anwendbar, 8 erreichbar, 9 verfügbar, 10 überprüfbar, 11 durchführbar, 12 ergänzbar

Key 15.17

konkurrenzfähig, marktfähig, produktionsfähig, verbesserungsfähig
kontaktfähig, handlungsfähig, anpassungsfähig
zahlungsfähig
beschlußfähig
weiterentwicklungsfähig, wettbewerbsfähig, leistungsfähig

Key 16.1

1 Besonders wichtig ist, daß Deutschland im Herzen Europas liegt.
2 Die Beziehungen zu den östlichen Nachbarn haben sich besonders verstärkt.
3 Deutschland blickt auf eine lange Tradition zurück.
4 Die Aussteller kommen nicht nur aus Deutschland sondern sogar aus dem Ausland, z.B. Asien und Nordamerika.
5 Sie gewinnen an Bedeutung, weil die europäischen Aussteller hier ihre Produkte zum erstenmal vorstellen.
6 Das Messewesen ist so stark entwickelt, weil die Deutschen einen größeren Anteil ihres Werbebudgets für eine Repräsentanz auf den Messen ausgeben.
7 Die Internationale Automobil-Ausstellung findet in Frankfurt statt.
8 In Köln werden die Photokina und die Anuga abgehalten.

Key 16.2

1 der Messebericht
2 die Messebeteiligung
3 der Messekalender
4 die Messezahlen
5 der Messestand
6 das Messeangebot
7 die Messevorbereitung
8 der Messebesucher
9 das Messegelände
10 der Messebeschicker
11 der Messeausschuß
12 der Messeveranstalter
13 der Messeeinsatz
14 das Messeziel
15 der Messetermin
16 der Messepreis
17 der Messeort

Key 16.3

1 Ausstellungs- und Messezahlen
2 Messe- und Ausstellungsausschuß
3 Mittel- und Kleinbetrieb
4 Ausbildungs- und Fachkräfte
5 Messe- und Ausstellungsbeschicker
6 Filial- und Geschäftsstellenfunktion
7 Unter- und Überbesetzung
8 be- und entladen
9 Telefon-, Wasser- und sonstige Anschlüsse
10 Public-Relations- und Werbemaßnahmen
11 groß- und kleinformatig
12 ein und ausräumen

Key 16.4

1 Bekanntmachung der Firma und deren Produkte
2 Profilierung gegenüber den Wettbewerbern
3 Kontaktmöglichkeiten zu Abnehmern, Lieferanten, potentiellen Arbeitnehmern und Partnerunternehmen

4 Marktbeobachtung
5 Erfahrungsaustausch mit Experten

Key 16.5

1 AUMA-Messekalender, 2 FKM, Besucherstrukturtest, 3 größere Messegesellschaften, Checklisten, Handbücher, Videokassetten u.a.

Key 16.6

1 Standgröße, Standtyp, Plazierung, Infrastruktur des Ausstellunggeländes, Auflagen
2 Messeziel: Information oder Kommunikation?
3 welche Räumlichkeiten und Einrichtungen?
4 zum Produkt passen und es hervorheben

Key 16.7

1 Auf- und Abbauzeiten, 2 zulässiges Baumaterial, 3 Standhöhen, 4 Bodenbelastbarkeit, 5 Installationsmöglichkeiten

Key 16.8

1 geschulte und sachkundige Mitarbeiter
2 Aushilfskräfte zur Bewirtung und Prospektverteilung

Key 16.9

1 Gespräch mit Pressevertretern
2 persönliche Einladungskarte
3 Presseinformationen in Landessprache oder Englisch
4 Neuheitenlisten
5 Produktinformationen an Messeveranstalter im voraus
6 Fächer im Pressezentrum für Presseinformationen mieten
7 Termine für Pressekonferenzen mit Messegesellschaft absprechen

Key 16.10

1 Erfahrungen und Vorkommnisse
2 Geschäftsabschlüsse und Interessentenkontakte
3 Personalaufgebot
4 Standplatz
5 technische Anlagen

6 Resonanz der Kundschaft
7 Arbeitssituation und Unterbringung des Personals

Key 16.11

1 *Überblick*, get a general view
2 *Grenzen*, keep something in bounds
3 *Weg*, save oneself the journey
4 *Produkt*, emphasize a product
5 *Marketingzielen*, correspond with the marketing objectives
6 *Auge*, leap to the eye, be striking
7 *Aufwand*, spare no expense
8 *genaues Bild*, get a clear picture of
9 *Kommunikationsstrategie*, tie up with the communication strategy
10 *Standauswahl*, select a stand location
11 *Personaleinsatzplan*, draw up a personnel plan
12 *Eindruck*, give an impression
13 *Komfort*, offer a certain luxury
14 *Licht*, present to its best advantage
15 *Neuheiten*, emphasize novelties
16 *Know-how*, have the know-how
17 *Rolle*, play the part
18 *Neuheitenlisten*, display lists with new products
19 *Fächer*, rent a pigeon-hole
20 *Nachrichten*, leave messages
21 *Termine*, make appointments
22 *Kosten*, save cost
23 *Notizen*, make notes

Key 16.12

1 Dolmetscher, 2 Geschäfte, 3 technische Versorgung, 4 Parkplätze, 5 Büroräume, 6 Grünflächen und Teiche, 7 Patentanwälte, 8 Club- und Kongreßräume, 9 Standaufbau, -bewachung, und -abbau, 10 Arbeitsamt, 11 IHK und Fachverbände, 12 Telefax- und Teletex-Dienst, 13 Versicherungen, 14 Pressezentrum, 15 Zimmerreservierung, 16 Tresoranlagen

Key 16.13

bezugsfertigen, Reihenstand, Grundausstattung, Fertigstand, zuzüglich

Key 16.14

1 Presseinformationen, 2 vereinbaren, 3 firmeneigenem Pressematerial, 4 Journalisten, 5 eigenen Pressekonferenzen

Key 16.15

A

Schreibübung: Setzen Sie die Worte aus dem Schüttelkasten sinngemäß ein und decken Sie den Text ab!

gemeinsame	Einwohner	Zeitschriften	Umkreis	Anzeigen
Spielwaren-Käufer	dichtest	Einladungen	Spielwarenhandel	
kaufkraftstärksten	Niederlanden	motiviert	problemlos	Haustür
Besuch	lokalen	Gruppenfahrten	Einzugsgebiet	

Schlüssel und Kassettentext
Köln liegt im Zentrum der *dichtest* besiedelten und *kaufkraftstärksten* Region der Bundesrepublik Deutschland. Im *Umkreis* von 60 Autominuten leben acht Millionen *Einwohner*. Auch von Belgien, Luxemburg und den *Niederlanden* ist Köln schnell und *problemlos* zu erreichen. Für die jungen Familien und *Spielwaren-Käufer* liegt die spielaktiv im November vor der *Haustür*. Die KölnMesse *motiviert* die Verbraucher zum *Besuch* der spielaktiv über *Anzeigen* in den Zeitungen und *Zeitschriften* im Einzugsbereich. Funkspots im *lokalen* Radio. *Gemeinsame* Werbeaktionen mit dem *Spielwarenhandel* und den spielaktiv-Ausstellern. City-Plakatierung in den Großstädten im *Einzugsgebiet*. Persönliche *Einladungen* an Kindergärten, Schulen und Jugendclubs. Die KölnMesse organisiert *Gruppenfahrten* zur spielaktiv.

B
1 Anzeigen in den Zeitungen und Zeitschriften
2 Funkspots im lokalen Radio
3 gemeinsame Werbeaktionen
4 persönliche Einladungen
5 Gruppenfahrten

Key 16.16

damit, je ... desto, da, während, indem, obwohl, ob

Key 16.17

sobald, wie, obgleich, bevor, so daß

Key 16.18

während, nachdem, bevor, nachdem, bevor

Key 16.19

1 *Wenn (immer wenn)* sie zur Messe fährt, führt sie Gespräche mit neuen Lieferanten.
2 *Als* der Systemstand um 5 Uhr bezugsfertig war, räumte die Standcrew die Exponate ein.
3 *Wenn* (*immer wenn*) die Firma ihr Produkt der Presse vorstellen möchte, verschickt sie Einladungen zum Standbesuch.
4 *Wenn (immer wenn)* die Geschäftsleitung mit dem Herrn vom Wirtschaftsmagazin sprach, stellte sie (immer) ein bestimmtes Produkt besonders heraus.
5 *Als* der Betrieb sein Produkt zum erstenmal von einem anderen Betrieb mitvertreten ließ, waren die Messebeteiligungskosten geringer.
6 *Wenn (immer wenn)* sie die Resonanz auf ihr Produkt prüften, waren sie (immer) zufrieden.
7 *Wenn* (*immer wenn*) er kurzzeitig Zimmerbedarf für potentielle Kunden hat, setzt er sich mit der Zimmerreservierung des Messeveranstalters in Verbindung.

Key 16.20

1 weder . . . noch, 2 einerseits . . . andererseits, 3 entweder . . . oder, 4 zwar . . . aber, 5 je . . . desto, 6 nicht nur . . . sondern auch

Key 16.21

1 treten, 2 treffen, 3 erledigen, 4 engagieren, 5 auslegen, 6 anfertigen, 7 wecken, 8 vermeiden

Key 16.22

Uhr, Halle, Messegelände, beträgt, Hin- und Rückfahrt, Terminal, Aufschrift, Messebahnhof, Eingang Osthallen

Key 17.1

1 Eine Neueinführung ist heutzutage mit Risiko verbunden, weil die Märkte besetzt, Verbraucher kritisch und der Handel nicht immer aufnahmebereit sind.
2 Der Markttest ist das am weitesten entwickelte Instrument der Prognostik.
3 Das Risiko eines Flops kann durch sorgfältige Auswahl des Testinstrumentariums verringert werden.
4 Das Angebot der Medien ist lückenlos.
5 Die Bedingungen im Testmarkt im Hinblick auf Kosten-Nutzen-Strategien sind optimal, weil Marktforschungseinrichtungen vorhanden sind und nicht erst eingerichtet werden müssen.
6 Berlin ist Zentrum von Forschung, Wissenschaft, Kunst und Kultur.
7 Berlin ist in Europa als Messe und Kongreßplatz bedeutend.

Key 17.2

1 Man riskiert viel, wenn man eine Neueinführung wagt.
2 Der Handel war nicht aufnahmebereit.
3 Die Aussagekraft des Markttests ist kaum durch andere Methoden zu überbieten.
4 Das Risiko eines Flops kann jedoch verringert werden, indem man das Testinstrument sorgfältig auswählt.
5 Berlin verfügt über alle wichtigen Handelsformen.
6 In Berlin wird in höheren Einkommensgruppen sogar mehr verdient als im Bundesdurchschnitt.
7 Das Verbraucherverhalten ist normal.
8 Der Testmarkt Berlin bietet optimale Bedingungen.
9 Marktforschungseinrichtungen sind vorhanden.
10 Die Broschüre gibt Ihnen Material an die Hand.
11 In Berlin kann man reale Bedingungen vorfinden.

Key 17.3

1 falsch, 2 richtig, 3 falsch, 4 richtig, 5 falsch, 6 falsch, 7 richtig, 8 richtig

Key 17.4

1 falsch, 2 richtig, 3 richtig, 4 richtig, 5 falsch, 6 falsch, 7 richtig, 8 falsch, 9 falsch, 10 richtig, 11 richtig, 12 falsch, 13 richtig

Key 17.5

1 Akzeptanz, zuverlässig, 2 qualitative, 3 geschulte, 4 Erhebungsbasis, 5 einbezogen, 6 Hinweise

Key 17.6

1 Sie hat sich das Produkt lange angesehen, weil sie es zum erstenmal gekauft hat.
2 Sie kauft es, weil sie es verschenken will.
3 Sie will keine weiteren Produkte aus der Produktreihe kaufen, weil sie nicht so viel Geld auf einmal ausgeben will.
4 Ihr gefällt nicht, daß man nicht genau erkennt, welche Artikel zusammengehören.
5 Sie soll einen detaillierten Fragebogen mit nach Hause nehmen.

Key 17.7

häufiger	interessiert	geliefert	Vorschläge	groß angelegten
Testergebnis	anonym	imponierend	Einkommensgruppe	
ausrichten	überlassen	Produktreihe	Einkommensstufe	der

Schlüssel
Testergebnis, geliefert, imponierend, überlassen, Einkommensstufe, Einkommensgruppe, anonym, der, Vorschläge, interessiert, Produktreihe, ausrichten, häufiger, groß angelegten

Key 17.8

1 per, -e, 2 pro, -en, 3 Die, eingerechnet, 4 den, betreffend

Key 17.9

1 be sufficient, 2 agree, 3 belong to, 4 benefit, 5 resemble, 6 be lacking, missing, 7 meet, 8 agree with, 9 be successful, 10 decline s.o.'s invitation, 11 procure s.th. for s.o., 12. force s.th. on s.o., 13 be at s.o.'s disposal, 14 answer

Key 17.10

1 dem, 2 Ihrer, 3 der, 4 den beiden geschulten, 5 dem, 6 der, 7 der, 8 den

Key 17.11

1 accuse s.o. of, 2 look after a matter, 3 refrain from s.th., 4 suspect s.o. of, 5 prove s.o. guilty, 6 need, require, 7 assure o.s. of s.th., 8 accuse s.o. of, 9 lack

Key 17.12

1 einer gründlichen, 2 der, 3 des, 4 des, 5 jeglicher, 6 des lückenlosen, 7 der, 8 der, 9 des

Key 17.13

1 Der Termin mit dem Verkaufsleiter wird dem Vertreter abgesagt.
2 Der Firma fehlt guter Service völlig.
3 Der Einstieg in den deutschen Markt gelingt der britischen Firma sofort.
4 Die deutschen Forschungsmethoden ähneln den englischen sehr.
5 Um Unsicherheiten und Flops zu vermeiden, genügt schon ein kleiner Verbrauchertest.
6 Harte soziodemographische Daten stehen der Unternehmerin durch die Repräsentivbefragung zur Verfügung.
7 Die Arbeitsgemeinschaft Markt-Info Berlin nimmt sich des Projekts kostenlos an.
8 Die Firma wird der illegalen Produktkopie verdächtigt.

Key 18.1

Säulendiagramm	(1)
Bundesrepublik Deutschland	(4)
Von 100=v.H.% =Prozent	(1)
Vierpersonen-Arbeitnehmer-Haushalt	(1/2)
langlebige Konsumgüter	(2/3)
neun Säulen	(2)
acht Säulen für 1975	(4/5)
1975 und 1985	(3/4)

Key 18.2

1 (a), 2 (b), (f), 3 (c), (e), 4 (c), (e), 5 (b), (c)

Key 18.3

1 (f), (g), (h), 2 (d), (c), 3 (c), (a), (b), 4 (h), (f), (b), 5 (f)

Key 18.4

Die Freizeitaktivitäten der Deutschen

Angaben in Prozent der Befragten
(Mehrfachnennungen)

Frauen		Männer	
78	Fernsehen	Fernsehen	85
50	Telefonieren	Telefonieren	38
39	Lesen	Heimwerken	26
39	Handarbeiten	Im Freundeskreis handwerken	26
32	Wandern	Wandern	26
28	Einkaufsbummel machen	Lesen	25
27	Sich pflegen	Sport treiben	25
20	Gottesdienst besuchen	In die Kneipe gehen	23
15	Briefe schreiben	Unterhaltungsspiele	20

Umfrage bei 2 000 Bundesbürgern

Key 18.5

anheben	abbauen
(an)steigen	abnehmen
aufstocken	abschwächen
ausbauen	einschränken
ausdehnen	einsparen
erhöhen	ermäßigen
gewinnen	erniedrigen

steigern	fallen
vergrößern	kürzen
verstärken	schrumpfen
wachsen	senken
zunehmen	sinken
wachsen	verkleinern
	verschlechtern
	verlieren
	verringern

Key 18.6

100 000, 71 000, 21 000, 40%, 12%, 26%

Key 18.7

1 kleine Geschäfte, 2 Supermärkte, 3 kleine Verbrauchermärkte, 4 große Verbrauchermärkte, 5 SB-Warenhäuser

Key 18.8

Von 1974 *bis* 1980 ist die Zahl der Lebensmittelgeschäfte *um* 43 000 gefallen. Sie hat sich in dieser Zeit *von* 138 000 *auf* 95 000 verringert. Jedoch hat sich die Zahl *von* 1983 *bis* 1989 nur *um* 15 000 verringert, nämlich *von* 86 000 *auf* 71 000. Nur 50 000 Geschäfte wird es wahrscheinlich *im* Jahre 2000 geben.

Die Anzahl der kleinen Verbrauchermärkte wird wahrscheinlich *von* 1988 *bis* zum Jahre 2000 *um* 26% steigen, die kleinen Geschäfte jedoch werden sich *um* 40% verringern.

Key 18.9

1 gesteigert, 2 gestiegen, 3 steigen, 4 steigern, 5 gesteigert, 6 gestiegen, 7 stiegen, 8 steigern, 9 steigerte, 10 steigen.

Key 18.10

1 sinken, 2 sinkt, 3 gesenkt, 4 sanken, 5 sinken, senkt, 6 gesunken, 7 sinken, 8 gesenkt

Key 18.11

1 fällt, 2 abgebaut, 3 verschlechtern, 4 steigt, 5 gewinnen

Key 18.12

1 fiel, 2 wurden abgebaut, 3 verschlechterten 4 stieg, 5 konnten gewinnen

Key 18.13

1 ist gefallen, 2 sind abgebaut worden, 3 haben sich verschlechtert, 4 ist gestiegen, 5 haben gewinnen können

Key 18.14

1 Daß die Aktien stürzten, konnte nicht verhindert werden.
2 Daß das Personal reduziert wurde, war für alle Beteiligten unerfreulich.
3 Daß Marktanteile verloren wurden, brachte das Unternehmen in Schwierigkeiten.
4 Daß das Angebot verringert wurde, war notwendig.
5 Daß die Inflationsrate gegenüber dem Vormonat anstieg, wurde von allen beklagt.

Key 18.15

1 Sie freut sich über die Zunahme der Verkaufszahlen.
2 Sie schlug den stärkeren Ausbau der Marktposition im Ausland vor.
3 Er dachte an die Ausdehnung seiner Geschäftsbeziehungen mit dem Chemiegiganten.
4 Der Außenmitarbeiter berichtete über den Verlust hoher Beträge seiner Firma.
5 Das Diagramm zeigt eindeutig den Anstieg der Produktion gegenüber dem Vorjahr.

Key 19.1

1 für die einzelnen Länder, 2 rechtliche und finanzielle, 3 gründlichen Prüfung, 4 Lagerungsmöglichkeiten, Kundenstamm 5 geschulter Mitarbeiterstab, 6 einholen, 7 am Markt, 8 vorstellen, 9 Erkundigungen, zukünftigen, 10 vorab, 11 Lieferbedingungen, 12 Preisvorstellungen

Key 19.2

1 sich mit seinem Produkt direkt auf den Markt begeben, 2 zwischenzuschalten, 3 dem Vertreter überlassen, 4 vertreiben, 5 richtet sich an, 6 einer Prüfung unterziehen, 7 in Frage kommende, 8 genaues Produktwissen aneignen, 9 war etabliert, 10 Erkundigungen eingeholt, 11 vorab geklärt, 12 über die Arbeitsweise der Leute erfahren

Key 19.3

1 (c), 2 (a), 3 (c), 4 (b), 5 (b), 6 (b), 7 (a), 8 (c)

Key 19.4

1 Es hängt davon ab, was man für ein Produkt hat.
2 Sie denkt daran, wie der Abnehmerkreis aussieht.
3 Er muß sich darüber vergewissern, welches Produktwissen der Vertreter hat.
4 Sie entschuldigt sich dafür, daß die Lieferzeit nicht eingehalten wurde.
5 Sie einigten sich darüber, ihm eine Provision von 18% zu bezahlen.
6 Er muß sich ebenfalls danach richten, welche Sicherheits- und Qualitätsbestimmungen gelten.
7 Er glaubt daran, daß Kaminzubehör in Deutschland eine Marktchance hat.
8 Man muß sich vollständig darauf verlassen können, daß sich die Vertretungsagentur der Absprache gemäß verhält.
9 Sie ist froh darüber, daß er optimistisch ist.
10 Sie hat sich noch nicht lange damit befaßt, wie internationale Geschäfte gemacht werden.
11 Er erinnerte sich daran, den Vertrag vor drei Jahren abgeschlossen zu haben.
12 Sie interessierte sich nicht dafür, die Zweigstelle zu übernehmen.

Key 19.5

1 falsch, 2 richtig, 3 falsch, 4 richtig, 5 falsch, 6 falsch

Key 19.6

1 der Tante-Emma-Laden
2 der Lebensmittel-SB-Laden
3 das Fachgeschäft
4 das Kaufhaus, das Warenhaus

5 das Filialgeschäft
6 der Lebensmittel-SB-Markt
7 der Supermarkt
8 das SB-Center, der Verbrauchermarkt
9 der Discountmarkt
10 das SB-Warenhaus

Key 19.7

1 Das Warenhaus liegt in Köln-Mitte, genau in einer Fußgängerzone.
2 Die Filiale hat eine Verkaufsfläche von 23 000 qm, fünf Etagen mit 28 verschiedenen Abteilungen mit rund 360 000 Artikeln.
3 (a) Man benötigt wenig Lagerfläche.
(b) Man hat nur geringe Lagerhaltungskosten.
(c) Man kann zusätzliche Flächen für den Verkauf mobilisieren.
4 Die Aufgabe der Abteilungsleitung ist der Einkauf und der Verkauf.
5 Im Kaufhaus gibt es 650 Frauen und Männer in den Verkaufsabteilungen, 35 Personen im Restaurant und in anderen Abteilungen noch einmal 90. Das sind insgesamt 775 Beschäftigte.
6 Zur technischen Ausstattung gehören 18 Fahrtreppen, sechs Personen- und Lastenaufzüge und 2600 Sprinklerdüsen.
7 Im Schnitt besuchen täglich 30 000 Kunden das Warenhaus und an Spitzentagen sogar bis zu 100 000 Menschen.
8 Nach der sommerlichen Urlaubszeit ist der Umsatz niedrig. Im Monat November und Dezember, also im Weihnachtsgeschäft, ist der Umsatz hoch, ca. ein Fünftel des Jahresumsatzes.
9 Einige Abteilungen haben renommierte Markenartikel aufgenommen, das bedeutet ein aufwendiges Display.
10 Wühltheken werden vor allem während der Winter- und Sommerschlußverkäufe eingesetzt.

Key 20.1

1 Produktionsstätten, Verkaufsniederlassungen, 2 Vorrangig, gerüstet, 3 sperrigen, 4 Ort, Fremdsprachen, 5 Variationen, 6 Vertriebsressort

Key 20.2

1 Sie sind sich nicht darüber einig, ob es bald eine Rezession geben wird.
2 Sie sind damit beschäftigt, Waren und Dienstleistungen für das Ausland zu erbringen.

3 26 Mill. Arbeitsplätze, das sind 25%, sind vom Exportgeschäft abhängig.
4 Bei der eisenschaffenden Industrie sind 40 von 100 Erwerbstätigen direkt für den Auslandsmarkt tätig und weitere 40, die Eisen und Stahl liefern.
5 Sie sind stark im Außenhandel vertreten, weil sie Qualität, moderne Technik, prompten Service und stabile Preise bieten können.
6 Die Japaner liefern nur 16% und die Amerikaner nur 10%.
7 Die Zahl der Erwerbstätigen hat sich um eine Million verringert, die Zahl derjenigen, die für den Export arbeiten um eine halbe Million erhöht.
8 Die vier größten Exportbranchen sind die Automobilbranche, die chemische Industrie, der Maschinenbau und die Elektrotechnik.
9 Die Tendenz der hohen Handelsüberschüsse kann kein Dauerzustand sein.
10 Der Absatz wird verhindert, weil immer mehr Staaten mit Handelsschranken drohen.

Key 20.3

Die deutsche Wirtschaft ist in hohem Maße ausfuhrorientiert und damit vom Einfluß der Auslandsnachfrage abhängig. Das gilt nicht nur für den unmittelbaren Export von Waren oder Dienstleistungen, sondern bezieht sich auch auf die Vorleistungen, die in der Bundesrepublik für den Export erbracht werden. Um die Exportabhängigkeit in ihrem gesamten Umfang zu ermitteln, müssen deshalb auch diejenigen Branchen oder Produktionsstufen berücksichtigt werden, die selbst keine nennenswerten direkten Exporte verzeichnen, aber über Zulieferungen an exportintensive Wirtschaftszweige indirekt ebenfalls zu einem beträchtlichen Grad von der Entwicklung der Auslandsnachfrage betroffen sind.

Key 20.4

agriculture and forestry
energy and mining
processing industries
non-ferrous metal industries
iron and steel producing industries
chemical industries
mechanical engineering
textile industries

vehicle industries
electrotechnical industries
trade and transport
services

Key 20.5

1 Ein gut ausgebautes Verkehrsnetz ist so wichtig, weil das Land so stark vom Export abhängt.
2 Er ist der größte Lastenträger beim Güterfern- und Nahverkehr.
3 Die deutsche Bundesbahn befördert die meisten Massengüter und schweren Lasten.
4 Der Vorteil ist, daß man weite Strecken zurücklegen, das Verkehrsnetz entlasten und gleichzeitig die Lieferung von Tür zu Tür garantieren kann.
5 Beim Partiefrachtservice werden die Bahn und der LKW benutzt.
6 Massengüter wie Baumaterialien, Erze, Kohle, chemische Produkte und Mineralölprodukte werden per Binnenschiffahrt transportiert.
7 Der Rhein fließt durch die Schweiz, Deutschland und die Niederlande.
8 Die Container-Spezialhäfen sind mit modernsten Förder- und Hebeeinrichtungen ausgerüstet.

Key 20.6

Gewinnspanne
Kosteneffizienz
billig
Ersparnisse
logistische Kosten
Transportkosten sparen
preisgünstig
Energie-Terminhandel

Key 20.7

1 verbessern, 2 vertreiben, 3 abwickeln, 4 ersparen, 5 Fracht abfertigen, 6 beliefern, 7 lagern

Key 20.8

Transportkosten	*Frachtabfertigung*	*Verkehrslage*
Ersparnisse bei logistischen Kosten	die durchdachteste Frachtabfertigung	das durchdachteste Distributionsnetz
preisgünstig und flexibel	bestausgestatteste Hafen Europas	12 500 Schiffs-verbindungen zu 1000 Häfen pro Jahr
	Distriparks Groupagedienste Lagerung phys. Distribution Verpackung	wichtigster europ. Eingangshafen und Hauptverladehafen
	Spezialisten für die ges. phys. Distribution	

Key 20.9

nächstgelegene Hafen, durchdachteste Frachtabfertigung, bestausgestatteste Hafen, weltweite Belieferung, preisgünstig, wettbewerbsfähig

Key 20.10

Kosteneffizienz
Distributionsnetz
Frachtabfertigung
Schiffsverbindungen
Ausgangsbasis
Eingangshafen
Hauptverladehafen
Distriparks
Groupagedienste
Endverbraucher
Distributionshafen
Spotmarkt
Terminhandel
Getreidebörse
Obstauktion
Dienstleistungsspezialist
Kundendienst

Key 20.11

1 Käufer, 2 Verkäufer, 3 Käufer, 4 Verkäufer, 5 Verkäufer, Käufer

Key 20.12

kostenlos	free of charge
geschmacklos	tasteless
sinnlos	senseless, meaningless
arbeitslos	unemployed
zweifellos	without doubt
fristlos	without notice
zinslos	interest free
grundlos	for no reason
zeitlos	timeless
ausnahmslos	without exception
mittellos	without means, poor
staatenlos	stateless
wirkungslos	without effect, ineffective
bargeldlos	cashless
konkurrenzlos	without competition
wettbewerbslos	without competition
problemlos	without problems
zuschlagsfrei	without extra charge
rostfrei	stainless, rustless
zollfrei	duty free
abgabenfrei	tax free
kostenfrei	free of charge
gebührenfrei	without fees
alkoholfrei	alcohol free
kalorienfrei	free of calories
einwandfrei	unobjectionable, flawless
bleifrei	lead free
steuerfrei	tax free
frachtfrei	free of freight, carriage paid
störungsfrei	troublefree, free of disturbance

Key 21.1

Die Europäische Gemeinschaft
Großbritannien
Niederlande
Belgien
Luxemb.
Irland
Dänemark
Bundesrepublik Deutschland
Frankreich
Portugal
Spanien
Italien
Griechenland

Key 21.2

1 italienische, 2 britische, 3 französische, 4 spanische, 5 portugiesische, 6 niederländischen, 7 irische, 8 griechische, 9 belgische, 10 luxemburgische, 11 dänische, 12 deutsche

Key 21.3

Die Spanier haben eine gemeinsame Grenze mit den Franzosen und den Portugiesen.

Die Franzosen haben eine gemeinsame Grenze mit den Spaniern, Italienern, Deutschen, Luxemburgern und Belgiern.

Die Griechen haben keine gemeinsame Grenze mit einem Mitgliedsland.

Die Dänen haben eine gemeinsame Grenze mit den Deutschen.

Die Niederländer haben eine gemeinsame Grenze mit den Deutschen und Belgiern.

Die Iren haben eine gemeinsame Grenze mit den Briten.

E der Spanier
die Spanierin

F der Franzose
die Französin

GR der Grieche
die Griechin

DK der Däne
die Dänin

NL der Niederländer
die Niederländerin

IRL der Ire
die Irin

B der Belgier
die Belgierin

P der Portugiese
die Portugiesin

I der Italiener
die Italienerin

D der Deutsche
die Deutsche

L der Luxemburger
die Luxemburgerin

GB der Brite
die Britin

Key 21.4

DK Dänemark
PL Polen
CZ Tschechische Republik
A Österreich
CH die Schweiz
F Frankreich
L Luxemburg
B Belgien
NL die Niederlande

Key 21.5

1 ausländische Investoren, 2 Unternehmensbesteuerung, Genehmigungspraxis, 3 Arbeitsplätze, 4 Direktinvestitionen, 5 Investitionstätigkeit, 6 freien Marktzugang, 7 Exportsteigerungen (oder -zuwächse), 8 Auslandsinvestitionen, 9 Hochtechnologien, 10 Einschätzung, 11 Spitzenposition, 12 Personalkosten, Arbeitszeit

Key 21.6

1 auf niedrigem Niveau verharren, 2 die Einschätzung teilen, 3 den Bericht veröffentlichen, 4 attraktiv bleiben, 5 Selbstzweifel pflegen, 6 Bestätigung finden, 7 Erkenntnisse stützen auf, 8 eine Spitzenposition einnehmen

Key 21.7

1 (d), 2 (a), 3 (b), 4 (a), 5 (a), 6 (d), 7 (c), 8 (b), 9 (d), 10 (b), 11 (b), 12 (c), 13 (b), 14 (c)

Key 21.8

1. Sie möchte eine neue Produktionsstätte nach Thüringen verlegen.
2. Ihre Firma stellt Keramikprodukte her.
3. In der Wirtschaftsregion stehen qualifizierte Arbeitskräfte zur Verfügung.
4. Sie hat bereits untersucht, ob ihnen dort Frauen zur Verfügung stehen.
5. Es muß geklärt werden, wie die Zukunft der Wirtschaftsregion ausssieht und wie sich der allgemeine wirtschaftliche Trend auf den Betrieb auswirkt.

6 Vorschriften in den Bereichen Lärmbelästigung und Reinhaltung von Luft und Wasser sind zu erwarten.
7 Es ist wichtig in bezug auf eine eventuelle Erweiterung.
8 Lage, Größe und Gestaltung der Anlage müssen dem Betrieb angemessen sein.
9 Staat, Land oder Stadt könnten Steuervorteile, Investitionshilfen oder Industrieförderungsmaßnahmen anbieten.
10 Frau Graf sind schon die Einzelheiten des Beratungspakets bekannt.

Key 21.9

1 eine Untersuchung machen, 2 die Produktion verlegen, 3 eine Frage klären, 4 zum Beratungspaket gehören, 5 Pläne vorlegen, 6 zur Verfügung stehen, 7 sich auf den Betrieb auswirken, 8 Auflagen erwarten, 9 Vorstellungen haben 10 Steuervorteile bieten, 11 Arbeitskräfte beschäftigen, 12 Analyse erstellen, 13 eine Entscheidung beeinflussen, 14 in Frage kommen

Key 21.10

1 nordrhein-westfälisch, 2 bayrisch, 3 baden-württembergisch 4 niedersächsisch, 5 hessisch, 6 sächsisch, 7 rheinland-pfälzisch, 8 berlinerisch, Berliner 9 sachsen-anhaltisch, 10 thüringisch, 11 schleswig-holsteinisch, 12 brandenburgisch, 13 mecklenburg-vorpommerisch 14 hamburgisch/Hamburger 15 saarländisch, 16 Bremer/bremisch

Key 21.11

1 vor Ort, 2 Wissenschaftsbetrieben, 3 örtlicher, 4 kommunale, 5 Ingenieurbüros, 6 Forschungszentrum, 7 Lebensqualität, 8 Regionalpolitik, 9 Verfall, 10 verseuchte, 11 Forschungsleistungen, 12 Rang, 13 einseitigen, 14 Handelskammer

Key 21.12

1 zunehmende Bedeutung, 2 örtlicher Arbeitsmarkt, 3 kommunale Politik, 4 technische Hochschule, 5 westrheinisches Hügelland, 6 europäische Grenzen, 7 internationales Gewerbegebiet, 8 verseuchte Luft, 9 beste Forschungsleistungen, 10 wissenschaftliche Institute, 11 ausgezeichnete Verkehrslage, 12 gutes Wirtschaftsklima, 13 geringer Anteil, 14 verfallende Altbauten, 15 gesunde Umwelt, 16 einseitige Wirtschaftsstruktur

Key 21.13

1 Die Verkehrslage ist ein wichtiges Kriterium für die Neuansiedlung von Betrieben.
2 Der Faktor Lebensqualität nimmt an Bedeutung zu.
3 Ein gutes Wirtschaftsklima kann es auch in Grenzstädten geben.
4 In Ostdeutschland steht das gute Angebot von Arbeitskräften der verseuchten Umwelt gegenüber.
5 In den Grenzstädten werden internationale Gewerbegebiete geplant.
6 Jungunternehmer erachten Lebensqualität und wissenschaftliche Expertise für wichtig.
7 Eine einseitige Wirtschaftsstruktur bringt Gefahren für die Arbeitnehmerschaft bei einer Wirtschaftskrise.
8 Technische Hochschulen sind ein guter Indikator für Innovationsfreudigkeit.

Key 21.14

1 Die deutsche Exportquote ist doppelt so hoch wie die japanische und viermal so hoch wie die amerikanische.
2 Bei der Hochtechnologie verliert die Bundesrepublik seit Jahren Marktanteile.
3 Der europäische Markt absorbiert 70% der deutschen Exporte.
4 Der Nachteil ist, daß Deutschland im westpazifischen Raum unzureichend vertreten ist.
5 Die Stärke der deutschen Technologieproduktion ist die Breite ihrer Technologiepalette.
6 Japan hat die EG inzwischen bei forschungsintensiven Gütern, vor allem Elektronik, Büromaschinen und Computern überholt.
7 Der Aufwand für Forschung und Entwicklung in der Bundesrepublik bewegt sich bei knapp 3% des Bruttoinlandsprodukts.
8 Der Anteil an der Gesamtaufwendung für Forschung und Entwicklung der OECD-Länder beträgt für die USA 53%, für Japan 19% und für die Bundesrepublik knapp 10%.

Key 21.16

1 Hinsichtlich/Bezüglich der, aufgrund/dank/wegen seiner, 2 Mangels, 3 Laut den, 4 Aufgrund seiner, 5 Statt des, 6 Bezüglich/Hinsichtlich des, 7 Kraft/Dank des, 8 Infolge der, 9 Wegen/Aufgrund der, 10 Trotz der

Key 22.1

1 Herr Tomlinson möchte ein Konto eröffnen.
2 Er braucht ein laufendes Konto, weil er seinen Lohn monatlich auf ein Konto überweisen lassen möchte.
3 Er kann Schecks, eine Magnetkarte, eurocheques mit eurocheque-Karte und einen monatlichen Kontoauszug bekommen.
4 Für regelmäßige Rechnungen mit festem Betrag, wie Mietzahlungen, braucht man einen Dauerauftrag.
5 Man läßt sie per Einzugsermächtigung abbuchen.
6 Wenn man sein Konto mit nur einem geringen Betrag überzieht, dann zahlt man Zinsen.
7 Die Bank kann einen Überziehungskredit einräumen.
8 Auf dem Formular muß er außer der Unterschriftsprobe seine hiesige Adresse angeben.
9 Übermorgen kann er die mit seinem Namen gedruckten Schecks abholen.
10 Die Bank gibt ihm Bescheid, wenn die Automatenkarte fertig ist.
11 Auf einem Sparkonto mit einem Sparbuch bekommt man Zinsen.
12 Sie ist für seinen Bankverkehr zuständig.

Key 22.2

abheben, überweisen, sparen, abbuchen lassen

Key 22.3

1 zum Geldautomaten gehen, 2 Karte einführen, 3 Geheimzahl eintippen, 4 Geldmenge eintippen, 5 Karte entgegennehmen, 6 auf Geld warten, 7 Zahlungsbeleg entgegennehmen

Key 22.4

1 per Banküberweisung, 2 nur zur Verrechnung, 3 per Einzugsermächtigung, 4 Mitteilung an Empfänger, 5 Verwendungszweck, 6 laufendes Konto, Girokonto, 7 Geldausgabeautomat, 8 per Dauerauftrag, 9 Überziehungskredit, 10 genaue Anschrift

Key 22.5

1 (c), 2 (b), 3 (b), 4 (a), 5 (c), 6 (b), 7 (a), 8 (c)

Key 22.6

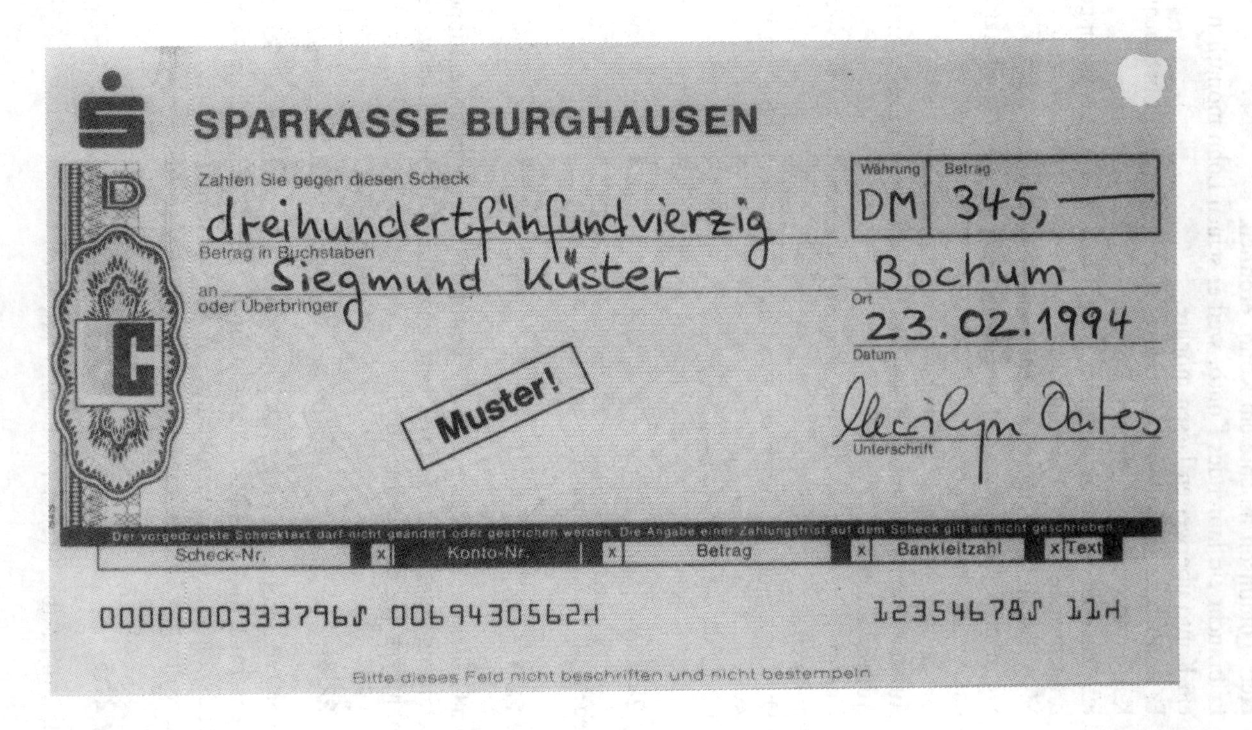

SPARKASSE BURGHAUSEN

Zahlen Sie gegen diesen Scheck

Währung	Betrag
DM	345,—

dreihundertfünfundvierzig

Betrag in Buchstaben

an oder Überbringer: Siegmund Küster

Ort: Bochum

Datum: 23.02.1994

Unterschrift: Marilyn Oates

Muster!

Der vorgedruckte Schecktext darf nicht geändert oder gestrichen werden. Die Angabe einer Zahlungsfrist auf dem Scheck gilt als nicht geschrieben.

Scheck-Nr.	x	Konto-Nr.	x	Betrag	x	Bankleitzahl	x	Text

0000000333796 0069430562 12354678 11

Bitte dieses Feld nicht beschriften und nicht bestempeln

Bankleitzahl
12354678

SPARKASSE BURGHAUSEN

Muster!

Zahlen Sie gegen diesen Scheck aus meinem/unserem Guthaben

zweihundertachtzehn

Deutsche Mark in Buchstaben

DM 218,45

Pf wie nebenstehend

an Glaserei Wortmann oder Überbringer

Stuttgart 02.09.1996 Frank Hughes

Ausstellungsort, Datum — Unterschrift des Ausstellers

Verwendungszweck Rechnung für Fenster vom 12.08.1996

(Mitteilung für den Zahlungsempfänger)

121 600 I/79

Der vorgedruckte Schecktext darf nicht geändert oder gestrichen werden. Die Angabe einer Zahlungsfrist auf dem Scheck gilt als nicht geschrieben.

Scheck-Nr	x	Konto-Nr.	x	Betrag	x	Bankleitzahl	x	Text

0000003460414⑆ 0069430562⑈ 12354678⑆ 01⑈

Bitte dieses Feld nicht beschreiben und nicht bestempeln

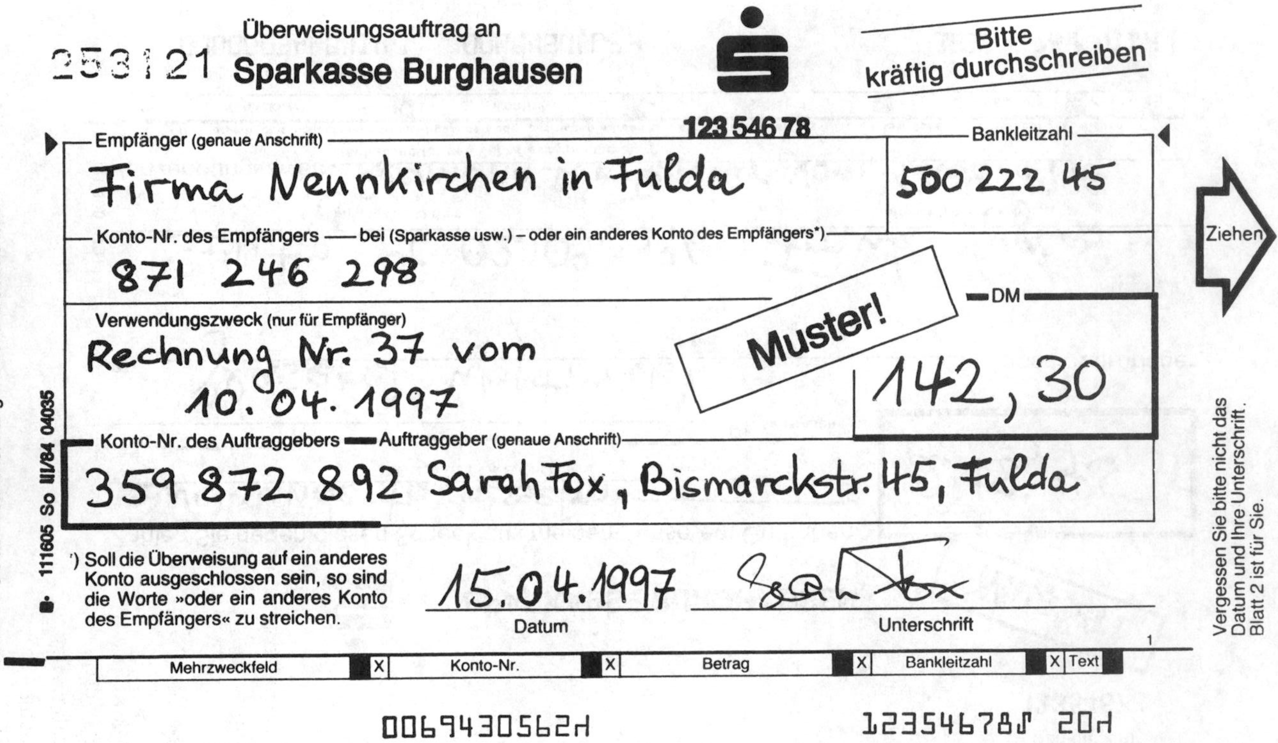

253121 Überweisungsauftrag an
Sparkasse Burghausen

123 546 78

Bitte kräftig durchschreiben

Empfänger (genaue Anschrift): Firma Neunkirchen in Fulda

Bankleitzahl: 500 222 45

Konto-Nr. des Empfängers — bei (Sparkasse usw.) – oder ein anderes Konto des Empfängers*): 871 246 298

DM: 142,30

Muster!

Verwendungszweck (nur für Empfänger): Rechnung Nr. 37 vom 10.04.1997

Konto-Nr. des Auftraggebers — Auftraggeber (genaue Anschrift): 359 872 892 Sarah Fox, Bismarckstr. 45, Fulda

*) Soll die Überweisung auf ein anderes Konto ausgeschlossen sein, so sind die Worte »oder ein anderes Konto des Empfängers« zu streichen.

Datum: 15.04.1997

Unterschrift: Sarah Fox

Ziehen

Vergessen Sie bitte nicht das Datum und Ihre Unterschrift. Blatt 2 ist für Sie.

Nach dem Ausfüllen bitte den linken und rechten Rand festhalten und nach rechts auseinanderziehen. Blatt 1 + 3 bitte zusammenhängend bei uns einreichen.

111605 So III/84 04035

1

Mehrzweckfeld	X	Konto-Nr.	X	Betrag	X	Bankleitzahl	X	Text

0069430562H 12354678⑈ 20H

Bitte dieses Feld nicht beschriften und nicht bestempeln

Key 22.7

Kreditkarte, Bargeld, Scheck, eurocheque, Überweisungsauftrag, Dauerauftrag, Postgiroüberweisung

Key 22.8

1 falsch, 2 falsch, 3 richtig, 4 falsch

Key 22.9

Sparkassen, Banken, bare, Sorten, bargeldlose, Devisen

Key 22.10

1 vielseitg, 2 erfahren, 3 zuverlässig, 4 leistungsstark, 5 individuell, 6 fachkundig, 7 schnell, 8 unkompliziert

Key 22.11

1 Immobilienfinanzierung, 2 langfristig, 3 zu festen Zinssätzen, 4 mittel- und kurzfristig, 5 Finanzierungsangebot, 6 Finanzierungswunsch, 7 Immobilienkredit, 8 Laufzeit, 9 Dauer der Zinsfestschreibung, 10 Tilgung, 11 Kreditsicherung, 12 steuerliche Aspekte, 13 Gesamtfinanzierung, 14 erstrangige und nachrangige Beleihung

Key 22.12

1 einen Kredit geben, 2 Informationen speichern, 3 Informationen abfragen, 4 eine Organisation einrichten, 5 Auskünfte erteilen

Key 22.13

1 falsch, 2 falsch, 3 richtig, 4 richtig

Key 22.14

1 arbeitslos, 2 bargeldlos, 3 zinslos, 4 fristlos, 5 konkurrenzlos, 6 problemlos (reibungslos), 7 kostenlos, 8 ergebnislos (wirkungslos), 9 wirkungslos (ergebnislos), 10 reibungslos (problemlos)

Key 22.15

1 privaten, 2 Aktienanteile, 3 wirtschaftlichen, 4 Aufsichtsrat, 5 Sicherheit, 6 Bankrott, 7 Diversifikation, 8 Managementberater, 9 Aktionär, 10 Markt

Key 22.16

1 Das Finanzministerium, das Wirtschaftsministerium und die Deutsche Bundesbank sind für die Wirtschaftspolitik zuständig.
2 Sie hat Einfluß auf die Konjunktur- und Preisentwicklung, weil sie die Geldmenge und die Zinsen am Geldmarkt kontrolliert.
3 „Innere Stabilität" bedeutet hier, die Inflationsrate möglichst niedrig zu halten.
4 „Außere Stabilität" bedeutet hier, für die Stabilität der D-Mark auf den internationalen Devisenmärkten zu sorgen.
5 Es wird geschätzt und orientiert sich an den Produktionsmöglichkeiten der Wirtschaft.
6 Sie heißt die Bank der Banken, weil sie die Geschäftsbanken mit Geld versorgt.
7 Sie ist die Bank des Staates, weil sie für den gesamten Zahlungsverkehr des Staates verantwortlich ist.
8 Sie kann nicht gezwungen werden, entsprechend der Regierungspolitik zu handeln, aber sie soll im allgemeinen die Politik der Regierung unterstützen.

Key 22.17

1 Wenn er Zeit hat, kommt er sofort zu Ihnen.
2 Wenn er jetzt die Firma wechseln würde, würde er sofort mehr Geld verdienen.
3 Wenn die Angestellte Italienisch lernen würde, könnten wir sie in einem halben Jahr nach Mailand schicken.
4 Wenn er schlau wäre, würde er sich an dem neuen Projekt beteiligen.
5 Wenn Ihr etwas Geld hättet, müßtet Ihr diese Aktien kaufen.
6 Wenn ich nach Deutschland fahre, gehe ich auch zur Hannover-Messe.
7 Wenn das Unternehmen expandieren würde, müßten wir noch mehr Aufträge von ihnen bekommen.
8 Wenn ich den Vertrag lesen kann, entscheide ich mich.

9 Wenn Sie 1000 Stück abnehmen würden, könnte ich Ihnen einen Rabatt von 5% einräumen.
10 Wenn der Werbeassistent aus dem Urlaub zurück wäre, könnten wir mit der Vorbereitung beginnen.
11 Wenn Sie das früher gesagt hätten, dann hätte ich Ihnen den Messekatalog mitbringen können.
12 Wenn sie sich um die Stelle beworben hätte, hätte sie sie bekommen.
13 Wenn der Verkaufsleiter die neue Werbekampagne sieht, ist er sicherlich zufrieden.
14 Wenn sie gestern zur Besprechung gekommen wäre, hätte sie ihre Meinung sagen können.
15 Wenn das Flugzeug pünktlich angekommen wäre, hätte ich den Zug noch erreicht.
16 Seine Firma wäre noch auf dem ausländischen Markt, wenn er letztes Jahr den Kredit von der Bank bekommen hätte.
17 Ich würde Sie abholen, wenn ich nicht in der Sitzung wäre.

Key 22.18

1 Es wäre angenehmer, wenn Sie mit dem Flugzeug nach Köln fliegen würden.
2 Es wäre preisgünstiger, wenn Sie eine große Menge abnehmen könnten.
3 Es wäre für uns finanziell interessanter, wenn der Vertreter das Werbematerial produzieren würde.
4 Es wäre einfacher, wenn das Materiallager nicht so weit weg liegen würde.
5 Es wäre viel besser gewesen, wenn man den Vertrag sofort unterschrieben hätte.

Key 22.19

1 Schön, daß ich Sie sehe, sonst/anderenfalls hätte ich Sie angerufen.
2 Die Bank räumte mir den Kredit ein, sonst/anderenfalls hätte ich den Transporter nicht kaufen können.
3 Ich habe die Sparkasse angerufen, sonst/anderenfalls hätte ich den Zinssatz nicht gewußt.
4 Die Bundesbank hat die Mindestreserve gesenkt, sonst/anderenfalls hätten die Geschäftsbanken in diesem Jahr keine Kredite mehr geben können.

5 Das Unternehmen hatte zum Schluß große Gewinne gemacht, sonst/anderenfalls wäre der Geschäftsführer entlassen worden.

Key 23.1

1 Versicherungsbetrieb, 2 Produktionsmittelbetrieb, Verbrauchsgüterbetrieb, 3 Handelsbetrieb, 4 Bankbetrieb, 5 Produktionsmittelbetrieb, 6 Rohstoffgewinnungsbetrieb, 7 Verkehrsbetrieb

Key 23.2

1 abschließen, 2 weiterentwickeln, 3 vertreiben, 4 abwickeln, 5 herstellen, 6 gewinnen, 7 befördern

Key 23.3

1 mechanical engineering, 2 electrotechnical industries, 3 iron, steel and mining industries, 4 chemical industries, 5 vehicle industries, 6 space industries, 7 shipbuilding industries, 8 precision-engineering, optical and clock-making industries, 9 food industries

Key 23.4

Löhne und Gehälter bezahlen	pay wages and salaries
Waren ausfahren	deliver goods
Maschinen stets überwachen	check machines
Bestellungen aufnehmen	take orders
Rechnungen schreiben	make out bills
Maschinen bedienen	operate machines
Güter produzieren	produce goods
Waren verpacken und lagern	package and store goods
Steuererklärung abgeben	hand in tax form
Arbeitskräfte einstellen	employ staff
Marktforschung betreiben	conduct market research
Rohstoffe bezahlen	make payments for raw materials
Rohprodukte bestellen	order raw materials
Statistiken auswerten	analyse statistics

Zunächst wird Marktforschung betrieben,
und dann werden die Statistiken ausgewertet.

Als nächstes werden Arbeitskräfte eingestellt.

Dann erst werden Rohstoffe bestellt
und sofort bezahlt.

Gleichzeitig werden Bestellungen aufgenommen.

Nun werden Maschinen bedient und Güter produziert.

Am Ende des Monats werden Löhne und Gehälter bezahlt.

Stets werden Maschinen überwacht.
Danach werden Waren verpackt und gelagert.

Schließlich werden Waren ausgefahren sowie Rechnungen geschrieben.

Zum Schluß wird die Steuererklärung abgegeben.

Imperfekt
wurde betrieben, wurden ausgewertet, wurden eingestellt, wurden bestellt und bezahlt, wurden aufgenommen, wurden bedient und produziert, wurden bezahlt, wurden überwacht, wurden verpackt und gelagert, wurden ausgefahren sowie geschrieben, wurde abgegeben

Perfekt
ist betrieben worden, sind ausgewertet worden, sind eingestellt worden, sind bestellt und bezahlt worden, sind aufgenommen worden, sind bedient und produziert worden, sind bezahlt worden, sind überwacht worden, sind verpackt und gelagert worden, sind ausgefahren sowie geschrieben worden, ist abgegeben worden

Key 23.5

basic functions of a company			
supply markets → supply	production	sales → sales markets	
basic functions		organization	
procurement/ purchasing	production	sales distribution	administration management
material supply/handling	research and development	marketing	finance
		sales	
-material control			personnel
-requisition	production planning/ control		organization
-storage			accounting
-transport/ handling	quality control		

Key 23.6

Unternehmensleitung
Unternehmensziele festlegen

Verwaltung
Rechnungen schreiben
Lohnbuchhaltung führen
Bilanz erstellen für die Geschäftsleitung
Gewinn- und Verlustrechnung aufstellen
Personalstruktur planen

Verkauf
Kunden beraten
Markt beobachten
Preisänderungen vornehmen
Rabatte und Nachlässe gewähren
Verkaufsstatistik führen

Einkauf
Angebote einholen und prüfen
Bezugsquellen ermitteln
Bestelltermine festlegen

Lager
angelieferte Ware kontrollieren
Lagerkartei erstellen

techn. Bereich
Fuhrpark warten

Key 23.7

	Present Part.	Past Part.
verringern	verringernd-	verringert-
entstehen	entstehend-	entstanden-
steigen	steigend-	gestiegen-
vergrößern	vergrößernd-	vergrößert-
schreiben	schreibend-	geschrieben-
überwachen	überwachend-	überwacht-
steuern	steuernd-	gesteuert-
ausführen	ausführend-	ausgeführt-
transportieren	transportierend-	transportiert-
beauftragen	beauftragend-	beauftragt-

Key 23.8

	director general/president general manager	
	technical director	business (sales) manager
upper/top management	managing engineer	senior head of department
middle management	workshop manager	head of department
lower management	head foreman	senior clerk
	foreman	clerk
	worker	

Key 23.9

kann mehrere Betriebe zusammenfassen	Unternehmen
rechtlich-finanzielle Einheit	Unternehmen/Betrieb
wirtschaftlich-technisch-organisatorische Einheit	Betrieb/Unternehmen
Ort der technischen Produktion	Betrieb

Key 23.10

1. Herr Hagenstolz hat sich stets bemüht, sich selbst ein Bild von der Arbeitsweise seiner Partnerfirmen zu machen.
2. Herr Treidel ist der Leiter des Verkaufs.
3. Herr Treidel möchte mit Frau Nicholson ihre neue Kollektion besprechen.
4. Wenn Herr Treidel nicht bald bestellt, dann kommt er noch in einen Engpaß.
5. Frau Nicholson möchte mit ihm darüber sprechen, wieviel Rabatt sie gewähren kann/können.
6. Der Absatz läuft sehr gut, und es gibt schon eine Menge Vorbestellungen.
7. Die Verwaltungsarbeit wurde durch einen neuen Computer beschleunigt.
8. Frau Nicholson möchte von Herrn Hagenstolz wissen, welche Funktion ein Prokurist in einem Betrieb hat.

Key 23.11

Rechtsform, Risiko, Kapitalkraft, finanzkräftigen, gesamte, beanspruchen, haftet, Konkurs

Key 23.12

Personen, Gewinn, Geschäftsführung, Gesellschafter, abschließt, bindend, unmittelbar, Gläubiger, Schulden, Schwierigkeiten

Key 23.13

Fall 1: Nein, Fall 2: Ja

Key 23.14

1 Eine Transaktion einer AG und einer GmbH ist rechtsgültig, wenn die Unterschrift durch den Zusatz ppa. gekennzeichnet ist.
2 Der Unternehmer persönlich erteilt die Prokura.
3 Die Prokura gibt das Recht zum Kauf von Waren und Grundstücken, zur Einstellung und Entlassung von Mitarbeitern.
4 Die Unterschrift eines Prokuristen ist nach außen rechtsgültig, damit das Gesetz die Geschäftspartner eines Unternehmens schützt.
5 Es gibt die Einzelprokura, die Gesamtprokura und die Filialprokura.

Key 23.15

gegen die Vollmachtsbeschränkung verstoßen
eine Handlungsvollmacht erteilen
ins Handelsregister eintragen
die rechtliche Seite vertreten
eine Handlungsvollmacht widerrufen
Geschäfte abschließen
zum Kauf befähigen
Unterschrift leisten

Key 23.16

1 die Entscheidung, die vom Prokuristen getroffen worden ist
2 die Prokura, die im Handelsregister eingetragen worden ist
3 das Unternehmen, das im Ausland eröffnet worden ist
4 die Ware, die ohne Absprache mit der Unternehmensleitung gekauft worden ist
5 das Distributionsnetz, das über ganz Europa verteilt worden ist
6 das Stammkapital, das in den Betrieb gesteckt worden ist

Key 23.17

1 der mit der Sonderbestellung beauftragte Kurier
2 der gegenüber der Konkurrenz zugenommene Abstand
3 die zur Produktion bestellten Güter
4 die von der Verwaltung durchgesetzte Reorganisation
5 der von der Firma nicht eingehaltene Liefertermin
6 die zur Verfügung gestellte Menge

Key 24.1

1 zusätzliche, Versand, 2 Einzelheiten, 3 unverbindliche, 4 eingegangen, 5 Gerichtsstand

Key 24.2

1 zur Probe, 2 Ramschkauf, 3 Fixkauf, 4 nach Probe, 5 Faq-Kauf, 6 Spezifikationskauf, 7 auf Probe, 8 Ratenkauf, 9 auf Abruf, 10 Kommissionskauf, 11 nach Besicht

Key 24.3

1 Wir können die Ware in Verwahrung nehmen.
2 Danach kann man die Ware versteigern.
3 Leider kann ich Ihnen keine Nachfrist setzen.
4 Wir sehen uns gezwungen, Schadenersatz geltend zu machen.
5 Die Firma gerät in Zahlungsverzug.

6 Es ist leider notwendig, 6% Verzugszinsen für den Verspätungsschaden zu verlangen.
7 Die Schulden kann man per Nachnahme einziehen.
8 Wenn der Verkäufer nicht liefert, treten wir vom Vertrag zurück.

Key 24.4

1 angemessenen, 2 termingerecht, 3 aus Kulanz, 4 versteigern, 5 angemahnt, Nachfrist, 6 Inkassoinstitut, 7 fällig, 8 binnen, Klage

Key 24.5

1 Mängel, 2 mangelhaften, Mängelrüge, 3 mängelfrei, 4 offene, 5 mit Mängeln behaftet, 6 Arglistig verschwiegene Mängel

Key 24.6

1 Bei mangelhafter Lieferung möchte ich vom Vertrag zurücktreten.
2 Bei Ankunft war Ihre Ware vom Transport stark beschädigt.
3 Leider muß ich auf Erfüllung des Vertrags binnen einer Woche bestehen.
4 Man meldet die versteckten Mängel sofort nach Entdecken.
5 Die Menge der Lieferung weicht von der vereinbarten Menge ab.
6 Einen Umtausch der Ware können wir nicht gewähren.
7 Entweder schicken Sie eine Ersatzlieferung, oder wir treten vom Vertrag zurück.
8 Ich bestehe auf Wandlung des Kaufvertrags.

Key 25.1

1 falsch, 2 richtig, 3 falsch, 4 falsch, 5 richtig, 6 richtig, 7 falsch, 8 falsch, 9 richtig, 10 richtig

Key 25.2

1 Die Gewerkschaften sind nach Wirtschaftzweigen und Verwaltungszweigen gegliedert.
2 Die Gewerkschaften sind nach Betrieben geordnet und nicht nach Berufen.
3 Für einen Betrieb kann jeweils nur eine Gewerkschaft zuständig sein.
4 Die Vertrauensleute werden direkt von den Arbeitnehmern gewählt.

5 Sie sind Vermittler zwischen Betrieb und Gewerkschaft.
6 In den Tarifverträgen ist ein besonderer Kündigungsschutz festgelegt.
7 Die Themen waren die 35-Stundenwoche, Wochenendarbeit, Überstundenregelung, Bonusgelder und Ferienzuschüsse.
8 Sie fürchten negative Auswirkungen des europäischen Binnenmarktes auf die Rechte der Arbeitnehmer.
9 Sie fürchten Wettbewerbsverlust wegen Nicht-Auslastung der Betriebsanlagen an Wochenenden.

Key 25.3

1 Bei der Mitbestimmung sind Arbeitnehmer an allen Entscheidungen durch die paritätische Besetzung des Aufsichtsrats beteiligt; bei der Mitwirkung ist der Aufsichtsrat nur unparitätisch besetzt und die Arbeitnehmer haben im Betriebsrat nur Informations-, Beratungs- und Vetorecht.
2 In der Montanindustrie ist die Mitbestimmung am weitesten durchgesetzt.
3 Eine neutrale Person verhindert die Stimmengleichheit.
4 Das Mitbestimmungsgesetz von 1976 gilt in Betrieben mit mehr als 2000 Arbeitnehmern.
5 Es gibt keine volle Parität, weil die Anteilseigner den Vorsitzenden stellen und bei den Arbeitnehmern ein Leitender Angestellter sitzt.
6 Nach dem Betriebsverfassungsgesetz von 1972 gibt es nur eine Drittelparität.
7 Das Betriebsverfassungsgesetz ist für alle Betriebe mit mehr als fünf Arbeitnehmern zuständig.
8 Die Arbeitnehmer haben im sozialen Bereich gleichberechtigte Mitentscheidung, z.B. bei Fragen der Arbeitszeit, des Urlaubs, der Kurz-oder Mehrarbeit.
9 Bei personellen Angelegenheiten haben sie nur Vetorecht.
10 Bei wirtschaftlichen Fragen haben sie nur Informationsrecht.

Key 25.4

1 Seine Gewerkschaft hat zur Wochenendarbeit eine eindeutige Position.
2 Er möchte nicht mehr zu frühindustriellen Zuständen zurückgehen.
3 Die Wochenendarbeit ist für die Familie katastrophal, weil der Sonntag der einzige Tag ist, den die Arbeitnehmer für die Familie, d.h. vor allem für die Kinder, haben.

4 Arbeitsplätze könnten aufgrund des Preisdrucks verlorengehen.
5 Sie verprechen sich durch die Auslastung der Maschinen größere Rentabilität.
6 Wenn die Maschinen durchgehend die ganze Woche laufen, verschleißen sie schneller.
7 Sie meinen, daß die Konkurrenz der Billiglohnländer mehr und mehr zunimmt.
8 Herr Haller sieht kein Problem, weil sie im Gegensatz zu diesen Ländern Qualitätsprodukte herstellen, die auch weiterhin gefragt sind.
9 Die Produktion bekannter Markenprodukte ist ins Ausland verlegt worden.
10 Die Maschinen sollen nicht das Leben der Menschen bestimmen, sondern umgekehrt.
11 Er meint, daß die Rationalisierung in den Betrieben bislang mehr Arbeitslosigkeit und kaum Erleichterung gebracht hat.
12 Die Arbeit an Sonntagen kann durch freie Tage in der Woche kompensiert werden.
13 Sportveranstaltungen wie Fußball, Freizeitaktivitäten, Ausflüge und Verwandtenbesuche werden unter der Wochenendarbeit leiden.
14 In der nächsten Manteltarifrunde in diesem Frühjahr werden die Forderungen der Arbeitgeber diskutiert.

Key 25.5

1 I lack experience for the new project.
2 There is no point in exporting the product, if there is no market for it.
3 The word is going around, that the Board of Directors is discussing the closure of our firm.
4 It is not worthwhile protesting to the Supervisory Board.
5 The last thing I want is to hand in my resignation.
6 It goes without saying that we will send you our new price list at once.
7 It must be due to the post, that the order has not arrived yet.
8 I agree that you want to look closely at the various offers first, before you make a decision.

Key 25.6

1 Ich würde (es) gerne durchsetzen, daß die neuen Verkaufsstrategien auch für andere Produkte benutzt werden. (. . ., die neuen Verkaufsstrategien . . . zu benutzen.)

2 Er hat es nicht eilig, nach Frankfurt zu fliegen.
3 Wir können (es) ihr zumuten, regelmäßig zu Messen und Ausstellungen zu fahren. (. . ., daß sie . . . fährt.)
4 Die Arbeitnehmer haben es schwer, Einfluß auf wirtschaftliche Entscheidungen zu nehmen (. . ., wirtschaftliche Entscheidungen zu beeinflussen.)
5 Unsere Vertrauensperson hat (es) erreicht, den Direktor zu überzeugen, daß die neue Maschine eine gute Investition ist. (. . . erreichte es, . . .)
6 Wir können (es) uns leisten, mehr für Überstunden zu zahlen.
7 Die Arbeitnehmer sind es leid, unter gefährlichen Bedingungen zu arbeiten. (. . ., daß sie . . . arbeiten.)

Appendix 3: Abkürzungen
Abbreviations

a.	für, je, zum Preis von	at (the price of)
Abf.	Abfahrt, Abfüllung (Wein)	departure, "bottled at"
Abl.	Ablage	file
Abs.	Absender	sender
Abt.	Abteilung	department
abzgl.	abzüglich	minus, less
Adr.	Adresse	address
AG	Aktiengesellschaft	public limited company, joint stock company
a.G.	ab Grenze	from the border
Akkr.	Akkreditiv	letter of credit, L/C
Akt.	Aktiva	assets
AktZ, Akt.-Z.	Aktenzeichen	file, reference number
allg.	allgemein	generally, in general
anerk.	anerkannt	acknowledged, approved
Anfr.	Anfrage	inquiry
anl.	anliegend	enclosed
Anl.	Anlage	enclosure
ANr.	Aktennummer	file, reference number
Art.	Artikel	article
ausbez.	ausbezahlt	paid
ausgeschl.	ausgeschlossen	excluded
Ausl.-Term.	Auslieferungstermin	delivery date
Außenst.	Außenstände	outstanding debts
a.W.	ab Werk	ex works
AZ., Az.	Aktenzeichen	file, reference number
Barz(ahl).	Barbezahlung	payment in cash
bearb.	bearbeitet	be in charge of
begl.	beglaubigt	certified, attested
Beh.	Behörde	(government) authority, administrative body
bfn.	brutto für netto	gross for net

beil.	beiliegend	enclosed
bes.	besichtigt, besonders	inspected, seen
besch.	beschädigt	damaged
Best.-Nr.	Bestellnummer	order number
Best.-Sch	Bestellschein	order form
Betr.	Betrag	sum
betr., Betr.	betreffend, Betreff, betreffs	referring, subject, in regard to
bez.	bezahlt	paid, bezüglich
bezgl.	bezüglich	referring, in regard to
Bf.	Bahnhof	railway station
Bill.	Billion	billion
BLZ	Bankleitzahl	bank code
bto., btt. btto.	brutto	gross
b.w.	bitte wenden	please turn over
Bz.	Bestellzettel	order form
bzw.	beziehungsweise	respectively
ca.	zirka, circa, etwa	circa, about
cf.	confer, vergleiche	compare
DAG	Deutsche Angestellten Gewerkschaft	trade union for employees
DB	Deutsche Bundesbahn	German Rail
def.	defekt	damaged
dgl., dergl.	dergleichen	the like
desgl.	desgleichen	the like
d.h.	das heißt	that is
DIN	Deutsche Industrie Norm	German Industrial Standards
d. J.	dieses Jahres	of this year
d. M., d. Mts.	dieses Monats	of this month
Dtz(d).	Dutzend	dozen
EDV	Elektronische Datenverarbeitung	data-processing
e.G.	eingetragene Gesellschaft	registered association
Eings-Nr.	Eingangsnummer	receipt number
entspr.	entsprechend	corresponding
e. V.	eingetragener Verein	registered association
evtl.	eventuell	perhaps
e. Wz.	eingetragenes Warenzeichen	registered trademark

exkl.	exklusive	exclusive(ly)
Fa.	Firma	company, firm
Fabr.	Fabrikation	fabrication (No.)
Fil.	Filiale	branch
Forts.	Fortsetzung	continuation, continued
FS	Fernschreiben	telex
Gbf.	Güterbahnhof	goods station, depot
Gebr.	Gebrüder	Brothers
Gebr.-A.	Gebrauchsanleitung	instructions
gegr.	gegründet	founded
gepr.	geprüft	tested
ges.	gesamt	total
Gew.	Gewicht	weight
ges. gesch	gesetzlich geschützt	protected by law
gez.	gezeichnet	signed
ggbfs. ggf.	gegebenenfalls	if necessary
grat.	gratis	free
haltb.	haltbar	keep until
Hbj.	Halbjahr	half year, six months
Hd., Hdt.	Hundert	hundred
herg(est.)	hergestellt	produced
HReg.	Handelsregister	trade register
hrsg.	herausgegeben	edited
Herst.	Hersteller	producer
i. a.	im allgemeinen	generally
i. A., i. Auftr.	im Auftrag	for, by order,
IGB	Internationaler Gewerkschaftsbund	Head Organization of trade unions
i.H.v.	in Höhe von	amounting to
i.K.	in Kommission	in commission
i.N.	im Namen	in the name of
Inh.	Inhaber	proprietor
inkl.	inklusive	inclusive
Inl.	Inland	home
insg.	insgesamt	in all, in toto
Inst.	Installateur	fitter
i.R.	in Ruhestand	retired

i.V., I.V.	in Vertretung	by order of
Kat.	Katalog	catalogue
Kfm.	Kaufmann	merchant, trader
KFZ	Kraftfahrzeug	vehicle, car
KG	Kommanditgesellschaft	limited partnership
Kl.	Klasse	class
Ko.-Nr.	Kontonummer	account number
kpl.	komplett	complete
Kto.	Konto	account
Ktr.-Nr.	Kontrollnummer	control number
lfd.	laufend	current
lfd. Nr.	laufende Nummer	current number
Lf.-Zt. Lfzt.	Lieferzeit	delivery time, date
Lfg.	Lieferung	delivery
Liz.	Lizenz	licence
LKW	Lastkraftwagen	lorry, van
lt.	laut	as per, according to
Ltg.	Leitung	management
LBZ	Landeszentralbank	central bank (of a Land)
mbH	mit beschränkter Haftung	limited
m. E.	meines Erachtens	in my opinion
Mitgl.	Mitglied	member
Mod.	Modell	model
mögl.	möglichst	possibly
Mt.	Monat	month
MwSt.	Mehrwertsteuer	value-added tax (VAT)
n.Gew.	nach Gewicht	according to weight
notf.	notfalls	if need be
notw.	notwendig	if necessary
Nr.	Nummer	number
nto.	netto	net
n.V.	nach Vereinbarung	by agreement, by appointment
o.a.	oben angeführt	as mentioned above
offiz.	offiziell	officially
o.G.	ohne Gewähr	without guarantee

OHG	Offene Handelsgesellschaft	general partnership
p.	per, pro	per, pro
Pass.	Passiva	liabilities
Pat.	Patent	patent
Pfd.	Pfund	pound
Pkg.	Packung	packagc
Pkt.	Paket	parcel
PKW	Personenkraftwagen	vehicle, car
Postf.	Postfach	post box
pp., ppa.	per procura, in Vollmacht	by proxy
Prok.	Prokura	procura
prov.	provisorisch	provisionally, temporarily
PSchK(to.)	Postscheckkonto	giro bank account
Rab.	Rabatt	discount
rd.	rund	roughly, approximately
s.	siehe	see
S.	Seite	page
Schr.	Schreiben	letter
SK.	Skonto	cash discount
s.o.	siehe oben	see above
sog.	sogenannt	so called
sonst.	sonstiges	(any) other (business)
St., Stck.	Stück	piece, item
Stckpr.	Stückpreis	price per piece, item
Stckz.	Stückzahl	number of pieces, items
Stellv.	Stellvertreter	deputy, proxy
stellv.	stellvertretend	acting, deputy
s.u.	siehe unten	see below
teilw., tlw.	teilweise	partly
Teilz., TZ.	Teilzahlung	instalment
tgl.	täglich	daily
u.a.	unter anderem	amongst other
u.E.	unseres Erachtens	in our opinion
ums.	umseitig	turn page
unb.	unbekannt	unknown

unbez.	unbezahlt	not paid
unverb.	unverbindlich	not binding, without obligation
unvollst.	unvollständig	incomplete
unzerbr.	unzerbrechlich	unbreakable
usw.	und so weiter	and so forth
u.U.	unter Umständen	circumstances permitting
Vereinb.	Vereinbarung	agreement
vergr.	vergriffen	unavailable, out of print
Verk.-Pr	Verkaufspreis	selling price
Verl.	Verlag	publisher
v.H.	von Hundert	per cent
werkt., wktgs.	werktags	weekdays
WEU	Westeuropäische Union	West European Union
wö.	wöchentlich	weekly
Z.	Zoll	customs
z.A.	zur Ansicht	for inspection
z.B.	zum Beispiel	for example
z.b.V.	zur besonderen Verfügung/ Verwendung	seconded for special duty
z.d.A.	zu den Akten	put on record, closed
z.H., z.Hd(n).	zu Händen von	for the attention of
z.K.	zur Kenntnisnahme	for your information
Zlg.	Zahlung	payment
z.T.	zum Teil	partly
Ztr.	Zentner	50 kg
Zub.	Zubehör	accessory
zul.	zulässig	admissable, permissible
Zuschr.	Zuschrift	reply, answer, letter
zust.	zuständig	responsible, in charge
zuz.	zuzüglich	plus
Zwgst.	Zweigstelle	branch
z.Wv.	zur Wiederverwendung, zur Wiedervorlage	for resubmission, reuse
zzgl.	zuzüglich	plus
z.Z(t)	zur Zeit	at present

Appendix 4: Glossar
Vocabulary list

Alphabetical list of vocabulary covered in glossaries

ab Fabrik	ex factory
ab Werk	ex works
abbuchen	debit
abdecken	cover
die Abdeckung (en)	cover
zu Abend essen	have dinner
die Abfahrtshaltestelle (n)	departure station (bus)
abfragen	call up
abgebrochen	cracked
abgelegt unter	filed under
abgesehen von	apart from
von etwas abhängen	depend on, be dependent on
abhängig	dependent
abheben	draw
das Abitur *(no pl.)*	equivalent to A-Level examination
das Abiturfach (¨er)	A-level subject
abkömmlich	available
die Abkürzung (en)	abbreviation
die Ablage (n)	storage, filing
ablehnen	reject
die Ablehnung (en)	rejection
die Abnahme (n)	acceptance; decrease
der Abnehmer (—)	buyer, customer
abnehmen	accept; decrease
der Abrechnungsbeleg (e)	receipt
die Abrechnungsfrist (en)	accounting period, settlement period
abrufen	call up
die Abrundung (en)	rounding off, completion, perfection

das ABS (= Anti-Blockier-System)	antiblock device
der Absatz (¨e)	sale; marketing; distribution
die Absatzmöglichkeit (en)	marketing possibility
abschleppen	tow
abschließen	take out, sign
der Abschluß (-schlüsse)	degree, certificate, final grade; co mpletion, settlement
der Abschnitt (e)	paragraph
abschreckend	deterrent
abschreiben	copy
der Absender (—)	return address
der Absolvent (en)	graduate
absolvieren	complete (a course)
die Absprache (n)	(verbal) agreement
absprechen	discuss, agree on, arrange
der Abstand (¨e)	distance, margin
die Abstimmung (en) erfolgt	an agreement is reached
Abstriche machen	make cuts, moderate o.'s demands
die Abteilung (en)	department
die Abtretung (en)	transfer, assignment
abwälzen	pass on to
abwaschbar	washable
abwechslungsreich	varied
die Abweichung (en)	deviation
die Abwesenheit (en)	absence
der Adressat (en)	addressee, recipient
das Adreßbuch (¨er)	telephone book, 'Yellow Pages', (address book)
adressieren	address
die Ahnung (en)	idea, clue
der Akademiker (—)	academic, graduate
der akad(emische) Titel (—)	acad. title
der Aktenkoffer (—)	brief-case
die Aktie (n)	share
das Aktiengesetz (e)	law on public limited companies
die Aktion (en)	campaign
aktuell	up-to-date
akut	acute
allein in den Jahren . . .	in the years . . . alone

alleinig *(adj.)*	only
allerdings	however, though, certainly, admittedly
alles im Blick haben	everything under control
alles Weitere in die Wege leiten	prepare, pave the way for everything, get everything going
die allgemeine Schulausbildung	general school education
alsbald	soon, forthwith
der Altbau (ten)	old building
am Apparat	. . . speaking
die Ananas (—)	pineapple
der Anbau (ten)	extension
anbieten	offer
anbringen	fix, fasten, attach
andererseits	on the other hand
ändern	change
Änderungen vorbehalten	subject to alteration
anderweitig	other, further, elsewhere
unter Androhung	under penalty of
sich aneignen	acquire, learn
anerkennen	recognise, acknowledge
anfänglich	initially
anfangs	initially
anfertigen	produce; compile, put together
die Anforderung (en)	need, requirement, demand
die Anfrage (n)	inquiry
anfragen	inquire
die Angabe (n)	information, specification, description
angeben	state, specify, indicate; report
das Angebot (e)	offer
ein Angebot einholen	get an estimate
die Angebotspalette (n)	range
angebrannt	burned
angeeignet	acquired
etwas angehen	take up s.th.
die Angelegenheit (en)	matter
angeliefert	delivered
angemessen	reasonable, appropriate
angenehm	pleasant

angerufen	phoned
angeschlossen	connected
der/die Angestellte (n)	white-collar worker, salaried personnel
angucken	look at
anhalten	stop (*also:* continue)
anhängen	couple, add
die Anhängerkupplung (en)	trailer coupling
der Ankauf (¨e)	purchase
die Ankündigung (en)	announcement
die Ankunftshalle (n)	arrival (hall)
die Anlage (n)	equipment, plant, system; enclosure
als Anlage	enclosed
der Anlagenbau *(no pl.)*	plant engineering and construction
der Anlaß (-lässe)	occasion
anlaufen	start
die Anlaufphase (n)	take-off phase
anlegen	open up a record (file), indexing; invest
anmahnen	send a reminder, dun
die Annahme (n)	acceptance, receipt
der Annahmeverzug *(no pl.)*	default in acceptance, default in accepting the delivery of goods
annehmen	accept
die Annonce (n) (= die Anzeige)	advertisement
die Anordnung (en)	arrangement
die Anpassung (en)	adjustment
die Anrede (n)	address, salutation
der Anrufbeantworter (—)	answerphone
die Anschaffung (en)	purchase
die Anschaffungskosten *(pl.)*	prime costs, purchasing costs
anspruchsvoll	demanding
der Anschlag (¨e)	stroke, character
anschließen	connect, link
anschließend	afterwards, subsequent
der Anschluß (-schlüsse)	mains connection, socket
im Anschluß an	following
die Anschlußdose (n)	socket
die Anschrift (en)	address

sich ansehen	have a close look
ansonsten	otherwise
die Ansprache (n)	address
die Ansprachemöglichkeit (en)	address, contact
der Ansprechpartner (—)	(personal) contact
der Anspruch (¨ e)	standard, demand
in Anspruch nehmen	call on, make use of
anspruchsvoll	sophisticated, demanding
die Anstalt (en)	institution
die Anstellung (en)	employment
der Anstieg (e)	increase
der Anstoß (-stösse)	impetus, initiative
anstoßen,	toast, push, bump into
anstrengend	strenuous, tiring
der Anteil (e)	percentage, share, portion, part
der Anteilseigner (—)	shareholder
anvertrauen	entrust
der Anwalt (¨ e)	lawyer, solicitor
die Anweisung (en)	order
das Anwendungsbeispiel (e)	example of usage
die Anwesenheit (en)	presence
die Anzahl *(no pl.)*	number
die Anzahlung (en)	down payment, deposit
die Anzeige (n)	advertisement
das Anzeigenblatt (¨ er)	advertising paper, free paper
das Anzeigenlayout (s)	advertising lay-out
der Arbeitgeber (—)	employer
der Arbeitgeberverband (¨ e)	employers' association
der Arbeitnehmer (—)	employee
das Arbeitsamt (¨ er)	job centre
die Arbeitsbelastung (en)	work load
die Arbeitsbestätigung (en)	letter to confirm work
die Arbeitserlaubnis (se)	work permit
die Arbeitsgemeinschaft (en)	association, team
die Arbeitsniederlegung (en)	strike, walkout
die Arbeitsplatte (n)	worktop
der Arbeitsplatz (¨ e)	job, employment
der Arbeitsspeicher (—)	RAM (random access memory)
arglistig	malicious, fraudulent
die Art (en)	kind

auf Abruf	on call
auf den ersten Blick	at first sight
auf der Rückseite	overleaf
auf die gute Arbeit	here's to the good work
auf die Spur kommen	get on the track of s.th., find out about s.th.
auf einmal	all at once
auf Probe	on sample
die Aufbauphase (n)	initial phase
aufdringlich	obtrusive
der Aufenthalt (e)	stop, stay
die Aufenthaltserlaubnis (se)	residence permit
auffallen	attract attention
die Aufforderung (en)	request
die Aufgabe (n)	task
das Aufgabengebiet (e)	area of responsibility, function
die Aufgabenstellung (en)	task, function
aufgeben	give up, post
aufgeführt sein	be listed
aufgenommen von	taken by
aufgeschlossen	open-minded
aufgesucht	visited
aufgrund	because (of), on the basis of, on the strength of
aufheben	keep
die Auflage (n)	condition
auflasten	burden
auflösen	break up, dissolve
aufmerksam machen	draw attention
die Aufmerksamkeit (en)	attention
die Aufnahme (n)	incorporation
aufnahmebereit	receptive
aufrechthalten	maintain
aufrufen	appeal, call out
die Aufschriftseite (n)	front of envelope
der Aufschwung (¨e)	boom
die Aufsicht (en)	invigilation
der Aufsichtsrat (¨e)	supervisory board
die Aufstellung (en)	listing
die Aufstiegsmöglichkeit (en)	promotion prospect

aufstocken	add, increase, raise
im Auftrag	for, by order
etwas in Auftrag geben	order
einen Auftrag erteilen	place an order
die Auftragsbestätigung (en)	confirmation of order
das Auftragsbuch (¨er)	order entry book
der Aufwand (¨e)	expenditure
die Aufwendung (en)	expenditure
aufwendig	extravagant, costly, large-scale; time-consuming
der Aufzug (¨e)	lift, elevator
ins Auge fassen	envisage, plan
augenblicklich	at the moment
ausarbeiten	draw up, work out in detail
die Ausarbeitung (en)	development, elaboration
der Ausbau (ten)	expansion
der Ausbildende (n)	instructor
die Ausbildung (en)	education
der Ausbildungsbetrieb (e)	training firm
die Ausbildungsstätte (n)	educational institution, i.e. college, school
das Ausbildungsverhältnis (se)	training contract
die Ausdauer *(no pl.)*	perseverance
der Ausdruck (e)	print-out
der Ausdruck (¨e)	expression
ausdrucken	print
die Ausfertigung (en)	copy, duplicate
der Ausflug (¨e)	excursion, trip
ausführlich	comprehensive
ausfüllen	fill in
die Ausgabe (n)	output
die Ausgangsbasis (-basen)	starting point
ausgeglichen	balanced
ausgehend	outgoing
ausgeklügelt	clever, well-contrived
ausgerüstet	equipped
ausgeschlossen	excluded
ausgesprochen	pronounced, distinct
ausgestattet sein	be equipped, fitted with
ausgewählt	selected

ausgezeichnet	excellent
der Ausgleich (e)	compensation; payment, settlement
ausgleichen	make up, compensate
aushandeln	negotiate, bargain
der Aushang (¨e)	notice board
die Aushilfskraft (¨e)	temporary staff
sich auskennen	be quite at home, be knowledgeable about
mit jdm auskommen	get on with s.o.
die Auskunft (¨e)	information
Auskunft erteilen	give information
die Auslage (n)	display
der Auslandsaufenthalt (e)	period abroad
der Auslandseinsatz (¨e)	foreign assignment
auslassen	omit
auslasten	use s.th. to capacity, utilize s.th. fully
auslegen	put on display
die Ausnahme (n)	exception
ausnutzen	make use of, exploit
ausprobieren	try
ausreichend	sufficient
ausrichten auf	target
das Ausrufezeichen (—)	exclamation mark
die Aussagekraft *(no pl.)*	importance
aussagekräftig	telling, valuable as regards information
das Ausscheiden *(no pl.)*	leaving
ausschlaggebend	decisive
ausschließlich	exclusively, solely
ausschöpfen	exhaust
ausschreiben	advertise
aussehen	look like
der Außendienstler (—)	sales representative
das Außenhandelsgut (¨er)	export article
das Außenverhältnis (se)	external relationship
die Außenwerbung	outdoor advertising
außenwirtschaftlich	regarding foreign trade, external
außer acht lassen	neglect

außer Haus	off the premises, outside
außerdem	besides, in addition
außergewöhnlich	extraordinary, exceptional
außerhalb	outside
die Aussicht (en)	prospect, outlook
die Aussperrung (en)	lockout
die Aussprache (n)	pronunciation
sich aussprechen für	declare o.s. for, advocate
ausstatten	equip
die Ausstattung (en)	equipment, extra, specification, design, provision
ausstehend	outstanding
der Aussteller (—)	drawer (of a cheque), exhibitor
der Ausstellungsort (e)	place of issue
der Ausstellungsraum (¨e)	exhibition room
das Ausstellungsstück (e)	exhibit
ausstrahlen	broadcast
die Ausstrahlung (en)	aura
aussuchen	choose
austauschen mit	exchange for
die Ausübung (en)	exercise, practice, carrying out
die Auswahl *(no pl.)*	choice, selection
auswählen	select
auswechseln	exchange
der Ausweis (e)	pass, permit
auswerten	evaluate
auswirken	have an effect on
die Auswirkung (en)	effect
der/die Auszubildende (n) (= Azubi)	trainee
die Aut. (= Automatik)	automatic transmission
die Automatenkarte (n)	cash dispenser card
die Autovermietung (en)	car rental
der Bahnsteig (e) (= Bahngleis)	platform
der Ballen (—)	bale
das Ballungsgebiet (e)	conurbation
die Bankleitzahl (en)	bank code
die Banknote (n)	banknote
der Bankverkehr *(no pl.)*	banking operation

das Bankwesen *(no pl.)*	banking
das Barmixgerät (e)	bar blender
die Barzahlung (en)	cash payment
sich im Baustadium befinden	be under construction
beanspruchen	claim
beantragt	applied for
bearbeiten einer Datei	edit a file
die Bearbeitungsgebühr (en)	handling charge
beauftragen	contract, assign, give order, commission s.o., authorise, instruct, entrust
der Bebauungsplan (¨e)	building plan, development plan
der Becher (—)	cup
der Bedarf *(no pl.)*	demand, requirement, need
bedenken	consider, deliberate on
keine Bedenken haben	have no objection
bedeutend	important
die Bedeutung (en)	importance
bedienen	operate
die Bedienung (en)	operation
bedingen	require
die Bedingung (en)	condition
auf Ihre Bedürfnisse zuschneiden	fit your needs
beeinflussen	influence
befähigen	enable, qualify
befaßt sein mit	be occupied with
sich befinden	be situated
die Beförderung (en)	transport
der Befrager (—)	interviewer
die Befragung (en)	poll, inquiry
die Befugnis (se)	authority
befugt	authorized, entitled
befürchten	be afraid
sich begeben	go, proceed
begeistert	enthusiastic
beglaubigen	certify, attest
begleichen	pay, settle (a bill)
begleiten	accompany
begrenzt	limited
der Begriff (e)	term

begünstigen	benefit
behandeln	treat
behaupten	maintain, claim
behilflich sein	help s.o.; be of help, service
behindern	obstruct
die Behinderung (en)	disability; obstruction
die Behörde (n)	public authority
beiderseits	mutual
beidseitig	mutual
beifügen	add
beisitzen	sit in
beispielhaft	as example, examplary
der Beitrag (¨e)	contribution
bekannt	well known
die Bekanntmachung (en)	announcement
sich bekennen zu	confess, admit
die Belegschaft (en)	staff, work force, employees
belegt	taken, occupied
belegt durch	supported by
die Belegung (en)	booking
belehren	teach, lecture
beleuchtet	illuminated
beliebig	arbitrary
beliebig viel	any number, as much as you like
die Belieferung (en)	supply
sich bemühen	endeavour, strive
bemüht sein	be eager
benötigen	need
die Beobachtung (en)	observation
bequem	comfortable
beraten	advise, give advice
die Beratung (en)	advising, consultation
die Beratungsfirma (-firmen)	consultancy firm
das Beratungspaket (e)	consultancy package
berechnen	calculate, charge
der Bereich (e)	area, region, range, scope
bereits	already
die Bereitschaft (e)	readiness
der Bergbau *(no pl.)*	mining
die Berücksichtigung (en)	regard, consideration

die Berufsausbildung (en)	vocational training
die Berufsberaterin (nen)	career advisor (female)
die Berufserfahrung (en)	job experience
berufstätig	employed
die Berufsvorstellung (en)	ideas for a job, profession
berühmt	famous
beschädigt	damaged
die Beschaffenheit (en)	shape, property
die Beschaffung (en)	acquisition, supply, procurement
beschäftigen	employ
beschäftigt sein	be employed
der Beschäftigte (n)	employee
der Bescheid (e)	information, notification
Bescheid geben	inform
beseitigen	remove
besetzt	saturated
die Besetzung (en)	composition
besiedeln	populate
die Besonderheit (en)	peculiarity, speciality
besorgen	get, procure; undertake
die Besprechung (en)	meeting
der Besprechungsraum (¨e)	meeting room
etwas besser finden	think it would be better
der Bestandteil (e)	component, part
bestätigen	confirm
die Bestätigung (en)	confirmation
bestausgestattet	best equipped
das Besteck (e)	cutlery
bestehen	exist; survive
bestehen auf	insist on
bestehen aus	consist of
bestehend	existing
bestellen	order
der Bestelltermin (e)	purchase order date
die Bestellung (en)	order
eine Bestellung aufgeben	place an order
die Bestellungsannahme (n)	acceptance of order
die Besteuerung (en)	taxation
bestimmen	determine, decide
bestimmt	designated; certain; defined

die Bestimmung (en)	regulation, condition
der Bestimmungsort (e)	destination
bestrebt sein	be eager, anxious
der Besucherstrom (¨e)	host of visitors
die Besucherwerbung (en)	canvassing
der Besuchsbericht (e)	visit report
sich betätigen	busy oneself
sich beteiligen	participate, have a share
betonen	emphasize, stress
die Betonung (en)	emphasis, stress
beträchtlich	considerable
der Betrag (¨e)	amount
Betrag in Buchstaben	amount in words
betragen	amount to, consist of
der Betreff (e)	reference
betreiben	pursue, follow
das Betreiberkonzept (e)	management concept
betreten	enter
die Betreuung (en)	care, servicing
die Betriebsanlage (n)	plant, works
die Betriebsansiedlung (en)	settlement of a plant; setting up of a plant
der Betriebsaufbau *(no pl.)*	company structure
der Betriebsinhaber(—)	firm owner
das Betriebskapital *(no pl.)*	business capital
das Betriebssystem (e)	operating system
das Betriebsverfassungsgesetz (e)	Industrial Democracy Act
die Betriebswirtschaftslehre *(no pl.)*	business studies
betroffen sein	be confronted with
der Beurteilungsbogen (¨)	appraisal form
bevölkerungsreich	highly populated
der/die Bevollmächtigte (n)	authorized person
bevorzugen	prefer
sich bewegen	move, can be found
beweisen	prove
sich bewerben	apply
der Bewerber (—)	applicant
die Bewerbung (en)	application
der Bewerbungsbogen (¨)	application form

die Bewerbungsmappe (n)	application file, documentation
die Bewerbungsunterlage (n)	application (document/form)
die Bewertung (en)	assessment
bewirken	bring about
die Bewirtung (en)	catering
bewußt	conscious
die Bezahlung (en)	payment
die Bezeichnung (en)	name, description
beziehen	obtain
sich beziehen auf	refer to
die Beziehung (en)	contact, relationship
beziehungsweise	respectively
der Bezirk (e)	area, region, district
die Bezirkszeitung (en)	regional paper
in bezug auf	with reference to, regarding
bezüglich	regarding, with regard to
bezugsfertig	ready for occupancy
die Bezugsquelle (n)	source of supply
die Bilanz (en)	balance
bilden	form
der Bildschirm (e)	screen, display
der Bildungsgang (¨e)	education
das Billiglohnland (¨er)	country where low wages are being paid
bindend	binding
der Bindestrich (e)	hyphen
die Bindung (en)	commitment, bond
binnen	within
die Binnenschiffahrt *(no pl.)*	inland water transport
die Biotechnik *(no pl.)*	biological engineering
bis auf weiteres	until further notice
bis dato	up to now
bis Mitte vierzig	up to the mid-forties (in age)
bis zu einem gewissen Grad	up to a certain level
bisherig	previous, so far
bislang	so far, up to now
blättern	browse, scroll
der Blattspinat *(no pl.)*	spinach
der Bleistiftstrich (e)	pencil line
der Blockstand (¨e)	end of an aisle stand

das Blütenblatt (¨er)	blossom
der Boden (¨)	floor
die Bodenbelastbarkeit (en)	strength of floor
der Bodenschatz (¨e)	mineral resources
das Böhnchen (—)	small bean
der Bohrer (—)	drill
das Bonusgeld (er)	bonus
die Börse (n)	stock exchange, market
der Bote (n)	courier
die Botschaft (en)	message
die Branche (n)	line of business, branch of industry
branchenführend	leading in this branch of industry
die Branchenzugehörigkeit (en)	affiliation to branches of industry
die Bratkartoffel (n)	fried potato
breit angelegt	large-scale
breit gefächert	wide ranging
der Briefbogen (¨)	sheet of paper
der Briefkasten (¨)	letter box
der Briefkopf (¨e)	letter head
der Briefumschlag (¨e)	envelope
zu Bruch gehen	get broken, wrecked
brutto für netto	gross for net
das Bruttogehalt (¨er)	gross salary
das Bruttoinlandsprodukt (e)	(= BIP) gross domestic product (= GDP)
zu Buche schlagen	show in the books
die Buchmesse (n)	book fair
der Buchstabe (n)	letter
buchstabieren	spell
die Buchung (en)	booking, entry
die Buchungszeit (en)	booking time
ein Budget einräumen	grant a budget
das Bundesforschungsministerium	Federal Ministry of Development and Research
die Bundesstraße (n)	federal road
das Bundeswirtschaftsministerium	Federal Ministry of Trade and Industry
die Bürgschaft (en) übernehmen	warrant security, guarantee
die Bürotechnik *(no pl.)*	office technology
die Bushaltestelle (n)	bus stop

das Busunternehmen (—)	bus company
Chancen entgehen	miss opportunities
der Chemiekonzern (e)	chemical concern, group
der Chemiker (—)	(analytical) chemist, chemical engineer
die Chesterstange (n)	cheesy bread-stick
circa (zirka)	circa
computergestützt	computer-aided (-assisted)
der Container-Spezialhafen (¨)	container port
der Controller (—)	manager in charge of financial controlling and accounting
da drüben	over there
die Dachorganisation (en)	top organization
dagegen	however
daher	therefore
danach	afterwards
dank (Präp.)	thanks to
dann sind wir quitt	now we are quits
darauf abgestimmt	accordingly
darstellen	describe, present
sich darstellen	present oneself
darunter fallen	that includes
das geht zu unseren Kosten	this is at our expense
das habe ich nicht klein	I do not have that in change
das hat gut geklappt	that worked out well
das kommt nicht in Frage	that's out of the question
die Datei (en)	file
das Dateienverzeichnis (se)	directory
die Daten	data
Daten erheben	ascertain data
die Datenbank (en)	data base
die Datenbankverwaltung (en)	data base (program)
die Datenverwaltung (en)	data processing
die Dauer *(no pl.)*	duration, length of time
der Dauerauftrag (¨e)	standing order
dauerhaft	permanent
der Dauerzustand (¨e)	permanent condition
dazu	with

deckungsgleich	congruent
die Dekade (n)	series of ten
delikat	savoury
die Delikatesse (n)	delicacy
demnächst	in the near future, before long
dennoch	nevertheless
das Depotgeschäft (e)	deposit banking
derartig	in such a way
dergleichen	(or) similar
derzeitig	current
des weiteren	furthermore, moreover
die Deutsche Bundesbahn (DB)	German Railway
die Devisen *(pl.)*	foreign currency
dezidiert	detailed
dicht	dense
der Dienstleistungsbetrieb (e)	service industry
die Dienstverletzung (en)	breach of duty
differenziert	differentiated, varied
der/die Diplom-Kaufmann/frau	title equivalent to BA (Hons.) Business Studies
die Diplomarbeit (en)	dissertation
der Direktverkauf (¨e)	direct sale
die Direktwerbung *(no pl.)*	direct marketing
die Diskette (n)	floppy disc
das Diskettenlaufwerk (e)	disc-drive
der Diskont (s)	bank rate
das Diskontgeschäft (e)	discount business
das Distributionsnetz (e)	distribution network
divers	various
dringend	urgent
der/die Dritte	third party
drohen	threat
unter Druck	under pressure
die Druckbranche (n)	printing industry
drucken	print
drücken	press
der Drucker (—)	printer
die Druckerei (en)	printing shop
die Drucksache (n)	printed matter
das Duftkissen (—)	perfumed sachet

dünn	thin
durchaus	by all means
durchdacht	well thought-out
durchführen	carry out
die Durchführung (en)	implementation, carrying out
durchgeben	pass on
durchgehend	continuous, uninterrupted
durchlaufen	pass through
der Durchschnitt (e)	average
durchschnittlich	on average
durchsetzen	push through, enforce
sich durchsetzen	be successful, prevail
das Durchsetzungsvermögen *(no pl.)*	assertiveness, authority, forcefulness
durchspielen	play through, rehearse
durchstellen	put through
Durst bekommen	get thirsty
die Dusche (n)	shower
das Dutzend (Dtzd.)	dozen
eben schon	earlier
die Ebene (n)	level
ebenfalls	also
der Eckstand (¨e)	corner stand
der Edelstahl (e)	stainless steel
die Effekten *(pl.)*	securities
eh' (= sowieso)	anyway, in any case
der Ehegatte (n)	marriage partner, i.e. husband/spouse
ehemalig	former
eher	rather
der Eierbecher (—)	egg cup
die Eigenschaft (en)	quality, characteristic
die Eigenständigkeit (en)	independence
sich eignen	be suitable for
die Eilzustellung (en)	express delivery
das Einarbeitungsprogramm (e)	trainee-programme, training on the job
einbauen	build in
einbeziehen	include

der Einblick (e)	insight
einbüßen	suffer a loss
eindeutig	unmistakable, clear, unambiguous
der Eindruck (¨e)	impression
dic Einfachheit *(no pl.)*	simplicity
das Einfühlungsvermögen *(no pl.)*	intuitional understanding
einführen	introduce
die Einführung (en)	introduction
die Eingabe (n)	entry, input
der Eingabebefehl (e)	command
der Eingangshafen (¨)	port of entry
eingeben	enter
eingehen auf	consider, deal with, consent to
eingehend	incoming
eingeschlossen	including
eingeschränkt	limited
eingesetzt	assigned
einholen	seck, obtain
sich einig sein	be unanimous, be in agreement, agree
der Einkauf (¨e)	purchasing
der Einkaufsbummel (—)	shopping spree
der Einkaufskorb (¨e)	shopping basket
das Einkommen (—)	income
der Einkommensbereich (e)	income bracket
die Einladungskarte (n)	invitation card
die Einlage (n)	deposit
einmalig	unique
die Einmischung (en)	intervention
einrahmen	frame
einräumen	concede, allow, grant
einrichten	set up, instal, establish
die Einrichtung (en)	institution, places, equipment; furnishing
das Einrichtungsgeschäft (e)	interior design ship, furniture shop
einrücken	indent
der Einsatz (¨e)	use, application
die Einsatzbereitschaft (en)	readiness, willingness for action
der Einschaltpreis (e)	price of advertising time
eine Einschätzung teilen	share a judgement, an assessment

einschließlich (= einschl.) = einschließend	including
die Einschränkung (en)	restriction, limitation
das Einschreiben (—)	registered letter
einsehen	understand, realize
einseitig	one-sided
einsetzbar	usable
einsetzen	insert; use
sich einsetzen	show commitment
die Einsparung (en)	saving
einsteigen	get in, enter
die Einstellung (en)	employment
der Einstieg (e)	way in, entering into, entry
die Einstiegsstellung (en)	first job
einstig	former
zur Einstimmung	to get in the mood
einstufen	classify
im Einstundentakt	at one hour intervals
eintragen	register, put on (the register)
die Eintreibung (en)	collection, recovery
der Eintritt (e)	starting date, entry
das Einvernehmen *(no pl.)*	agreement
einverstanden	agreed
das Einverständnis *(no pl.)*	consent, approval
einzahlen	pay in, deposit
die Einzelfahrt (en)	single ticket
die Einzelgewerkschaft (en)	single union
der Einzelhandel *(no pl.)*	retail trade
der Einzelhändler (—)	retailer
die Einzelheit (en)	detail
das Einzelteil (e)	spare part
das Einzelunternehmen (—)	sole trader, single enterprise
das Einzelzimmer (—)	single room
der Einzug (¨e)	collection, recovery
die Einzugsermächtigung (en)	direct debit
das Eisen	iron
die eisenschaffende Industrie (en)	iron industry
der Elektriker (—)	electrician
das Elektrogerät (e)	piece of electrical equipment
der Elektronikrechner (—)	computer

der Empfang (¨e)	reception
der Empfänger (—)	recipient, addressee
der Empfangschef (s)	receptionist
empfehlen	recommend
empfehlenswert	recommendable
die Empfehlung (en)	recommendation
die Endpreisvorstellung (en)	suggested retail price
der Endverbraucher (—)	consumer, end-user
das Engagement *(no pl.)*	commitment
engagiert	committed
in Englisch abgefaßt	written in English
entfallen	belong to
entfalten	develop, unfold
entgegenkommen	accommodate
entgegennehmen	take (a call)
das Entgeld *(no pl.)*	remuneration, payment
enthalten	contain
enthalten sein	be included
die Entlassung (en)	dismissal
entlasten	relieve
die Entlastung (en)	relief, easing of s.o.'s work-load
entnehmen	take from, gather from, find information; understand
entscheiden	decide
entscheidend	decisive
eine Entscheidung fällen	make a decision
die Entscheidungsbefugnis (se)	decision making power
der Entscheidungshintergrund (¨e)	reason for decision
das Entscheidungsproblem (e)	problem of decision-making
der Entscheidungsprozeß (-zesse)	decision process
entschuldigen Sie die Umstände	excuse the inconvenience
entsprechen	correspond, be the equivalent of
entsprechend	corresponding, appropriate, accordingly
entstehen	emerge, develop
entweder . . . oder	either . . . or
entwerfen	develop, draw up, design
entwickeln	develop
die Entwicklung (en)	development
der Entwurf (¨e)	draft

sich entziehen	evade, defy
erachten	deem, consider
die Erarbeitung (en)	gain
erbringen	produce
erfahren über	learn, hear about, find out
erfahren	experienced *(adj.)*
die Erfahrung (en)	experience
der Erfahrungsbericht (e)	report on one's experience
erfassen	include
die Erfindung (en)	invention
Erfolg verbuchen	score, achieve success
erfolgen	take place
erfolgen nach	take place according to
erfolgreich	successful
die Erfolgsquote (n)	success rate
erforderlich sein	be necessary
erfordern	require
erfüllbar	capable of being fulfilled, satisfiable
der Erfüllungsort (e)	place of delivery
die Ergänzung (en)	complement
das Ergebnis (-isse)	result
bei Erhalt	after receipt
erhalten	receive
erhältlich	available
erheben	charge
erheblich	considerable
die Erhebungsbasis (-basen)	basis of a survey
erhoffen	hope for
die Erhöhung (en)	increase
die Erinnerung (en)	reminder
erkennen	recognize, see
die Erkenntnis (se)	knowledge, finding
die Erkennungshilfe (n)	recognition aid
erklärungsbedürftig	in need of explanation
die Erkrankung (en)	illness
sich erkundigen	ask about, seek information, inquire
die Erkundigung (en)	inquiry
Erkundigungen einholen	seek information
erläutern	explain

die Erläuterung (en)	explanation
erledigen	finish, take care
erledigt durch	attended to, by
erleichtern	alleviate, make easier, relieve, ease
ermitteln	establish, find out
ermöglichen	enable, make possible
ermutigen	encourage
ernennen	appoint
eröffnen	open up
erreichbar	available, be on the phone, can be reached
erreichen	reach, achieve
der Ersatzdienst (e)	alternative service
die Ersatzlieferung (en)	substitute delivery
der Ersatzstoff (e)	substitute
das Erscheinungsintervall (e)	publication interval
erschöpft	exhausted
erschwinglich	affordable
ersetzen	replace
ersichtlich	evident, clear
Ersparnisse erzielen	produce saving
die Erstellung (en)	compilation
in erster Linie	above all
erstrangig	initial, first and foremost
erstrecken	extend
sich erstrecken auf	extend over, refer, include
erteilen	confer, bestow
der Ertrag (¨e)	yield, profit
ertragbringend	profit making
erwarten	expect
die Erwartung (en)	expectation
die Erwartungshaltung (en)	attitude, position of expectation
erweitern	extend
die Erwerbsfähigkeit (en)	earning capacity, fitness for work
der/die Erwerbstätige (n)	employee
das Erz	ore
erzeugen	produce
erzielen	make, secure
es handelt sich um...	this is about
es hat gut geklappt	it went well

es kann keine Rede sein	be not the case
es kommt darauf an	it depends
es könnte sich empfehlen	it could be recommendable
es liegt an . . .	the reason is . . .
die Etage (n)	floor
etwa	about
eventuell	possible
das Exponat (e)	exhibit
der Exportüberschuß (–schüsse)	export surplus
die Fabrikautomation *(no pl.)*	factory automation
die Fach- und Führungspraxis	trade and management experience
das Fachgeschäft (e)	specialised dealer
der Fachhandel *(no pl.)*	specialised trade
die Fachhochschule (n)	College of Higher Education
die Fachkompetenz (en)	competence in your field
die Fachmedien *(pl.)*	specialised media
der Fachminister (—)	departmental minister
die Fachschulausbildung (en)	education at certificate, diploma level at Colleges of Further Education
die Fachzeitschrift (en)	(professional) journal
der Fahrausweis (e) (= Fahrkarte)	ticket
der Fahrer (—)	driver
die Fahrkarte (n)	ticket
der Fahrkartenautomat (en)	ticket machine
der Fahrkartenkauf (¨e)	purchase of tickets
der Fahrkartenschalter (–)	ticket office
der Fahrplan (¨e)	timetable
der Fahrpreis (e)	fare
der Fahrschein (e) (= Fahrkarte)	ticket
die einfache Fahrt (en)	single ticket
die Fahrtreppe (n)	escalator
die Fahrtunterbrechung (en)	stop (over)
die Fahrtzeit (Fahrzeit) beträgt	the journey time is
das Fahrziel (e)	destination
fällig	due
die Fälligkeit (en)	maturity, due date
das Faltblatt (¨er)	leaflet

die Familiengesellschaft (en)	family business
der Familienstand	marital status
der Faq-Kauf (¨e)	fair average quality purchase
farbecht	colourfast
fassen	hold
die Fehleinschätzung (en)	misjudgement
fehlen	lack
fehlend	missing
der Fehler (—)	bug
die Fehlerquote (n)	error quota, proportion
der Feierabend (e)	after working hours, leisure time
der Fensterumschlag (¨e)	window envelope
der Ferienzuschuß (-schüsse)	holiday allowance
fernbleiben	stay away
der Fernkopierer (—)	fax machine
das Fernschreiben (—)	telex
der Fernverkehr *(no pl.)*	long-distance transport
die Fertigkeit (en)	skill
der Fertigstand (¨e)	fully-fitted stand
festgelegt	assigned, fixed
festgestellt	established
festlegen	fix, lay down, set up
die Festlichkeit (en)	festivity
die Festplatte (n)	hard-disc
feststellen	find out, notice; identify
die Feststellung (en)	finding, statement
nach der Feststellung	according to
der Fettdruck (e)	bold typeface
fettgedruckt	in bold print
fettig	greasy
die Filiale (n)	branch
der Filialist (en)	chain company (owner)
das Filialnetz (e)	branch network
finanziell	financial
der finanzielle Rahmen (—)	budget
finanzieren	finance
das Finanz- und Rechnungswesen *(no pl.)*	finance and accounting
finanzkräftig	well-funded
der Finanzplatz (¨e)	financing location

firmeneigen	company-owned
die Fischverarbeitung (en)	fish processing
fix und fertig	all finished
zum Fixdatum	fixed date
der Fixkauf (¨e)	fixed-date purchase
die Fläche (n)	space
flächenmäßig	according to (size of) area
die Flaute (n)	recession
fließend	fluent
flimmerfrei	flickerless
der Fluggast (¨e)	passenger
das Fluggepäck (*pl.* = Fluggepäckstücke)	flight luggage
der Fluß (Flüsse)	river, flow
die Folge (n)	consequence
mit der Folge konfrontiert	be confronted with the consequences that
folgendermaßen	as follows
der Folgeschaden (¨)	consequential damage
die Folie (n)	acetate
forcieren	push, emphasize
die Fördereinrichtung (en)	conveyer equipment
fordern	challenge
fördern	promote
die Form (en)	shape, form
die Formattreue *(no pl.)*	authentic lay-out (format)
das Formular (e)	form
der Forscher (–)	researcher
die Forschung (en)	research
die Forstwirtschaft *(no pl.)*	forestry
die Fortbildung (en)	further training
die Fortentwicklung (en)	development
die Frachtabfertigung (en)	cargo clearance
frachtfrei	carriage paid
die Frachtkosten *(pl.)*	freight cost
in Frage kommen	be in question
der Fragebogen (¨)	questionnaire
der Franchisenehmer (—)	franchisee
das Franchisesystem (e)	franchise system
frei	free, independent

frei Haus	delivery free
frei Lager	delivery to warehouse
frei werden	become vacant
freie Hand haben	have a free hand
der freie Mitarbeiter (—)	free-lance contributor/employee
im Freien	outdoors
die Freifläche (n)	open space
jdn freistellen	release s.o.
freiwillig	voluntary, optional
die Freizeitaktivität (en)	leisure-time activity
der Fremdenverkehr *(no pl.)*	tourism
die Fremdsprachensekretärin (nen)	bilingual secretary
die Friedenspflicht (en)	obligation to keep peace
friedfertig	peaceful
die Frist (en)	deadline, notice
fristlos	without notice
die Frontfläche (n)	front of a stand
das Frühstück (e)	breakfast
frühzeitig	early; in time
führen	guide, lead, keep
führend	leading
der Führerschein der Klasse III	car driving licence
der Fuhrpark (s)	transport park
die Führung (en)	management
die Führungsqualität (en)	leadership quality
das Führungstalent (e)	management talent
fundiert	well-founded
fungieren	function
der Funktionsbereich (e)	operating areas
für den Fall	in case
die Fußgängerzone (n)	pedestrian precinct
der Gang (¨e)	aisle
gängig	frequently used, popular
die Ganzsäule (n)	advertising pillar
die Ganzstelle (n)	free-standing bill board
ganztägig	all day
die Garderobe (n)	cloakroom
der Gast (¨e)	guest
die Gastlichkeit *(no pl.)*	hospitality

die Gastronomie (n)	catering business
die Gaststätte (n)	inn, restaurant
die Gattung (en)	genre
das Gebäude (—)	building
das Gebiet (e)	area
gebräuchlich	customary, usual
gebührenfrei	free of charge
gedenken	consider
gedruckt	printed
geeignet	suitable
gefächert	has a wide spread
die Gefahr (en)	danger
gefährdet	at risk, threatened
gefragt sein	be in demand
der Gefrierschrank (¨e)	upright freezer
die Gefriertruhe (n)	chest freezer
das Gefühl (e)	feeling
gegebenenfalls	if necessary
die Gegebenheit (en)	circumstance
gegen acht	at about eight
die Gegend (en)	area
die Gegenmaßnahme (n)	counter action
der Gegensatz (¨e)	contrast
im Gegensatz zu	unlike, in contrast with
gegenüber	opposite
gegenüberstehen	be faced with, be confronted with
gegenüberstellen	contrast
gegenwärtig	momentarily
das Gehalt (¨er)	salary
die Gehaltsebene (n)	income bracket
das Gehäuse(—)	case, box
das Geheimnis (se)	secret
gehoben	high
gehobener Kundenkreis	up-market, affluent customers
gehören zu	belong to
es geht anders zu	it is different
gekennzeichnet	marked
geknüpft an	linked with
der Geldausgabeautomat (en)	cash dispenser
die Geldforderung (en)	(payment) reminder

der Geldschein (e)	bank note
gelegentlich	occasional
gelten	apply, be valid
geltend machen	lodge (a claim)
die Gemeindestraße (n)	local road
gemeinsam	together, common, mutual
gemeinsam etwas erarbeiten	work together towards
gemütlich	comfortable, cosy
genannt	named, listed
genau	precise
sich etwas genau ansehen	scrutinize
genaugenommen	strictly speaking
die Genehmigungspraxis *(no pl.)*	licensing procedure
die Generalversammlung (en)	general meeting
genießen	enjoy
die Genossenschaft (en)	co-operative society
die Gentechnik *(no pl.)*	genetic engineering
genügen	be sufficient
genügend	sufficient
das Gepäck (*pl.* = die Gepäckstücke)	luggage
die Gepäckausgabe (n)	luggage claim
gepflegt	cultivated, refined
gerade	especially
das Gerät (e)	apparatus, machine
das Gericht (e)	dish
bei Gericht	in court
gerichtlich vorgehen	sue, take legal action
die gerichtliche Klage (n)	lawsuit
der Gerichtsstand (¨e)	place of jurisdiction
gering	little, few
der Geruch (¨e)	smell, scent
gerüstet sein für	be prepared for
der Gesamtauftrag (¨e)	entire contract
der Gesamtbereich (e)	all areas covered
die Gesamtfinanzierung (en)	overall financing
der Gesamtkatalog (e)	comprehensive catalogue
die Gesamtmarktbedingungen	general market conditions
der Gesamtpreis (e)	total price
der Geschäftsabschluß (-schlüsse)	business transaction, deal

die Geschäftsbank (en)	commercial bank
die Geschäftsbeziehung (en)	business relationship, connection, contact
die Geschäftsführung (en)	company management, director
das Geschäftsjubiläum (-jubiläen)	business anniversary
der Geschäftsraum (¨e)	office
die Geschäftsverbindung (en)	business connection
die Geschäftswelt (en)	business world
der Geschäftszweig (e)	area of business
das Geschehen (—)	event, development
der Geschenkartikel (—)	gift (article), fancy goods
die Geschirrspülmaschine (n)	dish-washer
geschmacklich	as regards taste
geschult	trained
die Gesellschaft (en)	society, party of people
der Gesellschafter (—)	shareholder, associate
die Gesellschafterversammlung (en)	shareholders' meeting
ein Gesetz verabschieden	pass a law, pass legislation
gesetzlich	legal, by law
das gesetzliche Zahlungsmittel (—)	legal tender
gesondert	separate
gespannt sein	to be curious
das Gespräch annehmen	take the call
ein Gespür *(no pl.)* für	a nose for
gestaltbar	organized
der Gestalter (—)	designer
der gestalterische Leiter (—)	creative director
die Gestaltung (en)	design, lay-out; overall organisation
die Gestaltungskonzeption (en)	creative plans
die Gestaltungsvorstellung (en)	design idea
gestochen scharf	crisp, clear
das Getreide (—)	grain
getrennt	separate
getrennt nach	differentiated
gewähren	grant
die Gewährleistung (en)	warranty, guarantee
die Gewährung *(no pl.)*	granting
gewerblich	commercial

gewerblich-technische Berufe	trade and industrial jobs
die Gewerkschaft (en)	trade union
der Gewerkschaftler (—)	trade unionist
die Gewinn- und Verlustrechnung (en)	profit and loss calculation
der Gewinnanspruch (¨e)	right to profit
die Gewinnspanne (n)	profit margin
gewiß	certain
gewisse	certain
in einem gewissen Umfang	to a certain extent
gewissermaßen	so to speak
gezielt	well-aimed, carefully directed
der Glanz *(no pl.)*	glamour, shine
glänzen	shine; boast
glasiert	glazed
der Glaslampenschirm (e)	glass lampshade
der Gläubiger (—)	creditor
gleich	at once, immediately
bis gleich	until then
gleichberechtigt	having equal rights
gleichgesetzt	on the same level
die Gleichstellung (en)	equal opportunity
gleichwertig	of equal value
gleichwohl	nevertheless
gleichzeitig	simultaneous
die gleitende Arbeitszeit	'flexitime'
gliedern	divide
die Gliederung (en)	organization, plan
glücken	be successful
der Gottesdienst (e)	church service
das Gramm (= gr.)	gram
die graphische Darstellung (en)	tabular presentation
gratiniert	gratinated
in den Griff bekommen	get under control
grob gesagt	roughly outlined, speaking
das Gros (—)	gross, twelve dozen
groß angelegt	large-scale
der Großbereich (e)	greater area
der Großbetrieb (e)	large-scale enterprise
die Größenordnung (en)	size

die Großfläche (n)	large-sized poster/bill board
der Grossist (en)	wholesaler
der Großkunde (n)	large company, important client
die Großstadt (¨e)	major city
Grund-	basic
Grund genug für	reason enough for
Grund und Boden	land, property, real estate
die Grundausstattung (en)	basic design, equipment
der Gründer (—)	founder
das Gründerzentrum (-zentren)	industrial park for new companies
das Grundkapital *(no pl.)*	capital stock
die Grundlage (n)	basics (introduction), basis
grundlegend	fundamental
gründlich	thorough
der Grundriß (-risse)	outline plan
grundsätzlich	basically
das Grundstück (e)	real estate
der Grundstückspreis (e)	real estate price
die Grundvoraussetzung (en)	basic requirement
gültig	valid
günstig	favourable, advantageous
das Gut (¨er)	good
gut geführt	well-kept, conducted
das Gutachten (—)	reference
gutbürgerliche Küche	home-cooking, traditional German cuisine
die Güte *(no pl.)*	quality
gute Arbeit liefern	make a good job of it
der Güterhafen (¨)	freight port
das Guthaben (—)	credit, account
der Haarfön (s)	hair dryer
das Haben	credit
der Hafen (¨)	port, harbour
das Hafenschiff (e)	harbour ferry
haften	be liable
haftpflichtig	liable
die Haftung (en)	liability
die Hähnchenbrust (¨e)	chicken breast
die Halbfertigware (n)	semi-finished article

das Halbjahr (e)	half-year
die Haltbarkeit *(no pl.)*	durability
halten	stop
halten von	think of
die Haltestelle (n)	bus stop
in die Hand geben	supply with
der Handelsbetrieb (e)	commercial enterprise, trading business
das Handelsgesetzbuch (¨er)	commercial code
der Handelspartner (—)	trading partner
das Handelsregister (—)	company register, commercial register
die Handelsschranke (n)	trade barrier
die Handelsschule (en)	Commercial College for Further Education
handelsüblich	customary in trade and commerce
der Handelsvertreter (—)	sales person
es handelt sich dabei um	*here:* this is
handgefertigt	handmade
die Handhabung (en)	operation
die Handlungsvollmacht (en)	authority to act
handschriftlich	hand written
das Handwerk *(no pl.)*	craft, trade
handwerken	do handicrafts
handwerklich begabt	talent for crafts
der Hasenrücken (—)	saddle of hare
hätscheln	pamper
der Hauch von	the touch of
häufig	frequent
der Hauptabteilungsleiter (—)	departmental manager, head
der Hauptbahnhof (¨e) = Hbf.	main station
das Hauptfach (¨er)	major subject
der Hauptgang (¨e)	main course
die Hauptorganisation (en)	head organisation
hauptsächlich	mainly
das Hauptstudium (-studien)	second part of an university course
der Hauptverladehaften (¨)	main loading port
die Hauptversammlung (en)	general meeting, shareholders' meeting
die Hauptverwaltung (en)	main administration

das Haushaltspanel (—)	household panel
die Haushaltsware (n)	household good
die Hebeeinrichtung (en)	lifting equipment
heimwerken	do-it-yourself
der Heißwasserkessel (—)	kettle
das Heizelement (e)	heating element
der Heizkörper (—)	radiator
die Hemmung (en)	inhibition
heraufsetzen	put up
herausfinden	find out
herausstechen	stick out
herkömmlich	ordinary, usual
die Herrenausstattung (en)	menswear
herstellen	manufacture, produce
der Hersteller (—)	producer, manufacturer
hervorheben	highlight
hervorragend	excellent
herzhaft	hearty, spicy
heutzutage	nowadays, today
hierzulande	in this country
hiesig	local
die Hin- und Rückfahrt (en)	return ticket
im Hinblick auf	with regard to
hindern	hinder, interfere
in dieser Hinsicht	in this respect
hinsichtlich	with regard to
hinterlassen	leave (behind)
hinterlegen	deposit
der Hinweis auf Anzeige	'where did you see the post advertised?'
sich hinzugesellen	join, have been added
der Hirschgulasch (—)	venison stew
die Hochburg (en)	strong hold
hochgestellt	superior
hochqualifiziert	highly qualified
der Hochschulabschluß (-schlüsse)	University qualification
der Hochschulabsolvent (en)	graduate
die Hochschulausbildung (en)	education at degree level, i.e. University

die Hochtechnologie (n)	high technology
hochtragen	carry up
die Höhe (n)	amount
hohe Anforderungen stellen	make high demands
der Holunder *(no pl.)*	elderberry
der Holzfäller (—)	woodcutter
hörintensiv	with a high audience rating
der Hucke-Pack-Verkehr *(no pl.)*	piggy-back traffic
das Hügelland (¨er)	hilly country
der Hummer (—)	lobster
hygienisch	hygienic
das Hypothekendarlehen (—)	mortgage loan
das Ideal	ideal
im voraus	in advance
die Imagepflege *(no pl.)*	image-building
der Immobilienmarkt (¨e)	real estate market
imponierend	impressive
in erster Linie	mainly
das Indiz (ien)	sign, indication
das Industriedesign (s)	industrial design
die Industrieförderung (en)	promotion of industry
das Industriegebiet (e)	industrial estate, site
infolge	in consequence of
die Informatik *(no pl.)*	information technology, computing, computer science
die Informationstechnik *(no pl.)*	information technology
in Frage kommen	be possible, apply
der Ingenieur (e)	engineer
das Ingenieurwesen *(no pl.)*	engineering
der Inhaber (=Inh.) (—)	proprietor
das Inkassoinstitut (e)	collecting agent
die Innenstadt (¨e)	city centre
das Innenverhältnis (se)	internal relationship
innerbetrieblich	within the company
innerhalb	inside
der Insassenunfallschutz *(no pl.)*	passenger insurance
insbesondere	especially, particularly
das Inserat (e)	advertisement

inserieren	place an advertisement
insgesamt	all together
die Instanz (en)	body
integriert	integrated
Interesse bekunden	show interest
der Interessent (en)	interested person, partly
die Investition (en)	investment
das Investitionsgut (¨er)	capital good
die Investitionshilfe (n)	investment aid
der Investitionsstandort (e)	investment location
die Investitionstätigkeit (en)	investment activity, capital spending
inzwischen	in the meantime
irgendwelche	any
irgendwelcher Art	of some kind
das Jahreseinkommen (—)	yearly income
das Jahrespraktikum (-praktika)	one-year placement
der Jahresumsatz (¨e)	yearly turnover
die Jahreszeit (en)	season
das Jahrhundert (e)	century
das Jahrzehnt (e)	decade
je ... desto ...	the ... the ...
jederzeit	at any time, at all times, always
jetzig	present
jeweilig	respective
jeweils	respectively, each time
der Jungunternehmer (—)	young entrepreneur
das Kabel (—)	cable
die Kachel (n)	tile
der Kaffeeaufguß (-güsse)	the making of the coffee
die Kaffeesorte (n)	coffee brand
das Kali (s)	potash
die Kalkulation aufstellen	make up, draw up a calculation
das/der Kaminzubehör *(no pl.)*	fireplace appliances
die Kammer (n)	chamber
kämpfen mit	fight against
der Kandidat (en)	candidate
die Kapitalgesellschaft (en)	corporation

die Kapitalkraft *(no pl.)*	financial power
die Karriere (n)	career
die Karte (n)	map
die Karteikarte (n)	filing card, index card
der Kauf (¨e)	purchase
die Kaufabsicht (en)	buying intention
der Kaufanteil (e)	share in the market
die Käuferschicht (en)	group of buyers
die Käuferstruktur (en)	category, group of buyers
die Kaufgewohnheit (en)	buying habit
das Kaufhaus (¨er)	department store
kaufkraftstark	having high spending power
der Kaufmann (-leute)	merchant, business person
kaufmännisch	commercial, business
der kaufmännische Bereich (e)	commercial (business) side
der kaufmännische Leiter (—)	commercial manager
kaufmännische Zusammenhänge	commercial issues (procedures)
der Kaufvertrag (¨e)	contract of sale/purchase
kaum	hardly
keine Ursache	you are welcome, no problem
der Kenner (—)	connoisseur
das Kennzeichen (—)	symbol
die Kennziffer (n)	code
der Kern (e)	core
die Kernforschungsanlage (n)	nuclear research plant
das Kindergeld (er)	child benefit
die Kiste (n)	box, case
die Klage (n)	lawsuit
klagen	sue in court
die Klammer (n)	bracket
klar	clear
klären	clarify
die Klärung (en)	clarification
1. Klasse	First Class
das Kleingerät(e)	small appliance
der Kleinstladen (¨en)	smallest shop
die Klimaanlage (n)	air condition
klingen	sound
knackig	crisp
die Kneipe (n)	pub

das Kochbesteck (e)	cooking utensils
der Koffer (—)	suitcase
die Kohlroulade (n)	stuffed cabbage
kollegial	friendly, amicable
der Komfort *(no pl.)*	comfort, luxury, convenience
der Kommanditaktionär (e)	share holding partner with limited liability
es kommen Kosten hinzu	there are further charges
kommen wir gleich zur Sache	let's get down to business
der Kommissionskauf (¨e)	commission dealing, sale on commission
die Kommunalwirtschaft (en)	municipal services
die Kommunikationstechnik *(no pl.)*	communication technology
der Kompromiß (-misse)	compromise
die Konjunktur (en)	economic climate
die Konkurrenz *(no pl.)*	competition
konkurrenzfähig	competitive
konkurrieren	compete
der Konkurs (e)	bankruptcy
der Konsum *(no pl.)*	consumption
das Konsumgut (¨er)	consumer good
kontaktfreudig	sociable
die Kontaktvermittlung (en)	arrangement of contacts
das Konto (en)	account
der Kontoauszug (¨e)	bank statement
die Konzeption (en)	conception, idea, plan
der Kopfstand (¨e)	end of an aisle stand with 3 open sides
kopieren	photocopy
die Körperschaft (en)	corporate body
die Kosmetikware (n)	cosmetic product
die Kosten-Nutzen-Strategie (n)	cost-benefit-strategy
kostenfrei	free of charge
kostengünstig	inexpensive, value for money
der Kostenvoranschlag (¨e)	estimate
kostspielig	expensive, costly
kraft	by virtue of
das Kraftfahrzeug (e) (= Kfz.)	vehicle
kräftig	firm

das Kraut (¨er)	herb
der Kredit (e)	loan
kreditgebend	loan granting
der Kreditgeber (—)	lender
das Kreditinstitut (e)	credit bank
die Kreditkarte (n)	credit card
der Kreditnehmer (—)	borrower
die Kreditsicherung (en)	security of loan
die Kreditwürdigkeit (en)	credit standing
kreisförmig	round, circular
kritisch durchleuchten	scrutinize
die Küche (n)	kitchen
der Kühlschrank (¨e)	fridge
die Kulanz *(no pl.)*	goodwill
sich kümmern um	look after
der/die Kunde/Kundin (n/nen)	customer, client
das Kundengespräch (e)	customer contact
die Kundenkartei (en)	customer files
der Kundenkreis (e)	customers, clientel
die Kundenpflege *(no pl.)*	customer services
der Kundenspiegel (—)	customer profile
der Kundenstamm (¨e)	regular customers
kündigen	resign
jdn kündigen	sack s.o.
die Kündigung (en)	dismissal, notice (of termination)
die Kündigungsfrist (en)	period of notice
der Kündigungsschutz *(no pl.)*	protection against unlawful dismissal
die Kundschaft (en)	customers
künftig	future
das Kupfer *(no pl.)*	copper
der Kurs steht bei...	the exchange rate is at...
der Kurswagen (—)	through coach
der Kurswert (e)	exchange rate
die Kurve (n)	graph
zu kurz kommen	be neglected
an der kurzen Leine führen	hold in leach
die Kurzfahrt (en)	short period travel
kurzfristig	short-term
kurzgefaßt	in short, briefly

kurzlebig	short-lived
kürzlich	recent
die Kurzreferenz (en)	short reference
kurzsichtig	shortsighted
das Kurzzeichen (—)	abbreviation
kurzzeitig	for a limited period
kuvertieren	put into an envelope
der Lachs (e)	salmon
der Laden (¨)	shop
die Lage (n)	location
auf Lager haben	have in stock
der Lagerbestand (¨e)	stock
die Lagerhaltungskosten *(pl.)*	cost of storage
die Lagerkartei (en)	stock inventory
die Lagerung (en)	warehousing storage
die Lagerungsmöglichkeit (en)	possibility for storage, warehousing
das Ländereinführungsgesetz (e)	law for the introduction of federal states
die Landeshauptstadt (¨e)	capital
die Landeskennziffer (n)	country code
die Landesstraße (n)	state road
landesweit	national
landläufig	common, current, customary
langfristig	long-term
langjährig	for years
langlebig	durable
längst	for a long time
die Lärmbelästigung (en)	noise pollution
die Last (en)	load
lästig	wearisome
laufend	continuous
die Laufzeit (en)	term, period, validity
laut	according to
laut Verfassung	according to the constitution
lauwarm	lukewarm
die Lebensbedingung (en)	living condition
der Lebensbereich (e)	area of life
der Lebenslauf (-läufe)	curriculum vitæ

der Lebensmitteleinzelhandel *(no pl.)*	food retailing
das Lebensmittelgeschäft (e)	grocer's
lecker	tasty
ledig	single
lediglich	only
leer	empty
die Leertaste (n)	space bar
die Leerzeile (n)	blank line
der Lehrberuf (e)	vocation requiring an apprenticeship
der Lehrling (e)	apprentice
leiden	suffer
leider	sorry, I am afraid... (I am sorry)
leihen	lend
leihweise	on loan
der Leisedrucker (—)	silent printer
leisten	achieve, accomplish; serve
sich leisten	afford
das Leistungsangebot (e)	service
die Leistungsfähigkeit (en)	competitiveness, efficiency, productivity
der Leistungsnachweis (e)	credit, examination
der Leistungswille *(no pl.)*	will to achieve
leitender Angestellter	executive
der Leiter (—)	manager, head
der Leitgedanke (n)	motto, slogan
eine Leitung herstellen	set up, get a line
die Lernbereitschaft *(no pl.)*	motivation to learn
das Lichtbild (er)	photo
der Lieferant (en)	supplier
die Lieferbedingung (en)	terms of delivery
die Lieferfrist (en)	term (time) of delivery
das Lieferpapier (e)	delivery note
Lieferung sofort	prompt delivery
der Lieferverzug *(no pl.)*	default of delivery
der Liegewagen (—)	couchette
linksbündig	left justified
der Lochstreifen (—)	punched tape
der Lohn (¨e)	wages

die Lohnbuchhaltung (en)	payroll record
sich lohnen	be worthwhile
löschen	unload, delete
das Lösen	loosening, undoing (of a screw)
loslegen	go ahead
die Lösung (en)	solution
die Lücke (n)	gap
lückenlos	complete, without a gap
die Luftpost *(no pl.)*	air mail
Lust haben auf	fancy, would like
luxuriös	luxurious
die Magnetkarte (n)	service card
der Mahnbrief (e)	reminder letter, monitory letter
die Mahnung (en)	reminder
das Mahnverfahren (—)	dunning procedure, procedure of demanding for the payment of a debt
der Makler (—)	estate agent
so mancher Fehler ist unterlaufen	many slips somehow occurred
der Mangel (¨)	lack, defect, fault
mangelhaft	insufficient, defective, faulty
mangels	for want of
der Manteltarifvertrag (¨e)	industry-wide agreement on working conditions
der Markenartikel (—)	brand article
das Markenprodukt (e)	brand product
der Marktanteil (e)	market share
die Marktbeobachtung (en)	market analysis
Marktforschung betreiben	undertake market research
die Marktforschungseinrichtung (en)	market research services, utilities
marktführend	market leading
marktgerecht	appropriate for the market
die Marktlücke (n)	opening in the market
der Marktzugang *(no pl.)*	entry into a market
der Maschinenbau *(no pl.)*	mechanical engineering (industry)
maschinenlesbar	machine readable
das Maschineschreiben *(no pl.)*	typing
die Maßeinheit (en)	unit of measurement

maßgebend	leading, prominent
die Maßnahme (n)	campaign, step, action, measure
die Materialwirtschaft (en)	material purchasing
die Maus (¨e)	mouse
die Maussteuerung (en)	mouse control
medizinisch	medical
die Medizintechnik *(no pl.)*	medical engineering
mehrfach	manifold
die Mehrfachnennung (en)	multiple answers possible
mehrjährig	for several years
die Mehrwertsteuer (= MwSt.)	value added tax
mehrwöchig	for several weeks
die Mehrzahl *(no pl.)*	majority
die Meinung (en)	opinion
der Meinung sein	be of the opinion
das Meißener Porzellan	Dresden China
meistens	mostly
der Meister (—)	person with a *Meister* diploma
melden	report
eine ganze Menge	quite a lot
das Menü (s)	menu
der Merker (—)	marker
das Merkmal (e)	feature, characteristic
das Messing *(no pl.)*	brass
die Miete (n)	rent, hire
mieten	rent
in Milliardenhöhe	in billions
die Minderheitsbeteiligung (en)	minority share
der Minderjährige (n)	minor, under age
die Minderung (en)	reduction
Mindest-	minimum
die Mindestzahl (en)	minimum number
mir scheint	it seems to me
mit Angabe des Semesters	indicate your study semester
mit mehreren unterwegs	travelling together
mit Sitz	situated
der Mitarbeiter (—)	staff member, employee
der Mitarbeiterstab (¨e)	staff
die Mitbestimmung *(no pl.)*	co-determination
mitgewogen	included in the weight

das Mitglied (er)	member
die Mitteilung (en)	notification, notice, message
die Mittel *(pl.)*	means
mittelfristig	medium-term
mittels	by means of
mittelständisch	medium-sized
der Mittler (—)	mediator
mitwirken	contribute
der Möbelhersteller (—)	producer of furniture
in Mode sein	be fashionable
das Modell (e)	model
modisch	fashionable
im Moment	at the moment
momentan	momentarily
das 13. Monatsgehalt	13th monthly salary paid (in December)
die Montanindustrie (en)	coal and steel industry
der Monteur (e)	fitter
morgig	tomorrow's
"Müllerin Art"	fried in butter
die Münze (n)	coin
der Mut *(no pl.)*	courage
die Muttergesellschaft (en)	parent company
nach Besicht	on inspection
nach Probe	on sample
nach wie vor	as ever, now as before
nachbestellen	reorder further supply
die Nachfrage (n)	demand
die Nachfrist (en)	extension of time, term of grace
der Nachfüllservice *(no pl.)*	refill service
nachher	afterwards
der Nachlaß (-lässe)	rebate, reduction
die Nachlieferung (en)	(additional) delivery
per Nachnahme	cash on delivery (c.o.d.)
nachprüfen	check up, verify
nachrangig	subsequent
nachsehen	check
die Nachspeise (n)	dessert
der Nachwuchs *(no pl.)*	new generation, 'new blood'

die Nahbereichskarte (n)	short distance ticket
das Nähere (Näheres)	further details, particular conditions
die Nahrung (en)	nourishment
nämlich	in fact, you see, you know, so to speak
die Naturkosmetik (en)	natural cosmetics
das Nebenfach (¨er)	minor subject
nennen	name, call, tell
das Netz (e), das Netzwerk (e)	network
das Netzteil (e)	mains adapter
neu eingestellt	newly appointed
die Neuansiedlung (en)	setting up
die Neueinführung (en)	launching of a new product
nicht gebundener Titel	leaflet
die Nichtauslastung (en)	not being utilized to full capacity
nichts anderes übrig bleiben	there is nothing else one can do
die Niederlassung (en)	subsidiary, branch
Niederschlag finden	be reflected
niedrig	low
die Nielsenerhebung (en)	survey by Nielsen
das Niveau (s)	level
nochmal	once again
die Note (n)	classification, grade
das Notizbuch (¨er)	note book
die Notlösung (en)	temporary solution
die Nudel (n)	pasta
nunmehr	from now on
nur zur Verrechnung	crossed cheque (for depositing)
oberhalb	above
der Obstbau *(no pl.)*	fruit growing
offenbar	obvious
offensichtlich	obvious
öffentlich	public
öffentlich-rechtlich	under public law
der öffentliche Dienst	public service
der öffentliche Fernsprecher (—)	public telephone
das öffentliche Recht *(no pl.)*	public law
die Öffentlichkeitsarbeit (en)	public relations

die Omnibuslinie (n)	bus line
der Ordner (—)	file
das Organ (e)	body
die Organisationsveränderung (en)	organizational change
die Originalvorlage (n)	original
vor Ort	on the spot, locally
an Ort und Stelle	on the premises, in situ
örtlich	local
örtliche Gültigkeit	local validity
der Pack (e)	pack
die Palette (n)	range
die Papierbreite (n)	paper width
der Papierkram *(no pl.)*	paper work
das Paprika *(no pl.)*	paprika
parat	ready
paritätisch	with equal representation
die Partiefracht *(no pl.)*	mixed transport service from factory to destination
passen zu	match
das Pastetchen (—)	vol-au-vent
die Patentanmeldung (en)	patent registration
der Pauschaltarif (e)	flat rate
per procura	per procuration
per Waggon	per (railway) carriage
die Personalabteilung (en)	personnel department
das Personalaufgebot (e)	staffing
der Personalberater (—)	personnel consultant
der Personalfragebogen (¨)	questionnaire for staff
das Personalwesen *(no pl.)*	personnel department, personnel management
die Personengesellschaft (en)	close company
der Personenkraftwagen (—)	car
die Petersilie (n)	parsley
das Pfännchen (—)	small sauce-pan
das Pflegeheim (e)	nursing home
der Pförtner (—)	porter, receptionist
die Pharmaforschung (en)	pharmaceutical research
das Photomodell (e)	(photographer's) model
der Plakatanschlag (¨e)	poster display

einen Plan erstellen	put together a plan
das 4-Platz-Abteil (e)	compartment with 4 seats
die Platzreservierung (en)	seat reservation
pleite machen	go bankrupt
der Pluspunkt (e)	advantage, asset
Politik betreiben	be involved in politics
das Porto(s)	postage
eine Position innehaben	hold a position
der Positionsverlust (e)	loss of position
die Positionszeile (n)	ruler line
das Postamt (¨er)	post office
das Postfach (¨er)	post box
die Postleitzahl (en)	postal code
die Postnachnahmekarte (n)	postal c.o.d. card
prägen	characterize
die Praktikantentätigkeit (en)	industrial placement
das Praktikum (Praktika)	industrial placement
das Präzisionsgerät (e)	precision instrument
die Preisangabe (n)	price
preislich	with regard to the price
der Preisnachlaß (-lässe)	price reduction, discount
die Preissteigerung (en)	price increase
die Preisvorstellung (en)	idea for the price
preiswert	inexpensive
die Presseabteilung (en)	public relations department
die Pressearbeit *(no pl.)*	press liaising
die Pressekonferenz (en)	press conference
die Pressemappe (n)	press folder
das Prinzip (ien)	principle
das private Recht *(no pl.)*	private law
die Privatküche (n)	domestic kitchen
pro	per
die Probezeit (en)	time of probation, trial period
die Problemlösung (en)	solution to a problem
das Produkt (e)	product
die Produkterwartung (en)	expectation towards a product
die Produktionskosten *(pl.)*	production costs
der Produktionsmittelbetrieb (e)	capital goods industry
die Produktionsstätte (n)	manufacturing plant
die Produktpalette (n)	product range

das Produktsortiment (e)	product range
die Produkttechnik *(no pl.)*	product engineering
die Profilierung (en)	acquiring a status, a strong image
prognostizieren	prognosticate, forecast
das Programm (e)	programme
ein Programm fahren	run a programme
das Programmieren *(no pl.)*	programming
der Prokurist (en)	officer authorized to act and sign on behalf of the firm
der Prospekt (e)	catalogue, brochure
die Provisionsabrechnung (en)	commission account (settlement)
der Provisionssatz (¨e)	rate of commission
die Prüfung (en)	test, analysis
einer Prüfung unterziehen	investigate
das Prüfungsdatum (-daten)	date of examination
die Prüfungsnote (n)	examination grade
das Publikum *(no pl.)*	audience
die Publikumszeitschrift (en)	general interest publication
der Pufferspeicher (—)	buffer memory
der Punkt (e)	dot, full stop
der Quadratmeter (= qm) (—)	square metre
die Quittung (en)	receipt
der Rabatt (e)	discount
der Rahmen (—)	frame
die Rahmenbedingung (en)	basic condition, general framework, general economic setting
der Ramschkauf (¨e)	job goods purchase
der Rang (¨e)	rank
rangieren	rank, be classed
die Ranke (n)	tendril
ranzig	rancid
der Ratenkauf (¨e)	purchase by instalments, hire purchase
die Ratenzahlung (en)	payment by instalments
die Rationalisierung (en)	rationalisation measures
die Rationalisierungsberatung (en)	efficiency consulting
rationell	efficient, economical

die Räumlichkeit (en)	space, area
die Reaktionsfähigkeit (en)	response
der Rechner (—) (= der Computer)	computer, calculator
die Rechnung (en)	bill
Rechnung begleichen	settle the bill
das Rechnungswesen *(no pl.)*	accounting
recht haben	be right, correct
rechtfertigen	justify
der Rechtsbegriff (e)	legal concept
die Rechtschreibkontrolle (n)	spell-checker
die Rechtsform (en)	legal form
rechtsgültig	legally binding, valid
rechtskräftig	legally binding
den Rechtsweg einschlagen	take legal action, initiate proceedings
rechtzeitig	in time
die Redaktion (en)	editor
der Redaktionsschlußtermin (e)	printing deadline
die Reederei (en)	shipping company
der Referent (en)	referee
die Referenz (en)	reference, recommendation
das Regal (e)	shelf
in der Regel	as a rule, usually
regelmäßig	regularly
die Regelung (en)	regulation
reichen	be sufficient
reichen von . . . bis	reach from . . . to . . .
reichlich	plenty
reicht aus	is sufficient
die Reichweite (n)	range, radius, scope
die Reihe (n)	range
der Reihenstand (¨e)	stand in an aisle
der Reinentwurf (¨e)	fair proof
die Reinhaltung (en)	prevention of pollution
das Reisebüro (s)	travel agency
die Reiseinlage (n)	rice stuffing
renommiert	reputed, renowned
sich rentieren	be profitable
die Repräsentantin (nen)	representative (female)

die Repräsentativbefragung (en)	sample poll, inquiry
das Ressort (s)	area, field
ressortbezogen	related to a field
ressortübergreifend	across fields
resümieren	summarize, sum up
revanchieren	return s.o.'s kindness, reciprocate
sich richten an	address to
richtig liegen	be right
die Richtigkeit *(no pl.)*	correctness, truth
riesig	huge
der Rinderbraten (—)	beef roast
die Rinderroulade (n)	beef olive
das Risiko (Risiken)	risk
die Robustheit *(no pl.)*	robustness
der Rohstoffgewinnungsbetrieb (e)	company concerned with production of raw materials
eine Rolle spielen	be of importance
das Rollenpapier *(no pl.)*	continuous paper
die Rückfahrt (en)	return trip
rückgängig machen	cancel, withdraw, annul
die Rücklaufquote (n)	return rate
der Rückruf (e)	return call
die Rückseite (n)	back page, flip page
auf der Rückseite	overleaf
die Rücksicht (en)	consideration, regard
rücksichtsvoll	considerate, caring
die Rücktaste (n)	backspace
der Rufname (n)	name by which a person is called, i.e. first name *Maria* Claudia Schulze
das Ruhrgebiet (e)	industrial area in North-Rhine Westfalia
rund	round; about
das Rundfunkgerät (e)	radio set
rutschen	slide down
der Sacharbeiter (—)	clerk, specialist, person in charge
das Sachgebiet (e)	subject area, field
sachkundig	competent, knowledgeable
der Sachleistungsbetrieb (e)	production industry

sachlich	factual
der Sack (¨e)	bag
saftig	juicy
die Säge (n)	saw
die Saison (s)	season
die Salatschüssel (n)	salad bowl
der Salatteller (—)	dish of mixed salad
der Sammelbegriff (e)	general term
sämtlich	all, complete
sauber	clean, perfect
sauer	bitter, off
die Säule (n)	advertising pillar
das Säulendiagramm (e)	bar chart
das SB-Warenhaus (¨er)	self-service department store
der Schadensersatz *(no pl.)*	damages
der Schadensbericht (e)	damage report
schaffen	manage, handle
das Schaltelement (e)	switch (element)
der Schalter (—)	counter
der Schalterbeamte (n)	counter clerk
schätzen	appreciate, estimate
das Schaubild (er)	diagram
der Scheck (s)	cheque
das Scheitern *(no pl.)*	break down
das Schiebedach (¨er)	sun roof
die Schiene (n)	rail; line, issue
der Schiffahrtsplan (¨e)	shipping timetable
der Schiffsanleger (—)	landing place
die Schiffsverbindung (en)	ship connection
schildern	describe
schimmelig	mouldy
das Schinkenröllchen (—)	rolled slice of ham
schlagen	beat
schlicht	simple
die Schlichtung (en)	conciliation, mediation
das Schlichtungsverfahren (—)	conciliation, arbitration proceedings
der Schlafwagen (—)	sleeping-car
schmecken	taste
die Schnecke (n)	escargot

die Schnellbahn (= S-Bahn) (en)	city train
die Schnittstelle (n), das Interface (—)	interface
die Scholle (n)	plaice
der Schrägstrich (e)	oblique
die Schraube (n)	screw
die Schreibgeschwindigkeit (en)	(typing) speed
die Schreinerin (nen)	female carpenter
schriftlich	written, in writing
schriftlich zukommen lassen	send in writing
das Schrifttum *(no pl.)*	publication
das Schriftzeichen (—)	character, font
die Schuld (en)	debit, debt
die Schulkenntnisse *(pl.)*	proficiency acquired at school
die Schulpflicht *(no pl.)*	compulsory education
die Schulung (en)	training
schützen	protect
die Schutzgemeinschaft (en)	protection association
der Schweinenacken (—)	neck of pork
die Schweinshaxe (n)	knuckle of pork
die Schwerbehinderteneigenschaft (en)	serious disability
das Schwergewicht (e)	emphasis
der Schwerpunkt (e)	(main) emphasis
schwungvoll	vivacious
der/die Sehbehinderte (n)	partially-sighted/blind person
seit langem	for a long time
seither	since then
die Seitentrennung (en)	page break
selbständig	independent
Selbstbedienung (= SB) *(no pl.)*	self-service
zum Selbstkostenpreis	cost price
selbstverständlich	certainly, of course, self-evident
Selbstzweifel pflegen	nourish self-doubt
selten	rare, infrequent
das Semester (—)	semester (equivalent of half an academic year)
die Sendung (en)	delivery, consignment, shipment, parcel
seriös	respectable

die Servolenkung (en)	power-assisted steering
setzen	typeset
sicheres Auftreten	self-assured manner
die Sicherheitskopie (n), das Backup (s)	back-up copy
der Sicherheitsstecker (—)	safety plug
der Sieger (—)	winner
siehe folgenden Absatz	see following paragraph
der Sinn (e)	sense
sinnvoll	useful, appropriate
sinnvollerweise	sensibly
der Sitzplatz (¨e)	seat
das Skonto (s)	(cash) discount
der Sofortausdruck (e)	immediate print-out
sogenannt	so-called
die Solidität *(no pl.)*	solidness, soundness
das Soll (s)	debit
der Sonderrabatt (e)	special discount
der Sonderwunsch (¨e)	special wish, request
das Sonderzeichen (—)	special character
sonnabends (= samstags)	on Saturdays
die Sorge (n)	worry
(dafür) sorgen, daß	make sure that
sorgfältig	careful
die Sorten *(pl.)*	foreign notes and coins
das Sortiment (e)	range
soweit	so far
der Sozialabbau *(no pl.)*	decline in social welfare
die Sozialforschung (en)	social research
die Sozialleistung (en)	company benefit
die Sozialpartner *(pl.)*	social partners: employers and employees (in industrial relations)
das Sozialwesen *(no pl.)*	social services
die Sozialwissenschaften *(pl.)*	social sciences
die Sozialzulage (n)	family allowance
das Sparbuch (¨er)	savings account book
die Spareinlage (n)	saving
sparen	save
die Sparkasse (n)	savings bank

das Sparkonto (en)	savings account
die Sparte (n)	line of business, of work
der Speck *(no pl.)*	bacon
der Speckmantel (¨)	jacket of bacon
der Speicher (—)	storage
die Speicherfähigkeit (en)	storage capacity
speichern	store
die Speicherschreibmaschine (n)	electronic typewriter
die Speisekarte (n)	menu
speisen	dine
der Speisewagen (—)	dining car
das Spektrum (Spektren/Spektra)	range
sperrig	bulky
die Spesen *(pl.)*	expenses
der Spesenantrag (¨e)	expenses form
das Spezialgebiet (e)	special area of study, specialization
das Spezialgerät (e)	special equipment
der Spezialist (en)	expert
der Spezialwaggon (s)	special goods waggon
der Spezifikationskauf (¨e)	sale by description, subject to buyer's specification
die Spielerei (en)	gimmick
die Spielregel (n)	rule (of game)
die Spielware (n)	toy
das Spiralkabel (—)	spiral lead
die Spitzenposition (en)	top position, leading position
der Spitzenreiter (—)	front runner
die Sportveranstaltung (en)	sports event
die Sprachkenntnisse *(pl.)*	language proficiency
das Sprachzertifikat (e)	language certificate
die Sprinklerdüse (n)	sprinkler
der Spritzguß (-güsse)	die-casting
das Sprungbrett (er)	spring-board
staatlich	governmental, officially recognized by the state
die Staatsangehörigkeit (en)	nationality
die Stadtgrenze (n)	city boundary
die Stadtillustrierte (n)	city magazine
städtisch	municipal
das Stadttor (e)	town gate

der Stahl (e)	steel
das Stammkapital *(no pl.)*	capital stock (which remains as security)
der Stammkunde (n)	regular customer
die Standardeinstellung (en)	default
der Standentwurf (¨e)	plan of stand
die Standhöhe (n)	height of stand
ständig	constant, perpetual
der Standort (e)	location
die Standortwahl (en)	choice of position, location
das Stangenbrot (e)	french bread
die Startmöglichkeit (en)	opportunity to start s.th.
statt	instead
stattfinden	take place, happen
die Steckdose (n)	socket
stecken	be include; put in
der Stecker (—)	plug
jdm steht etwas zu	s.o. is entitled to s.th.
die Steigerung (en)	increase
die Stelle (n)	digit; post, position, employment; location
eine Stelle antreten	take up a position
an erster Stelle stehen	be of prime importance
stellen	put up, name
stellvertretend *(adj.)*	assistant
der Stempel (—)	stamp
die Stenographie	shorthand
das Sterben *(no pl.)*	perishing
die Steuer (n)	tax
steuerlich	tax-
steuern	control, operate
der Steuervorteil (e)	tax advantage
das Stichwort (¨er/e)	keyword, main points
stilvoll	with style
stimmen für	vote for
die Stimmengleichheit (en)	parity of votes
das Stimmungsbild (er)	mood
die Störung (en)	disruption, failure
die Strecke (n)	route
streichen	delete

die Streichung (en)	cancellation
der Streuverlust (e)	loss through wide coverage
die Streuwerbung (en)	wide coverage advertising
der Strich (e)	line
der Strom (¨e)	electricity
die Stromstärke (n)	voltage
der Strukturwandel *(no pl.)*	structural change
das Stück (e)	piece, unit
die Stückfracht *(no pl.)*	part-load, freight, mixed cargo
die Studienarbeit (en)	academic project, essay
der Studienaufenthalt (e)	study period
der Studiengang (¨e)	course at college/university
der Studienschwerpunkt (e)	academic specialization
das Studiensemester (—)	one semester of a course
der Stundenlohn (= Std.-Lohn) (¨e)	hourly wages
der Supermarkt (¨e)	supermarket
das Synonymwörterbuch (¨er)	thesaurus
der Systemstand (¨e)	pre-arranged stand
die tabellarische Darstellung (en)	tabular presentation
die Tabelle (n)	table
das Tabellenkalkulationsprogramm (e)	spreadsheet
täglich	daily
die Tageskarte (n)	day pass
der Tageskurs (e)	current rate, today's rate
tagtäglich	daily
der Tante-Emma-Laden	corner shop
der Tarif	tariff
die Tarifautonomie *(no pl.)*	autonomy in negotiating wage rates
die Tarifgruppe (n)	wage group
der Tarifvertrag (¨e)	collective wage agreement
die Tastatur (en)	key board
die Tastaturbesetzung (en)	keyboard definition
tastbar	tactile
die Taste (n)	key
die Tastenreihe (n)	set of keys

die Tätigkeit (en)	job, task
eine Tätigkeit ausüben	do a job
der Tätigkeitsbereich (e)	field of activity
die Tatsache (n)	fact
tatsächlich	actually, in fact, indeed
tauschen	exchange
der Taxistand (¨e)	taxi stand
der technische Bereich (e)	technical side, production side
die technische Zeichnung (en)	technical drawing, draft
teilbelegen	cover partially
teilen	share
der Teilhafter (—)	partner with limited liability
der Teilnehmer (—)	participant
die Teilzahlung (en)	part payment
die Telefonanlage (n)	telephone system
telefonisch	by telephone
die Telefonleitung (en)	telephone line
die Telefonzelle (n)	telephone booth
der Termin (e)	appointment
termingerecht	in due time, on schedule
die Terminüberschneidung (en)	overlapping appointments
die Terminvereinbarung (en)	(agreed) appointment
die Textübermittlung (en)	transmission of data
das Thema (Themen)	subject, topic
thematisch	topical, subject
der thematische Schwerpunkt (e)	main emphasis
der Tierversuch (e)	animal testing
die Tilgung (en)	repayment
der Toaster (—)	toaster
die Toastscheibe (n)	slice of toast
die Tochterfirma (-firmen)	subsidiary
die Tonbandaufzeichnung (en)	tape recording
das Tortendiagramm (e)	pie chart
die Tourenplanung (en)	itinary
der Trabbi (= Trabant)	car, manufactured in the former GDR
traditionellerweise	traditionally
traditionsgemäß	traditionally
der Träger (—)	subject, bearer, holder
das Transportunternehmen (—)	haulage company

das Transportwesen *(no pl.)*	haulage
der Treffpunkt (e)	meeting place
treffsicher	accurate, unerring
im Trend liegen	be part of a trend
trennen	separate
trotz	inspite of
tüchtig	efficient, industrious
das Tütchen (—)	small bag
der Typenraddrucker (–)	daisywheel printer
überbetonen	overemphasize
überbieten	surpass, outbid
der Überblick (e)	general idea, survey
der Überbringer (—)	bearer (payable to bearer)
überdacht	thought out
überdurchschnittlich	above average
überfachlich	outside the academic field
überflüssig	superfluous
die Übergangszeit (en)	transition period
übergreifend	comprehensive
überhaupt	anyway
überholt	out-dated
jdm etwas überlassen	let s.o. have s.th.
überlastet	overburdened
überlebensnotwendig	necessary to survive
überlegen	think (over), consider, deliberate
die Überlegung (en)	consideration, thought
übermächtig	overpowering
übermitteln	pass on
übermorgen	day after tomorrow
übernächst	next but one
die Übernachtung (en)	night
überordnen	have precedence
überproportional	overproportional
die Überprüfung (en)	control
überraschen	surprise
überregional	national
überreichen	hand over
überschreiten	exceed
der Überschuß (-schüsse)	surplus
übersehen	overlook

die Übersicht (en)	overview; list, table, chart
die Übersichtstafel (n)	information board
überspielen	transfer, copy
die Überstunde (n)	overtime
die Überstundenregelung (en)	overtime agreement
überstürzt	over-hasty
übertragbar	transferable
übertragen	transmit, transfer
die Übertragungszeit (en)	transmission time
überwachen	supervise, control
überweisen	transfer
die Überweisung (en)	money transfer
der Überweisungsauftrag (¨e)	bank transfer order
überwiegend	predominantly, mainly
überzeugen	convince
sich überzeugen von	convince, satisfy o.s. of
die Überzeugung (en)	conviction
der Überziehungskredit (e)	overdraft facility
üblich	common, usual, customary
die üblichen Unterlagen	the usual documentation
übrig	other, resulting
übrigens	by the way
um was geht es?	what is it about?
umfangreich	extensive, comprehensive
umfassen	cover
umfassend	comprehensive
das Umfeld (er)	environment
die Umfrage (n)	survey
umgekehrt	in the reverse, vice versa
die Umgestaltung (en)	reconstruction, restructuring
umladen	reload, transfer
der Umsatz (¨e)	turn-over, sales, (transaction)
umschlagen	turn over, reload
die Umschlagsrückseite (n)	back of envelope
umspannen	cover
das Umsteigen *(no pl.)*	change of trains
umstellen	adapt, adjust
umtauschen	exchange
der Umweg (e)	deviation
die Umweltbelastung (en)	environmental pollution

die Umweltschutzauflage (n)	environmental requirement
die Umweltschutzkosten *(pl.)*	environmental expenses
unabhängig	independent
unabhängig machen	make independent
unbedingt	by all means, absolutely
unbegrenzt	unlimited
und nicht zuletzt	last but not the least
die Unfallfolge (n)	accident, accidental injuries
unfrei	carriage forward
ungefähr	about, approximate, roughly
ungeschminkt	unvarnished
ungünstig	unfavourable
die Universalbank (en)	all-purpose bank
universell	all-purpose
unmittelbar	direct
unnötig	unnecessary
unselbständig	dependent
die Unsicherheit (en)	insecurity
die Unter- und Überbesetzung	under-staffing and over-staffing
in der Woche	during the week
unter Umständen	possibly
die Unterabteilung (en)	subdivision
unterbringen	accommodate, put up
der/die Untergebene (n)	subordinate, subject
untergliedern	subdivide
unterhalb	below
unterhaltsberechtigt	entitled to maintenance
unterhalten	operate, run; entertain
das Unterhaltungsspiel (e)	game (for amusement)
die Unterlage (n)	document, paper, documentation
unterliegen	be liable to
das Unternehmen (—)	enterprise, company
der Unternehmensberater (—)	business consultant
die Unternehmensberatung (en)	consultancy
die Unternehmensebene (n)	management level
das Unternehmensziel (e)	company objective
unterrichten	teach, inform, notify
die Unterrichtsjahre *(pl.)*	years studied
unterschätzen	underestimate
der Unterschied (e)	difference

unterschiedlich	different
die Unterschrift (en)	signature
die Unterschrift leisten	sign
die Unterschriftsprobe (n)	specimen signature
unterstreichen	underline
unterstützend	supporting
die Unterstützung (en)	support, assistance, help
die Untersuchung (en)	research
die Untersuchungseinheit (en)	survey unit
unterwerfen	subject to
unüblich	uncommon, uncustomary
unverändert	unchanged
unverbindlich	without obligation
unzureichend	insufficient
die Urabstimmung (en)	strike ballot
die Urkunde (n)	certificate
Urlaub antreten	take holiday
der Urlaubsanspruch (¨e)	holiday entitlement
die Urlaubsvertretung (en)	holiday replacement
die Ursache (n)	reason
der Variant	estate car
veränderbar	changeable
die Veränderungsmöglichkeit (en)	possibility of change
veranschaulichen	illustrate
veranstalten	organize, arrange an event
verantwortlich	responsible
der/die Verantwortliche (n)	person in charge, person responsible
verärgert	annoyed
der Verband (¨e)	association
verbinden	connect, put through
verbindlich	binding
die Verbindung (en)	connection, link-up
sich in Verbindung setzen mit	get in touch with
verbleiben wir . . .	we remain yours (faithfully, sincerely)
der Verbraucher (—)	consumer
der Verbrauchermarkt (¨e)	superstore
das Verbrauchsgut (¨er)	non-durable consumer good

der Verbrauchsgüterbetrieb (e)	consumption goods industry
das Verbrauchsmaterial (ien)	consumable (paper)
das Verbreitungsgebiet (e)	distribution area, range
verbunden mit	linked with
verdorben	bad, off, spoilt
verdrängen	push aside
die Vereinbarung (en)	agreement
nach Vereinbarung	by agreement
die Vereinigung (en)	unification; association, union, alliance
der Verfall *(no pl.)*	decay, dilapidation
verfallen	fall into disrepair, become dilapidated, decay
verfärben	discolour
verfassen	compile, put together
verfehlen	miss
verfeinert	refined
verfügbar	available
verfügen	be, have at s.o.'s disposal
zur Verfügung stehen	be available, be at s.o.'s disposal
zur Verfügung stellen	put at s.o.'s disposal
verführen	seduce, tempt
die Vergabe (n)	allocation
sich vergewissern	make sure
vergleichbar	comparable
die Vergleichbarkeit (en)	comparability
die Vergrößerung (en)	enlargement
der Vergütungssatz (¨e)	basic allowance, payment
das Verhältnis (se)	relationship, circumstance
die Verhandlung (en)	negotiation
verharren	remain
verheiratet	married
verhindern	prevent
der Verkauf (¨e)	sale
der Verkäufer (—)	sales assistant
das Verkaufsargument (e)	reason for sale
der Verkaufsleiter (—)	manager
die Verkaufsmethode (n)	sales method
die Verkaufsniederlassung (en)	sales branch
der Verkaufsrepräsentant (en)	sales representative

der Verkaufsschlager (—)	sales hit, bestseller
verkehren	run, operate
der Verkehrsbetrieb (e)	transport services
die Verkehrsdichte (n)	traffic density
die Verkehrslage (n)	traffic situation
das Verkehrsmittel (—)	transport
die Verkehrsverbindung (en)	travel connection
verklagen	sue
verkohlt	charred
verkürzen	shorten
der Verlag (e)	publisher
verlassen	leave
sich verlassen auf	rely on
verläßlich	reliable
verlegen	reschedule; move, relocate
verlieren	lose
verlockend	tempting
verlorengehen	get lost
vermarkten	market, commercialize
vermeiden	avoid
die Vermeidung (en)	avoidance
die Vermittlung	switchboard
der Vermerk (e)	note, entry
vermitteln	convey, tell
der Vermittler (—)	mediator
die Vermittlung (en)	switchboard
das Vermittlungsbüro (s)	agency
der Vermögenswert (e)	asset
vermuten	assume
vernachlässigen	neglect
vernünftig	sensible
veröffentlichen	publish
veröffentlicht	published
die Verpackung (en)	packaging
die Verpackungsmaschine (n)	packaging machine
die Verpfändung (en)	pledging, mortgaging
verpflichten	oblige
verpflichtet sein	have a duty
die Verpflichtung (en)	responsibility
verringern	reduce, diminish, decrease

die Verringerung (en)	reduction
versalzen	oversalted
der Versand *(no pl.)*	dispatch, shipment, transport
der Versandhandel *(no pl.)*	selling by mail-order
verschaffen	provide, give
die Verschiebung (en)	change, movement
verschieden (= versch.) verschiedenartig	various, different
verschiedenfarbig	multi-coloured
verschlafen	oversleep
der Verschleiß *(no pl.)*	wear and tear
verschweigen	conceal
verschwinden	disappear
versechsfachen	multiply by six
versehen mit	equip with
versenden	send, dispatch
verseucht	polluted
die Versicherung (en)	insurance
der Versicherungsbetrieb (e)	insurance
versorgen	supply
der Verspätungsschaden (¨)	damage due to delay
versprechen	promise
die Versprechung (en)	promise
verstärkt	increased, stronger
versteigern	auction
verstoßen	offend against
verstreichen	let pass by
das Versuchsfeld (er)	area of investigation
verteilen	distribute
der Verteiler (—)	copies, cc
verteilt	distributed
einen Vertrag abschließen	sign a contract
vertraglich	contractual
das Vertrauen *(no pl.)*	confidence, trust
die Vertrauensleute *(pl.)*	shop stewards
das Vertrauensverhältnis (se)	relation of personal trust
vertraulich	confidential
vertraut	familiar
vertreiben	distribute, market, sell
vertreten sein	be represented

jdn vertreten	represent s.o.
die Vertretung (en)	representation
in Vertretung	by order of
die Vertretungsmacht *(no pl.)*	right of representation
der Vertrieb *(no pl.)*	sales, distribution
der Vertriebschef (s) = der Vertriebsdirektor (en)	sales manager
das Vertriebsressort (s)	sales department
verursachen	cause
vervielfältigen	copy, reproduce
vervierfachen	quadruple
die Verwahrung (en)	safe storage
die Verwaltung (en)	administration
der Verwaltungsbezirk (e)	administrative district
der Verwaltungszweig (e)	branch, sector of civil service
der Verwandtenbesuch (e)	visit of relatives
verweisen auf	point to, refer to
verwenden	use
der Verwendungszweck (e)	purpose
verwirklichen	realize, put into effect
verwunderlich	surprising
verzahnen	link
verzeichnen	show, list, register
verzichten	waive, renounce, do without, give up, abandon
die Verzögerung (en)	delay
der Verzugszins (en)	interest on default, interest on arrears
der Vielschreiber (—)	s.o. who writes a lot
vielseitig	versatile, flexible
vielversprechend	promising
die Vielzahl *(no pl.)*	multitude
das Vierteljahrhundert (e)	quarter of a century
die Volkswirtschaftslehre *(no pl.)*	economics
vollendet	perfect, completed
vollgültig	fully valid
der Vollhafter (—)	partner with full liability
völlig	completely
die Vollkaskoversicherung (en)	full comprehensive insurance
die Vollmachtsbeschränkung (en)	restriction of power

das Vollsortimentwarenhaus (¨er)	department store which caters for everything
vollständig	complete
vollzeitlich	full-time
voneinander	of one-another
vorab klären	clarify in advance
voraussetzen	presuppose
die Voraussetzung (en)	prerequisite, precondition; qualification
die Vorauszahlung (en)	advance payment
vorbehalten bleiben	reserved
die Vorbildung (en)	pre-knowledge, pre-education
im Vordergrund stehen	be more important, be in the centre of
vorfinden	find
der Vorführtermin (e)	presentation appointment
vorgedruckt	headed
vorgeschrieben	required
vorgesehen	planned, scheduled
vorhaben	plan, intend
vorhanden	available, existant, existing
vorherig	previous
vorherrschen	prevail, predominate
vorherrschend	predominant, prevalent
vorkommen	occur
das Vorkommnis (se)	incident, occurrence
die Vorlage (n)	original
vorlegen	present, show
die Vorlesung (en)	lecture
vorliegen	be available, exist, be present
vormerken	book, reserve
vornehmen	carry out, undertake, conduct, make
vorrangig	of prime importance, priority
der Vorschlag (¨e)	suggestion, proposal
einen Vorschlag annehmen	accept a proposal
einen Vorschlag vorlegen	put forward a proposal
die Vorschrift (en)	regulation
vorsehen	take care, plan for
vorsitzen	chair

der Vorsitzende (n)	chairperson, director, head
die Vorspeise (n)	starter, entreœe
vorspielen	present
der Vorstand (¨e)	management, managing board, board of directors
sich vorstellen	imagine, think of; introduce o.s.
die Vorstellung (en)	idea
das Vorstellungsgespräch (e)	interview
der Vorteil (e)	advantage
von Vorteil sein	be of advantage
die Vorwahl (en) (*pl.* = Vorwahlnummern)	STD code, area code
der Vorzug (¨e)	advantage
wagen	dare, risk
der Wagen (—)	car
der Waggon (—)	truck, waggon/rail
wahren	keep
wahrnehmen	notice, perceive
wahrscheinlich	probably
im wahrsten Sinne des Wortes	in the true sense of the word
die Währung (en)	currency
das Walzwerk (e)	rolling mill
die Wandlung (en)	cancellation of sale
die Warenlieferung (en)	delivery of goods
die Warenprobe (n)	sample, specimen
die Warensendung (en)	postal product delivery
der Warnstreik (s)	token strike, lightning strike
warten	service, wait
die Wartung (en)	maintenance
das WC (s)	toilet
der Wechsel (—)	exchange
der Wechselschalter (—)	foreign exchange counter
wecken	wake s.o. up
der Weg (e)	way, path, distance
einen Weg zurücklegen	cover a distance
wegen	because of
der Wehrdienst (e)	military service
weit	vast
weit darüber hinaus	far beyond it

weitaus	by far
weiter *(adj.)*	further
die Weiterentwicklung (en)	(further) development, advancement
weiterhin	further, in the future
weitestgehend	considerable, a high degree
weitgehend	far reaching
die Welle (n)	wave
sich wenden an	address, contact, turn to
die Werbeausgabe (n)	advertising expenses
der Werbeblock (¨e)	advertising block
der Werbeeinsatz (¨e)	advertising campaign
die Werbefernsehzeit (en)	television advertising time
das Werbegeschenk (e)	advertising gift, free gift
das Werbemittel (—)	advertising medium
der Werbeträger (—)	advertising medium/vehicle
die Werbewirkungsmessung (en)	measurement of advertising impact
die Werbung (en)	advertising
die werdende Mutter	expectant mother, mother-to-be
die Werft (en)	dockyard
der Werkstudent (en)	student with a part-time job
die Werktagsausgabe (n)	weekday edition
die Werkzeugmaschine (n)	machine tool
Wert legen auf	attach importance to
die Wertarbeit *(no pl.)*	quality work, high-class craftsmanship
das Wertpapier (e)	stocks and shares
wertvoll	valuable
wesentlich	important, considerable
die Wettbewerbsfähigkeit (en)	competitiveness, competitive strength
der Wettbewerbsverlust (e)	loss due to competition
widerrufen	withdraw, cancel
Widerspruch anmelden	raise protest
wie nebenstehend	as opposite
wie seine Westentasche kennen	know s.th. like the back of one's hand
wie sieht es aus mit...?	how about...?
wiederentstehen	re-emerge
der Wiederverkäuferrabatt (e)	trade discount

das Wildgericht (e)	game
die Willensstärke (n)	determination
Winterschlaf halten	hibernate
die Wirkung (en)	effect
die Wirtschaft *(no pl.)*	economy
die Wirtschaftsmathematik *(no pl.)*	business mathematics
wirtschaftsnah	related to business (studies)
die Wirtschaftspolitik *(no pl.)*	economic policy
der Wirtschaftsprüfer (—)	accountant
das Wirtschaftsrecht *(no pl.)*	business law
die Wirtschaftssprache (n)	business language
die Wirtschaftswissenschaften *(pl.)*	business studies
der Wirtschaftszweig (e)	branch, sector of industry
der Wissenschaftspark (s)	science park
wobei	while
die Wochenendarbeitszeit (en)	weekend working time
der Wohnort (e)	town, city
der Wohnungsbau *(no pl.)*	housing construction
die Wühltheke (n)	bargain counter
die Wurfsendung (en)	unaddressed printed papers, house-to-house 'junk-mail', delivery advertising matter
zäh	tough
das Zahlenbild (er)	table
Zahlungen tätigen	transact, effect payments
der Zahlungseingang (¨e)	in-payment
der Zahlungsempfänger (—)	receiver
die Zahlungskondition (en)	terms of payment
der Zahlungsverzug *(no pl.)*	default of payment
die Zahlungsweise (n)	mode of payment
das Zahlungsziel (e)	term of payment
zart	tender
der Zehn-Mark-Schein (e)	ten-Mark-note
der Zeichenvorrat (¨e)	character range
die Zeilenschaltung (en)	return
der Zeilenvorschub (¨e)	line feed
sich Zeit nehmen	take time
der Zeitgewinn (e)	gained time
zeitliche Gültigkeit	validity (time)

die Zeitspanne (n)	period
die Zentraleinheit (en)	main unit
die Zersplitterung (en)	fragmentation
das Zeugnis (se)	certificate
das Ziel (e)	aim
die Zielgruppe (n)	target group
die Zielsetzung (en)	target, objective
der Zins (en)	interest
die Zinsfestschreibung (en)	fixed interest rate
zuallererst	first of all
zudem	besides
der Zufall (¨e)	coincidence, chance
im Zug nachlösen	buy a ticket *en route*
zugänglich	accessible
die Zugangsziffer (n)	international code
zugesichert	assured, guaranteed
das Zugpersonal *(no pl.)*	train staff
der Zugriff (e)	access
die Zugriffzeit (en)	access time
zugunsten	for the benefit of, in favour of
das Zugverzeichnis (se)	train timetable
der Zuhörer (—)	listener, audience
zukommen auf	be ahead of, be in store for
zukünftig	future
zukunftsträchtig	promising
zulässig	allowed, admissable, permissable
zulegen	increase
der Zulieferer (—)	supplier
zum Wohl!	cheers!
zumeist	often
zumindest	at least
zunehmend	increasingly
zur Probe	on trial
zurechnen	class with, ascribe to
sich zurechtfinden	find one's way
zurechtkommen	cope, manage
zurücklegen	cover
zurückrufen	call back
zurücktreten	withdraw, terminate
zusagen	please, like

zusammenfassen	summarize
zusammenstellen	compile, put together
die Zusammenstellung (en)	list, compilation
der Zusatz (¨e)	addition, addendum, auxiliary equipment
die Zusatzausbildung (en)	additional training
zusätzlich	additional, in addition
die Zusatztaste (n)	additional key
zuschicken	send
der Zuschlag (¨e)	excess fare, supplement
zuschlagspflichtig	subject to extra charge
die Zuschrift (en)	letter
der Zustand (¨e)	condition, circumstance
zustande kommen	be achieved, accomplished
zuständig	responsible, in charge
die Zuständigkeit (en)	responsibility
die Zustandsbeschreibung (en)	description of state of affairs
zustellen	deliver
zustimmen	agree
zutreffend	applicable
zuverlässig	reliable
die Zuverlässigkeit (en)	reliability
zuvor	before
der Zuwachs (¨e)	increase, gain, growth
zuzüglich	plus
zwar	however
zwar ... aber	in fact ... but, it is true ... but
der Zweck (e)	purpose
die Zweiergruppe (n)	in twos
Zweifel haben	have doubt
die Zweigniederlassung (en)	branch
dic Zweigstelle (n)	branch
zwingen	force
zwischendurch	in between
der Zwischenraum (¨e)	space
zwischenschalten	bring in